ПОЛИНА ДАШКОВА

ДЕТЕКТИВ

ПОЛИНА ДАШКОВА

ЭФИРНОЕ ВРЕМЯ

РОМАН

МОСКВА

«ИЗДАТЕЛЬСТВО АСТРЕЛЬ»

ЭКСМО-Пресс

АСТ

2002

УДК 821.161.1-312.4
ББК 84(2Рос=Рус)6-44
Д21

Серийное оформление
Ирины Сальниковой

Дашкова П. В.

Д21   Эфирное время: Роман / П.В. Дашкова. — М.: ООО «Издательство Астрель»: ООО «Издательство ЭКСМО-Пресс»: ООО «Издательство АСТ», 2002. — 544 с.

ISBN 5-17-006005-X (ООО «Издательство АСТ»)
ISBN 5-271-00163-6 (ООО «Издательство Астрель»)
ISBN 5-04-003959-X (ООО «Издательство ЭКСМО-Пресс»)

Убит скандальный телеведущий, журналист — Артем Бутейко — яркий представитель желтой прессы, известный своим коварством и беспринципностью.

Наберется не меньше сотни людей, у которых могли бы быть мотивы для убийства. Стыд — одно из самых сильных человеческих чувств, способное подтолкнуть к преступлению, и жертва почти всегда виновата в том, что она жертва!

УДК 821.161.1-312.4
ББК 84(2Рос=Рус)6-44

Подписано в печать с готовых диапозитивов 12.09.2001.
Формат 84×108^1/$_{32}$. Усл. печ. л. 28,56. Гарнитура Журнальная.
Печать высокая с ФПФ. Бумага типографская.
Доп. тираж 11 000 экз. Заказ 1664.

Общероссийский классификатор продукции
ОК-005-93, том 2; 953000 — книги, брошюры
Гигиеническое заключение № 77.99.14.953.П.12850.7.00 от 14.07.2000 г.

ISBN 5-17-006005-X (ООО «Издательство АСТ»)
ISBN 5-271-00163-6 (ООО «Издательство Астрель»)
ISBN 5-04-003959-X (ООО «Издательство ЭКСМО-Пресс»)

ЭФИР — предполагаемое во всем пространстве вселенной вещество, по тонкости своей недоступное чувствам...

«Толковый словарь живаго великорускаго языка» Владимира Даля

ГЛАВА ПЕРВАЯ

Артем Бутейко тупо глядел в зеркало на свое бледно-зеленое, распухшее лицо. Глаза были холодные, мутные, как утренние московские лужи, подернутые зыбкой наледью.

— Опять будем Новый год встречать вплавь. — Молоденькая гримерша Люба скорчила кислую рожицу и стала быстрыми, легкими движениями наносить тон на небритые щеки Артема. — Слушай, Бутейко, может, тебе валерьянки в глаза закапать?

— Зачем? — вяло удивился Артем. — Это только коты от валерьянки возбуждаются.

— А ты и есть кот, — подал сонный голос оператор Егор Викторович, отхлебнул остывший кофе и закурил.

— Ничего вы не понимаете, — снисходительно улыбнулась Люба, — во-первых, все вы коты, у всех у вас суть животная, во-вторых, у тебя, Бутейко, взгляд какой-то мертвый, а от валерьянки глаза блестят. Барышни в прошлом веке ее закапывали, отправляясь на бал или на свидание. И еще уксус пили, для романтической бледности.

— Образованная, — проворчал Артем, потягиваясь с хрустом, — ненавижу образованных женщин.

До эфира оставалось пять минут. Артем подумал, что именно с этой фразы и стоит начать свой игривый обзор самых грязных сплетен за прошедшую неделю.

— Хватит меня мазать, — он поморщился и грубо оттолкнул Любину руку с розовой губкой. Он сильно потел и боялся, что в жарком софитовом свете по лицу потечет грим.

Отыграла коротенькая бравурная музыкальная заставка. Повисла тяжелая тишина, какая всегда бывает перед эфиром. Длится она не более минуты, но кажется, будто проходит вечность. Минута эта так напрягает, так взвинчивает, что хочется вскочить и выбежать вон из студии, пока не поздно.

Артем заставил себя сосредоточиться, крепко зажмурился, передернул плечами. Все. Лицо его появилось на экране. Он был в прямом эфире, один на один с миллионами телезрителей.

— Ненавижу образованных женщин, — произнес Артем, хмуро глядя в камеру, — терпеть их не могу. Ну ладно, дорогие телезрители, братья и сестры, господа и товарищи, леди и джентльмены, дамы, мадамы и невинные девицы, будем считать это моими личными трудностями. Итак, что у нас там произошло за мучительно долгие дни разлуки? Да в общем, ничего особенного. Начнем с политических новостей. Известный демократ, политик с большой буквы господин Прибавкин был замечен в одном интересном месте, а именно в закрытом клубе под скромным названием «П», в обществе еще более известной эстрадной звезды, и не просто в обществе, но в объятьях оной звезды Кати Красной. Катя уютно устроилась на мускулистых коленях политика, болтала своими стройными ножками и поделилась с нашим корреспондентом интересной новостью. Оказывается, в ближайшее время Катя планирует зачать с помощью демократа Прибавкина, спасителя России, нового Мессию, который обеспечит нам с вами светлое и радостное будущее. Так что, господа-товарищи, у нас с вами нет оснований для паники. Думаю, в следующей программе я буду иметь честь сообщить вам, что историческое зачатие свершилось. Возможно, удастся узнать подробности этого великого акта. А если повезет, я даже приглашу счастливую парочку, политика и певицу, поделиться впечатлениями. Ура, товарищи!

Артем сделал паузу, давая «товарищам» у телеэкранов оценить соленый юмор светской сплетни. В кадре лицо его сменилось круглой курносой мордашкой певицы Кати Красной. Показали трехминутный отрывок из ее последнего клипа.

Сюжет был, разумеется, платным. Катин продюсер отчаянно торговался, после кризиса цены упали, минута косвенной рекламы даже в самых популярных программах подешевела в пять раз. Артему удалось выбить максимум, триста долларов за эту проклятую дешевую минутку. Соответственно, весь пятиминутный сюжет стоил полторы тысячи. Но об этом никто, кроме Артема, не ведал, и делился он с коллегами из расчета сто пятьдесят за минуту. Арифметика эта действовала на него ободряюще. Если так пойдет дальше, ему удастся довольно быстро и безболезненно расплатиться с самыми неприятными долгами.

Кусок клипа кончился. Артем был опять в кадре. В мозгу его выключился калькулятор, и заработала совсем другая машинка.

— Что ж, дорогие телезрители, мы с вами получили истинное эротическое, или нет, эстетическое удовольствие, но, в общем, это как кому нравится. Наша замечательная Катюша, как всегда, на высоте. Остается пожелать ей сохранить свои соблазнительные формы на многие, многие годы. Катька! Я тебя люблю, — он послал в эфир воздушный поцелуй, и тут же скорчил брезгливую рожу, чтобы никому не пришло в голову заподозрить его в каких-то особенных симпатиях к восходящей звезде. Больше всего на свете Артем опасался показаться банальным, то есть вежливым, доброжелательным и хорошо воспитанным.

— А теперь от высокого перейдем к еще более высокому. Французская кинозвезда, которая многие годы являлась мировым, а может даже, и вселенским секс-символом, сегодня устремила поток своей неизрасходованной любви на бездомных животных. На днях она прибыла к нам в Россию, чтобы вмешаться в судьбу одной бедной собачонки, живущей на помойке в славном городе Засранске Ростовской области. Посмотрите наш специальный репортаж.

Лицо Артема опять сменилось заранее отснятым материалом. Под язвительный комментарий молоденькой корреспондентки густо накрашенная старушка-француженка кормила с ладони кусочками ветчины облезлую бездомную псину. Потом, профессионально оскалившись в телекамеру, закутавшись в норковое манто и махнув ручкой, кинозвезда выкатилась из кадра на бандитском джипе, который предоставили ей вместе с охраной местные власти.

— Простите, — Артем шмыгнул носом и утер воображаемую слезу, — то, что мы сейчас увидели, так трогательно, что я невольно разрыдался. Мы с вами можем не волноваться за судьбу засранской псины. Кстати, мировая звезда великодушно подарила ей собственное звездное имя. Песика теперь зовут Бриджит, и с помойкой эта сучка попрощалась навеки.

Он опять шмыгнул носом. Глаза у него действительно заслезились, но вовсе не от умиления. Он чувствовал себя таким разбитым, что с трудом дотягивал до конца программы. Смысл собственной хриплой скороговорки едва доходил до сознания. Впрочем, никакого смысла его болтовня и не предполагала. В этом была соль программы.

После жуткого кризиса, разразившегося совсем недавно, в конце августа, публика успела здорово устать от политических умных монологов, от теледебатов, в которых речь шла исключительно о важных, глобальных проблемах, от мрачных пророчеств и собственных рухнувших надежд.

— Нам всем надо расслабиться. По-настоящему расслабиться, — убеждал Артем уцелевших телевизионных чиновников.

Чиновники реагировали по-разному, одни одобряли его проект, другие скептически пожимали плечами, резонно замечая, что сегодня и так каждая развлекательная программа пытается изо всех сил расслабить бедного телезрителя, растворить его мозги до желеобразного состояния. Впрочем, ни одобрение, ни скепсис этих чиновников уже не имели значения. Они слетали со своих постов, как поздней осенью последние листья.

«Добро» на программу подписал новый заместитель директора канала всего полтора месяца назад, но не потому, что хотел помочь телезрителям расслабиться. Просто он смекнул, что в такую программу легко можно втискивать любую, самую наглую косвенную рекламу. По неофициальному устному соглашению, от каждого платного сюжета Артем Бутейко обязан был отстегивать заместителю директора тридцать процентов. Это были бесконтрольные и в общем легкие деньги. Программу Артем делал практически из ничего.

Любому событию он умел придать оттенок скандальности. Каждый, самый незначительный шаг знаменитой личности журналист Бутейко мог прокомментировать таким образом, что зрителя не покидала иллюзия, будто знаменитыми и богатыми становятся только отъявленные мошенники, наглые ловкие мерзавцы, изощренные развратники, проходимцы, а он, честный рядовой телезритель, благородный обыватель, остается по ту сторону экрана исключительно из-за своей природной добропорядочности и отсутствия нужных связей.

Но искусством создавать подобные иллюзии и зарабатывать на этом деньги владели многие. На самом деле платные сюжеты содержали пикантную информацию, которую знаменитости сами с удовольствием открывали публике. Артем отдавал себе отчет, что для настоящего успеха необходимы настоящие скандалы. Публика с каждым годом становилась все искушенней и привередливей, интуитивно чувствовала подвох и ждала чего-то большего, чего-то совсем уж запредельного, запретного, оглушительного, вовсе не предназначенного для ее жадных глаз и ушей.

Чтобы интерес к программе не увял, чтобы зритель не чувствовал себя обманутым, пора было начать разбавлять дозволенную грязь недозволенной, выдавать то, что знаменитости предпочитают скрывать.

Усталость Артема, головная боль, красные слезящиеся глаза — все это было следствием нескольких бессонных ночей, которые он провел на лавочке в одном из тихих дворов в центре Москвы, держа наготове маленькую видеокамеру со светочувствительным объективом. Он занимался привычным для себя делом, охотой за знаменитостью.

Неделю назад он случайно услышал, как одна из самых известных телеведущих, политический обозреватель первого канала Елизавета Павловна Беляева, в баре в «Останкино» тихо разговаривала по своему радиотелефону. Что-то сразу насторожило опытного репортера, то ли ее интонация, то ли напряженность позы. Она не подозревала, что к разговору кто-то прислушивается, Артем сидел у нее за спиной, к тому же прятался в тени, да и народу в баре было много.

— Перестань, пожалуйста... нет, не нужно... Юра, послушай меня, только спокойно... я не могу, я обещала... ну потерпи еще пару дней... — говорила Беляева, прикрыв трубку ладонью, — хорошо, Юраша, я заеду к тебе сразу после эфира.

Артем знал, что эфир у нее заканчивается в половине первого ночи. Ему было известно, что мужа телеведущей зовут Михаил Генрихович, братьев у нее нет, ни родных, ни двоюродных. Его вдруг страшно заинтересовало, к какому это нетерпеливому «Юраше» сорокалетняя звезда, образец добропорядочности, верная жена, мать двоих детей, собирается заехать в такое позднее время.

Собственной машины Артем не имел. Он поймал у телецентра неприметную «копейку», и за сотню рублей водитель согласился везти его хоть на край света.

Следовать за вишневой «шкодой» Елизаветы Павловны по пустым ночным улицам было совсем не сложно. «Шкода» доехала до центра и свернула в переулок неподалеку от метро «Новокузнецкая», оттуда во двор. Бутейко расплатился и отпустил шофера.

Во дворе было светло от снега и ярких фонарей. Опытный глаз Артема тут же нашел укрытие, щель между «ракушками», откуда отлично просматривались все подъезды добротного сталинского дома, стоящего буквой «П».

Беляева припарковала машину и не успела выйти, как к ней кинулся крупный толстолапый щенок добермана-пинчера. Собака бурно радовалась Елизавете Павловне, и почти так же бурно обрадовался хозяин, невысокий коренастый мужчина с поводком в руке.

И вот тут Артем чуть не зарыдал. Беляева и этот мужчина обнялись и стали целоваться прямо на улице, в пустом дворе. Артем готов был биться головой о железную стену «ракушки». При нем, как назло, не оказалось ни видеокамеры, ни даже фотоаппарата. Он отлично знал, что это не ее дом, не ее муж и не ее собака.

Щенок почуял чужого, принялся лаять на «ракушки», и Артем смылся от греха подальше. Елизавета Павловна могла его заметить, а это вовсе не входило в его планы.

С тех пор каждый свой свободный вечер он проводил в этом дворе, пару раз видел мужчину со щенком, разглядел его довольно подробно. У словоохотливой пожилой почтальонши за десятку выяснил, что зовут его Юрий Иванович Захаров, ему сорок три года, он ветеринарный врач, давно разведен, есть ли дети, неизвестно, живет один, недавно завел себе щенка добермана. Артем мог бы запросто ветеринара заснять, однако без Елизаветы Павловны это не имело смысла. А она все не появлялась.

Его сжигал профессиональный азарт. Больше всего на свете ему хотелось, чтобы сцена страстных объятий и поцелуев повторилась на «бис», но уже на экране, в его авторской программе, и ради этого он мог не спать хоть десять ночей подряд, мерзнуть в пустом дворе с видеокамерой наготове.

Несмотря на крайнюю усталость, Артем готов был сегодня, сразу после программы, опять мчаться в тот тихий двор у «Новокузнецкой», однако знал точно, что уже нет смысла. Вчера утром героиня вожделенного скандала улетела в Монреаль на неделю.

В дневных новостях по всем телеканалам было показано официальное открытие крупной международной конференции по правам человека. Среди членов российской делегации была одна из самых известных и обаятельных женщин, кандидат исторических наук, политический обозреватель первого канала Елизавета Павловна Беляева. Артем мог со спокойной душой ехать после программы домой и отсыпаться. В ближайшие пять дней скандального «эксклюзива» о тайном романе популярной телеведущей Елизаветы Беляевой ему снять не удастся.

* * *

Саня Анисимов расправил шарф перед зеркалом в прихожей, пригладил волосы и, прежде чем открыть дверь, заглянул в полумрак гостиной, произнес как можно небрежней:

— Наташка, я ушел! — Он не ждал никакого ответа, они с женой сегодня трижды ссорились и только дважды мирились.

— Ты куда? — Наталья возникла, как привидение, в дверном проеме спальни, босая, в халате. Спутанные светлые пряди упали на щеки, воспаленные красные глаза часто моргали.

Саня машинально отметил, что с ненакрашенными ресницами его жена напоминает белого кролика. Раньше ее бледное бесцветное личико казалось ему нежным и трогательным, а теперь раздражало.

Наталья в последнее время была вялой, засыпала на ходу, зевала, прикрывая рот ладошкой, даже когда ругалась с Саней. Спала только днем, урывками. Ночами ей приходилось по нескольку часов подряд катать детскую кроватку туда-сюда, ходить по комнате из угла в угол с Димычем на руках. Ребенку было девять месяцев. У него тяжело, с болью и высокой температурой, резались зубки, ночами он плакал и совсем не спал.

— По делам, — буркнул Саня, стараясь не глядеть

на жену, машинально расстегнул и опять застегнул короткую дубленку, еще раз поправил шарф и затоптался у двери, как нетерпеливый конь.

— В десять вечера? Не ври, Санька, какие могут быть дела в десять вечера в субботу? — Голос Натальи задрожал, послышались гадкие истерические нотки.

— Прекрати. Ты отлично знаешь, дел у меня сейчас очень много. Я должен встретиться с одним нужным человеком. Вернусь поздно, — Саня старался говорить спокойно, но раздражение все-таки вырвалось наружу, — и вообще, хватит. Мне надоели твои истерики.

Наталья всхлипнула. Лицо ее моментально вспухло и покрылось красными пятнами.

— Я сижу дома целыми днями. Двор, магазин, детская поликлиника. Я так с ума сойду, Саня. Ты уходишь, когда хочешь, куда хочешь, а я сижу, как привязанная, в четырех стенах. Я ведь знаю, у тебя есть кто-то. Но я не могу тебе тем же ответить. Не могу...

— Почему ты без конца пилишь меня?! И так тошно! Нет у меня никого, поняла, дура?! — неожиданно для себя выкрикнул Саня ей в лицо, так, что полетела слюна, и оттого, что самому себе в этот момент стал противен, разозлился еще больше. — Ты сидишь с ребенком. Я кормлю семью. У нас все нормально. Квартира, машина, дача, две шубы у тебя, на день рожденья захотела изумрудные сережки — купил. Платье от Диора захотела — купил.

— Ага, конечно! — Наталья шмыгнула носом. — А куда я пойду в этом платье? В детскую поликлинику? На рынок? Ты обещал няню!

— Слушай, детка, ты понимаешь, что в стране кризис? Ты хоть раз вместо сериалов новости посмотри! Где я тебе сейчас возьму денег на няню? Скажи спасибо, что на памперсы пока хватает.

— Не называй меня деткой! Ты прекрасно знаешь, не смотрю я сериалы, меня от них мутит, — всхлипнула Наташа, — не делай из меня идиотку. Это очень удобно — иметь тупицу-жену, предмет домашнего обихода. Тогда и на сторону не грех сбегать. Скучно ведь с дурой, которая, кроме всяких «Жестоких ангелов», ничего не видит и не понимает.

Из комнаты послышался громкий детский плач. Наталья махнула рукой и произнесла неожиданно спокойно, вскинув подбородок:

— Ладно, катись куда хочешь. — Резко развернувшись, она ушла в комнату, и через минуту оттуда раздался ее голос, совсем другой, глубокий, мягкий, ласковый: — Солнышко мое, проснулся, маленький, ну, иди к маме на ручки, сейчас покушаем...

Плач сменился радостным гуканьем, Саня не удержался, приоткрыл дверь, увидел, как Наталья, усевшись на тахту, кормит грудью ребенка. Димыч громко, жадно причмокивал, посапывал, Наталья смотрела на него, чуть улыбаясь, красные пятна исчезли, свет настольной лампы пронизывал насквозь легкие спутанные пряди, лицо опять казалось нежным, почти прозрачным. Саня быстро прошел в комнату, неловко, как будто виновато, поцеловал Наталью в пробор, провел ладонью по теплой шелковистой головке Димыча.

— Ты куда в ботинках по ковру? — не поднимая головы, вяло бросила Наталья, и улыбка растаяла на ее склоненном лице.

«Все! Надоело, на фиг!» — рявкнул Саня про себя и ушел из дома в мокрый декабрьский мрак.

Во дворе он привычным жестом вытащил из кармана и подкинул на ладони ключи от машины, но тут же убрал их назад, сплюнул в грязный снег и тихо выругался. В машине, в новеньком «рено», три дня назад полетело сцепление, а денег на поездку в автосервис не было. Он зашагал к переулку, хотел было поднять руку, остановить такси, но вспомнил, что в бумажнике осталось всего три полтинника, и тратить один из них на такси неразумно. Надо еще купить сигарет, причем хороших, дорогих. Пачка «Парламента» стоит сейчас тридцать пять рублей. А ночью, в ларьке, полтинник. Вот уж месяц он курил сравнительно дешевый «Честерфильд», который покупал блоками у старушек возле метро. Однако сегодня особенный вечер.

Стоя у двери в вагоне метро, он заставлял себя не думать о том, что скажет завтра Наталье, когда она потребует денег на продукты и на памперсы. Еще утром он с раздражением отметил, что в ярко-голубом пакете осталось не больше пяти штук. Раньше он не замечал таких мелочей.

Ресторан находился прямо напротив выхода из метро. Саня, низко опустив голову, не глядя по сторонам, быстро прошмыгнул в ближайший проходной двор, оттуда в параллельный переулок. Вдруг они уже приехали, но в ресторан еще не вошли, сидят в машине или стоят у двери? Нельзя допустить, чтобы они увидели, как он выходит из метро.

В переулке порыв сырого колючего ветра заставил его съежиться, озноб пронизал насквозь, теплая легкая дубленка, купленная совсем недавно за полторы тысячи долларов в одном из магазинов известной фирмы «В энд Л», вдруг показалась совсем ветхой, старенькой. Замшевые ботинки фирмы «Лорд» пропитались ледяной слякотью, на них выступили белые разводы соли.

Подходя к ярко освещенному подъезду ресторана, он заставил себя распрямиться, передернул плечами. Но озноб не проходил. Это был нервный озноб, Саня давно так сильно не нервничал.

— Вас ждут, — сообщил лощеный метрдотель, провожая Саню через зал к отдельному кабинету.

В зале гремела музыка. Живой оркестр исполнял композицию на тему последнего шлягера модной певицы Кати Красной. На кругу перед оркестром извивалась и подрагивала животом рыхлая девушка в прозрачных шароварах, с серебряными звездами на огромных, как астраханские арбузы, грудях. Публика за столиками жевала, пила, болтала и смеялась почти беззвучно из-за грохота оркестра. Никто на девицу не смотрел, однако за тонким серебристым пояском на ее талии уже торчало несколько зеленых купюр. Продолжая извиваться, с томной, полусонной улыбкой танцовщица пошла вдоль ряда столиков, прямо навстречу Сане и метрдотелю. В узком проходе она задержалась, ожидая, пока пожилой потный кавказец извлечет деньги из своего бумажника. Он был сильно пьян, несколько длинных прядей, прикрывавших лысину, взлохматились, торчали куда-то вбок, как косые тонкие рога, на подбородке повисла капля ткемалевого красного соуса, руки дрожали, бумажник выпал, пухлая пачка долларов рассыпалась веером, прямо под ноги Сане.

Их было много, бесстыдно много. Сотенные, старые и новые. Саня зачем-то попытался посчитать. Господи, какая куча денег! Не меньше пятидесяти купюр, то есть пять тысяч долларов...

Еще в июле солидные люди не носили с собой столько наличных. Пользовались пластиковыми карточками. У Сани тоже остались эти бесполезные плотные прямоугольники. Они валялись в ящике с игрушками, Димыч иногда играл с ними, они блестели и упруго щелкали о борт манежа.

Саня нервно сглотнул. Кровь прихлынула к щекам, он стоял, тупо и растерянно соображая, как лучше поступить — помочь пьяному пожилому человеку собрать деньги? Аккуратно перешагнуть, обойти, не глядя? А может, быстро наступить на те, что лежат прямо у его побелевшего ботинка? Штуки три, не меньше... Если бы к подошве была прилеплена жвачка, тогда хотя бы одна сотня могла прицепиться... хотя бы одна.

«Черт, совсем у меня крыша съехала», — подумал Саня, поймал в огромном зеркале собственный взгляд, нехороший, загнанный, и тут же встретился со спокойной улыбкой танцовщицы. Девушка стояла рядом и поправляла волосы, глядя в зеркало. Она просто пользовалась паузой, отдыхала. Ее трудолюбивый живот ритмично вздымался и опускался. Метрдотель собирал купюры.

— Вам туда, молодой человек, — услышал Саня голос метрдотеля, и ему показалось, что и в голосе этом, и в небрежном кивке на дверь отдельного кабинета сквозит презрение. Не в том дело, что лакей сумел прочитать его мысли. Просто заметил соль на ботинках, когда ползал по полу. У приличных людей, которых он радушно принимает в этом приличном заведении, обувь всегда чистая и сухая. Они ездят в машинах и по слякоти не шляются.

Саня глубоко вдохнул, задержал воздух, надул щеки, выдохнул с легким присвистом, потом натянул на лицо надменную спокойную улыбку, как грабитель натягивает черную шапку с дырами для глаз и для рта, и, наконец, решительно шагнул к тяжелым бархатным портьерам.

В просторном кабинете за круглым стеклянным столом-аквариумом сидели двое. В аквариуме плавали живые рыбы. Вместе с Саней в кабинет ввалился грохот оркестра, но как только дверь закрылась, стало опять тихо. Мерно гудел кондиционер, поглощая табачный дым. Пахло озоном, как после грозы.

— Выглядишь неплохо, поправился вроде? — приветствовал Саню рыхлый молодой человек в замшевом пиджаке.

Вова Мухин несколько лет проработал в автосервисе, попытался начать собственное дело, но не сумел, был раздавлен бандитскими наездами, подставлен подлыми конкурентами и не менее подлыми компаньонами, махнул рукой на коммерцию и заделался массажистом в дорогом спорткомплексе. Чтобы разминать бока клиентам, нужно много сил. Вова стал усиленно питаться, и его разнесло. С тех пор всем худощавым знакомым мужского пола он с ехидной ухмылкой сообщал при встрече, что они «поправились».

Саня кивнул, что-то буркнул в ответ и медленно перевел взгляд на второго человека, который сидел, откинувшись на спинку стула. Лицо его пряталось в полумраке, Саня разглядел только очерк круглой бритой головы, крепкую бычью шею, чуть оттопыренные уши.

— Привет, — короткая, как обрубок, толстопалая кисть протянулась к нему через стол. Сверкнули бриллианты двух тяжелых перстней. Сверкнул неестественно белый фарфор во рту. Рукопожатие оказалось слабым, ладонь — влажной. Однако это неприятное приветствие взбодрило Саню. Он загадал сегодня утром, сразу после разговора с Вовой: если легендарный Клим первым протянет руку при знакомстве, значит, сделка состоится и дальше все пойдет хорошо.

Вова позвонил сегодня утром совершенно неожиданно. Они не виделись с августа. Саня подумал, что приятель начнет просить о чем-нибудь, и готов был закончить разговор как можно скорей. Но Вова не просил. Совсем наоборот. Он пригласил Саню в ресторан, чего прежде никогда не случалось. Тон у него был таинственно-небрежный.

— Тут Клим из Германии приехал, спрашивал, нет ли у меня толковых надежных ребят на примете. Таких, которые не успели свихнуться после кризиса. Я сразу подумал о тебе.

Саня никогда не видел Эрнеста Климова, преуспевающего бизнесмена, почти миллионера, но слышал о нем всякий раз, когда встречался с Вовой. Мухин был знаком с Эрнестом Климовым меньше года, и все это время не переставал рассказывать о нем разные фантастические истории. Клим был живой легендой. Он сделал себя из ничего, пятнадцать лет назад перепродал пару блоков сигарет, а сегодня владел крупной германо-российской посреднической фирмой.

За пятнадцать лет успешной коммерческой деятельности Клим пережил пять покушений. И ни разу ни царапины. Он никогда не болел, никогда не сидел в тюрьме, двумя пальцами гнул пополам серебряный доллар. Уже занимаясь коммерцией, заочно окончил юридический факультет Московского университа, а потом еще какой-то престижный экономический колледж в Берлине. Свободно владел тремя языками, в редкие часы досуга читал Шекспира, Гете и Бальзака в подлинниках. Женат был на лауреатке конкурса красоты, здоровался за руку и запросто болтал с самыми высокими правительственными чиновниками, не только российскими, но и германскими, играючи справлялся с самыми серьезными бандитскими наездами, умудрялся дружить с налоговой полицией, немецкой и российской, имел крепкие связи на таможне, богател, процветал. Два дома в Германии, вилла на Кипре, дачи в Крыму и под Москвой, яхта, небольшая конная ферма, ежегодные поездки на сафари.

Если Саня делился с приятелем-массажистом какими-то своими коммерческими проблемами, Вова взахлеб рассказывал, как у Клима когда-то случалось нечто подобное и он легко справлялся. Клим мог бы помочь Сане, душа у него добрая, да вот очень занят, как раз сейчас уехал на Гавайи покупать небольшой отель.

Саня давно намекал Вове, что не худо бы наконец познакомиться с этим распрекрасным Климом, посмотреть ему в глаза, прикоснуться к живой легенде. Но Вова все время находил уважительные причины, чтобы знакомство не состоялось. И продолжал рассказывать истории, романтические, детективные, авантюрные. Жанры менялись, герой оставался: Клим. Эрнест Климов. Возможно, в душе толстого грубого Вовы дремал, свернувшись калачиком, хрупкий литературный талант.

Саня не сомневался, что знакомство это никогда не состоится. С такими полезными людьми просто так, по старой дружбе, в наше время никто никого не сводит. Только если предполагается в этом личная выгода. Однако вот, сидит перед Саней в полумраке отдельного кабинета живая легенда российского бизнеса.

Разговор сразу пошел о деле, и это взбодрило Саню еще больше. Типично западный подход, никаких предисловий. Правда, суть предложения Клима Саня пока не понял, но тут же решил, что от волнения слегка отупел.

Все эти дни Саня почти не мог есть, кусок застревал в горле. А тут разыгрался аппетит. Кухня в ресторане была отменной, за пряным розовым лобио последовали цыплята табака, потом был шашлык, он дышал угольным дымком, и Сане показалось, что такого нежного сочного мяса он еще никогда в жизни не пробовал.

— Поставки надо осуществлять поэтапно, небольшими партиями, со складскими помещениями сейчас проблемы, но это будут решать мои люди. — Клим вытянул из вазочки зубочистку. В ярком свете, льющемся снизу, из аквариума, Саня заметил на среднем и указательном пальцах под настоящими перстнями нарисованные. Перстни-татуировки обозначают от-

21

сидки. Специалист может по ним определить, где именно сидел человек.

«Но Клим никогда не сидел», — мелькнуло у Сани в голове. И тут же он заметил на толстом запястье часы швейцарской фирмы «Лонжин». Эта деталь рассеяла внезапную муть неприятных сомнений.

Настоящий «Лонжин». Механика, золотой корпус, кожаный ремешок. В таких важных деталях мужского туалета Саня разбирался неплохо.

Человек, который носит обычный «Ролекс», не так богат, как хочет казаться. Если «Ролекс» золотой, в материальном благополучии его владельца можно не сомневаться, однако доверять ему не стоит. Он пижон, понтярщик. Большие деньги дались ему легко и случайно, завтра он их может потерять. А вот «Лонжин» говорит о надежности, спокойном стабильном достатке, как и костюм и галстук от «Боско Чилледжи».

С часов Саня перевел внимательный взгляд на запонки. Все нормально. Бриллианты, платина. И зажигалка «Ронсон», тоже платиновая, отделанная теплым черным деревом, чтобы было удобно и приятно брать в руку.

— Давайте еще раз выпьем за успех нашего безнадежного дела, — Клим поднял плоскую коньячную рюмку. Держал он ее грамотно, согревал в ладони. Саня чокнулся сначала с ним, потом с Вовой и выпил залпом. За успех.

* * *

Наташа ходила по комнате из угла в угол, Димыч хныкал, капризничал. Она покачивала его на руках, ласково напевала, однако внутри медленно вскипало раздражение. Оно жгло горло, как будто Наташа хлеб-

22

нула кипятку. Голова кружилась от усталости, плечи и спина ныли. Димыч был тяжелый. Но если положить в кроватку, он зальется таким вдохновенным ревом, что потом еще часа два не успокоится.

— Ну, где он, твой дорогой папочка? — произнесла она злым быстрым шепотом. — Почему его нет до сих пор? Где он шляется ночами? Как будто семья для него не существует. Все по фигу, и ты и я. И еще смеет что-то вякать о втором ребенке!

Все это она говорила, конечно, не маленькому Димычу, а самой себе, понимала, что не права и заводит себя нарочно, выдумывает проблемы на пустом месте. Но остановиться не могла.

Ей было скучно. Дни сливались в сплошной поток тихих домашних хлопот, прогулок, кормлений, стирок, походов в ближайший супермаркет с коляской. Скука перерастала в раздражение. Саня зарабатывал достаточно, чтобы обеспечить своей семье нормальную, сытую, беспроблемную жизнь, но слишком мало, чтобы избавить жену от необходимости сидеть дома с ребенком и заниматься домашним хозяйством.

Ей едва исполнилось двадцать. Она считала, что родила ребенка слишком рано, губит лучшие свои годы. Ей хотелось событий, беготни, нарядной веселой суеты, новых людей, хотелось ловить на себе жадные мужские взгляды, быть в центре внимания. В редкие свободные минуты она не знала, чем себя занять. Пробовала читать, но в строчках не видела никакого смысла, автоматически пробегала глазами пару страниц очередного любовного романа или детектива, спохватывалась, что не понимает, о чем речь, бросала книгу, включала телевизор, но и там, на экране, все было скучно, бессмысленно. Политика, сериалы, «Поле чудес», «Угадай мелодию». Одно и то же.

Наташа устала ходить, опустилась в кресло, продолжая укачивать Димыча. Попробовал бы Саня вот так, несколько часов подряд, баюкать ребенка. Подлец, мерзавец, сукин сын! Сидит сейчас в кабаке с какой-нибудь холеной размалеванной стервой, или уже не в кабаке, а в квартире, на тахте. Свет погашен, музыка тихонько играет, на журнальном столике кофе и ликер. Стерва скидывает туфли и грациозно поджимает свои длинные ноги в колготках с лайкрой, а Санина рука осторожно ложится на ее колено. Тьфу, пакость какая!

Наташа шмыгнула носом, посмотрела на Димыча. Оказывается, ребенок уже крепко спал. Она уложила его в кроватку, плюхнулась в кресло, включила телевизор, и тут же на экране появилась заспанная, помятая физиономия Артема Бутейко.

— Привет, жук-калоед,— произнесла Наташа, кивнув телеэкрану, — давно не виделись. И зачем тебя запустили в эфир? Кому нужны твои гадостные сплетни? Только тоску нагоняешь своим тупым пошлым юморком. Так стараешься шутить, как будто тужишься при запоре.

Поймав себя на том, что разговаривает вслух с телевизором, она тут же выключила его и всхлипнула. Физиономия Артема Бутейко окончательно испортила ей настроение. В квартире было тихо. Димыч мирно посапывал в кроватке. Лениво поднявшись, Наташа поплелась на кухню, включила чайник, хотя чаю ей вовсе не хотелось.

И вдруг зазвонил телефон. Вздрогнув, она бросилась к аппарату, схватила трубку с такой поспешностью, словно ждала важного звонка. Но, услышав голос своей подружки Ольги Ситниковой, тут же увяла:

— А, это ты? Привет.

— Ребенка уложила? — деловито поинтересовалась Ольга.

— Ага. Только что уснул.

— Муж дома?

— Нет.

— Странная ты женщина, — вздохнула Ольга, — все ему позволяешь.

— Что — все?

— То самое. Мой Андрюша вот так же пропадал вечерами, я молчала, думала, работает, вкалывает, кормилец, себя не щадит. Сама знаешь, чем все кончилось.

Кончилось все действительно скверно. Несколько месяцев назад Андрюша бросил Ольгу с двухлетней дочерью.

— Саня по делам ушел. У него сейчас серьезные проблемы из-за кризиса, — неуверенно возразила Наташа.

— Ну конечно, по делам... Слушай, я тут Светку Берестневу встретила, она знаешь где теперь работает? В «Арлекино». Представляешь, танцует стриптиз.

— Серьезно? У нее же ноги короткие!

Вяло и зло обсудили фигуру Светки Берестневой, потом Ольга опять оседлала своего любимого конька, стала рассуждать о подлости всех в мире мужчин.

Раньше Наташа старалась прекратить эти вредные для здоровья разговоры, выдумывала какой-нибудь предлог: Димыч проснулся, молоко убежало. «Прости, я тебе позже перезвоню», и не перезванивала. Но сейчас ей было так тоскливо, так одиноко, что даже Ольгиной злой болтовне она была рада. Все-таки живой голос в трубке.

— Неужели ты ничего не чувствовала? Это ведь должно быть заметно, когда появляется у мужа другая женщина, — спросила она Ольгу и заметила про себя, что впервые задает этот вопрос не из сострадания, а с напряженным личным интересом.

— Чувствовала, конечно. Но не хотела себе признаваться. Обидно, унизительно. Да и что я могла бы изменить? Потом, когда все стало слишком очевидно, я бросилась в другую крайность — просила, умоляла, истерики закатывала, опустилась до шантажа, пыталась вены резать. От этого только хуже. Если бы сейчас все сначала, я бы, разумеется, вела себя совсем иначе. Я бы сделала вид, будто мне все равно. А еще лучше, сама бы завела кого-нибудь. Вот тогда бы он, сукин сын, подумал, уходить или нет. Кстати, очень тебе советую.

— Что?

— Закрути роман. Пусть поревнует. Раньше будет домой возвращаться. Знаешь, они ведь только кажутся такими умными и сложными. На самом деле все просто. У каждого есть идеал жены: босая, беременная и на кухне. Только когда ты доходишь до этой идеальной кондиции, ты уже ему на фиг не нужна. Не интересна. К тебе относятся, как к прислуге, даже хуже. Прислуге хотя бы деньги платят и стесняются хамить. Все-таки чужой человек.

Наташа слушала одновременно с отвращением и с каким-то мазохистским удовольствием. Да, все так. Все верно. Какая, на фиг, любовь? Босая, беременная, на кухне. Пироги в духовке, щи на плите, руки в тесте. «Привет, старушка! Что у нас сегодня на ужин? Опять курица? Ты знаешь, у меня кончились чистые носки. Не забудь погладить мою голубую рубашку».

А потом в этой отглаженной рубашке, чисто выбритый, благоухающий французским одеколоном, который ты подарила ему на день рожденья, он прыгает в машину и несется на запрещенной скорости к свободным, небеременным, не кормящим, тщательно накрашенным. А ты, голубушка, сиди дома, стирай носки, возись с ребенком, тащись с коляской по слякоти в супермаркет, волоки тяжеленные сумки, старей, стервеней и будь счастлива.

— Как только жена становится домашней клушей, они начинают жить в свободном полете, если, конечно, есть деньги на оперение. И надо быть идиоткой, чтобы этого не замечать. Ну вот где сейчас твой драгоценный Саня? Где?

— На переговорах.

— Умница, — Ольга хрипло засмеялась, — ты всегда была умницей. Продолжай в том же духе. Держись, Наталья, и не сдавайся.

— Что ты имеешь в виду?

— Продолжай врать себе. Может, это вранье действительно мудрей и безопасней, чем правда.

— В чем же правда?

— В том, что ты живешь с козлом, — произнесла Ольга, и было слышно, что она в этот момент прикуривает.

— Почему обязательно с козлом? — возмутилась Наташа.

— Да потому. Помнишь русскую народную сказку? «Не пей из копытца, козленочком станешь». Но братец Иванушка не послушался, очень ему пить хотелось. Вот все они так, братцы иванушки, тянет их хлебнуть из чужого копытца.

— Ну ладно, это все-таки сказка. А мой муж вовсе не козел, — мрачно произнесла Наташа после долгого молчания. — Конечно, и не принц датский. Нормальный человек, любит меня, и я его люблю. Никаких других женщин у него нет. Он просто очень много работает, особенно сейчас, после кризиса.

— Наташенька, солнце мое, перестань, ну ты же большая девочка, — сострадательно вздохнула Ольга.

Наташа чувствовала, как текут по щекам слезы, понимала, что надо повесить трубку, прекратить этот гадкий разговор. Все неправда. Они с Саней любят друг друга, у них растет Димыч, летом они обязательно отправятся на Кипр отдыхать. Именно для того, чтобы была у них такая возможность, Саня пропадает вечерами, бегает, как угорелый, и вовсе не по бабам, а пытается найти заказчиков, заработать деньги. И заработает, он везучий. Они найдут хорошую няню, Димыч подрастет. Целая жизнь впереди. Что же она так раскисла? Наверное, просто устала.

— Ой, прости, Димыч проснулся, я тебе перезвоню завтра утром. — Наташа положила трубку.

Димыч спал спокойно, крепко. Она поправила одеяльце, провела ладонью по теплой круглой щечке, наклонилась, осторожно поцеловала высокий выпуклый лобик.

— Ерунда все это, Димыч,— прошептала она, — папа у нас с тобой самый лучший. Мы не будем больше эти глупости слушать. Ольгу бросил муж, и теперь ей кажется, будто все мужчины мерзавцы. А это неправда. Нельзя жить, если никому не веришь и никого не любишь.

Она шептала все это вслух спящему ребенку. Больше ей не с кем было поговорить, а одиночества Наташа не терпела. Все, что происходило в ее душе, все, о чем она думала, ей надо было срочно кому-то выложить, высказать, до донышка. Сейчас, после разговора с Ольгой, у нее было такое чувство, словно она подошла на цыпочках к краю черной пропасти, заглянула и отшатнулась прочь. Там, в этой пропасти, никто никого не любит, не понимает, все злые, подлые, безобразные, тухлые какие-то. Как зомби в ужастике.

Наташа сладко зевнула, отправилась в ванную умываться. Глаза слипались. Оказывается, уже третий час. А Сани все нет. Теперь она уже не думала о длинноногих фуриях. Она просто волновалась. Раньше, если Саня задерживался, она всегда могла позвонить ему на мобильный. Но сейчас он им почти не пользовался из экономии, включал очень редко. Не надеясь услышать ответ, она все-таки набрала номер.

***

Во дворе взорвалась еще одна петарда, далекий хлопок отозвался в голове слабым эхом. Саня вскрикнул во сне, сон ему снился какой-то жуткий, как будто он повис в шахте старого лифта, вцепился пальцами в серую сетку, сил нет держаться, проволока режет кожу, руки кровоточат, внизу чернота, бетонный пол, а сверху медленно движется лифт. Этот кошмар часто снился ему в детстве, особенно во время болезни, при высокой температуре.

От хлопка он не проснулся, хотя надо было открыть глаза, выйти из кошмара. Темная громадина лифта наплывала сверху, была все ближе, но тут, к счастью, мелодично затренькал будильник. Почему-то он лежал за пазухой. Саня разлепил наконец отяжелевшие веки.

Сначала он видел только пятна, светлые и темные. Что-то случилось со зрением, он напрягал глаза, однако все расплывалось, словно он смотрел сквозь грязное мутное стекло. Он поморгал, приподнялся на локте, обнаружил, что лежит на очень жесткой холодной поверхности. Выкарабкиваясь из тяжелого сна, он был уверен, что находится у себя дома, в своей кровати. Оказывается, он спал на грязном кафельном полу.

— Наташа... — позвал он жену и не услышал собственного голоса, к тому же во рту было так сухо, что язык прилипал к небу.

Мелодичное треньканье все не затихало. Саня приподнялся, огляделся, и тут до него наконец дошло, что лежит он вовсе не дома, а в каком-то незнакомом подъезде, грязном, вонючем. На нем его дубленка, насквозь мокрая, а во внутреннем кармане надрывается радиотелефон.

— Саня, где ты? — услышал он голос жены и немного успокоился.

— Не знаю, — ответил он вполне искренне, — подожди, сейчас попытаюсь понять.

Для того чтобы встать, ему пришлось опереться рукой о мокрый пол. Ладонь скользнула, оттолкнув какой-то холодный металлический предмет. Предмет проехал по полу и глухо стукнулся о стену. Саня опять повалился на бок. Мало того, что почти ослеп, еще и голова кружилась.

— Наташка, мне плохо.

— Ты что, напился? Ты знаешь, который час?

— Понятия не имею.

— Половина третьего. Бери такси и сейчас же домой!

— Я не могу встать. Я ничего не вижу.

Рядом послышался приглушенный гул и грохот. По звуку Саня понял, что кто-то вызвал лифт. А через секунду раздался отчаянный собачий лай, и тут же жалобный тревожный скулеж, словно собака чего-то испугалась. Одновременно прозвучал женский крик. Двери лифта шумно закрылись.

— О, Господи! Помогите! Кто-нибудь! Ой, мамочки, сколько крови!

— Саня, там кто-то кричит, — выдохнула Наталья в трубку, — объясни мне, что происходит.

Собака продолжала скулить и лаять. Ее хозяйка больше не произнесла ни слова, было слышно, как она бросилась вместе с псом вверх по лестнице, не дожидаясь, пока опять откроются автоматические двери лифта.

Где-то рядом щелкнул замок. Начальственный мужской голос произнес:

— В чем дело?

Саня опять попробовал встать, но головокружение усилилось. Горло стиснул спазм. Саня старался сдержаться, но не смог. Его вырвало. Телефон он успел отключить, и сразу отключился сам. Был это глубокий обморок или тяжелый сон, Саня так и не понял. Очнулся он оттого, что кто-то сильно и грубо поднял его, а точнее, вздернул вверх, за локти.

— Давай, давай, сейчас ты у нас быстро очухаешься. Ну, открывай глаза. Документы есть у тебя?

— Да он же в полном отрубе, нажрался, как свинья. Тьфу ты, весь облеванный, обыскивать противно...

— Смотри-ка, одет хорошо, сотовый у него.

«Грабители... — пронеслось в мозгу сквозь тяжелую муть, — не меньше трех, судя по голосам... Куда они меня тащат?»

Он заставил себя открыть глаза. Зрение почти восстановилось. Сначала он увидел прямо перед собой серый милицейский китель, потом молодое гладкое лицо.

— Все, товарищ капитан, очухался он, глаза открыл.

Саня тупо, растерянно огляделся. Подъезд чужой, однако знакомый. Он вдруг ясно понял, что бывал здесь раньше.

— Я знаю этого человека, — тихо произнес у его уха пожилой женский голос, — это Анисимов Александр Яковлевич, семидесятого года рождения. Он дважды угрожал моему сыну, сначала по телефону, потом у нас дома.

Саня повернулся и тут же узнал женщину. Старый махровый халат был накинут поверх ночной рубашки. Жидкие седые волосы заплетены в две тоненькие косицы.

— Добрый вечер, Елена Петровна, — ошалело произнес Саня и заметил, какое странное у нее лицо. Не просто бледное, а почти синее.

— Убийца, — прошептала она в ответ, едва шевеля губами, — из-за денег, из-за паршивых долларов...

будь ты проклят, — она покачнулась, глаза закатились, изо рта вырвался короткий хрип. Кто-то подхватил ее, появилась фигура в зеленом комбинезоне с большими красными буквами «Скорая помощь».

— Подождите, Елена Петровна, что произошло? — Саня судорожно сглотнул, больше всего он боялся, что сейчас его опять вырвет. В лицо била нестерпимая кислая вонь. Так плохо, так стыдно и страшно ему еще никогда в жизни не было. Милиционеры потащили его на улицу. Там, под ярким фонарем, остановились на несколько минут. Двое санитаров вынесли из подъезда носилки.

— Знаешь этого человека? — быстро спросил милиционер, указывая на труп.

— Нет, — прошептал Саня и отвернулся. Глядеть на мертвое лицо, на большую аккуратную дырку в виске, обведенную черной пороховой каймой, было невозможно.

— Смотри! — приказал милиционер, — Смотри внимательно. Твоя работа. Ты знаешь его. Ну?!

— Это Бутейко Артем Вячеславович, — выдавил Саня очень медленно, почти по слогам.

— Молодец, — одобрительно кивнул милиционер, — а этот предмет тебе знаком?

В целлофановом мешке лежал пистолет. Не узнать его Саня не мог. Это был его новенький шестизарядный «Вальтер», приобретенный этим летом сдуру, по случаю, у какого-то пройдохи. Разумеется, никакой лицензии на него не имелось, однако Саня не поленился заказать гравировку на рукояти, собственные инициалы «А.А.Я.».

ГЛАВА ВТОРАЯ

Улица Святой Екатерины пересекает огромный Монреаль, проходит его насквозь, тянется через центр, через богатые и нищие кварталы. Учитывая свой топографический идиотизм, Елизавета Павловна Беляева решила просто пройти по этой улице, никуда не сворачивая. Тогда меньше шансов заблудиться.

Времени у нее было совсем мало. К половине девятого она должна была вернуться в гостиницу, переодеться к банкету, привести себя в порядок. Следующие пять дней конференции заполнены заседаниями, встречами, тематическими дискуссиями, ланчами, бранчами с раннего утра до позднего вечера. Только сегодня вторая половина дня по официальному расписанию отведена «экскурсиям и отдыху».

Елизавета Павловна постаралась быстрей миновать огромное гостиничное фойе, опасаясь наткнуться на кого-нибудь из знакомых, увязнуть в разговоре, потерять драгоценное время. Она так долго ждала этих нескольких часов свободы и одиночества, что даже нервничала немного, как будто собралась на важное свидание.

Она уже прошла мимо стойки администрации, перед ней разъехались стеклянные двери, и тут из-за широкой спины охранника на нее выскочил бойкий молодой человек, член Российский делегации, сотрудник какого-то пестрого модного журнала, представитель Фонда культуры, в вишневом полувоенном френче и лиловых брюках с шелковыми лампасами, точно таких, как у гостиничного лакея. Как его зовут, Елизавета Павловна не помнила, плохо представляла себе, каким образом ему удалось попасть на конференцию, однако знала, что он монархист, вроде бы потомок какого-то княжеского рода. Он относился к типу «попрыгунчиков», болтал без умолку, стараясь застрять в памяти, приставал с какими-то проектами, предложениями, хватал за пуговицу, тряс, тормошил, требуя внимания или хотя бы вежливого мычания.

— Приветствую вас, очаровательная Елизавета Павловна, как хорошо, что я вас встретил, вы потрясающе выглядите сегодня, черный цвет вам удивительно к лицу. Вы знаете, я давно хотел поговорить с вами насчет одного проекта, ну, вы, наверное, помните, недавно была скандальная публикация в нашем журнале об интеллектуальной собственности и авторских правах...

— Да-да, конечно, простите, я очень спешу, — пробормотала Лиза, автоматически пытаясь вспомнить, как зовут молодого человека и как называется журнал.

— Я понимаю, но это всего лишь три минуты. Вы в город? Позвольте, я немного провожу вас?

— Нет! Ни в коем случае! — выпалила Лиза так резко, что у молодого человека округлились глаза.

— Ну, извините... — растерянно пробормотал он ей вслед.

Она помчалась прочь от гостиницы, лавируя между машинами на автостоянке, заметила в зеркальных окнах белого «линкольна» свое бледное и почему-то ужасно испуганное лицо и тут же подумала, что ведет себя глупо, несолидно, как девчонка, сбегающая с урока. Остановилась, спокойно поправила волосы. На миг рядом с ее отражением возникла в стекле знакомая физиономия. Представитель МИДа Анатолий Красавченко прикуривал на ветру и вроде бы ее не заметил.

У нее еще с юности выработалась дурацкая привычка ходить очень быстро, нестись сломя голову, даже если некуда спешить. И сейчас она заметила, что продолжает мчаться деловитой походкой, вместо того чтобы расслабиться и просто погулять.

Неподалеку от гостиницы возвышался открыточно-красивый собор Святой Екатерины, выстроенный в начале этого века с претензией на раннюю готику. Башни его виднелись из окна Лизиного номера, и еще сегодня утром, поднимая жалюзи, она подумала, что непременно надо в этот знаменитый собор зайти. Она попыталась сосредоточиться на тонких, вздернутых в бледное небо башнях, запрокинув голову, принялась разглядывать живописные каменные складки одежды Святой Екатерины, заметила, как тщательно выточены вздутые жилы на изогнутой шее Святого Марка, как гармонично расположены скульптуры и до чего натурально выглядит босая зеленоватая ступня Святого Фомы. Каждый ноготь отделан с анатомической дотошностью, и, наверное, это должно очень впечатлять.

Из собора был слышен мягкий тяжелый звук органной фуги Баха. Лиза приоткрыла медную дверь, мельком заметив, что благородный зеленоватый оттенок нанесен на медь искусственно.

В соборе было пусто. Фуга лилась из динамика. Маленький пожилой горбун в темной ковбойке обрабатывал бесшумным пылесосом вишневую ковровую дорожку между рядами скамей. Лиза постояла несколько минут, глядя на фрески, на стеклянную мозаику потолка с хитрой радужной подсветкой. Гибкий хобот пылесоса энергично подрагивал в руках горбуна, и в том же ритме подрагивал седенький, перетянутый черной резинкой хвостик на его тощем затылке. Когда горбун приблизился, Лиза расслышала, как он напевает под нос что-то о хорошей пинте пива и красотке Мери. Хобот пылесоса подполз к ее ногам. Круглый тусклый глаз горбуна сердито скользнул по лицу. Жарко, упруго ударила в солнечное сплетение волна последних аккордов органной фуги. Лиза тихо вышла.

Всего за несколько минут небо успело затянуться,

поднялся ветер, посыпал мелкий сухой снег. Она поправила шарф и побрела медленно, почти спокойно. В легкой ряби снегопада город стал нежней и таинственней. Немного закружилась голова от ветра и мелькания острых частых снежинок.

Взглянув на часы, Лиза обнаружила, что осталось всего два с половиной часа до конца прогулки, и нырнула в огромный торговый центр, целый подземный город, побродила по нескольким дорогим бутикам готовой одежды. Она хотела купить себе пару блузок под деловой костюм и довольно долго перебирала всякие кофточки, продвигая по кругу вешалку.

— Я могу вам чем-нибудь помочь, мэм? — опомнилась молоденькая продавщица, скучавшая у примерочной.

— Спасибо, я сама.

— Вы ищете что-то конкретное? — Девушка уже вошла в роль, предписанную инструкцией по обслуживанию покупателей, и теперь не собиралась отступать.

— В общем, нет, ничего конкретного, — пробормотала Лиза, переходя от блузок к брюкам, — я пока сама не знаю.

— Посмотрите вот эту модель. У вас голубые глаза, сиреневый оттенок вам очень к лицу. Получается неожиданный эффект, глаза становятся как фиалки. Повернитесь к зеркалу, — продавщица ловко приложила к Лизе нечто плюшевое, кургузенькое, туго приталенное, с воротником «собачьи уши», — если к этому му подобрать темно-лиловые эластичные брюки клеш, будет просто великолепно.

— Великолепно, — кивнула Лиза, — но не по возрасту. Лет пятнадцать назад я бы, наверное, решилась это надеть.

— Да что вы, мэм, вам ли беспокоиться о возрасте? — девушка сладко прищурилась. — К этому комплекту есть еще замшевый жилет, если вы купите три вещи, мы сделаем значительную скидку.

Лиза почти сдалась, даже вошла в примерочную, задернула шторы и стала примерять комплект.

Из зеркала на нее глядела, хлопая сверкающими фиалковыми глазами, незнакомая молодая женщина, восторженно-глупая, очень хорошенькая. Светлые, пепельно-русые волосы слегка растрепались. Высокие скулы порозовели, рот сам собой растягивался в идиотской улыбке.

Лиловый комплект и правда выглядел великолепно. Эластичные брюки плотно обтягивали бедра. Такие соблазнительные «клеши» носили все секретарши директора канала, куколки не старше двадцати пяти. Директор менял их ежемесячно, за блондинкой следовала брюнетка, потом была рыженькая Нели, потом пепельная Лада. И каждая щеголяла в эластичных брючках, тугих, как балетное трико, соблазнительных, как шоколадная глазурь.

Лиза представила выражения лиц своих коллег, когда она заявится в Останкино в таком откровенном девичьем «прикиде», и усмехнулась. Наработанный годами имидж серьезной, строгой, неприступной умницы, милого, обаятельного, но почти бесполого существа, может разрушиться за несколько дней. Шаг вправо, шаг влево считается побегом. Стрелять начнут без предупреждения. Слухи, сплетни, двусмысленные намеки засвистят, как снаряды при артобстреле.

Дважды в неделю Елизавета Павловна Беляева сообщала миллионам телезрителей политические новости, в основном тревожные и безрадостные. Но ее простые, ясные, чуть ироничные комментарии утешали, снимали напряжение. После ее программ у зрителя не возникало привычного чувства, что он живет в дерьме и завтра будет конец света. Дело было не в новостях, не в информации, а в том, кто и как все это излагал и комментировал.

Лицо Лизы Беляевой относилось к тому типу, который принято называть «актерским». Из такого лица можно сделать что угодно — классическую благородную красавицу, вульгарную женщину-«вамп», строгую профессоршу, уютную добропорядочную мать семейства. Впрочем, она была очень красивой без всяких усилий.

Лизе хватило ума с самого начала не поддаться соблазну быстрого шаблонного успеха. Пять лет назад, перед первым своим появлением на экране в качестве ведущей теленовостей, она отказалась от стандартного макияжа, заявив, что не желает стать очередной «мордашкой». Это было настолько не по-женски, что никто ее тогда не понял. Никто, кроме зрителей.

С тех пор она ни разу не появлялась на экране в виде выхоленной, вылизанной фотомодели, которая подавляет своей успешностью и за которой просматривается совершенно определенный видеоряд: норковые шубы, «мерседесы», недоступные простым смертным роскошные «тусовки», массажи, тренажеры, отдых на Канарах. Она оставалась женщиной из толпы, умной, спокойной, надежной собеседницей миллионов. Собеседницей, а не телезвездой. И за это ее любили, этим она отличалась от своих блестящих коллег.

— Потрясающе! Брюки сидят идеально! — заворковала продавщица, и к ней на помощь пришли еще две из соседнего отдела. — Мэм, поверьте, этот комплект просто создан для вас. Остается только подобрать туфли на платформе, сумочку и шейный платок.

Все это было моментально доставлено.

Лиза покорно сунула ногу в лиловый замшевый башмак на полуметровой копытообразной «платформе», но опомнилась, нырнула назад, в примерочную, решительно задернула шторки, стянула с себя лилово-фиалковую роскошь и вернула прежний строгий дамский облик — серый гладкий пуловер, серые свободные брюки, черный шарф, черное французское пальто.

Находчивые продавщицы тут же предложили ей классический темно-синий костюм, вечернее платье, шелковую брючную тройку, полдюжины блузок и пуловеров. Лиза, утопая в ворохе вещей, почти сдалась, готова была купить что-нибудь просто из вежливости, но строго сказала себе, что вежливость здесь ни при чем. Ее всего лишь профессионально обрабатывают.

Продавщицы никак не могли успокоиться. Психологическая атака ослабла лишь тогда, когда в бутик вплыла новая потенциальная жертва, дама лет пятидесяти в норковой шубе до пят. Лиза ускользнула налегке и мысленно похвалила себя за то, что не поддалась соблазну потратить кучу денег на вещи, которые в общем ей совсем не нужны и ни капельки не нравятся.

В антикварной лавке она выбрала для мужа крошечную шкатулку-шарманку с механическим заводом. Из расписной деревянной коробочки звучала мелодия вальса Штрауса. В отделе игрушек она купила коллекционного английского медведя для дочери и «страшилку», резиновый бычий пузырь с плавающими внутри черепами и костями для сына (шестнадцатилетний Витя, как всегда, конкретней всех объяснил, чего он хочет, как будто заранее присмотрел себе подарок).

У нее остался всего час. Она перекусила в маленьком кафе внутри торгового центра, вышла на улицу, но вовсе не на ту, которая носила имя Святой Екатерины. Уже стемнело. Несколько минут пришлось разбираться по карте, останавливать прохожих. Наконец она вроде бы поняла, как попасть к гостинице, но на самом деле пошла в другую сторону.

Разноцветные огни витрин и рекламы сменились

мертвенно-белым ослепительным фонарным светом. Было светло, как в мясной лавке. Прямо на тротуаре, покрытом слоем снега, сидели какие-то пестрые панки, металлисты, вдоль грязных витрин выстроились озябшие мрачные проститутки обоего пола.

— Леди, я сегодня дешевый, — грустно сообщил, преграждая ей путь, нарумяненный пожилой юноша в клетчатых красных рейтузах и розовой кожаной курточке до пояса.

Приторный запах дешевых духов и восточных благовоний ударил в ноздри так, что выступили слезы. Спросить дорогу было не у кого, ни одной таблички с названием улицы Лиза не видела. Она повернула назад, ускорила шаг, почти побежала.

— Если вы предпочитаете девушек... — чернокожая толстуха с вытравленными до лимонной желтизны волосами тронула ее за рукав.

— Новое эротическое шоу, очень оригинальное, только сегодня специальные скидки...

— Леди, традиционный мужской стриптиз, пять исполнителей по цене одного!

Она уже бежала, глядя прямо перед собой, не разбирая пути, а грязный квартал все не кончался. Из-за угла выскочили два одинаковых бритоголовых парня в военных шинелях и преградили дорогу. Шинели распахнулись, под ними были голые тела.

— Специальная скидка, только для вас, пятьдесят за обоих за два часа, семьдесят за ночь! Леди, ночь с нами обоими, всего за семьдесят долларов, останетесь довольны! — сообщили они хором, с одинаковыми щербатыми улыбками.

Лиза почувствовала, как медленно, тяжело сгущается вокруг воздух. Толпа сказочных уродов обступила ее со всех сторон, и выхода не было, разве только оторвать подошвы от асфальта и взлететь.

Она шарахнулась в сторону от парочки в шинелях и увидела просвет между домами, дальше тянулся темный безлюдный переулок, но бежать туда не рискнула, панически заметалась, пытаясь сообразить, куда разумней драпать, вперед или назад. Помчалась вперед и вдруг услышала собственный негромкий сдавленный крик. Кто-то схватил ее за плечи, остановил, держал очень крепко и не давал вырваться.

— Елизавета Павловна, что с вами? Успокойтесь!

Она не сразу сообразила, что говорят с ней по-русски и обращаются по имени-отчеству.

— Удивительно, как вы умудрились из всех кварталов выбрать именно этот, самый опасный и непристойный. Он ведь единственный на весь Монреаль.

Она наконец успокоилась. Перед ней был Красавченко, сотрудник МИДа, милый, добрый, замечательный Красавченко. Настоящий дипломат с аккуратным седым «бобриком», мягкой улыбкой и все понимающими глазами.

— Анатолий Григорьевич, я заблудилась... — забормотала она, вцепившись в его руку.

— Ну, все, все, мы уже вышли из неприличного квартала. Не нервничайте так. У вас что, карты нет?

— Есть. Но у меня с детства топографический идиотизм, к тому же здесь сбиты таблички с названиями улиц. Наверное, мы уже опаздываем на банкет? Вы знаете, как добраться до нашей гостиницы?

— Разумеется, знаю. Я наизусть знаю этот город, пять лет проработал в посольстве. На самом деле гостиница совсем близко, минут десять ходьбы. Так что, если не возражаете, давайте зайдем в кафе. У нас есть время. Вам надо отдышаться, спокойно выпить чашку кофе. Вот здесь отличная французская кондитерская.

Сразу за порнокварталом начались богатые, благопристойные улицы, где шла обычная городская жизнь.

41

— Место, куда вы попали, — что-то вроде резервации для наркоманов, дешевого порно и прочих прелестей, — объяснил Красавченко, — каким же ветром вас туда занесло, Елизавета Павловна?

«А вас?» — мелькнуло в голове у Лизы, но спрашивать она не стала.

...В маленькой французской кондитерской не было ни души. Розовый окрас стен, стеклянные низкие столики, мягкие цветастые диваны и кресла. В центре — многоярусный фонтанчик с разноцветными радужными струйками, бьющими из огромного фарфорового апельсина.

— Сейчас пройдет шок, и вы станете активно думать, как их всех спасать, этих падших личностей. Из ублюдков-агрессоров они превратятся для вас в невинных жертв социальной несправедливости. — Красавченко усмехнулся и притронулся к ее руке. — Здесь чудесные пирожные. Вы любите сладкое?

— О том, как их спасать, я думать не буду. И сладкое не люблю, — проворчала Лиза.

— Это грустно.

— Что именно?

— И то и другое. Ну, от фруктового салата и чашки кофе-капучино вы ведь не откажетесь?

Красавченко снял с нее пальто, при этом легко и откровенно провел пальцами по ее шее, как бы поправляя ей волосы на затылке.

«Это что-то новенькое, — удивленно заметила Лиза, — откуда такая фамильярность? С какой стати?»

Пальцы у него были ледяные. Глаза тоже. Вообще, когда шок действительно прошел, она разглядела, что не такой уж он милый и добрый. А в самом деле, как же ему удалось оказаться в нужном месте в нужное время? Он что, шел поразвлечься с дешевыми проститутками? Или решил побаловаться марихуаной? Ведь не мог же заблудиться, сам сказал, что отлично знает город. Стало быть, он следил за ней? Ерунда какая-то...

Лиза удобно устроилась на мягком диване, еле сдержалась, чтобы не скинуть сапоги и не поджать ноги. Красавченко уселся напротив, в кресло.

— Я вас заметил в торговом центре, в отделе игрушек. Хотел подойти, но у меня есть принцип: не трогать женщину, которая делает покупки. А потом вы пошли так быстро, почти побежали.

«Я шла медленно. Я долго стояла, тупо пытаясь разобраться в карте. Я обращалась к прохожим...» — заметила про себя Лиза.

— Вы побежали, а у меня одышка. Все пытаюсь бросить курить, — продолжал Красавченко, — я ведь давно хотел познакомиться с вами поближе. Но не было формального повода.

Фруктовый салат украшала затейливая розочка из взбитых сливок. Кофе был с легким привкусом ванили. Красавченко ковырнул ложкой свое пирожное, многослойную конструкцию из желе и суфле, но есть не стал, залпом выпил минералку и тут же закурил. Лиза подумала, что сладкого он тоже не любит, и с удовольствием принялась за свой салат.

Она ела не спеша, прихлебывала кофе, он смотрел на нее пристально, не моргая. Да, она уже заметила, что он хочет познакомиться поближе, только не могла понять зачем. Неприятно было то, что он разыгрывал перед ней спектакль. Изображал настойчивый мужской интерес. Все выглядело вполне натурально. Чересчур натурально. Ей было слишком много лет, чтобы обмануться в таких вещах. Она прекрасно знала, как смотрит мужчина, который в самом деле влюблен.

Господин Красавченко старательно пялился на нее. Раздевал взглядом, ощупывал и при этом многозначительно облизывал губы. Казалось, в его бледно-зеленых, чуть прищуренных глазах были дополнительные железы, которые активно вырабатывали сало. Наглый сальный взгляд. Пародия на влюбленность. Человек с пластмассовым лицом, очень похожий на дипломата, но не настоящего, а из мексиканской «мыльной оперы». И даже запах его хорошего одеколона отдавал дешевеньким мыльным душком.

— Находить формальные и неформальные поводы для более близкого знакомства — это азбука вашей профессии, — улыбнулась Лиза, покончив с салатом и закуривая, — на то вы и дипломат, чтобы легко общаться даже с теми, кто не хочет с вами общаться.

— И не скрывает этого, — добавил Красавченко, многозначительно улыбнувшись. Но тут же его лицо стало лирически-серьезным. Он перевел взгляд с ее губ на шею, и даже сглотнул при этом, и даже протянул руку, поправил выбившуюся прядь, — вам очень идет такая прическа, Лиза, — он резко убрал руку и немного покраснел.

«Вот у кого надо учиться властвовать собой, — подумала Лиза, наблюдая мастерски выразительную мимику дипломата, — будь я лет на пятнадцать моложе, поверила бы. А сейчас — фигушки».

— Анатолий Григорьевич, у вас неудачное пирожное? Вы совсем не едите.

— Все на вас смотрю, Елизавета Павловна. Пытаюсь понять, в чем секрет. И кажется, почти понимаю. Не в том дело, что вы красивы, умны, успешны, хотя это тоже важно. Вы излучаете здоровую энергию. Свет и тепло. Знаете, одни поедают энергию собеседника, другие, наоборот, щедро заряжают всех страждущих. Вот вы заряжаете. Отдаете. Вам этого никто не говорил?

«Ну, ты, батенька, загнул, — весело подум ла

Лиза, — идешь напролом. Любопытно бы узнать, что тебе на самом деле от меня нужно?»

— Спасибо, Анатолий Григорьевич. Мне редко говорят комплименты.

— Это не комплимент. Скорее, предостережение.

— Почему?

— Отдавая энергию, вы ее теряете. Вам надо как-то восстанавливаться, заряжаться. Есть много разных способов. Музыка, свежий воздух, спорт, секс. Впрочем, на все это у вас, вероятно, нет времени. Я знаю, как вы много работаете.

— Да, конечно, — рассеянно кивнула Лиза.

— И все-таки заряжаться надо.

— Я слушаю классическую музыку. Иногда катаюсь на горных лыжах.

— Этого мало, — он улыбнулся и откровенно облизнул губы.

«Дурак и пошляк», — устало прокомментировала Лиза.

— Кстати, насчет личной жизни, спорта, музыки и всяких увлечений, — продолжал Красавченко, — мой хороший знакомый, корреспондент голландского журнала «Фольксгарден», просил меня поговорить с вами о возможности интервью. Он пожилой человек, вполне интеллигентный. Его зовут Давид Барт. Он отнимет у вас не больше тридцати минут.

— Очень интересно, — Лиза натянуто улыбнулась, — он разве не может просто подойти ко мне в фойе, в перерыве? Я только и делаю, что даю интервью.

— Вы отвечаете на вопросы, касающиеся конференции, а он хочет поговорить с вами о другом. Его интересуете вы как личность, как женщина, если хотите...

— А если не хочу?

Лизу стал всерьез раздражать этот двусмысленный игривый тон.

— Ну, простите, возможно, я неудачно выразился. Хотя не вижу в этом ничего обидного. В общем, моему голландцу нужен неспешный, теплый, доверительный разговор. К тому же у него нет аккредитации. А вы сами знаете, как свирепствует сейчас охрана из-за сербов и арабов.

— Я не отвечаю на вопросы, касающиеся моей личной жизни, — быстро проговорила Лиза.

— Елизавета Павловна, но это невозможно. — Красавченко удивленно поднял брови. — Вы простите меня, но для человека вашего уровня это выглядит глупо, по-детски. Вы все равно никуда не денетесь от этих вопросов. По статусу вам положено участвовать хотя бы изредка в разных ток-шоу, давать интервью именно на эту тему. Вы ведь умная женщина, вы понимаете, что, если ваша личная жизнь станет тайной за семью печатями, начнут складываться мифы. О вас такое придумают, что мало не покажется.

— Анатолий Григорьевич, мне совершенно безразлично, что обо мне сочиняют. Но я в праве не принимать личного участия в мифотворчестве о своей скромной персоне.

— Ну вот, у вас стало совсем другое лицо, — Красавченко тяжело вздохнул, — только что от вас исходило тепло, свет, а сейчас — брр... так холодно, лед в глазах, лед в голосе. Кто-то из журналисткой братии вас сильно обидел?

Несколько секунд она молчала и вдруг весело рассмеялась.

— Я похожа на самоубийцу?

— Нет... Что вы имеете в виду? — на ее смех он ответил вежливой, недоуменной улыбкой.

— Обижаться на средства массовой информации, воспринимать их выпады всерьез — это медленный, но верный суицид. Такие вещи кончаются инфарктами, инсультами.

— Ну, тогда я тем более не понимаю, почему вы не хотите дать интервью голландскому корреспонденту.

— Потому, что именно из таких вот теплых доверительных разговоров и производятся мифы, дурно влияющие на общественное мнение. Особенно если интервью выйдет в свет на таком экзотическом языке, как голландский, в двойном переводе. Не исключено, что найдется какая-нибудь желтая газетенка, которая потом переврет мои слова как угодно. А если я вдруг не выдержу и подам в суд, то ответчик может сослаться на неточность перевода.

— Да, Елизавета Павловна, я слышал о вашей осторожности, но не предполагал ее масштабов, — Красавченко покачал головой, — даже для меня, матерого дипломата, это слишком. Ну, хорошо, а если я дам вам гарантию, что ни одной опасной темы голландец не затронет?

— В таком случае он не профессиональный репортер.

— Как раз наоборот, он настоящий профессионал. То есть он может интересно подать любую информацию, не обязательно скандальную.

— Для того чтобы любая, самая безобидная информация заинтересовала публику, в ней должно содержаться нечто скандальное или хотя бы скабрезное. Это, к сожалению, закон жанра. Анатолий Григорьевич, вам это очень нужно? — Она улыбнулась мягко, доверительно. Именно это ей больше всего хотелось узнать: чего на самом деле хочет от нее дипломат с пластмассовым лицом? Она совершенно не опасалась давать интервью. Одним корреспондентом больше, одним меньше — не важно.

— Можно вашу сигарету? Пытаюсь бросить курить, мои кончились, и вот, стреляю, — он продолжал улыбаться, но глаза стали напряженными, колючими.

«Так-то, Анатолий Григорьевич, еще неизвестно, кто кого прощупывает в этом разговоре, — подумала

Лиза, — теперь я дам вам шанс мягко уйти от неприятной темы. Поглядим, захотите ли вы к ней вернуться?»

— Пожалуйста, — она протянула ему пачку, — но так вам никогда не удастся бросить. Скоро вам станет неловко стрелять чужие сигареты, вы опять начнете покупать свои.

— Почему вы так думаете?

— Сама проходила. Бросить курить можно тогда, когда точно знаешь, что это лично для тебя более вредно, чем питаться жирным мясом, макаронами с кетчупом, гамбургерами, сосисками, запивая все это пивом или кока-колой и дыша выхлопными газами.

— А, я все понял. Вы потому так отлично выглядите, что не едите всего, что перечислили?

— Правильно, — кивнула Лиза, — но я курю и дышу выхлопными газами.

— Жалко, с нами нет сейчас Давида Барта с диктофоном. Он будет звонить мне завтра утром, а я так и не знаю, что же ответить.

— Вы не объяснили мне, зачем это лично вам нужно? — напомнила Лиза. — Почему вы так долго и серьезно уговариваете меня встретиться с этим голландцем? Он ваш близкий друг? Родственник? Он обещал вам какую-то ответную услугу?

— Да, о вашей жесткости я тоже наслышан, — пробормотал Красавченко, — нет, Давид Барт мне не друг, не родственник, и никаких ответных услуг я от него не жду. Все проще. Все на уровне приятельского трепа. Я обещал уговорить вас. Люблю выполнять обещания. Даже те, которые даны на уровне трепа.

— Даже те, которые даны за другого человека?

— Ну ладно, я поступил опрометчиво. Не думал, что для вас это так серьезно.

— Да, для меня это серьезно. — Лиза встала. — Наверное, нам пора в гостиницу, Анатолий Григорьевич.

— Жаль. Очень жаль. Ну, на «нет» и суда нет. Отказаться от интервью — ваше право.

Помогая ей надеть пальто, он ненароком потерся щекой о ее волосы.

* * *

— Мне нужно сделать анализ крови! Меня чем-то накачали! Время идет, вещество может рассосаться! Не останется следов! Я не убивал, меня подставили! Я должен позвонить жене! — пока его везли в милицейской машине, Саня упрямо, как сумасшедший на митинге, выкрикивал эти фразы, но не получал никакого ответа, кроме «Заткнись, не ори!».

Потом безнадежно, еле слышно нашептывал, как молитву, что по закону ему положен адвокат, что стрелять он не умеет, а даже если бы умел, то был без сознания, и вообще он понятия не имеет, как оказался в чужом подъезде. Он и адреса убитого точно не помнит, а записной книжки при нем не было, и вообще какого черта его понесло бы глубокой ночью куда-то, кроме собственного дома?

Самое скверное, что он действительно ничего не мог вспомнить. Весь прожитый день тонул в какой-то мучительной мути. Если утро еще кое-как высвечивалось, раскладывалось на детали, то вечер терялся вовсе. Он сумел вспомнить, что утром был у него телефонный разговор с Вовой Мухиным, причем разговор странный, неожиданный, важный, и вроде бы это имело отношение к вечеру, но о чем они говорили, Саня забыл напрочь, и с дальнейшими событиями телефонная беседа никак не сплеталась. Он старался проследить мысленно весь прожитый день, час за часом, и не мог. Это вызывало у него потную липкую панику. Оттого, что вспомнить было необходимо, события все стремительней путались в голове.

Такое однажды случалось. В институте на третьем курсе во время зимней сессии он умудрился получить «неуд» на экзамене по физике, хотя был готов и отлично знал ответы на оба вопроса в билете. Он легко и быстро набросал план, не дожидаясь вызова, отправился отвечать. Но стоило ему оказаться у стола экзаменатора, и что-то произошло. Он молчал как рыба. Он забыл все, вообще все. Мучительно пытался выдумать первую фразу или хотя бы слово, с которого можно начать, но не мог, как будто вообще разучился говорить по-русски.

Позже ему объяснили: такое бывает. Даже существует специальное понятие в психологии — экзаменационный ступор. У совершенно здорового человека от усталости и нервного перенапряжения что-то там срабатывает в мозгу или, наоборот, не срабатывает. В общем, гипофункция памяти связана с диффузной задержкой мысли. Это он сам прочитал в дореволюционном учебнике психиатрии, который валялся у бабушки в глубине книжного шкафа. Прочитал и успокоился, понял, что он пока еще не псих. Экзамен пересдал на «отлично».

Но сейчас не экзамен. Забывчивость чревата не лишением стипендии, а лишением свободы, что, собственно, уже и произошло. Дальше будет только хуже.

Сначала его привезли в районное отделение милиции. В «телевизоре», в прозрачном зарешеченном загончике для задержанных, соседями его оказались шальные, накаченные наркотиками подростки, парочка тихих бомжей и какой-то совсем бешеный пожилой мужик, взятый за изнасилование десятилетней девочки.

Саня забился в угол. Он видел, как шевелятся от

вшей волосы у бомжей на головах, видел страшные мутные глаза мужика насильника, слышал унылую матерщину подростков, и это мешало сосредоточиться, сообразить, что же произошло на самом деле. Он представлял, как мечется сейчас по квартире Наташа, и от этого больно сжималось сердце. Наверное, она обзванивает больницы. Ей диктуют все новые справочные номера, она не успевает записывать, руки у нее дрожат, в глазах горячо от слез. Хорошо, если Димыч спит.

Саня понимал, что надо спокойно и серьезно обдумать свое положение, но мысли его почему-то упрямо убегали прочь из загончика-«телевизора», из вони и ужаса, домой, к жене и сыну. Он так ясно видел, как открывает дверь своей квартиры, как ворчит Наталья, помогая ему снять грязную дубленку, как он залезает в горячую ванну с хвойной пеной, а потом, красный, распаренный, чистый, в теплом махровом халате, пьет крепкий чай на кухне и рассказывает Наталье дикую историю про труп в чужом подъезде.

Мужика насильника вывели из «телевизора», он завизжал высоким, надрывным голосом, стал упираться ногами и руками, потом завыл, как пес. Вой этот мучительно долго стоял в ушах.

Время шло. На Саню никто не обращал внимания. Он понимал, что с каждой минутой тают его шансы выпутаться. В памяти у него был черный провал. Последнее, что осталось от начала сегодняшнего вечера, были долларовые купюры, рассыпанные по полу. Но где именно он видел это, кому принадлежали деньги, кто находился рядом, Саня вспомнить никак не мог.

В отделение ввалилась толпа дешевых проституток. Продрогшие, с расплывшейся косметикой на лицах, они громко ржали, заигрывали с милиционерами, вели себя так, словно отделение для них дом родной, а задержание — счастливая возможность погреться и отдохнуть.

— Что загрустил, красивый мой? — подмигнула Сане огненно-рыжая румяная толстуха в зеленых кожаных шортах и порванных черных колготках.

Он вдруг вспомнил, с какой брезгливой жалостью поглядывал на этих продрогших дешевых куколок из окна машины, проезжая поздними вечерами по Тверской или по Садовому кольцу, как снисходительно удивлялся их солдатской выдержке. Они ведь почти голышом выстраивались на холоде, под ветром, снегом, дождем, и было приятно на этом печальном фоне ощущать себя в теплой машине, чистеньким, независимым.

Однако сейчас несчастные, истеричные девки во сто крат счастливей его. Их отпустят, ну, в крайнем случае, оштрафуют. Им не привыкать. А он застрял надолго и всерьез. Как говорил Артем Бутейко, «влип по-черному». Впрочем, сам Артем «влип» еще черней. Он мертв.

Реальность наплывала на Саню вместе с хохотом проституток, нытьем наркоманов, у которых начиналась ломка, мерным храпом бомжей, помятыми лицами милиционеров, предутренней серой суетой районного отделения.

«Я не сумею выкрутиться, — с тоской думал Саня, — пистолет мой. На нем мои отпечатки. Я заснул на месте преступления рядом с трупом. Это называется «бытовуха».

ГЛАВА ТРЕТЬЯ

— Бытовуха, она родимая, — со вздохом пробормотал старший следователь следственного отдела окружного УВД Илья Никитич Бородин, открывая папку со свежим уголовным делом.

То, что в деле нет никаких неясностей, огорчило и даже обидело Илью Никитича. В отличие от большинства своих коллег, он любил запутанные дела. Но если попадались иногда за долгие годы его работы преступления, которые не распутывались с двух-трех ходов, то всегда все упиралось в пошлые унылые мотивы. Деньги. Жилплощадь. Конкуренция в бизнесе.

Что касается преступлений громких, скандальных и до сих пор не раскрытых, то с ними Илье Никитичу работать не приходилось, впрочем, он знал, что и там нет ничего таинственного. Просто больше действующих лиц, больше нулей в денежных суммах, бизнес крупней, а по сути — та же тупая бесстрастная корысть, та же пошлость. Нераскрытыми эти преступления оставались не потому, что были тонко и хитро продуманны, мастерски выполнены, а потому, что их не хотели раскрывать — все по тем же пошлым прагматическим причинам, и это само по себе было преступлением, злодейством. Круг пошлости замыкался.

Ежедневная рутина, горы бумаг, нудные допросы — все это никак не вязалось с теми романтическими представлениями о профессии следователя, которые сложились в душе Бородина в юности. Он прекрасно понимал, что душа его продолжает кормиться глупыми полудетскими иллюзиями, но расставаться с ними не хотелось. Слишком грустно под старость окончательно убедиться, что человек человеку даже не волк (потому что волк — зверь умный и благородный). Человек человеку кирпич, который падает на голову просто так, без всяких мыслей и эмоций.

Когда он принял к производству дело об умышленном убийстве журналиста Артема Бутейко, сердце его возбужденно забилось. Тележурналист. Известная личность. Кого только этот Бутейко не поливал дерьмом.

Перед мысленным взором Ильи Никитича тут же замелькали кадры какой-то ночной программы, встала неприятная физиономия ведущего, который с нескрываемым удовольствием рассказывал о нежной дружбе известнейшего политика с молоденьким солистом рок-группы. А потом еще вспомнились обрывки ток-шоу, в котором этот Бутейко буквально насиловал двусмысленными хамскими вопросами популярного кинорежиссера.

В голове завертелись хитрые версии, одна остроумней другой. Возможно, Бутейко раскопал серьезный компромат или кого-то подставил своей несуморенной наглой болтовней. Или вдруг кто-то наконец оскорбился до глубины души теми гадостями, на которых Бутейко сделал карьеру, и решил отомстить, отстоять свою честь, пусть незаконно, но почти благородно. Возможно, убийство это сродни дуэли, как в старые добрые времена, когда оскорбление чести смывалось кровью.

Илья Никитич немного раскраснелся от возбуждения, вытер лоб клетчатым накрахмаленным платком. И тут же поймал насмешливый взгляд дежурного следователя, который передал ему дело к производству.

— Подозреваемый задержан на месте преступления, практически пойман с поличным. Убитый должен был своему приятелю три тысячи баксов, приятель — мелкий бизнесмен, после кризиса разорился, стал требовать у Бутейко вернуть долг, пару раз пригрозил, потом нажрался с горя, подстерег терпилу в подъезде и пальнул в голову в упор. Бытовуха.

Краска радости тут же отхлынула от круглых щек Ильи Никитича, лицо его вытянулось и погрустнело. Он постарался скрыть, как сильно расстроился.

Что делать? Злодейство уныло и дебильно. Вероятно, до пенсии ему так и не встретится достойный противник, преступник-интеллектуал, какой-нибудь современный Родион Раскольников.

Яркие и серьезные чувства — месть, зависть, ревность, любовь, тщеславие, идейная убежденность, либо не существуют вовсе, либо остались где-то в далеком прошлом. Над Бородиным постоянно посмеивались в управлении, называли Пинкертоном и Шерлоком Холмсом. Все знали, что Бородин любит выдумывать загадки там, где их нет.

— Тебе бы романы писать, — хмыкали коллеги, — накручиваешь, чего не бывает. На жизнь надо проще смотреть.

Но Бородину в его солидном возрасте, с его солидным профессиональным опытом, с его мягким пухлым брюшком, седенькими кудрявыми бачками вдоль круглых щек, с его пристрастием к сладкому дрожжевому тесту и фруктовому кефиру, все не хотелось воспринимать жизнь реально, правильно, без всяких романтических иллюзий.

Когда его называли Шерлоком Холмсом, он не возражал, а что касается Пинкертона, то тут Илья Никитич был непримирим. Он начинал подробно и нудно объяснять, что существовало два Пинкертона, оба были порядочными свиньями, и многие их путают.

Аллан Пинкертон, реальный исторический персонаж, родился в 1819 году в Глазго, в семье бедного шотландского полицейского. В юности эмигрировал в Северную Америку, перепробовал множество профессий и наконец в 1850-м открыл детективное агентство. Эмблемой агентства был глаз, девизом — «Мы никогда не спим». Дела сразу пошли вполне успешно.

Во время войны Севера с Югом бессонное агентство Пинкертона занималось за большие деньги разведывательной деятельностью в пользу федерального правительства. После войны, во время экономической депрессии 70-х, агентство обслуживало крупные угольные и железнодорожные компании. Легендированные пинкертоновцы внедрялись в шахтерские профсоюзы, провоцировали их лидеров на противоправные действия, а если не удавалось, действовали сами, совершали убийства и поджоги. Потом выступали в качестве свидетелей на судебных процессах, давали ложные показания, в результате десятки людей были приговорены к смертной казни через повешение.

Когда деятельность агентства получила огласку, количество клиентов сократилось. Мало кто хотел обращаться за помощью к убийцам и провокаторам. Чтобы восстановить доброе имя, Аллан Пинкертон организовал активную рекламно-литературную компанию. Сначала стали выходить брошюрки с увлекательными и совершенно лживыми мемуарами сотрудников агентства, а позже появился легендарный Нат Пинкертон, герой коммерческого литературного сериала. Дешевенькие истории про суперсыщика поставляли на книжный рынок безымянные голодные студенты и репортеры. Для них это был дополнительный заработок, для бессонного агентства, которое продолжало свою сыскную деятельность после смерти основателя, отличная реклама.

Илья Никитич знал много интересного, любил углубляться в историю. Стоило произнести при нем какое-нибудь известное, обросшее мифами имя, и он тут же начинал соскребать наросты неправды, вываливая на собеседника целый ворох замысловатой информации. Но голос у него был таким тихим и монотонным, что слушателей находилось мало. Его упрямо продолжали дразнить «Пинкертоном». Он упрямо обижался и обстоятельно объяснял, кто такие эти два Пинкертона, реальный и вымышленный. Бородин не любил, когда правду подменяли мифом и верили в то, что противоречит фактам.

Сейчас, сидя над тоненьким неинтересным делом об убийстве тележурналиста, Илья Никитич думал о том, что слишком большое количество очевидных фактов иногда тоже может обернуться мифом.

Анисимов Александр Яковлевич, семидесятого года. Родился в Москве. Женат, имеет одного ребенка девяти месяцев. Занимается частным предпринимательством. Образование высшее. Ранее к ответственности не привлекался. Со слов матери убитого известно, что в июле этого года Анисимов дал в долг Бутейко три тысячи долларов. Никаких документов, никакой расписки нет. Сроки возврата не оговаривались. О процентах речи не шло. В протоколе зафиксировано, что на вопрос дежурного следователя о процентах Елена Петровна Бутейко ответила: «Нет, ну что вы? У моего сына ни с кем не было таких гадких отношений, он под проценты денег не брал!»

Стало быть, все по-приятельски, все на доверии. Однако, несмотря на теплые доверительные отношения, неделю назад Анисимов потребовал у Бутейко вернуть долг, причем в очень резкой форме, сначала по телефону. Что именно говорил Анисимов, никто не слышал. О том, что разговор был резким, свидетельствует мать убитого. От нее же известно, что двумя днями позже Анисимов побывал у них дома, опять настойчиво требовал вернуть долг, кричал и открыто угрожал Бутейко.

Кроме Елены Петровны, других свидетелей пока нет. Отец убитого в больнице, у него инфаркт. Допрашивать его врачи запрещают. А Елена Петровна не сомневается, что ее сына убил Анисимов. Правильно, сейчас никто в этом не сомневается. У Анисимова имеется пистолет «Вальтер». Напился, пришел ночью в подъезд, застрелил в упор, в висок, и тут же уснул на месте преступления. Пистолет, из которого был произведен выстрел, валялся в нескольких метрах от спящего убийцы.

Орудие убийства, мотив, угрозы. Очень качественные доказательства, отборные, можно сказать.

— И все же, и все же... — пробурчал Илья Никитич себе под нос.

Почему никто не услышал выстрела? Ночь. Тишина. Жильцы первого этажа должны были как-то отреагировать на звук, даже если спали. Пистолет без глушителя, кафельные стены, акустика великолепная.

Труп обнаружила женщина, которая вышла с собакой. Она вызвала милицию. Жилец первого этажа выглянул на ее крик, а не на выстрел. И все это произошло через двадцать пять минут после убийства. А пьяный убийца спокойно спал, свернувшись калачиком, неподалеку от трупа. То есть, получается, он выстрелил в упор, в висок, когда Бутейко стоял у лифта. Потом побежал к двери. Ему надо было спуститься на три ступеньки вниз, но он не сумел преодолеть это препятствие, кубарем скатился с лестницы и потерял сознание. Однако никаких травм при первоначальном осмотре не обнаружено. Так, во всяком случае, записано в протоколе. Головой он не ударился, лежал себе целехонек, только вырвало его. Получается, он просто уснул? Ну что ж, такое тоже бывает. Вполне стандартная ситуация...

Илья Никитич прошелся по кабинету, продолжая бормотать себе под нос, включил электрический чайник, извлек из старенького портфеля пакет с мамиными пирожками. Два с капустой, два с яблоками. Каждый аккуратно завернут в бумажную салфетку.

К перекусу Илья Никитич готовился основательно и серьезно, никогда не жевал на ходу, не осыпал крошками бумаги на столе, не забывал тщательно вымыть руки, а после еды прополоскать рот. В тумбочке у него имелись красивые домашние тарелки, вилки, большая фарфоровая кружка. Из стаканов он чай никогда не пил. Кружка была английская, с изображением знаменитого «Большого Бена», Букингемского дворца и гвардейцев в высоких черных шапках. Чай он любил очень крепкий и сладкий, обязательно со сливками. Мама никогда не забывала положить ему несколько маленьких пластиковых баночек.

Перед едой Илья Никитич отправился в туалет с собственным душистым мылом в мыльнице, с собственным маленьким пушистым полотенцем, тщательно вымыл руки и причесался перед зеркалом. Вернувшись, выложил на тарелку пирожки, размешал в кружке сахар, напевая при этом высоким приятным тенором:

Рояль был весь раскрыт, и струны в нем дрожали.

Он довольно точно, без фальши, выводил мелодию. Вообще, петь он любил, знал наизусть множество романсов и старинных русских народных песен. Мама, единственный близкий человек, всегда тихо выходила из комнаты, когда он начинал напевать. Это означало, что сын ее думает о чем-то серьезном и важном и трогать его не надо.

* * *

Сане Анисимову удалось ненадолго отключиться. Это нельзя было назвать сном. Он слышал все, что происходило вокруг, но глаза закрывались. Он очень надеялся, что если уснет, отдохнет хотя бы немного, то память восстановится.

Лавка была слишком жесткой, мешала вонь, мешало ощущение грязи. От одежды несло рвотной кислятиной. Руки стали липкими, не удалось смыть черную гадость, в которую погружали его пальцы для снятия отпечатков. Телефонные звонки, голоса, хлопающая дверь — все сливалось в один тяжелый, бесконечный гул. Саня уже спал, когда сквозь гул прорвался высокий дрожащий голос:

— Ну пожалуйста, я прошу вас... мой муж, Анисимов Александр Яковлевич... Я должна знать, что произошло, я должна поговорить с ним.

— Не положено. Вот когда все оформим по закону, тогда будет свидание, если следователь разрешит. А пока не положено. Девушка, вы мешаете работать, — прогудел в ответ добродушный бас.

Дежурный пил кофе из бумажного стакана и жевал сосиску в булке. «Убойное» дело передавалось в округ, задержанного Анисимова должны были через полчаса забрать из их отделения, дежурный по доброте душевной позволил его жене с младенцем подойти к «обезьяннику», но теперь очень сожалел об этом. Молоденькая мамаша с младенцем в сумке-«кенгуру» была настроена слишком уж воинственно. Надо выставить ее от греха подальше. В прошлом месяце взяли одного пацана с героином, так его жена явилась в отделение с трехмесячными близнецами на руках, стала требовать, чтобы ее тоже задержали и оформили вместе с детьми. Визгу было, не дай Бог...

Саня открыл глаза и сначала увидел рот, измазанный кетчупом. В голове молнией мелькнула четкая картинка: доллары на светлом ковре, рот в красном соусе, пухлая полуголая девушка со звездами на тяжелых грудях, с подвижным мускулистым животом.

Ресторан... Вечером он был в ресторане. Судя по виду грудастой девицы, там показывали стриптиз. По ковру рассыпались деньги, много денег, кто-то из официантов должен вспомнить и Саню должен узнать. Хорошо, и что это даст? Да, он был в ресторане. А потом оказался в подъезде дома, где жил Бутейко. Как он туда попал? На метро? На такси? Или его подвезли к подъезду люди, с которыми он сидел в ресторане? С кем же он там сидел? Ведь не один, в самом деле!

Утром он говорил по телефону с Вовой Мухиным. Но Вова известный халявщик, он никогда никого не приглашает в рестораны. И еще вопрос, пожалуй, самый существенный: куда он мог положить «Вальтер», когда вышел из дома?

Вечером при нем не было ни сумки, ни портфеля-кейса. Ему просто некуда было спрятать пистолет. Карманы дубленки слишком мелкие, есть только один вместительный, внутренний, но там лежал радиотелефон. Не стал бы Саня запихивать тяжеленький «Вальтер» в карман пиджака. Это было бы заметно, пиджак сшит из тонкого шелковистого сукна.

Саня зажмурился, напрягся, пытаясь вытянуть со дна памяти еще что-нибудь важное. Сейчас он чувствовал себя значительно лучше, ему стало спокойней, и сразу удалось столько всего припомнить. Тряхнув головой, он заметил наконец силуэт своей Наташи. Она стояла спиной к нему. На ней были старые домашние джинсы и короткая ярко-красная куртка-пуховик. Светлые волосы кое-как сколоты пластмассовой заколкой.

— Наташка! — выдохнул он и вскочил с лавки, втиснулся лицом в решетку «телевизора».

— Саня... — она повернулась. Щеки ее были мокрыми от слез. Димыч спокойно сидел, прижатый к маминой груди, в сумке-«кенгуру», с любопытством озирался по сторонам. Увидев Саню, тут же заулыбался, завертелся, поднял ручку в яркой полосатой варежке и громко произнес:

— Папа!

— Наташка, вспомни, кто заходил к нам в последние несколько дней, кто мог залезть в ящик письменного стола? — быстро, взахлеб, затараторил Саня. — Не вытирай пыль. Проверь, лежит ли коробка с патронами в твоей шкатулке на комоде. Открой ее ножом, не прикасаясь. На перламутре могут быть чужие отпечатки. Ты поняла? Вечером я был в ресторане. Позвони Вовке Мухину, я говорил с ним утром, может, он что-то знает про вечер...

— Саня, ты что, брал с собой пистолет?

— Я не помню...

— С ума сошел? Ты не мог взять пистолет. Вспоминай, где и с кем ты был! Сейчас же вспоминай!

— Не могу, Наташка, честное слово, дыра в памяти.

— Так, прекращаем это безобразие! — поднялся из-за стола дежурный. — Вы что, совсем очумели?!

— Наташка, слушай внимательно! Я не мог спрятать пистолет, когда шел в ресторан, ты поняла? Надо найти ресторан. Там была девка полуголая... доллары рассыпались...

— Какая девка? — Наталья хлопнула потемневшими от слез ресницами. — Какие доллары? Саня, что ты несешь?

— Слушай, ты уйдешь когда-нибудь или нет? — поинтересовался дежурный.

— Еще одну минуточку, пожалуйста, очень вас прошу...

— Какую минуточку? Все, чтобы я тебя здесь не видел! — Лейтенант взял Наташу за локоть.

— Подождите, я жена арестованного, я свидетель, вы должны меня допросить! Кто у вас здесь главный? Кто занимается этим делом?

— Самая умная, да? Марш домой с ребенком и не маячь здесь. Брысь отсюда, чтоб я тебя не видел! Надо будет допросить, вызовут тебя. Поняла? Нет?

— Не трогайте ее! — хрипло закричал Саня. — Наташка, меня чем-то накачали, добейся, чтобы мне сделали анализ крови! Запомни: ресторан, наркотик, Вова Мухин. Когда будешь говорить со следователем, скажи про пистолет, мне некуда его было спрятать, ты поняла?

— Папа! — возмущенно повысил голос Димыч, стал брыкаться и ворочаться, пытаясь выбраться из «кенгуру». Он был крупный, ловкий и сильный, мог запросто вылезти и шлепнуться на кафельный пол. Наталья крепко обхватила его обеими руками, Димыч застыл на миг, выгнул нижнюю губу подковкой, набрал побольше воздуха, прищурился, и через минуту торжественный басистый рев заглушил торопливую Санину речь, окрики милиционеров, храп бомжей.

Наталью под руки вывели на улицу. Она не сопротивлялась, только оборачивалась, глядела на удаляющееся лицо мужа, вжатое в тюремную решетку, бледное, заросшее темной щетиной, постаревшее за одну ночь лет на десять, изменившееся так, что казалось почти незнакомым. Она старалась разобрать последние его слова, видела, как шевелятся губы, но ни звука уже не слышала.

На улице Димыч успокоился. В «кенгуру» он вообще успокаивался быстро, особенно при ходьбе. Единственное, что волновало его теперь, это запах молока. Мамина грудь была прямо у него перед носом. Он терся личиком об ее свитер и сердито хныкал, напоминая, что пора кушать. Наташа впрыгнула в троллейбус, уселась на переднее сидение.

Прежде всего надо было успокоиться и повторить про себя все, о чем просил Саня, чтобы ничего не забыть.

«Дома у нас за эти дни никого не было, — думала она, глядя в окно троллейбуса и поглаживая Димыча по головке, — неделю назад забегала Ольга. Позавчера мама сидела с Димычем, пока я была у зубного. За эти три часа мог кто-то зайти, но мама забыла сказать...»

Она глубоко задумалась и не заметила, как рядом с ней плюхнулась на сиденье пожилая тетка в пальто с каракулевым воротником и с кирпичными нарумяненными щеками.

— Ой, ты, деточка, как же тебе неудобно в этом мешке, вот вырастешь, будут у тебя, бедненького, ножки колесом, спинка горбатая. Что же у тебя такая злая мама, миленький ты мой?

— Послушайте, прекратите глупости говорить! — тихо огрызнулась Наталья.

— Она к тому еще и хамка! — обрадовалась тетка. — Да я бы таких выселяла из Москвы, нечего делать в столице, если вести себя не умеешь в общественном месте! Рожают, бесстыжие мерзавки, а потом мучают, таскают в мешках, как щенков, и еще хамят пожилым людям! — она орала все громче, работая на публику. — Я бы таких лишала родительских прав, вы посмотрите на нее, посмотрите, она ведь несовершеннолетняя, ей просто опасно доверять маленького ребенка!

Никто тетку не слушал. И это раззадоривало народную мстительницу еще больше.

— И не кормит она его, голодом морит, я вижу, как у ребенка глазки блестят, он голодный! Сейчас, детка, сейчас, маленький...

Наташа не успела опомниться, как в руках у Димыча уже была шоколадка «Пикник». Димыч, не раздумывая, потянул ее в рот прямо в обертке.

— Вот! — торжественно прокомментировала мстительница. — Это называется мамаша, даже развернуть не может!

Наташа выхватила шоколадку и бросила тетке на колени, Димыч стал громко протестовать, потянулся за шоколадкой, чуть не вывалился из «кенгуру». Наташа усадила его поудобней, расправила лямки «кенгуру», встала и спокойно произнесла, обращаясь к тетке:

— Разрешите пройти!

Для народной мстительницы наступил звездный час. Она намертво вросла в сиденье, раздулась, побагровела и даже попыталась схватить Наташу за руку. В итоге они с Димычем чуть не свалились в проход, но удалось вовремя вцепиться в поручень. Троллейбус резко затормозил у остановки. Наташа выскочила в переднюю дверь. Димыч заливался плачем. Все глядели на молодую мамашу с ребенком в «кенгурушке» с жутким, садистским любопытством. Тетка продолжала беззвучно орать сквозь стекло. Наташу затрясло, как в лихорадке. Весь ее спокойный деловой настрой сдуло в миг чужим злобным безумием. Она почувствовала себя беспомощной, совершенно одинокой, незаслуженно обиженной. Димыч продолжал заливаться. Прохожие оборачивались.

Было скользко и очень холодно. После бессонной ночи Наташу сильно знобило, к тому же из груди потекло молоко, свитер промок, а до дома оставалось пройти еще две остановки.

— Димыч, миленький, не плачь, ну, пожалуйста, — бормотала она, осторожно ступая по льду, — перестань, а то я тоже сейчас заплачу. И что ты будешь делать с рыдающей мамой на скользкой дороге? Давай мы оба успокоимся и просто поговорим.

Слезы еще катились у него из глаз, но он уже улыбался, глядя на Наташу снизу вверх, из «кенгурушки».

— Ну вот, солнышко мое, скоро придем домой, ты покушаешь, все будет хорошо. Все будет отлично.

Она чувствовала, как дрожит у нее голос, как неуверенно звучит ее бормотание. Димыч перестал улыбаться, продолжил свой торжественный, громкий рев. Ее неуверенность моментально передавалась ему, он не мог успокоиться, вертелся в «кенгуру», идти становилось все трудней, под ногами был лед, несколько раз Наташа чуть не упала.

«Не раскисай, думай, ищи выход, — твердила она про себя, — не отвлекайся на мелочи, на злобных сумасшедших теток, ты же не истеричка, не идиотка, ты разумный человек, и кроме тебя Сане никто не поможет. Ситуация только кажется безвыходной потому, что ты не спала и нервничала всю ночь, причем так сильно, как никогда в жизни, и нервничаешь сейчас, то есть почти сходишь с ума. Ну, представь, что будет, если ты от ужаса потеряешь голову? Правильно, ничего хорошего. Не бывает безвыходных ситуаций, всегда есть выход. Кто же это сказал? Выход из тупика надо искать там, где был вход...»

Наташа несколько раз словно заклинание повторила про себя этот мудрый утешительный тезис и подумала, что всю его абсурдность можно понять только тогда, когда попадаешь в реальный тупик.

«Возможно, мне надо просто поспать. Совсем немного, вот приду домой, покормлю Димыча и посплю вместе с ним хотя бы пару часов. Авось поумнею».

Ночь была ужасной, она вообще не спала ни минуты, металась по квартире, плакала.

После странного ночного разговора Санин мобильный тут же выключился. Она сразу поняла, что с ее мужем случилось нечто ужасное. Он разговаривал как пьяный, язык у него заплетался. Но она знала, Саня пьет мало и никогда не напивается до бесчувствия. У него разумный организм. Лишний алкоголь тут же выплескивается наружу. Саню просто рвет, если он выпьет слишком много. Потом ему плохо, голова болит, но при этом он отлично соображает и контролирует себя.

Судя по тому, что он не соображал, где находится, жаловался на слепоту, ему могли добавить в питье метиловый спирт. Не исключено, что его просто избили, оглушили ударом по голове. Второе, пожалуй, вероятней. Когда они говорили по телефону, рядом слышны были собачий вой и женский крик, причем Наташа четко разобрала слова: «Помогите! Ой, мамочки, сколько крови!»

Обзванивая больницы, она почти не сомневалась, что кровь была Санина. Она представила себе, как ее муж валяется где-то в полуобморочном состоянии, в луже крови, забилась в истерике, даже стала задыхаться, но довольно быстро пришла в себя. Умылась ледяной водой, хлебнула крепкого сладкого чаю, зажмурилась, спокойно и медленно досчитала до пятидесяти.

Простая и разумная мысль о том, что произошло нечто страшное и надо действовать, а не рыдать, прибавила ей сил. Она засела за телефон, и довольно скоро ей удалось выяснить, что муж ее задержан милицией по подозрению в убийстве и в настоящее время находится в районном отделении. Сострадательная девушка в справочной МВД даже назвала ей номер этого отделения.

Увидев мужа, Наташа немного успокоилась. Голова его была цела, крови и серьезных ссадин она не заметила. Он выкрикивал нечто невнятное, но сложно представить человека, который в подобных обстоятельствах сумел бы остаться спокойным и рассуждать здраво. Саня, разумеется, никого не убивал, ничего нелепее нельзя придумать, просто он попался под горячую руку милиции, такое случается. Главное не паниковать. Он должен вспомнить, что же с ним произошло на самом деле. Судя по тому, что он бормотал и выкрикивал через решетку, ему кажется, будто его подставили. Это чушь, кому понадобилось Саню подставлять? Пройдет шок, все разъяснится.

Она говорила самой себе много правильных и разумных слов, но с каждым шагом по мокрой наледи чувствовала, как слова теряют смысл, превращаются в тупой болезненный гул отчаяния, который наполняет ее душу вместе с ревом машин, свистом колючего утреннего ветра. И нет ничего, кроме ледяного враждебного хаоса вокруг нее и внутри нее.

ГЛАВА ЧЕТВЕРТАЯ

Павел Владимирович Мальцев в свои пятьдесят три года попал в Монреаль впервые и очень сожалел, что нет у него ни времени, ни сил как следует посмотреть город. Целью поездки был вовсе не «туризм», как это значилось в огромной анкете, которую ему пришлось заполнить, чтобы въехать в Канаду.

Если называть вещи своими именами, целью поездки была совершенно дикая, мальчишеская авантюра, которая могла очень плохо кончиться и для Павла Владимировича, доктора искусствоведения, и для его старшего брата, Дмитрия Владимировича, заместителя министра финансов России. Он хоть и остался в Москве, но рисковал не меньше.

В авантюру, как в жадную водяную воронку, втягивалось все больше людей, и от этого степень риска увеличивалась. В качестве помощника Павел Владимирович нанял странного, весьма опасного пройдоху, человека с внешностью супермена и с неопределенной биографией. Звали наемника Анатолий Григорьевич Красавченко.

При первом знакомстве пройдоха произвел на Павла Владимировича сильное впечатление. Он поигрывал мускулами, свободно болтал по-английски и по-французски, сыпал медицинскими терминами и байками из жизни российских дипломатов за границей. В нем чувствовалась крепкая хватка.

Высшее пограничное училище КГБ, факультет диверсионно-подрывной деятельности, работа по кадровой проверке командного состава в Афганистане, потом вербовка агентуры в Чечне, после этого — крутой зигзаг, тихая двусмысленная должность представителя фонда ветеранов спорта при Министерстве иностранных дел. Чудо, а не биография, даже если хотя бы половина в ней — правда. Впрочем, седовласый богатырь сразу оговорился, что далеко не все может рассказать о своем героическом прошлом.

Конечно, Павла Владимировича многое в нем насторожило при знакомстве, однако ведь не наймешь для такого щекотливого дела порядочного человека!

«Проводить профессиональный наркодопрос — это примерно как зубы рвать под наркозом, — объяснил он Павлу Владимировичу, — главное, чтобы пациент расслабился и доверял врачу, не мешал работать. Когда работа уже идет, надо постараться, чтобы коронка не надломилась, а корень не остался в десне. А то бывает, вместо необходимой информации клиент выкладывает всякие пустяки».

Братья Мальцевы не имели возможности контролировать Красавченко. Свои «зубодерные» операции он проводил наедине с клиентами. Знакомился, входил в доверие, при первой возможности добавлял в любой напиток небольшую дозу вещества, не имевшего ни запаха, ни вкуса. Через несколько минут на клиента накатывала такая страшная слабость, что он не мог шевельнуться без посторонней помощи. Тогда Красавченко делал ему инъекцию еще одного препарата, который и назывался «элексиром правды». Это была сложная смесь наркотиков-галлюциногенов и антидепрессантов. В течение пятнадцати минут человек отвечал на любые вопросы, выкладывал то, что добровольно, в здравом уме и трезвой памяти, не сказал бы даже духовнику на исповеди. Затем наступал долгий тяжелый сон. Проснувшись, клиент обязан был все забыть.

Для инъекций Красавченко использовал специальные одноразовые шприцы с тончайшими иглами. Найти на локтевом сгибе след укола было невозможно. А введенные в организм препараты рассасывались

очень быстро, значительно быстрее, чем клиент про
буждался после долгого сна.

Происходило ли все именно так или Красавченко
врал, братья не знали. Он уверял, что использует но-
вейшие разработки секретных лабораторий ЦРУ и
Моссад. Максимальный эффект, минимальный вред
организму. Никаких последствий. Клиент просыпает-
ся свежим и бодрым. Голова у него не болит, кошма-
ры не мучают.

До назначенного времени оставалось десять минут.
Красавченко никогда не опаздывал, Павел Владимирович предпочитал приходить на встречи с ним немного раньше, чтобы настроиться, психологически
подготовиться. Но вместо этого нервничал еще больше. Он не знал, чего ждать от хитрого наемника.

Сидя в маленьком китайском ресторане, Мальцев
поглядывал на часы и боролся с искушением достать
из кармана радиотелефон, позвонить брату в Москву, поделиться своими опасениями, посоветоваться.
Павла Владимировича мучили сомнения и неприятные предчувствия. Ему вдруг стало казаться, что
пройдоха в один прекрасный момент решит и его,
Павла Владимировича, пропустить через проверку
своим чудодейственным «элексиром правды».

— Только смотри, сам не глотни его «правдивого»
пойла, — предупредил на прощанье брат, — вообще,
Пашуля, будь с ним аккуратней.

Если бы мог представить Дмитрий Владимирович,
насколько аккуратно следовало себя вести с Красавченко! За всю свою долгую жизнь Павел Владимирович еще не встречал человека, который вызывал бы
у него такую животную брезгливость и такое пани-
ческое недоверие.

Павел Владимирович даже на стуле заерзал, так
захотелось позвонить брату сию же минуту, однако

делать этого не стоило. Если Красавченко появится в момент разговора, он что-то почувствует, поймет. У этого хитрого сукина сына удивительное чутье. Слава Богу, он пока верит, будто Мальцев — такой же наемник, исполнитель, лишенный права на полную информацию, и не догадывается, что Павел Владимирович и так называемый «заказчик» — родные братья.

Красавченко появился, как всегда, минута в минуту и, как всегда, подошел бесшумно, со спины. Павел Владимирович заметил его квадратную суперменскую физиономию в зеркале и мысленно похвалил себя, что все-таки сдержался, не стал отсюда, из ресторана, звонить в Москву.

— Ну что ж, поздравляю! Как я и предполагал, ваш план с голландским корреспондентом провалился, — сообщил Красавченко как будто даже с радостью, — она категорически отказалась от интервью. Между прочим, этот вариант был обречен на провал с самого начала. Я не уверен, что вы сумели бы сыграть роль голландца. Скажите честно, вы это придумали потому, что не доверяете мне? Боитесь, повторится история со стариком сторожем? Или опасаетесь, что мне удастся наконец получить информацию и я скрою ее от вас, от заказчика, воспользуюсь сам втихаря?

— Ну, допустим, сыграть роль голландца мне ничего не стоит. Я знаю язык, много раз бывал в этой стране. Повторения истории со стариком я действительно боюсь, ты уж извини, но я просто обязан тебя контролировать. Так было решено с самого начала. А что касается «исчезнуть втихаря», то этого я как раз совсем не опасаюсь. Ты сам знаешь, не выйдет. Ты же не самоубийца.

— Я понимаю, — Красавченко весело подмигнул, — вы не хотите оставлять меня с очаровательной дамой наедине. Вам спокойней, если допрос состоится при вас. Но вынужден вас огорчить. Так ничего не выйдет. Даже если бы она согласилась встретиться с корреспондентом, то вряд ли мне удастся уговорить ее провести разговор в гостиничном номере, поздним вечером, в интимной обстановке, — он вальяжно откинулся на спинку бархатного диванчика и принялся листать меню, — тем более мне пришлось сказать, что в гостиницу вас не пускают.

— Почему?

— Потому, что она тут же поинтересовалась, в чем проблема? Разве голландец не может сам подойти к ней в фойе? Она без конца дает кому-нибудь интервью.

— Слушай, так, может, она и отказалась потому, что ты как-то двусмысленно предложил, ляпнул что-нибудь про поздний вечер и интимную обстановку? Она ведь дама строгая, у нее безупречная репутация. Может, она тебя неправильно поняла? Если она в принципе от интервью не отказывается, значит, ты как-то не так просил.

— Ни на что я не намекал и просил вполне грамотно. Просто у нее настроение было неподходящее. Кстати, есть еще одна неприятная новость. Я выяснил, что она вообще не пьет. Это значительно усложняет нашу задачу.

— Ну, кроме спиртного, есть еще кофе, сок, минеральная вода. Ты же говорил, что твой пресловутый эликсир правды не имеет ни вкуса, ни запаха.

— Спиртное усиливает действие препарата, под водочку оно надежней. К тому же если человек знает совершенно точно, что он не употреблял спиртного, ему потом значительно сложней понять причины странного состояния, в котором он находился. Пьющий человек всегда допускает, что мог выпить и отключиться. А у трезвенника внезапный провал в памяти от чашки кофе или стакана сока вызовет серьезные подозрения, особенно если пил он свой кофе или сок наедине с малознакомым человеком.

Подошел официант-китаец, низко склонился, заулыбался, ожидая заказа. Красавченко, как всегда, заказал целую гору еды, Мальцев ограничился порцией своих любимых тигровых креветок и клюквенным соком.

— Ну, я уверен, тебя в твоей разведшколе учили, как спаивать трезвенников и рассеивать подозрения. — Павел Владимирович попытался быть язвительным, но улыбка у него получалась скорее испуганная, чем ироническая.

— А, так вот почему вы при мне не употребляете спиртного? — подмигнул Красавченко. — Да, конечно, нас учили спаивать трезвенников. Но дело не в этом. Я продолжаю настаивать, что к Беляевой нужен принципиально иной подход.

— То есть?

— С ней не надо слишком много разговаривать об умном.

— О ком, прости? — нервно хохотнул Павел Владимирович.

— Все острите? Юмор ваш совершенно не уместен. Я ведь предлагал свою обычную методику. Вы не дали мне санкцию на секс-мероприятие, вы сказали...

— Методика, санкция на секс-мероприятие... Любишь ты выражаться, прости Господи. Тоже мне, дипломат хренов, — покачал головой Павел Владимирович. — Если ты к ней сунешься со своими подходцами, она будет шарахаться от тебя как от чумы.

— Пока еще ни одна не шарахалась. А Беляева прежде всего голодная баба. Голодная в смысле секса.

— Кто? Елизавета Беляева? Ну, это ты, братец, загнул...

— Вы зря смеетесь. Ей сорок, последняя вспышка молодости, последний шанс. Женщина в таком состоянии готова на многие глупости.

— Ну конечно! По-твоему, все они голодные и все готовы на глупости, независимо от возраста, интеллекта и социального положения, причем исключительно ради тебя, единственного и неповторимого. Странно, как до сих пор тебя не обглодали до костей страждущие дамы? У Беляевой кристальная репутация. О ней даже сплетен никаких не распускают. Она верная жена и образцовая мать. Все, что ее интересует в жизни, — семья и работа.

Официант принес для Красавченко огромную тарелку с какой-то сложной курино-рыбной закуской. Перед Мальцевым поставил стакан с клюквенным соком, и Павел Владимирович совершенно рефлекторно подвинул его к себе поближе, подальше от собеседника.

— Это ненормально. Так не бывает, — прошамкал Красавченко с набитым ртом.

— Бывает всякое. Вряд ли она решится рисковать репутацией ради нескольких часов удовольствия с таким красавцем, как ты.

— Дело не только во мне. Еще раз повторяю, ей сорок. Для женщины это критический возраст. Она подсознательно стремится наверстать упущенное. А если женщина замужем двадцать лет и у нее кристальная репутация, то упустила она многое. Это простой психоанализ.

— Ладно, хватит. Нам с тобой не до психоанализа, — поморщился Мальцев.

— Вот здесь вы не правы. Без психоанализа не обойтись. Действовать надо тонко и продуманно.

— Да уж, Беляева — не дед-алкоголик, который за бутылку расскажет что угодно.

— Между прочим, с дедом мне тоже пришлось повозиться. К каждому нужен свой подход. Моя методика рассчитана на простые человеческие слабости, а слабости уравнивают людей. Для поселкового сторожа это спиртное, для сорокалетней добропорядочной женщины — секс.

— Для каждой? — Мальцев осторожно отхлебнул сок.

— Ну, практически да. Просто не всегда это заметно.

— Тебя этому тоже в разведшколе учили?

— Меня учили индивидуальному подходу к людям.

— Однако, при всем твоем тонком психологизме, ты не сумел даже деда-алкоголика, поселкового сторожа, обработать таким образом, чтобы потом можно было оставить его в живых. Ну, что ты на меня так гневно глазами сверкаешь? Разве я подарил деду бутылку, в которой вместо чистого медицинского оказался метиловый спирт?

Официант принес горячее. Тигровые креветки были так обильно политы соленым соевым соусом, что есть их Павел Владимирович не смог. Красавченко поглощал суп из морских гребешков с завидным аппетитом.

— У вас другие функции, и специальность другая, — заметил он, слизнув белесую мутную каплю с ложки. — Я ведь не суюсь в историю минералогии и в ювелирное дело, не пытаюсь рассуждать о Фаберже и о прочих вещах, в которых ничего не понимаю.

— И на том спасибо. А деда мог бы все-таки пожалеть.

— Да? Вы так считаете? Ну что ж, я с вами согласен, жаль старика. Но себя все-таки жальче. Старик болтун, каждый новый человек для него событие, и неизвестно, чем могла бы для нас обернуться его болтовня. В таких вещах лучше не рисковать, к тому же дед и так на ладан дышал.

— Ладно. Бог с ним, со сторожем. Он в итоге дал нам промежуточную информацию, и на том спасибо. Пусть земля ему будет пухом. У тебя есть какой-нибудь определенный план? Не забывай, времени в обрез, ты должен раскрутить Беляеву здесь, в Канаде. В Москве сделать это будет значительно сложней.

— Не беспокойтесь. Я раскручу. Это как раз совсем не сложно. Я продолжу ухаживать за ней, она не останется равнодушна. Если не сексуальный голод, так обычное женское тщеславие сыграет мне на руку. В любом случае, я найду возможность остаться с ней наедине, а остальное — дело техники.

— Только смотри, не отрави ее насмерть своим эликсиром правды. Один труп у нас с тобой уже есть, и если это дойдет до заказчика, он вряд ли одобрит твою излишнюю осторожность.

— А почему это должно дойти до заказчика? Мы не обязаны отчитываться по каждому персонажу в отдельности. Его интересует только результат.

— На сегодня у нас результат скверный. Информации практически никакой, и уже есть один труп. Учти, если вторым трупом станет такая знаменитость, как Елизавета Беляева, то третьим и четвертым можем оказаться мы с тобой. — Мальцев вдруг услышал себя со стороны, и у него заныл желудок.

«Я становлюсь скотиной, — поздравил он себя, и тут же утешил: — С кем поведешься...»

— Ну, это вы преувеличиваете, мы с вами в любом случае останемся вне игры, — покачал головой Красавченко. — Кто нас вычислит?

— Нас никто не сможет вычислить. Просто не успеет, потому что уберет нас сам заказчик, чтобы ненароком не засветилось его державное имя в процессе расследования.

— Кстати, вы так и не назвали мне его имени.

— Ты думаешь, он мне представился?

— Но вы сказали «державное». То есть он человек известный.

— Нас с тобой это в любом случае не касается. Чем меньше мы о нем знаем, тем лучше. Не забывай, у тебя осталось всего четыре дня. Вариант с интервью уже провалился. Так что очень советую не строить замков на песке, не рассчитывать на свою грандиозную мужскую привлекательность и продумать несколько запасных вариантов.

— Они уже продуманы.

— Вот и отлично. Действуй. Но только прислушайся хоть раз в жизни к доброму совету, не будь таким самоуверенным.

Расплачивался, как всегда, Мальцев. Красавченко просто встал и ушел, даже не поблагодарив за ужин. Ну и черт с ним, чего еще ждать от хама?

Как только Павел Владимирович остался один, он тут же стал названивать брату в Москву. В Москве была ночь. Механический голос сообщил, что абонент временно недоступен.

* * *

— Из вашего пистолета убит человек, которому вы перед этим дважды угрожали. Вы были арестованы на месте преступления. Чтобы не вести долгих разговоров, давайте начнем с чистосердечного признания, оформим все, как положено, и это может смягчить приговор.

— Я не угрожал и не убивал. Я не знаю, каким образом попал в подъезд. Мне было очень плохо.

— Значит, чистосердечно признаваться не желаем?

— Нет. Я не убивал. Я ничего не помню. Мне было очень плохо.

— Вам было плохо... Вы пили перед этим?

— Не помню.

— В протоколе сказано, что вы находились в состоянии сильного алкогольного опьянения.

— Я не помню.

— А что вы помните?

— Ничего.

Сане сразу не понравился следователь. Маленький пожилой толстячок, уютный, сдобный, как домашняя теплая выпечка. Именно от таких, внешне добродушных, глуповатых и безобидных, следует ждать неприятностей.

— Завтра будет проведена судебно-психиатрическая экспертиза. Но без всякой экспертизы могу вам сказать, что вы производите впечатление человека вполне вменяемого. Не советую симулировать.

— Я и не собираюсь. Пусть меня проверяет любая комиссия. Я правда ничего не помню. Я же говорил, меня накачали наркотиком, действующим на память. Я очнулся в чужом подъезде от крика и собачьего лая. Никого я не собирался убивать, у меня семья, ребенок маленький.

— Никого не собирались убивать... А зачем купили пистолет?

— Просто так. Сейчас у многих есть пистолеты. Это модно, престижно.

— У многих? У кого, например? Можете назвать поименно ваших знакомых, имеющих огнестрельное оружие?

— Я не стукач.

— Вы не стукач... Ну, хорошо, а вам известно, что

незаконное приобретение, хранение и ношение оружия наказывается лишением свободы на срок до трех лет?

Саня молчал и глядел в пол.

— Я задал вам вопрос, — мягко напомнил Илья Никитич.

— Да, — еле слышно произнес Саня, не поднимая глаз.

— Значит, купив пистолет, вы вполне сознательно пошли на уголовное преступление?

— Я не считаю это преступлением.

— Убийство тоже не считаете преступлением?

— Я никого не убивал, — Саня решительно помотал головой, — меня подставили.

— Кто и зачем?

— Понятия не имею.

— Понятия не имеете, — удовлетворенно кивнул следователь.

Дурацкая манера повторять почти каждую фразу собеседника Саню просто бесила. Собственные слова сразу казались глупыми, неубедительными, словно старикан пережевывал их своими вставными челюстями, и получалась жидкая словесная каша вместо осмысленных, продуманных ответов.

— Если бы я знал, кому понадобилось меня вырубать, разве я не сказал бы? Я изо всех сил пытаюсь вспомнить, но не могу.

— Пытаетесь, но не можете... — повторил Илья Никитич. — А что именно вы пытаетесь вспомнить? Что вам кажется самым важным?

— Ну, во-первых, пистолет я из дома не выносил. Мне просто некуда его было положить.

— Да что вы? — удивился Илья Никитич. — Он у вас такой удобный, легкий, карман не оттянет.

— Нет. В дубленке наружные карманы маленькие, а во внутреннем у меня лежал радиотелефон. Пиджак из тонкой ткани, было бы заметно, если бы там лежало что-то тяжелое.

— Хорошо, а внутренний карман пиджака?

— Там бумажник.

— Но есть еще карманы брюк, ваш «Вальтер» запросто туда влезет.

— Нет. Торчит. Брюки узкие.

— Значит, все варианты перепробовали?

— Какие варианты? Я его не брал с собой. Вообще не брал, понимаете?

— Ладно, допустим. В котором часу вы вышли из дома?

— Спросите у моей жены.

— И куда направились? Или об этом тоже спросить у вашей жены?

— Кажется, я был в ресторане.

— Отлично, — обрадовался Илья Никитич, — это уже кое-что. В каком именно ресторане?

— Там танцевала полуголая девушка со звездами на груди, и еще там рассыпалась куча долларов по ковру. Но все это очень смутно, как в тумане.

— Действительно, туману много. Название ресторана, конечно, забыли?

Саня молча кивнул и опустил голову так низко, что Илья Никитич видел только его темно-русую макушку.

— Значит, вы помните, что незадолго до убийства были в ресторане, но пистолета с собой не брали? А каким образом оказались в подъезде убитого, рядом с трупом?

— Я не убивал.

— Послушайте, Анисимов, а может, вы просто забыли, как выстрелили в Бутейко?

— Пожалуйста, не надо издеваться, — Саня вжал голову в плечи, словно опасался, что старик сейчас ударит его, — я не вру вам. Я не мог выстрелить человеку в висок. У меня бы просто рука не поднялась.

А мой пистолет должен был лежать дома, в ящике письменного стола.

— Но оказался каким-то мистическим образом на месте преступления. Ладно, Александр Яковлевич, сегодня я свяжусь с вашей женой, она принесет вам смену одежды, а это все мы отправим на экспертизу и узнаем, в какой именно карман вы положили пистолет, когда отправились убивать приятеля.

— Я не...

— Да-да, я понял, вы не убивали, — кивнул Илья Никитич, — вы давали Бутейко деньги в долг?

— Да. Три тысячи долларов.

— Когда это было?

— В июле.

— Вы брали у него долговую расписку?

— Нет, конечно.

— А сроки возврата оговаривали?

— Нст.

— Значит, вы полностью доверяли Бутейко?

— Не знаю. На этот вопрос я сейчас не могу ответить. Простите, у вас случайно нет сигареты?

— Случайно есть. Пожалуйста.

Илья Никитич не курил, но держал в своем столе на всякий случай пачку «Ротманс» и дешевую одноразовую зажигалку.

— Не можете ответить... — задумчиво повторил он, давая Сане прикурить, — что, очередной провал в памяти?

— Если вы считаете, будто я здесь комедию ломаю, то ошибаетесь. Я не симулирую, не строю из себя психа. — Саня жадно затянулся и заговорил очень быстро, затараторил, словно текст был выучен заранее: — Артем Бутейко был мне должен три тысячи долларов. После кризиса у меня возникли серьезные проблемы. Но из этого не следует, что я убил Артема.

Разве покойники возвращают долги? Мне нужны были деньги, а не огромный тюремный срок, не высшая мера. И потом, я бы сразу убежал.

— Вы были слишком пьяны.

— Если бы я собирался убивать, разве стал бы пить перед этим?

— Логично, — кивнул Илья Никитич, — но и выпить для храбрости в такой ситуации тоже логично. Из-за неприятностей после кризиса, из-за сложностей с деньгами вы много и сильно нервничали. Накопилась злоба, она требовала выхода. А тут — должник, который не возвращает деньги. Люди в своих поступках далеко не всегда следуют логике и здравому смыслу. Гораздо чаще ими руководят слепые эмоции, особенно в тех случаях, когда происходит убийство. Вы ведь дважды угрожали Бутейко.

— Угрожал? Ерунда какая... Нет, я напоминал ему о долге, но это нельзя назвать угрозами.

— Расскажите, пожалуйста, подробно, какой разговор состоялся между вами, когда вы в первый раз потребовали вернуть долг.

— Я просто позвонил, спросил, как дела. Я ждал, что он сам вспомнит о деньгах, но он не вспомнил. Я спросил прямо: когда собираешься возвращать? Он ответил, что пока не может точно сказать. Сейчас у него все настолько плохо, что на хлеб не хватает. В общем, он стал жаловаться на жизнь, как все в таких случаях.

— У вас большой опыт общения с должниками? — улыбнулся Илья Никитич.

— Нет... а почему вы так решили? — растерянно моргнул Саня.

— Вы сказали, как все в таких случаях.

— Ну, я имел в виду... я говорю не о своем опыте, просто известно, как люди тянут резину и жалуются на жизнь, когда речь заходит о деньгах... — Саня почувствовал, что краснеет, стал запинаться и в итоге замолчал.

— Ну, хорошо. А потом, через два дня, вы пришли к нему домой и опять говорили о деньгах. Мать Бутейко уверяет, что слышала угрозы.

— Ничего она не могла слышать. Да, я просил его вернуть хотя бы часть. Артем пробил свою программу на телевидении. То есть у него появилась возможность хорошо заработать. Между прочим, это еще раз подтверждает, что убивать его мне было невыгодно. Я просил, а не угрожал.

— Вы пришли к нему специально ради этого разговора или был какой-то другой повод?

Внезапно Саня замолчал. Илья Никитич с удивлением заметил, как резко изменилось его лицо. Он побледнел, глаза тревожно забегали. Казалось, он мучительно пытается решить для себя что-то важное. Илья Никитич дал ему время подумать, не торопил.

— Да. Повод был, — наконец медленно выдавил Саня сквозь зубы, — я зашел, чтобы посоветоваться с его отцом.

— Очень интересно, — радостно кивнул Илья Никитич, — пожалуйста, конкретней.

— Я не могу... А в общем, теперь уже не важно. Я принес показать отцу Артема одну вещь, чтобы он оценил ее. У моей жены есть старинное кольцо. Большой изумруд, бриллианты. Оно ей досталось от прабабушки. Я просто хотел узнать, сколько оно может стоить. Ну, на всякий случай. Мало ли что? Мы сейчас очень нуждаемся в деньгах. Я ничего не сказал Наташе, она бы ни за что не разрешила продавать кольцо. Она много раз повторяла, что ее прабабушка даже в гражданскую войну, в голод, берегла эту вещь.

— Разве Вячеслав Иванович Бутейко имеет отношение к ювелирному делу? — искренне удивился следователь.

— Имел когда-то. Но об этом в их семье не принято говорить.

«Почему?» — чуть было не спросил Илья Никитич, но сдержался. Он всегда старался не спешить с вопросами, которые вызывали у него особенный интерес.

— Ну и как Вячеслав Иванович оценил кольцо? Оно действительно оказалось дорогим?

— Нет, — тяжело вздохнул Саня, — он сказал, что в изумруде трещина и еще какие-то повреждения, а бриллианты очень мелкие, показатели чистоты низкие. В общем, больше трех сотен долларов за эту вещь получить нельзя. Я Наташе ничего не стал говорить. Принес кольцо, потихоньку положил назад, в шкатулку. Вы тоже не говорите ей, хорошо? Ей будет очень обидно, если она узнает, что я оценивал кольцо и что оно на самом деле так дешево стоит. Это ведь единственная ее фамильная драгоценность.

— Ну, специально не буду сообщать. А там уж — как получится, — улыбнулся Илья Никитич. — Вы давно знакомы с Бутейко?

— Учились в одном классе.

— Дружили?

— Нет, — Саня повысил голос, ответил слишком поспешно и даже шлепнул ладонью по столу для убедительности.

— Значит, в школе вы не дружили. А в последнее время какие между вами были отношения?

— Да никаких не было отношений! Просто приятели. Бывшие одноклассники.

— Кто из ваших общих знакомых мог знать о долге?

— Многие.

— Что значит — многие? Вы давали деньги при свидетелях?

— Нет. Артем забежал ко мне домой на пятнадцать минут, мы выпили по чашке кофе, я дал ему деньги.

— Ваша жена была дома в это время?

— Не помню... А, ну конечно, Наташи не могло быть дома. Весь июль она прожила с сыном на даче у моих родителей.

— Стало быть, никто не видел, как вы давали Бутейко деньги и какую именно сумму?

— Никто.

— Почему, в таком случае, вы утверждаете, что о долге знали многие?

— Да потому, что Артем в последнее время жил в долг. Он брал у всех, кто мог дать, и суммы были примерно одинаковые, от двух до четырех тысяч. Об этом все знали, кроме его родителей.

Илья Никитич задумался на секунду, чуть прикрыл глаза и беззвучно отбил пальцами дробь.

«Все, кроме родителей... однако о долге стало известно со слов матери убитого. Она сразу назвала Анисимова убийцей и вспомнила про деньги. Позже, придя в себя после короткого обморока, назвала сумму — три тысячи. Собственно, о долге известно только с ее слов. Про угрозы тоже».

— Александр Яковлевич, а какие вообще у Бутейко были отношения с родителями?

— Ну, как вам сказать? Сложные.

— Можно конкретней?

— Понимаете, родители Артема люди старомодные, все из себя добропорядочные, правильные и наивные до ужаса. Таким ничего нельзя объяснить. Если бы они узнали хотя бы приблизительные суммы его трат и его долгов, у обоих бы волосы дыбом встали.

Неожиданно для себя Саня хрипло засмеялся и не мог остановиться. Он вдруг вспомнил, что отец Артема совершенно лысый. Следователь спокойно и терпеливо ждал, когда закончится приступ дурацкого нервного смеха. Но Саню уже просто трясло, из глаз брызнули слезы. Хохот перешел в плач. Следователь участливо предложил воды. Зубы стукнули о стекло. Вода попала в дыхательное горло.

— Я не убивал Артема, честное слово, — забормотал он, захлебываясь слезами и кашлем, — я понимаю, доказать невозможно, все против меня, улики, свидетели, но я не убивал. Конечно, вы мне не верите. Но я точно знаю, Артем не говорил родителям про свои долги. Его мама не могла знать. И никаких угроз она не могла слышать. Просто у нее шок, понятно, единственный сын.

Кашель отпустил. Илья Никитич молча протянул ему бумажный носовой платок. Саня вытер глаза, шумно высморкался и немного успокоился, стал говорить медленно, монотонно, и следователю опять показалось, что он произносит заранее подготовленный текст.

— Артем не вылезал из светской тусовки, каждый день должен был появляться на всяких презентациях, в ресторанах, в казино, поддерживать знакомства со знаменитостями. Ему хронически не хватало денег. Он одевался в дорогих бутиках. Он вообще был страшно озабочен своей внешностью, многие часы проводил в примерочных магазинов, знал названия всех фирм-производителей одежды, мог лекции читать по истории костюма, но никогда этого не афишировал. Одевался нарочито небрежно, но в этой небрежности была особенная стильность, был шик. А шик — дело дорогое.

— И родители не замечали, что на нем дорогие вещи?

— Артем уверял их, будто покупает шмотки в самых дешевых комиссионках. Для них что Версаче, что фабрика «Красная швея» — один черт. Тряпка она и есть тряпка.

— Подождите, но в Москве давно нет комиссионных магазинов, — заметил Илья Никитич, — этого они тоже не знали?

— Родители Артема в последние годы покупали что-либо только в угловом гастрономе. Только еду покупали. Кефир, хлеб, макароны. Всем, кто приходил в гости, предлагали горячие черные гренки. Знаете, ломтики ржаного хлеба, обжаренные в подсолнечном масле. Со сладким чаем очень вкусно. Представляете, много лет подряд, из года в год, одно и то же угощение, жареный черный хлеб. С ума сойти можно. А одежду они не покупали вообще. Носили старую. У отца Артема все носки состояли наполовину из штопки. Пиджаки и пальто перелицованные. Ну, знаете, когда вещь распарывают по швам, выворачивают наизнанку, потому, что там ткань меньше изношена, и сшивают заново. Мать Артема целыми днями сидела за швейной машинкой. Старенькая такая машинка, с ножной педалью, которая выглядит как фрагмент литой чугунной ограды.

Саня бормотал, глядя в одну точку, и все ждал, когда же следователю надоест слушать этот бред. Но Бородин сидел молча, расслабленно откинувшись на спинку стула, и глядел на Саню сквозь прикрытые веки. Сане даже показалось, что старик заснул. Ну и ладно, спокойной ночи. Он покосился на Илью Никитича, без спросу вытянул из пачки еще одну сигарету, прикурил.

— Педаль качалась медленно, тяжело, у Елены Петровны отекали ноги. Она многие годы сидела за этой машинкой. И никогда, ни разу, не сшила ничего красивого, нарядного. Обметывала простыни, сострачивала огромные, как паруса, пододеяльники. Артем как-то пришел в школу в плюшевой темно-зеленой рубашке, такой узкой, что казалось, сейчас лопнет по шву, и заявил, будто это последний писк моды, будто какой-то родственник привез из Парижа для своего сына, но у того слишком пузо толстое, не смогли застегнуть пуговицы. На самом деле мать нашла на антресолях старое покрывало и сшила ему рубашку. А узкая она потому, что осталось очень мало невытертой ткани. — Саня загасил сигарету и перевел дух. В кабинете стало тихо. Молчание длилось несколько минут.

«Он не верит, — с тоской подумал Саня, — ничего у меня не получается. Сейчас он отправит меня назад в камеру».

Этого он боялся больше всего. Каждая минута в тихом кабинете, наедине со спокойным, вежливым старичком, без вони и ужаса перед соседями-уголовниками, была для Сани сейчас на вес золота. Саня готов был болтать хоть до утра, лишь бы побыть здесь еще немного.

Следователь продолжал сидеть неподвижно, только веки его чуть приподнялись, глаза оживились.

— Ну что же вы замолчали, Александр Яковлевич? — произнес он с едва заметной улыбкой. — Я вас внимательно слушаю. Бутейко пришел в школу в рубашке, сшитой из старого покрывала. Что было дальше?

— Дальше? Ну что могло быть дальше? Все стали спорить, обсуждать эту несчастную рубашку, разглядывать ее, щупать. Кто-то из девочек обратил внимание на то, что швы обработаны зигзагом, а не оверлоком, то есть рубашка сшита на домашней машинке. Но Артем никогда не смущался, если его ловили на вранье. Он заявил, что это тоже писк моды. Самые знаменитые модельеры продают вещи «хенд-мейд», сделанные вручную. В итоге он добился, чего хотел. Весь класс был занят его рубашкой, его персоной. Когда рубашка «хенд-мейд» всем надоела, он выдумал другое. Притащил в школу какую-то брошку со стекляшкой и заявил, что это старинный бриллиант. Рассказал совершенно дикую историю, будто бы его дед копал колодец и нашел шкатулку с драгоценностями. Там, кроме прочего, был этот камень. За ним охотятся все коллекционеры и бандиты мира. Сто пятьдесят лет назад его снесла курица где-то на Урале.

Саня замолчал, вжал голову в плечи. Он ждал, что следователь сейчас взорвется, стукнет кулаком по столу, крикнет, мол, хватит мне голову морочить, не устраивайте из допроса балаган. Какая рубашка? Какая курица? Какое отношение вся эта ахинея имеет к убийству Бутейко? Но вместо этого старик мягко произнес:

— Ну что же вы? Продолжайте, пожалуйста. Я вас внимательно слушаю.

ГЛАВА ПЯТАЯ

Деньги, конечно, не пахнут. Разноцветные бумажки, захватанные тысячами чужих пальцев, шуршат, как вчерашние газеты с несвежими новостями, как мертвые осенние листья. Нет величины менее постоянной, чем деньги. Они истлевают, переходя из рук в руки, они теряют смысл во времена великих катаклизмов, и портреты, напечатанные на затертых бумажках, как будто усмехаются. Вот, смотри, ради чего ты трудился в поте лица, терял силы, не спал ночами. Хорошо, если трудился честно, не нажил врагов и грехов, а если ради бумажек подличал, предавал, убивал, душу закладывал? Вот, оказывается, сколько стоит твоя бессмертная душа. Ты сам ее так оценил. Тебе не хватит этой бумаги даже на растопку печки, чтобы согреться зимой, когда выключат отопление и придется мастерить «буржуйку».

Впрочем, можно поступить умней, вложить бумажки в другие, более надежные ценности. Но если ты купишь землю, где гарантия, что завтра тебя не выгонят с этой земли те, кто окажется сильней? Дом может рухнуть, сгнить, сгореть, как и все другое добро.

Золото надежней, но оно тяжело и громоздко, в нем нет жизни, света. Стоимость металла определяется всего лишь его весом, но никак не красотой. Было время, когда алюминий ценился дороже золота.

И только драгоценные камни, алмазы, изумруды, красные и синие корунды не падают в цене. Камни — это сгустки великого могущества, источник благ и бедствий. Камень — самое долговечное вещество из всех, что есть в материальном мире. Драгоценный кристалл питается светом, вбирает в себя время, не стареет, не умирает, и многих сводит с ума желание обладать холодным радужным осколком вечности. Он похож на застывшее прекрасное мгновение, которым соблазнял доктора Фауста коварный Мефистофель.

В 1701 году в копи Портиал в Голконде (Южная Индия) безымянный невольник нашел камень такой красоты, что не мог с ним расстаться. Распоров себе бедро, он спрятал светящийся кристалл в свое тело и носил его под кровавой повязкой. Тайну он открыл случайному английскому матросу. Невольник готов был отдать сокровище, но не за деньги, которых у матроса все равно не было, а за свободу. Матрос выполнил свое обещание, индиец вскоре оказался на английском торговом судне и опьянел от прохладного морского воздуха. Сделка состоялась. Матрос извлек алмаз из гноящейся, незаживающей раны, а индийца выбросил за борт.

Судно под английским флагом прибыло в форт св. Георга в Мадрасе. Матрос продал камень губернатору форта Вильяму Питту. Деньги, полученные за алмаз, не сделали матроса богатым и счастливым. Он промотал их в портовых кабаках и, расставшись с последним из нескольких тысяч фунтов, повесился.

А счастливый обладатель алмаза Вильям Питт назвал это чудо природы в свою честь, вернувшись на родину, в Англию, приказал огранить алмаз в совершенный бриллиант. Огранка продолжалась два года и стоила пять тысяч фунтов. Обломки кристалла продали за семь тысяч фунтов.

В 1717 году после долгих ожесточенных торгов Вильям Питт все-таки расстался с камнем, алмаз приобрел за сто тридцать пять тысяч фунтов тогдашний регент Франции герцог Орлеанский. Герцог оказался скромнее губернатора, он переименовал камень, но присвоил ему уже не собственное имя, а всего лишь свою должность. Бриллиант теперь назывался «Регент».

Камень был вправлен в корону Людовика XIV к

торжеству коронации 1722 года. Камень, извлеченный из кровавой гноящейся раны безымянного невольника, украшал благородные королевские головы. Последняя из них, голова Людовика XVI, во время Великой французской революции была отрублена косым ножом гильотины.

После кровавой революции Французская республика остро нуждалась в деньгах. «Регент» выломали из короны и продали русскому купцу по фамилии Тресков. Но генерал Бонапарт любил камни, он выкупил знаменитый бриллиант, вставил его в эфес своей шпаги, чтобы вскоре опять расстаться с сокровищем, взяв под залог камня огромную денежную ссуду. Наполеон Бонапарт хотел завоевать мир. Кристалл, который мог уместиться на детской ладони, стоил столько, что хватило на оснащение целой армии. Известно, чем все закончилось и для армии, и для полководца.

Сейчас знаменитый «Регент» покоится на почетном месте в Лувре. Возможно, найдется человек, который сумеет заполучить это сокровище в свою частную коллекцию. Кто знает, как сложится после этого судьба счастливца?

Римский естествоиспытатель Плиний Старший в своей «Естественной истории» писал, что алмаз уничтожает действие яда, рассеивает пустые бредни, освобождает от страха, тускнеет в руке убийцы. Твердость у алмаза несказанная, он так сопротивляется ударам на наковальне, что железо с обеих сторон разлетается, и сама наковальня растрескивается. «Сия неодолимая сила, противящаяся двум сильнейшим веществам в природе, железу и огню, размягчается от горячей козлиной крови. Какому гению или какому случаю приписать данное открытие? Кто надумал затеять столь странный и таинственный опыт с поганым животным?»

Римский ученый ошибался. Несмотря на непревзойденную твердость, алмазные кристаллы хрупки и легко раскалываются от ударов. Козлиная кровь не оказывает на них никакого действия.

Чистые сверкающие кристаллы, такие, как «Питт», попадаются редко. Сырые необработанные камни не бросаются в глаза ни своим блеском, ни своей внешней формой. Поверхность их часто матовая и шероховатая, иногда покрыта корочкой постороннего вещества, которую называют «рубашкой». В средневековых лапидариях, специальных трактатах, посвященных целебным и магическим свойствам драгоценных камней, утверждается, что алмазы растут семьями, один маленький, другой большой, кристаллы мужские и женские. Они питаются небесной росой и рождают детенышей. Для них, как для человеческих детей, появление на свет в «рубашке» — счастливый знак.

Ганней осенью 1829 года на Урале, в Горноблагодатском округе, в деревне Калининской бабушка Аполлинария Попова вышла утром поглядеть, как дела у белой курицы-несушки. Курицу звали Мотя. Она была старая, жирная и необычайно яйценосная. Заглянув в лукошко, выложенное мягкой соломкой, Аполлинария Ивановна, к ужасу своему, не обнаружила теплых крупных яичек цвета топленого молока, которые обычно к завтраку приносила Мотя в количестве не меньше трех штук. В чистой соломке покоилось одно-единственное яйцо, по размеру меньше голубиного, грязное, серое, а главное, какое-то квадратное.

— Ой, батюшки, да что ж это за пакость такая? Неужто сглазили куру? — воскликнула Аполлинария Ивановна, перекрестилась и быстро забормотала: — «Да воскреснет Бог, и да расточатся врази Его...»

Кряхтя, охая и бормоча молитву на изгнание нечистого, Аполлинария Ивановна отправилась в сени. Лукошко она несла осторожно, на вытянутых руках, и боялась смотреть на квадратного недоноска, боялась дышать исходящим от него колдовским смрадом, хотя на самом деле пахло из лукошка просто куриным пометом.

Старший внук Аполлинарии Ивановны, четырнадцатилетний Павлик, собирался на работу, мыть золото.

— Ты погляди, Павлуша, напасть какая, — бабушка дала ему лукошко,— куру-то нашу сглазили, я знаю кто, Раиска-бобылка, ведьма проклятая. Помнишь, третьего дня Мотенька пропала? Раиска ее к себе заманила на двор, у ней есть черный петух, бабы говорят, петух этот особенный, заговоренный. Ему сто пятьдесят лет, он никогда цыпленочком не был, откуда взялся, неизвестно. Если какую курицу покроет, она сразу нестись перестает. Ой, беда, Павлуша, жалко куру-то, теперь только в суп ее разве, да и то не знаю, не будет ли вреда от такого супу?

— Ладно тебе, бабушка, — Павлик осторожно взял маленькое грязное яичко в руки, поскреб ногтем твердую грань, — куры наши бегают не к Раиске на двор, а к прииску, вокруг кашеваров пасутся, там и пшено, и хлебные крошки. Раиска-бобылка тут ни при чем. И петух у нее самый обычный, просто черный, как уголь, и драчливый, как бес. А на прииск к кашеварам бегают подкормиться не только с нашего двора куры, но и со всех соседних. — Павлик говорил рассудительно, как взрослый, а сам все скреб странное яичко, рассматривал его на свет.

— Ну да, как же, на прииск, — продолжала ворчать бабушка, — там пшено старое, прогорклое, чего им, курам-то, бегать? Вон я ее, голубушку, отборным зерном кормлю, никуда ей не надо бегать со двора. А ты, Павлуша, простокваши покушай с хлебцем, да брось на это чудо-юдо глядеть, выкинь его скорей, от греха подальше, а лучше в болотце утопи.

Но Павлушу вдруг как ветром выдуло из избы, он сбежал с крылечка, крепко сжимая в кулаке грязное чудо-юдо. Лицо его раскраснелось, глаза заблестели. Остановившись на бегу, он развернулся, подбежал к Аполлинарии Ивановне и быстро зашептал ей на ухо:

— Бабуля, ты соседкам про это яичко не болтай. Никому ни слова. Поняла? — И тут же убежал, так и не покушав простокваши с хлебом.

Летом Павлик Попов работал на Крестовоздвиженских золотых приисках, принадлежавших Бисерскому заводу графини Порье. 3 июля он нашел странный кристалл, крупный, бесцветный, прозрачный. Через два дня на прииск явился сам граф Порье вместе с минералогом Шмидтом, и вскоре в Петербург министру финансов графу Канкрину была отправлена срочная депеша. Граф Порье писал:

«5 июля приехал я на россыпь вместе с господином Шмидтом, и в тот же день, между множеством кристаллов железного колчедана и галек кварца, открыл я первый алмаз. Алмаз этот был найден накануне 14-летним мальчиком из деревни Калининской Павлом Поповым».

Разумеется, сам Павлик об этом письме понятия не имел, не знал, что имя его войдет во все учебники и научные труды по минералогии. Но отлично понимал, что такое эти прозрачные кристаллы и сколько они стоят.

Ранней осенью 1829 года несушка Мотя склевала на прииске крупный, чистый алмаз, а потом выкакала его в лукошко.

ГЛАВА ШЕСТАЯ

За окном падал крупный снег. Было светло от снегопада и так тихо, что слышно, как в пяти километрах от дома гремит по ледяным рельсам одинокая электричка.

Подмосковный дом Дмитрия Владимировича Мальцева был большим и теплым, с центральным отоплением, с тремя ванными комнатами и двумя маленькими душевыми. В гостиной, в столовой и в спальне Дмитрия Владимировича имелись еще и камины, настоящие, с ажурными экранами, с полным набором всяких щипцов, кочерег, щеток, совков и совочков для углей.

Дмитрий Владимирович всегда растапливал камины сам, выкладывал сухие поленья красивой пирамидкой, и все пытался научить Варю этому нехитрому делу. Но у нее еще ни разу не получилось, она напихивала целую кучу бумаги, однако слабый синеватый огонек дрожал и гас, оставляя тонкие извилистые стебельки дыма, которые напоминали Варе худеньких тающих привидений из детского фильма «Каспер».

Снег пошел с вечера, а к ночи превратился в метель. Варя сначала глядела в окно на крупные, подсвеченные фонарем снежинки. Потом на розовые сполохи тлеющих углей в камине. Наконец уставилась в потолок и стала считать слонов.

Перед ее мысленным взором медленно продвигалось тяжелое темно-серое стадо. Слоны топали по потолку. Они маршировали в ногу, как солдаты на параде. Ритм был упорно-однообразным. Главное, не увлекаться счетом, не забывать о сладких стонах и двигаться, двигаться. Главное, не думать о том, что внизу вода, сто пятьдесят литров воды, от которой отделяет только прорезиненная ткань матраца и тонкая шелковая простыня.

Ритм нарастал. Водяной огромный матрац колыхался, как груда желе. Слоны неслись по потолку. У Вари устали ноги. Она была мокрой от пота, чужой кисловатый липкий пот впитывался в ее поры. Она утешала себя простыми мечтами о том счастливом моменте, когда встанет наконец под душ, выдавит на губку ароматный зеленый гель и будет долго, тщательно мыться. До этого пока далеко. Терпеть еще минут двадцать, не меньше. Это целая вечность.

Дробный слоновий топот постепенно сливался в долгий сплошной звук, напоминающий громовой раскат. Ей казалось, стадо несется уже не по потолку, а по ее распластанному телу. Она чувствовала себя совершенно плоской, ее втаптывали в упругую подвижную мякоть матраца. Потный пыхтящий на ней мужчина весил не меньше ста килограммов. Он всегда был сверху. Он терпеть не мог иных позиций, кроме этой, самой примитивной. Все прочее считал извращением.

Сил у него было много, а фантазия отсутствовала напрочь. Первые две недели с его тонких сухих губ не срывалось ни звука, ни поцелуя. Сорок минут гробовой тишины и мерного, тяжелого ритма телодвижений. Но потом он расслабился, разыгрался. Он стал иногда целовать Варю, посасывал, покусывал ее ухо, стонал и вскрикивал странно высоким голосом. Вот тогда и появилась у нее надежда. Она поверила, что все будет хорошо.

Этот человек, один из самых богатых и влиятельных в России, этот упругий молчаливый толстяк с желтоватыми, блестящими, как мокрый суглинок, глазами, с короткой бычьей шеей, широкими волосатыми запястьями и тонкими, как у женщины, холеными пальцами, женится на ней.

Дмитрий Владимирович Мальцев официально числился заместителем министра финансов, однако его влияние и его полномочия распространялись далеко за пределы этой сравнительно скромной государственной должности. Кроме ежедневных сорока минут потной гимнастики с Варей на водяном матрасе, во все остальное время суток у него был глубокий начальственный бас. Каждое утро он пробегал пять километров по лесу босиком, в одних трусах, в любую погоду, потом плавал в ледяном бассейне. В свои пятьдесят шесть лет он был здоров, как боров, как племенной бык, как дикий африканский слон.

Температура воды в бассейне поддерживалась постоянная, зимой и летом плюс семь градусов. Если подойти к краю, можно было заметить льдинки, тончайшие, прозрачные, как контактные линзы. Иногда ночью, когда тишина была особенно глубокой, Варе казалось, что она слышит, как они позванивают, сталкиваясь на черной глади воды с отражениями бледных зимних звезд.

«Вода — это красиво и совсем не страшно, — убеждала себя Варя, глядя в черную глубину бассейна, — ты должна привыкнуть к воде. Тебе везло, три года он не ездил с тобой на морские курорты. Врачи сказали ему, что солнце для него вредно, что-то такое с кожей, опасно загорать. Однако теперь разрешили. Этим летом он намерен отправиться в Ниццу. Тебе придется войти в море. Ты должна быть готова к этому, иначе потянется цепь вопросов и подозрений, он не успокоится, пока не выяснит истинную причину твоего страха. Он узнает о тебе все, и твои великие планы растают, как эти хрупкие льдинки».

Она проводила с собой эту психотерапию не только стоя у бассейна, но и лежа на водяном матрасе. Ей хотелось кричать от ужаса, когда она чувствовала под собой тяжелую, тугую, смертельно опасную массу воды.

«Ты не должна бояться. Ты ведь хочешь, чтобы он женился на тебе?»

— Да... — простонала Варя, почти не разжимая стиснутого рта.

Ноги заныли нестерпимо. Правое ухо было мокрым, он измусолил мочку, вымазал слюной шею. К шее прилипли влажные пряди. Считать слонов стало невозможно, стадо слилось в одну сплошную свинцовую массу. Черная тяжелая толща воды почти сомкнулась над ней, не давая дышать. Варя закричала, глухо, сдавленно. Она позволила себе этот крик потому, что он был вполне уместен, он был кстати, и энергичный трудолюбивый толстяк благодарно поцеловал ее в губы, погладил по волосам.

Дмитрий Владимирович Мальцев был полностью удовлетворен. Он почувствовал себя настоящим мужчиной. А Варя была счастлива, что все кончилось и можно идти в душ.

Она оставила Мальцева лежать с закрытыми глазами и блаженным выражением на потном лице. Она видела, как он, не открывая глаз, протянул руку и включил радиотелефон, с которым никогда не расставался, отключал только на сорок минут любви, не более.

Варя накинула халат и выскользнула из спальни. Не успев прикрыть за собой дверь, она услышала слабое тренканье радиотелефона и хриплый, недовольный голос:

— Да... Нет, я тебя отлично слышу, но мне не нравится твой голос... Я понимаю... Честно говоря, мне сразу эта твоя идея с голландским корреспондентом показалась дурацкой. Извини, но актер из тебя никудышный. Слушай, Павлуша, откуда в тебе этот юношеский авантюризм?.. Что ты сказал? От страха? Ну, знаешь, братец дорогой, трусости я в тебе никогда не замечал. Ладно, это не телефонный разговор. А вообще, все к лучшему. Он профессионал, пусть и работает своими методами. Что ты молчишь? У тебя появились сомнения? Хорошо, объясни... Ладно, Паша, брось, не преувеличивай, мало ли у кого какие сексуальные проблемы? Это не мешает ему оставаться профессионалом... Ну, знаешь, так нельзя, ты его нашел, ты уверял меня, будто он классный специалист, а теперь кричишь, что мы связались с идиотом... Вот это правильно, отдохни, погуляй, пройдись по антикварным лавкам, как раз у отеля «Куин Элизабет» есть пара-тройка приличных антикваров. Кстати, как тебе Монреаль? Ты ведь в Канаде раньше не бывал... Да, действительно, есть что-то общее с Нью-Йорком, но Америка все-таки колоритней. А с этим твоим дипломатом все нормально. Из того, что он считает себя роковым мужчиной, вовсе не следует, что он полный идиот. Пожалуйста, прекрати паниковать. Все, будь здоров.

Разговор длился не больше трех минут. Мальцев говорил довольно громко, все-таки его собеседник, его любимый младший брат Паша, находился на другом полушарии. Варя, стараясь не дышать, застыла у двери, дослушала до конца и только потом отправилась в душ.

* * *

У большинства оперативников дотошность старшего следователя Бородина вызывала острое раздражение. Работать по делу, которое ведет Бородин, считалось чем-то вроде дисциплинарного взыскания. Про Илью Никитича говорили, что он любого, самого терпеливого оперативника за Можай загонит и доведет до белого каления.

Проглядев материалы дела об убийстве журналиста Бутейко, капитан Иван Косицкий загрустил. Судя по тому, какие мероприятия планировал проводить по этому делу следователь, работа предстоит нудная, а главное, совершенно бессмысленная. Действительно, зачем возиться, если все очевидно? Окажись на месте Бородина другой следователь, он бы только радовался такому классному делу. Все прямо как на подбор: вот тебе и труп, и убийца с оружием и мотивом преступления. Посиди пару дней, позанимайся писаниной, оформи все, как положено, и не дергай ни себя, ни других.

И кому только в голову пришло вручить этот подарок зануде Бородину? Если бы не Илья Никитич, дело через неделю было бы в лучшем виде передано в суд, и Анисимов А.Я. отправился бы отбывать свою заслуженную «пятнашку».

И все-таки капитан Косицкий понимал, что кривит душой. Несмотря на простоту и очевидность дела, следователь Бородин скорее все-таки прав, чем не прав. Слишком много белых пятен. Не опрошены свидетели, не проведены экспертизы. Сначала надо выяснить, точно ли **заслужил** Анисимов А.Я., ранее не судимый и **вполне** нормальный парень, эту свою «пятнашку». Ведь, кроме самого Анисимова, наказаны будут и его двадцатилетняя жена, которой придется во всех анкетах писать, что муж ее осужден по убойной статье, и крошечный сын, которому придется расти без отца. Есть еще у этого Анисимова мама с папой, вполне нормальные люди. В общем, капитан Косицкий решил, что с него не убудет, если он погуляет по большому тихому двору, поговорит с жильцами первого этажа.

Правда ведь интересно, почему никто не услышал ночью выстрела, хотя пистолет был без глушителя? Каким образом подозреваемый умудрился беззвучно упасть с лестницы, не получить ни единого ушиба и заснуть здоровым крепким сном запойного пьяницы? Ведь что получается: пока он поджидал свою жертву в подъезде, он отлично соображал, потом хладнокровно пальнул в упор, в висок своему бывшему однокласснику, прошел несколько шагов к лестнице и тут же вырубился? Был трезв, потом стал пьян, хотя напился вроде бы не в подъезде, не за упокой души убиенного приятеля.

Иван не спеша обошел кирпичный дом, в котором еще недавно жил журналист Артем Бутейко. Обычная девятиэтажка, три подъезда, тонкие стены, низкие потолки. Домофоны установлены в каждом подъезде, но ни один не работает. Перед домом просторный двор с детской площадкой, с двумя рядами гаражей-«ракушек».

Во дворе было пусто, только молодая мама с коляской сидела на спинке поломанной лавочки, съежившись, как продрогший воробей, да на спортивной площадке парнишка лет шестнадцати выгуливал толстого вялого боксера.

Скудное зимнее солнце спряталось, и сразу как будто похолодало. Женщина спрыгнула со своего насеста и покатила коляску к подъезду, к тому самому, где произошло убийство. Иван решительно последовал за ней.

— Добрый день, — он представился и показал удостоверение, — вы в этом подъезде живете?

— Да, а что? Вы насчет убийства? — Лицо ее моментально оживилось.

Постоянные обитатели московских дворов, бабушки, мамы с маленькими детьми, бездельники-подростки и бомжи, в последнее время все реже соглашались выступать в роли свидетелей. Еще недавно многие с удовольствием выкладывали оперативникам все, только успевай вопросы задавать. А сейчас что-то изменилось. Наверное, произошло то, чего так упорно добивались средства массовой информации. Окончательно подорвана вера в милицию, и большинство людей живет в полной уверенности, что преступников давно никто не ловит, все воруют и берут взятки,

103

и вообще бандит симпатичней милиционера. А возможно, просто настало время, когда бесплатно никто не раскроет рта. Скоро для того, чтобы узнать дорогу у прохожего, придется платить. А свидетеля, который согласится хоть что-то рассказать, надо будет награждать не только деньгами, но и медалью за гражданское мужество.

Однако на этот раз капитану повезло. Мамаша с коляской была готова отвечать на вопросы.

— Так точно, я насчет убийства, — радостно закивал Иван. — Скажите, пожалуйста, вы ночью слышали выстрел?

Женщина пожала плечами, задумалась на секунду и медленно произнесла:

— Вы знаете, я как раз живу на первом этаже, дверь напротив лифта. У нас в квартире отлично слышно, что происходит на лестничной площадке. Этого парня застрелили около двух часов ночи?

— В час сорок пять.

— Ну да, я в это время была в ванной, и вода у меня не лилась. Я слышала какую-то возню на площадке, постоянно хлопала входная дверь, она у нас железная, тяжеленная, звук по всему подъезду разносится, даже если придерживать.

— Дверь хлопнула несколько раз? — насторожился капитан. — А точнее вспомнить не можете?

— Ну, я, конечно, не считала, — пожала плечами женщина, — но точно больше двух. Понимаете, было такое ощущение, что кто-то ходит туда-сюда, и всю ночь стоял грохот, как весной. Потом все затихло минут на тридцать. Я спать не ложилась, сидела на кухне, чай пила. Ну, а потом уж начался шум, обнаружили труп, приехала милиция.

— Подождите, вы сказали, стоял грохот, как весной. Что вы имели в виду? Грозу, что ли?

— Петарды, — объяснила женщина, — весной в нашем дворе каждую ночь запускают петарды. Как первые теплые ночи наступают, выходят подростки, стоят во дворе до утра и развлекаются. Ну, еще в Новый год, конечно, тоже палят. Так вот, этой ночью, ни с того ни с сего, настоящую канонаду устроили, как раз между часом и двумя. Я подумала, может, у кого-то день рождения или свадьба. И еще, как раз без чего-то два я открыла форточку и увидела, как человек пробежал мимо окна. Окно кухни рядом с подъездом, я обратила внимание на него потому, что, во-первых, он бежал, во-вторых, у него были широченные плечи. Такой, знаете, «качек» с бычьим затылком. Гора мускулов. Он промчался от подъезда к повороту в переулок. Лица я, конечно, не разглядела, я ведь смотрела из света в темноту, но силуэт запомнила.

— Вы сказали, это было без чего-то два? Точнее не помните?

— К сожалению, нет. Я на часы не взглянула.

Капитан поблагодарил женщину, уселся на спинку лавочки, достал сигареты.

«Петарды — это очень интересно. В ту самую ночь, в то самое время, когда прозвучал выстрел, во дворе запускали петарды. А из подъезда выбежал плечистый тяжеловес. И дверь хлопала то и дело. Хорошо бы еще с кем-нибудь побеседовать на эту тему, если, конечно, найдутся желающие».

Он оглядел двор. По-прежнему было пусто, только парнишка продолжал тренировать своего толстяка боксера на спортивной площадке. Не худо бы с ним тоже пообщаться. Собачники часто выгуливают своих питомцев ночами.

«Может, мне второй раз повезет? Может, и этот парень тоже что-то видел, — подумал капитан, пытаясь прикурить на ветру, — хотя, между прочим, повезет не мне, а Анисимову. Для меня-то как раз все эти неожиданные подробности — лишняя головная боль».

Хлопнула дверь подъезда. Вышла белокурая высокая девушка в ярко-голубой куртке. Капитан заметил, как хозяин боксера замер, а потом побежал навстречу девушке.

— Лена, подожди!

У парнишки ломался голос, крик получился смешной, петушиный.

— Ну, что тебе? Я же сказала, оставь меня в покое.

Они остановились у лавочки, на которой сидел капитан. Боксер тяжело подпрыгивал, пытаясь лизнуть девушку Лену в лицо.

— Лен, ты куда? В магазин? — тревожно спросил мальчик.

— Никуда. Отстань.

— Ты что, обиделась?

— Сказала, отвали. Тоже мне, Отелло хренов. Видеть тебя не могу, — девочка говорила сердито, отрывисто, однако продолжала стоять, не уходила. Капитан подумал, что шансы у парнишки все-таки есть.

— Лен, я правда не следил за тобой. Так случайно получилось. Я просто с Жориком вышел погулять. Он сожрал что-то, его всю ночь несло, каждые полчаса просился.

— Да, конечно! У Жорика понос, а у тебя золотуха. Все, отвали. И не звони мне больше, понял?

— Лен, я ничего не видел, честное слово.

— А зачем спрятался? Ты следишь за мной, ты проходу мне не даешь. Отстань.

— Я не следил. Делать мне нечего, что ли? Думаешь, мне так приятно было видеть, как ты с Сизым целуешься?

— Я? С Сизым? — Девочка презрительно фыркнула. — Совсем сдурел? Мы просто стояли, разговаривали. И вообще, это не твое дело.

— Ага, разговаривали. В половине второго ночи. Лен, у него каждый месяц новая девчонка, он только с виду крутой, а ты знаешь, где он работает? В морге санитаром! Как с таким целоваться можно?

— Ничего не в морге. Он в первом медицинском учится на втором курсе. И вообще, я сказала, это не твое дело. Ходишь за мной, ходишь, суешь всюду свой нос. Надоело.

— Считай, я вообще ничего не видел. Этот придурок как начал палить, я чуть не ослеп. И Жорик чуть с ума не сошел, он ведь боится грохота до смерти.

— Так, стоп, ребята! — вмешался Косицкий. — Что за грохот? Кто начал палить?

Они уставились на него удивленно и неприязненно.

— Ладно, я пошла, — сказала Лена.

— Нет уж, будьте любезны подождать! — Капитан достал удостоверение. — Я из милиции. У вас здесь во втором подъезде произошло убийство. Вы только что сказали, кто-то в это время запускал во дворе петарды. Вы видели кто?

— Придурок какой-то, — растерянно моргнув, ответил мальчик, — взрослый мужик. Я подумал, может, пьяный, или под кайфом, или просто сумасшедший.

— В котором часу это было?

— Ну, я специально на часы не смотрел... Я с собакой гулял, у него понос, я в первый раз с ним вышел около двенадцати, минут пятнадцать гулял, потом мы пошли домой, я только ботинки снял, он опять стал проситься. У него часто такое бывает, находит какую-нибудь дрянь на помойке, и бегай с ним на улицу до утра.

— Да, конечно, это всем очень интересно, — усмехнулась Лена, — это надо в протокол занести, что у твоего Жорика был понос. Между прочим, я тоже кое-что видела, например, как мужчина убегал, здоровый такой, тяжеловес, плечи широченные, голова прямо из плеч, никакой шеи. Выскочил из этого подъезда, и вперед. Тот, который петарды пускал, бросился за ним. Они за угол повернули. Я их не могла разглядеть, было темно и далеко. Только силуэты.

— А того, который пускал петарды, можешь описать подробней?

— Нет. Я же сказала, только силуэты.

— А ты?

— Я тоже его не особенно разглядел, — пожал плечами мальчик. — Но пару раз сильно вспыхнуло, его всего осветило, с ног до головы. Роста небольшого, примерно с меня. Но довольно толстый. В темной короткой куртке, ноги, знаете, как у толстых бывают «иксом». Он когда побежал, было видно, что не спортсмен. Бежал в развалочку, тяжело. Я из-за него не мог как следует собаку выгулять. У пса расстройство желудка, а когда петарды грохают, он боится, не может нормально сделать свои дела.

— Опять ты про собачий понос, — презрительно усмехнулась Лена, — ничего интересней придумать нельзя!

Мальчик виновато покосился на нее и продолжал:

— Просто если уж рассказывать, то по порядку. Все-таки человека убили. Правда, что он известный журналист?

— Ну, в общем, да, — кивнул капитан, — известный.

— Так вроде, это, убийцу взяли на месте преступления, — вдруг вспомнил мальчик, — по «Дорожному патрулю» показывали, там так и сказали. Вам что, доказательств не хватает?

— Хватает, — буркнул Иван, — тебя как зовут?

— Дорофеев Николай.

Капитан записал в блокнот имена и адреса свидетелей, поблагодарил, попрощался, спрыгнул со скамейки.

— А может, этот мужик специально петарды палил, чтобы выстрела не было слышно? — прозвучал у него за спиной приглушенный голос девочки Лены.

* * *

Прежде чем поехать в юридическую консультацию, Наташа Анисимова отвезла ребенка к маме.

— Я, между прочим, нисколько не удивлюсь, если окажется, что это он убил, — заявила Кира Георгиевна, как только Наталья переступила порог, — я знала с самого начала, чем закончатся эти его темные делишки.

Наташа вдруг подумала, что фразу эту мама подготовила заранее, как только услышала, что случилось, тут же принялась произносить торжественные внутренние монологи.

— Мама, перестань, — слабо простонала Наталья, стягивая с сына комбинезон, — какие темные делишки? О чем ты?

— Ты отлично знаешь, о чем я! Продажи, перепродажи. На нормальном языке это называется спекуляцией. За это раньше сажали в тюрьму. А теперь, пожалуйста, придумали: бизнес. Там, где бизнес, сразу начинается криминал, как у вас принято говорить, разборки, бандитские крыши. О ребенке бы подумал, о тебе.

— Он и думал о нас, он деньги зарабатывал.

— У тебя только деньги в голове! В вашем поколении столько цинизма, что с вами страшно разговаривать. Вы слепы и глухи ко всему, что не приносит материальной выгоды. Когда ты была маленькой, ты была так далека от этого. Чистая, совершенно не меркантильная девочка, много читала, занималась музыкой, бальными танцами, фигурным катанием. И ради чего? Чтобы бросить институт и стать домохозяйкой, женой нового русского?

Кира Георгиевна растопырила пальцы веером и помахала рукой у Наташи перед носом, скорчив при этом надменную гримасу. Наташа не выдержала и рассмеялась.

— Ничего смешного, — проворчала Кира Георгиевна, — тупой апломб, наглость и жестокость. Вот законы, по которым живет твой муж и подобные ему. Он мог своровать, убить. Там у них это нормально, в порядке вещей.

— Мама, где — там? Что ты плетешь, подумай... — Она безнадежно, тяжело вздохнула и замолчала на полуслове.

Возражать не было сил, разговор старый, гадкий, стоило вернуться к нему, и сразу во рту почему-то возникал вкус прогорклой овсянки. Кира Георгиевна не любила своего зятя Саню и никогда не скрывала этого. То, что произошло, подтверждало ее правоту: Саня темная личность, человек без внутреннего стержня, без принципов и нравственной основы.

Вместо того чтобы работать по специальности, инженером-строителем, он занялся чем-то сомнительным, торговал всякой дрянью, таблетками для похудания, средствами для выведения волос, эликсирами, поднимающими мужскую потенцию, омолаживающими витаминами, причем все это активно и неприлично рекламировалось, объявлялось чудом фармацевтики, лекарствами двадцать первого века, но не было одобрено Минздравом, и неизвестно, какие имело побочные эффекты. Сама Кира Георгиевна двадцать пять лет честно прослужила в районной санэпидемстанции рядовым врачом-гигиенистом, с мужем развелась, когда Наташе было три года, с тех пор презирала всех мужчин вообще и каждого в частности. Чем старше становилась Наташа, чем явственней маячила перспектива ее собственной, отдельной взрослой жизни, тем чаще и вдохновенней произносила Кира Георгиевна свои монологи о цинизме и бездуховности современных молодых людей. Когда появился Саня, вся эта кипящая лава презрения обрушилась на него, и возражать не имело смысла, тем более сейчас.

Наташа уже несколько минут пыталась снять с Димыча шапку. Она вышла из дома без перчаток, руки ее застыли и все не могли отогреться. Распухшие пальцы никак не справлялись с узлом. Димыч хныкал, ему хотелось спать, ему не нравилось, что его так долго и неловко раздевают, тормошат, к тому же его пугал сердитый голос бабушки, он чувствовал, что взрослые ссорятся, и готовился зареветь всерьез. Если бы он не был таким усталым и сонным, наверное, уже давно заглушил бы своим ревом это взрослое безобразие.

— Дай-ка я развяжу, ты только путаешь! — Кира Георгиевна отстранила Наташу, присела на корточки перед Димычем. — Что ты здесь накрутила? Не могла нормально завязать? Ты хоть позавтракать успела?

— Я не хочу есть.

— А в голодный обморок хочешь хлопнуться, ко всем прочим радостям? То же мне, декабристка, жена ссыльно-каторжного. И нечего на меня так смотреть. Иди, возьми там сыру в холодильнике, бутерброд себе сделай. Деньги, деньги... Больные вы все, честное слово. Вот и сейчас наверняка у тебя только и крутятся в голове суммы с нулями. Ты о другом должна думать. Ты должна, наконец, сделать серьезные выводы. У тебя сын растет.

— Какие выводы, мама? — крикнула Наталья из кухни и хлопнула дверцей холодильника.

— Самые серьезные, Наташа. Самые серьезные. С

кем ты живешь? Как ты живешь? Ты посмотри, какие люди окружают твоего мужа. Один только этот Вова Мухин чего стоит! У него на лбу написано, что он настоящий бандит, если только на таком узком обезьяньем лобике может уместиться какая-нибудь надпись. Кстати, он заходил к вам позавчера, когда ты была у врача.

— Кто? — крикнула из кухни Наташа и уронила нож.

— Вова Мухин.

— Мама, что же ты не сказала?

— Ну, забыла, прости. Неужели это так важно? И что за манера — орать через всю квартиру? Хочешь поговорить — зайди в комнату. Ребенок засыпает, а ты кричишь.

Наташа влетела с бутербродом в руке. Кира Георгиевна успела раздеть Димыча и уложить в постель. Они стали разговаривать шепотом.

— Зачем он заходил?

— Откуда я знаю? Он мне не докладывал. Вообще, ни здравствуйте, ни до свидания. Хам.

— Подожди, мама, я не поняла. Расскажи все по порядку. Он позвонил в дверь, ты открыла...

— Нет, мы с ним встретились внизу в подъезде. Мы с Димычем возвращались с прогулки, он нас чуть не сшиб дверью. Я смотрю — физиономия знакомая. Поздоровалась, он не ответил. Вот и все общение.

— А ты уверена, что это был Вова Мухин? Ты, кажется, видела его не больше двух раз, и очень давно.

— Я еще не в маразме, слава Богу, и память на лица у меня отличная. Ладно, ты не болтай, ешь. Бледная как смерть. Смотри, не доедешь до адвоката.

Наташа принялась за бутерброд. Хлеб был ее любимый, бородинский, к тому же еще теплый. И сыр «чеддер», тоже ее любимый, но жевала она вяло, без всякого аппетита.

— Мам, а когда ты вернулась в квартиру, там ничего не изменилось?

— О, Господи, — тяжело вздохнула Кира Георгиевна, — ну что там могло измениться? Никого ведь дома не было.

— И все-таки, постарайся вспомнить. Это очень важно.

— Наталья, у тебя губы дрожат, ты посмотри на себя в зеркало, на кого ты похожа. Подумай, до чего твой драгоценный Санечка тебя довел! Вот это важно, и об этом ты должна сейчас думать.

— Ну что ты меня все пилишь? И так тошно. Пойми же ты наконец, Саня не убивал, его подставили, поэтому сейчас важна каждая мелочь. Вместо того чтобы ворчать, ты бы лучше попыталась вспомнить все подробно про Мухина.

— Да, конечно, этот самый Мухин его и подставил, я все видела, но тебе нарочно не хочу говорить. — Кира Георгиевна саркастически усмехнулась. — А тебе не приходит в голову, дорогая моя девочка, что если это произошло, значит, были причины. Вот меня, например, никто никогда не подставит. И тебя, я надеюсь, тоже.

Наташа ничего не ответила, глотая слезы, отправилась в ванную, чтобы сцедить молоко в бутылочку для следующего кормления.

На прощанье, уже на лестничной площадке, ничуть не стесняясь соседки, которая ждала лифта, Кира Георгиевна сказала громким, торжественно звенящим голосом:

— В общем, так. Тебе, конечно, надо пойти в юридическую консультацию, и с Димулей я посижу, но пойти тебе надо только с одной целью: посоветоваться, как быстрее оформить развод и разменять квартиру. Ты поняла меня?

ГЛАВА СЕДЬМАЯ

Говорить с матерью убитого было настолько тяжело, что Илья Никитич заинтересовался этой дамой всерьез. Елена Петровна Бутейко держалась молодцом, и не подумаешь, что потеряла единственного сына, однако почему-то отказывалась отвечать на многие вопросы, самые простые и невинные.

— Зачем вы лезете в нашу жизнь? Какое отношение все это имеет к нашему горю? Вы ерундой занимаетесь, — она опрокинула в рот стопку валокордина, поморщилась, тряхнула головой, как будто хлебнула чистого спирту, и уставилась на Илью Никитича сухими злыми глазами.

— Я веду расследование, — напомнил он.

— Зачем? Убийца задержан на месте преступления. Что тут расследовать? Судить его надо. Судить и расстрелять!

Илья Никитич сидел за шатким кухонным столиком у окна. Прямо в стекло упирались голые ветки тополя. По веткам прыгал снегирь. Ярко-красная грудка была единственным цветным пятном на черно-белом фоне пасмурного зимнего пейзажа. Застиранные ситцевые шторки только добавляли серости.

— Вам от этого станет легче? — тихо спросил Илья Никитич, так тихо, что Елена Петровна не расслышала.

— Расстрелять! — выкрикнула она и хлопнула ладонью по столу.

Стол был покрыт вытертой клеенкой, такой же клеенкой с фруктовым рисунком были оклеены стены кухни. На белых пластиковых дверцах маленького буфета пестрели остатки облупившихся переводных картинок.

— Не надо так кричать, — попросил Илья Никитич, — следствие идет, вина Анисимова еще не доказана.

— Тут нечего доказывать. Вам надо убийцу судить, а вы пытаетесь опорочить семью, от которой уже ничего не осталось. Я знаю законы. Я не обязана вам отвечать на вопросы, если мои ответы могут принести вред моей семье и мне лично! — выпалила Елена Петровна, вскинув подбородок.

— О каком вреде вы говорите? — тяжело вздохнул Илья Никитич. — Я задал вам простой вопрос: чем занимался ваш муж раньше? Разве в трудовой биографии Вячеслава Ивановича есть что-то опасное для вашей семьи?

Бутейко резко встала и начала метаться по крошечной кухне, из угла в угол. Лицо ее побагровело, сухие глаза засверкали.

— Мой муж в больнице. У него инфаркт. Как вы смеете копаться в его прошлом? Вас это не касается! Это вообще не относится к делу! — Она кричала так, что у Ильи Никитича зазвенело и зачесалось в ухе.

— Простите, Елена Петровна, почему вы так сильно нервничаете?

— Потому, что у меня убили сына! Потому, что у меня тяжело болен муж!

— Я понимаю и соболезную.

— Мне ваши соболезнования не нужны. Они ничего не стоят, ваши соболезнования. Моего мальчика не вернешь! Я отказываюсь отвечать на ваши идиотские вопросы.

— Отказываетесь отвечать, — понимающе кивнул следователь, — ну что ж, давайте официально оформим ваш отказ.

— Мой сын убит. Мой муж в больнице, в реанимации. У него обширный инфаркт. Хоть капля совести есть у вас? Я жаловаться буду.

— Елена Петровна, я вам очень сочувствую, вы можете жаловаться, это ваше право. — Бородин старался говорить как можно мягче. — Вы в который раз повторяете то, что мне отлично известно. Вашего сына убили, ваш муж в больнице. Я могу понять ваше состояние, но реакция на мои простые вопросы кажется мне странной. Я всего лишь попросил вас рассказать, чем занимался ваш муж.

Елена Петровна встала и вышла из кухни. Вернулась она через минуту и резким движением швырнула на стол трудовую книжку.

— Вот, смотрите!

Трудовая биография Бутейко-старшего оказалась весьма скучной. После окончания художественного училища в 1965-м году Бутейко Вячеслав Иванович работал мастером в металлоремонтной мастерской. Был по собственному желанию уволен в 1968-м, и тут же был принят в ювелирный магазин «Янтарь», где проработал мастером художественной гравировки до 1985-го. Потом вдруг резко сменил специальность, устроился слесарем-наладчиком на обувную фабрику «Буревестник». Эта запись была предпоследней в трудовой книжке, дальше следовал уход на пенсию по возрасту.

— Скажите, ваш муж увлекся ювелирным делом, и поэтому устроился на работу в магазин «Янтарь»?

— Он никогда не имел отношения к ювелирному делу, — медленно, почти по слогам, произнесла Елена Петровна и потянулась за бутылочкой валокордина.

— Вы только что принимали лекарство, — напомнил Илья Никитич, — нельзя так часто. Вам станет нехорошо.

— Мне уже нехорошо, — сообщила она, но бутылочку все-таки поставила на место. — Я не могу с вами разговаривать. Вы оказываете на меня грубое давление. Я буду жаловаться в высшие инстанции.

116

— Жалуйтесь, — кивнул Илья Никитич. — Но вам все равно придется давать свидетельские показания, не мне, так другому следователю. Либо вы должны будете подписать официальный отказ от дачи показаний. Нет других вариантов.

— Ладно, спрашивайте, мне нечего скрывать.

— Анисимов пришел к вам, чтобы показать Вячеславу Ивановичу старинное кольцо с изумрудом. Вячеслав Иванович оценил кольцо вполне профессионально...

— Вам это рассказал Анисимов? И вы так спокойно повторяете слова убийцы здесь, в этом доме? Вы повторяете их мне, матери убитого? — Елена Петровна вдруг заговорила трагическим театральным шепотом. — Так вот, я совершенно официально заявляю вам, что это вранье. Грязное, наглое вранье, от первого до последнего слова. Он вам что угодно сейчас наплетет, этот Анисимов. Он пришел угрожать моему сыну. Никакого кольца я не видела, зато отлично слышала угрозы. У нас квартира маленькая, комнаты смежные, стены тонкие. Разве ювелиры так живут? Оглянитесь вокруг. Разве так живут люди, связанные с золотом и драгоценными камнями? Вы ведь следователь, пожилой человек. Вы должны с первого взгляда определять жизненный уровень.

— Да, конечно, — легко согласился Илья Никитич, — ювелиры, как правило, состоятельные люди. Елена Петровна, вы знали, что ваш сын брал в долг большие суммы денег не только у Анисимова?

— Я не лезла в дела Артема. Он взрослый человек, — быстро пробормотала она, как будто немного успокаиваясь.

— Но о долге Анисимову вы все-таки знали. Артем сам рассказал вам?

— Нет. Я услышала случайно. То есть я услышала, как Темочка резко разговаривает с кем-то по телефону, почувствовала, как сильно он нервничает, потом спросила, что случилось. Он рассказал.

— Что именно он вам рассказал?

— Он пожаловался, что Анисимов угрожает ему, шантажирует.

— Чем шантажирует?

— Господи, ну какая разница?

— Елена Петровна, вы знаете, что такое шантаж? — осторожно поинтересовался Бородин, пытаясь поймать ее мечущийся, испуганный взгляд. — Это угроза разоблачения, разглашения компрометирующих, порочащих сведений с целью вымогательства. Какими сведениями, порочащими вашего сына, мог располагать Анисимов?

— Никакими!

— Замечательно. Чем же в таком случае он шантажировал Артема?

— Вы придираетесь к словам! И вообще, я устала.

— Простите, я отниму у вас еще несколько минут. В чем состояли угрозы?

— Он говорил, что убьет Темочку. Вот и убил.

— Ваш сын и Анисимов учились в одном классе. Анисимов бывал у вас в доме?

— Не помню. Темочка был добрым, открытым мальчиком, он многих приводил в дом в школьные годы. Возможно, Анисимов и бывал у нас.

— Они дружили?

— Кто?

— Ваш сын и Анисимов.

— Никогда!

— Но вы давно знакомы с Анисимовым? Вы помните его ребенком?

— Я его не знаю и знать не хочу. Он убил моего единственного сына, и я прошу вас не углубляться в воспоминания. Школьные годы к этому отношения не имеют.

118

— Ну хорошо. Мы оставим в покое школьные годы, вернемся к сегодняшним событиям. Вы сказали, Артем с вами поделился, пожаловался на Анисимова.

— Он не жаловался. Он сообщил мне, что Анисимов ему угрожает.

— Да, это вы уже говорили. Но я бы хотел знать, в чем конкретно заключались угрозы? Ведь о них известно только с ваших слов.

— Я повторяю, он говорил, что убьет Темочку.

— Просто так? Возьмет и убьет? — уточнил Бородин.

— Не просто так. Из-за денег.

— То есть Артем рассказал вам о долге в три тысячи долларов?

Глаза ее забегали, она опять густо покраснела и вдруг, словно приняв неожиданное решение, выпалила:

— Не было никакого долга!

— Очень интересно, — кивнул Илья Никитич, стараясь сохранять спокойствие, — вы это официально заявляете?

— Да, я заявляю это совершенно официально. Мой сын ничего не должен был Анисимову. Ни копейки. Анисимов вымогал у него деньги, три тысячи долларов. Мой сын не поддался на шантаж, и за это Анисимов его убил. Все. Мне плохо. Я требую, чтобы вы ушли.

— Если вам плохо, я могу вызвать врача.

— Нет. Давайте, что там надо подписать, и пожалуйста, оставьте меня в покое.

— Вот, ознакомьтесь и подпишите. — Илья Никитич протянул ей листки протокола. Она проглядывала быстро, и только над последней страницей рука ее застыла.

«Конечно, сударыня, устно врать легче, чем подписываться в официальном документе под собственным враньем», — усмехнулся про себя Бородин.

Елена Петровна колебалась всего минуту, прежде чем подписать последнюю страницу. Бородин не стал ей напоминать, в протоколе предыдущего допроса, который вел дежурный следователь, черным по белому записано с ее слов, что Анисимов давал в долг ее сыну три тысячи долларов в июле этого года.

* * *

Адвокат Зыслин Лев Иосифович оказался таким молодым и красивым, что Наталья воспряла духом. Ей всегда было проще общаться с молодыми красивыми людьми. У них нет комплексов, они не пытаются самоутверждаться за счет собеседника. И вообще, адвокат просто обязан быть привлекательным. Разве можно не прислушаться к мнению такого приятного молодого человека?

Наталья тут же представила себе, как он своим бархатным низким голосом убеждает высокий суд, что Саня не виновен, и окончательно успокоилась. Этот обязательно убедит. Найдет нужные слова, сумеет произнести их так, что все поверят. Саня будет освобожден из-под стражи прямо в зале суда.

— Кофе? Чай? — любезно предложил Зыслин, когда Наташа опустилась в мягкое кожаное кресло в его маленьком уютном кабинете.

— Кофе, пожалуйста.

— Простите за нескромность, сколько вам лет? — спросил он с ласковой снисходительной улыбкой.

Наташа знала, что выглядит моложе своих двадцати, особенно когда не накрашена. Ее часто принимали за несовершеннолетнюю.

— Мне двадцать.

— А, ну тогда все в порядке. Я, честно говоря, сначала подумал, что вам не больше шестнадцати. Ну-с, Наталья Владимировна, я вас внимательно слушаю.

Аккуратная светло-русая бородка придавала его облику нечто профессорское. Голубые глаза и открытая белозубая улыбка внушали надежду. Молоденькая секретарша в мини-юбке принесла поднос с двумя чашками. Кофе был жидкий, растворимый.

— Моего мужа подставили, — начала Наталья, дождавшись, когда выйдет секретарша, — он ни в чем не виноват.

— Так, минуточку, — Зыслин покачал головой и поднял руку, — давайте все по порядку. По телефону вы сказали, что ваш муж Анисимов Александр Яковлевич арестован и находится в камере предварительного заключения.

— Да, именно так. Его обвиняют в убийстве, но он не убивал.

— Ваш муж ранее привлекался к уголовной или административной ответственности?

— Нет, что вы! Никогда в жизни.

— Хорошо. Теперь давайте уточним ситуацию. Во-первых, в настоящий момент Александр Яковлевич еще не арестован, а задержан. Взят под стражу. Во-вторых, его еще не обвиняют, а только подозревают.

— Откуда вы знаете? Вы что, уже наводили справки?

— Нет, справок никаких я пока не наводил, просто я знаю законы. Пока вина человека полностью не доказана, он всего лишь подозреваемый. Вы уже встречались со следователем?

— Нет еще. Все произошло сегодня ночью. Я знаю, очень скоро, возможно, даже сегодня меня вызовут к следователю, и от того, что я скажу, будет многое зависеть, поэтому я решила прежде всего встретиться с вами, чтобы подготовиться к допросу, не ляпнуть лишнего.

— Американских фильмов насмотрелись? — усмехнулся Зыслин.

— Ну а разве там герои действуют неправильно, когда первым делом обращаются к адвокату? Они, между прочим, гораздо лучше нас знают свои права и умеют их отстаивать. Если моего мужа подставили, может, и следователь купленный, я должна заручиться поддержкой профессионала.

— Разумно, — кивнул Зыслин, — а почему вы так уверены, что вашего мужа подставили?

— Мой муж не мог никого убить. Он не такой человек. Я понимаю, для вас это не довод, так, наверное, все говорят.

— Ну почему же? Далеко не все. Есть жены, которые, наоборот, пытаются любыми средствами отправить своих благоверных за решетку.

— Да, конечно, но у нас совсем другой случай, — Наталья гордо вскинула подбородок, — я сделаю все, чтобы освободить и оправдать моего мужа. Все улики против него, слишком много улик, и это безусловно доказывает, что его подставили. Как будто нарочно так подстроили, чтобы никаких других подозреваемых. Вот он, готовенький. Ведь если предположить невероятное, если бы он на самом деле убил, то уж вряд ли бы завалился спать в том же подъезде, рядом с трупом и с пистолетом.

— А что, он действительно завалился спать рядом с трупом? — Зыслин едва заметно усмехнулся. — Он что, пьян был?

— Да нет же! Он вообще не пьет. То есть иногда выпивает, как любой нормальный человек, но никогда не напивается. Понимаете, ему подсыпали какой-то наркотик в водку или в коньяк, или чем там его поили в этом чертовом ресторане? В общем, его усыпили. А потом, проснувшись, он ничего не мог вспомнить. Кажется, до сих пор не помнит. Есть ведь всякие препараты, отшибающие память?

— Безусловно, — кивнул Зыслин, — и что было дальше?

— Ну что дальше? — Наталья тяжело вздохнула. — Наверное, его, спящего, загрузили в машину, привезли на место преступления, выстрелили из его пистолета.

— Откуда у него оружие?

— Купил по случаю, — Наталья покраснела, — по дурости купил. Просто так, чтобы самому себе казаться крутым.

— Какой марки пистолет?

— «Вальтер». Кажется, пятизарядный, я в этом не разбираюсь. Да он эту игрушку вообще редко из дома выносил, только первое время иногда таскал с собой, чтобы в компании показать, в гостях, ну, просто похвастаться. Он для этого и купил, а не для того, чтобы стрелять.

— А вообще, он умеет стрелять?

— Один раз на даче в лесу палил в дерево. Нарисовал на картонке мишень, прибил к березе и тренировался. Между прочим, ни разу не попал в «яблочко».

— Лицензия есть на оружие?

— Нет. Я говорила ему, что надо бы зарегистрировать пистолет. Мало ли что? А он отмахивался, мол, ерунда, у всех его знакомых есть оружие, и никто не регистрирует.

— Интересные у вашего мужа знакомые, — хмыкнул адвокат, — ну ладно, а личность убитого вам известна?

— Нет! — Наталья ошарашенно уставилась на адвоката, быстрым нервным движением прижала ладонь ко рту. — О Господи... Я же правда понятия не имею, кто убит из Саниного пистолета. Извините, я только сейчас поняла, что совершенно не готова к разговору с вами. Я действительно знаю очень мало. — Наташа на секунду закрыла глаза, пытаясь успокоиться, вспомнить, ничего не упустить.

— Не волнуйтесь так, Наталья Владимировна, — подбодрил ее Зыслин, — я ведь не следователь.

— Да, конечно. Я попробую не волноваться. Мой муж ушел вечером на какие-то важные переговоры, его долго не было. Я позвонила ему на мобильный, он нес околесицу, не мог объяснить, где находится, а рядом были слышны какие-то крики, собачий вой. Потом телефон отключился. Я чувствовала, что-то должно произойти ужасное, я не хотела его отпускать, было поздно, мы поссорились.

— Вы давно женаты? — перебил ее Зыслин.

— Два года. Ребенку девять месяцев.

— Рановато начали ссориться. Вы, вероятно, ревнуете мужа, когда он уходит из дома поздно вечером и говорит, что по делам?

— Я ревную? Нет, ни в коем случае! — вспыхнула Наталья. — Если бы я не верила Сане, то просто развелась бы с ним. Я знаю, он действительно уходит по делам. Совсем недавно у него был свой маленький бизнес, довольно успешный. Он торговал всякой косметикой, витаминами. Фирма называлась «ЧНМ», чудо народной медицины. Может, слышали?

— Нет.

— Она совсем маленькая была, эта фирма. Но дела шли отлично, до августа этого года. А в августе прогорел банк, на котором все держалось, я ничего в бизнесе не понимаю, только знаю, что фирмы больше нет, и банка тоже. После кризиса все так стало сложно, нам постоянно не хватает денег.

— А кому, интересно, их хватает? — адвокат кашлянул и взглянул на часы. — Извините, Наталья Владимировна, но время — это тоже деньги. Из того, что вы рассказали, я пока понял только одно: дело сложное, запутанное, однако не безнадежное. Сейчас я, к сожалению, должен уехать по делам. Думаю, наша следующая встреча будет значительно плодотворней. Вы успокоитесь, шок пройдет, и вы изложите мне все по порядку, без спонтанных эмоциональных оценок.

— Простите, — смутилась Наталья, — я, наверное, правда очень сумбурно все излагаю. Но я хочу, чтобы вы поняли главное: мой муж не виноват. Он не убивал.

— А меня это совершенно не волнует, — улыбнулся адвокат.

— То есть как?! Вы отказываетесь защищать Саню? — выпалила Наталья и судорожно сглотнула, чувствуя, что сейчас расплачется.

— Этого я не говорил, — покачал головой адвокат.

— Но тогда как же вас понимать?

— Именно так и понимать. Буквально. Дело в том, Наталья Владимировна, что факт реальной виновности или невиновности вашего мужа меня совершенно не заботит. У меня другие задачи. Я адвокат, а не следователь и не судья.

— То есть вам безразлично, кого защищать, убийцу или невиновного человека?

— Именно так, — улыбнулся Зыслин, — мне как профессионалу это безразлично.

— Так не бывает.

— Почему?

— Это очевидно. Во-первых, невиновного морально легче защищать, а во-вторых... — она покраснела и запнулась.

— А во-вторых? — Зыслин чуть склонил голову набок и глядел на Наталью с насмешливым любопытством. — Ну, договаривайте, я вас слушаю.

— Правду проще доказывать, чем ложь.

— Вы так считаете? — вскинул брови Лев Иосифович.

— Я уверена.

— А вот и нет. Правду бывает значительно сложней доказать, чем ложь. Правда может быть грязной, совершенно не логичной, она сплетается стихийно, из нелепых случайностей, и слишком часто противоречит здравому смыслу. Ложь, продуманная, сознательная, — это красивый плод человеческого интеллекта. Она привлекательней и убедительней правды, а потому и доказать ее проще. Люди верят только тому, чему хотят верить. Но это так, между прочим.

Наташу стал немного раздражать его менторский тон. Адвокат как будто рисовался перед ней или упражнялся в риторике. Она была не в том состоянии, чтобы уловить суть его философских рассуждений, однако решилась возразить.

— Все-таки правду доказать легче. Врать противно. Во всяком случае, я врать не умею, — мрачно пробормотала она и посмотрела в зарешеченное окно. Там светило солнце. Она подумала, что Саня сейчас тоже смотрит на ясный день сквозь решетку, и от жалости у нее заболело сердце, заболело по-настоящему, впервые в жизни.

— Врать не умеете? Ну, вы прямо ангел, Наталья Владимировна, — усмехнулся адвокат, и тут же лицо его стало серьезным, озабоченным, он еще раз взглянул на часы. — Чтобы мы с вами начали работать, вам необходимо написать заявление, заполнить два бланка, внести в кассу консультации тысячу рублей, — он порылся в столе, протянул ей несколько бумажек, — вот образец заявления, это бланки. Мои услуги будут стоить пять тысяч долларов.

— Да, конечно, — машинально кивнула Наталья,

взяла ручку, и вдруг ее бросило в жар, она открыла сумочку и тут же быстро ее захлопнула, — простите, я не взяла с собой денег...

— А что вы так заволновались? Сейчас вы должны заплатить всего лишь тысячу рублей, это необходимо, чтобы мы с вами официально оформили наше сотрудничество. А основную сумму вы отдадите мне потом, не обязательно все сразу. Сначала будет достаточно двух тысяч долларов, это аванс.

— Правда? Тогда все нормально, но я... — она положила ручку на стол и горячо покраснела, — понимаете, у меня сейчас с собой вообще нет денег. Я кошелек оставила дома.

— Это не страшно. Вы зайдете завтра утром. Если меня не будет, вы просто внесете деньги в нашу кассу, вам все оформят, и послезавтра мы начнем работать.

— Да, конечно, спасибо вам.

Из консультации она вышла вся мокрая от пота. Она еле держалась на ногах. Был ясный морозный день, от холода, от яркого солнца выступили слезы, и Наташа ничего не видела сквозь дрожащую радужную пелену. Она чуть не упала, поскользнувшись на раскатанной черной полоске льда, подвернула ногу, но боли не почувствовала. На перекрестке завизжали тормоза, и Наташа равнодушно отметила, что вот сейчас, только что, чуть не попала под машину.

— Ну, куда прешь, дура? — выкрикнул, опустив стекло, водитель «жигуленка». — Жить надоело?

«У нас нет денег, — тупо повторяла про себя Наталья, — какие пять тысяч долларов? И сотни рублей нет. Ну, положим, рублей пятьсот я могу занять у мамы. Но не больше. Свекровь дала бы без разговоров, сколько нужно. Но нет у нее. Она живет на зарплату, которую не выплачивают месяцами. Саня ей часто подкидывал сотню-две долларов, но все равно ей едва хватало на жизнь. Из друзей и знакомых занять не у кого, просто потому, что неизвестно, когда и каким образом мы сумеем вернуть. Лишних денег сейчас ни у кого нет. Обратиться к другому адвокату, который подешевле? Но я и самого дешевого не сумею оплатить».

Наташа обещала маме приехать за Димычем сразу после разговора с адвокатом, но сама не заметила, как доехала до своего дома. Не разувшись, в грязных сапогах бросилась на кухню. Там на подоконнике рядом с телефоном лежала Санина большая записная книжка. Наташа нашла номера Мухина, домашний и мобильный. Сняла трубку, но тут же бросила ее.

«Если он как-то связан с убийством, звонить ему нельзя ни в коем случае. Что бы я ни сказала, каким бы невинным предлогом не защитилась, он тут же поймет. А ведь Саня просил позвонить именно ему... Да, просил, однако он ведь не знал, что Мухин позавчера побывал здесь. Или знал?»

И тут она совершенно отчетливо вспомнила, что позавчера вечером пистолета в ящике уже не было.

Позавчера пришло извещение о задолженности за квартиру. Старые оплаченные счета лежали в том же ящике, где пистолет. Бумажки были разбросаны, Наташа пыталась собрать, разложить по порядку и автоматически отметила про себя, что нет пистолета. Она хотела спросить Саню, куда он дел «Вальтер», но завозилась с подсчетами, сумма задолженности казалась ей слишком большой, а потом ее отвлек Димыч, и больше она не вспоминала о пистолете, до тех пор, пока не пробилась сегодня утром в милицию к арестованному мужу.

«Я не брал его с собой. Мне некуда было его положить...»

Конечно, не брал. Его просто не было в доме, этого несчастного пистолета. Лучше бы его вообще не было.

Саня купил «Вальтер» в июне. Он с детства мечтал иметь настоящий собственный пистолет. Наташа сначала испугалась, уговаривала выкинуть или хотя бы спрятать и никому не показывать. Но Саня, будто назло, таскал пистолет в гости, хвастал, как мальчишка, потом на даче пострелял по мишени и остался собой не доволен, заявил, что будет упражняться. Впрочем, скоро наигрался, успокоился. Пистолет убрал в ящик письменного стола. В последний раз вытаскивал его оттуда очень давно, кажется, в августе. Ну, конечно! Двенадцатого праздновали день его рождения, всего за пять дней до кризиса. Это был пир во время чумы, он позвал человек двадцать, в том числе Вову Мухина.

Наташа вошла в комнату, села за письменный стол и зажмурилась. Перед ней поплыла, как на замедленной кинопленке, та дурацкая вечеринка. Она запомнилась так четко потому, что впервые после рождения Димыча они решились собрать столько народу в доме.

Наташа ждала праздника, отдала ребенка маме, но мама привезла его назад буквально через два часа. Димыч категорически отказался пить сцеженное молоко из соски, кричал так, что посинел. В итоге мама сидела с ним в маленькой комнате, в большой шел глупый пьяный гудеж, Наташа металась между ребенком и гостями. Кстати, именно тогда мама и запомнила Мухина, повторяла шепотом, пока Наташа кормила Димыча: «Нет, ну как можно дружить с такой бандитской рожей? Этот Мухин похож на настоящего уголовника, такой убьет — глазом не моргнет!» А ночью, когда почти все гости разошлись, Наташа застала Саню и Мухина здесь, в этой комнате, у стола. Вова с видом знатока разглядывал «Вальтер», потом нацелил его Сане в лоб и, пьяно оскалившись, сказал: «Пах! Пах!»

Стало быть, о пистолете Мухин знал. Не потому ли побывал здесь накануне убийства? Мама уверяет, что в квартиру он не заходил, но она ведь гуляла с Димычем и Мухина видела в подъезде. Не так уж сложно подобрать ключ к их замку или воспользоваться воровской отмычкой. Для Вовы Мухина это плевое дело, с его-то бандитскими замашками. Искать пистолет ему не пришлось. Как тогда, в августе, «Вальтер» лежал в глубине ящика.

— Значит, получается, Саню действительно подставили? — пробормотала она, вскакивая со стула. — Да, конечно. Мухин. Надо срочно позвонить следователю... Нет, сначала все-таки придется решать проблему с деньгами на адвоката. Следователь может оказаться сволочью, не пожелает раскручивать это дело, ведь так часто бывает: вот он, готовенький преступник, улики налицо, зачем искать кого-то еще?

Она заметалась по квартире, соображая, что есть у них ценного, что можно продать быстро за большие деньги. Ну конечно, кольцо! Старинное прабабушкино кольцо с огромным изумрудом. Она метнулась к комоду, на котором стояла шкатулка с украшениями, тут же вспомнила, что Саня просил посмотреть, лежит ли там коробка с патронами для «Вальтера». Он просил, чтобы она не прикасалась к шкатулке, открыла аккуратно, ножом.

«Ладно, это потом. Сначала надо решить главную проблему. Деньги на адвоката. Кроме кольца, есть еще серёжки с изумрудами, они очень дорогие, есть золотая цепочка, браслет. Пять тысяч я, конечно, так не наберу, но хотя бы две. Одно кольцо должно стоить не меньше тысячи, оно ведь старинное, камень большой, бриллианты. Главное, не нарваться на жуликов, посоветоваться со специалистом, узнать его реальную стоимость».

Наташа вернулась на кухню, но вместо того, чтобы взять нож с тонким лезвием, стала опять листать Санину записную книжку, пытаясь вспомнить, кто из знакомых связан с ювелирным делом. И вспомнила. Саня рассказывал, что отец Артема Бутейко когда-то работал в ювелирном магазине гравером.

* * *

Надевая пальто в прихожей, Илья Никитич стал незаметно для себя напевать романс «Белой акации гроздья душистые». Хорошо, что хозяйка была на кухне и не слышала этого бормотания. В доме повешенного не говорят о веревке. В доме застреленного не поют романсов.

Илья Никитич напевал романс, поправлял шарф перед треснутым зеркалом в прихожей, хозяйка возилась на кухне. Он уже готов был окликнуть ее, чтобы попрощаться, но тут зазвонил телефон.

— Да, я слушаю, — с тяжелым вздохом произнесла Елена Петровна, — кто говорит? Наташа? Какая Наташа?

Илья Никитич замер, прислушался. Несколько секунд было тихо, и вдруг раздался крик:

— Вы что, с ума сошли? Вы соображаете, куда звоните? И вы еще смеете спрашивать, в чем дело? Ваш муж убил моего сына, и не смейте больше сюда звонить! — Елена Петровна швырнула трубку с такой силой, что телефон громко жалобно звякнул.

— Вам звонила жена Анисимова? — Илья Никитич с удивительной для его возраста и комплекции легкостью влетел в кухню. — О чем был разговор? Ну, быстрее, это очень важно.

— Я не обязана вам докладывать, — тихо, вполне

спокойно проговорила Бутейко, и в ее глазах Илья Никитич заметил такую жуткую, животную панику, что невольно пожалел эту странную женщину.

— Чего вы так боитесь, Елена Петровна? Вы расскажите, вам легче станет. Вячеслав Иванович незаконно работал с золотом и драгоценными камнями? Так это давно было, вы не бойтесь, он не понесет ответственности, тем более такое горе у вас. Ну, зачем вам еще этот дополнительный груз?

— Оставьте меня в покое, уходите! — прокричала она ему в лицо и тут же отвернулась, спрятала глаза.

— Да, конечно, я сейчас уйду. Но поверьте, вам бы стало значительно легче, если бы вы решились все рассказать.

— Мне нечего рассказывать.

— Нечего? Ну ладно, — он вытащил из кармана блокнот, пролистал, нашел домашний телефон Анисимова и набрал номер. Трубку взяли через минуту.

— Алло! — выкрикнул хрипловатый, почти детский голос. — Я слушаю!

— Наталья Владимировна Анисимова?

— Да.

— Добрый день, меня зовут Бородин Илья Никитич. Я следователь, веду дело вашего мужа. Только что вы разговаривали с Еленой Петровной Бутейко. О чем?

— Я не знала, что это Артем... — в трубке тихо всхлипнули, — я не знала, честное слово... Я бы ни за что не позвонила, это ужасно...

— Подождите, не плачьте. О чем вы только что говорили с Еленой Петровной?

— Я... я просто спросила, нельзя ли показать кольцо Вячеславу Ивановичу, чтобы он оценил, мне надо продать кольцо, чтобы заплатить адвокату... я не знала, я только спросила...

На том конце провода слезы лились рекой. Наташа рыдала в трубку. А здесь, рядом с Ильей Никитичем, Елена Петровна Бутейко капала себе в рюмочку валокордин, трясла темным пузырьком так, словно он был во всем виноват.

— Спасибо, Наталья Владимировна. Вы успокойтесь и, пожалуйста, никуда не выходите из дома. Я через полчаса у вас буду.

В трубке пульсировали частые гудки, Наташа держала ее в руках и смотрела в одну точку.

— Ой, мамочки... — повторяла она, едва шевеля губами и слизывая слезы, — ой, мамочки...

Всего лишь три дня назад, глубокой ночью они с Саней пили чай на кухне, работал телевизор, на экране появилось лицо Артема Бутейко, и Саня вдруг покраснел, на лбу выступил пот, он шарахнул кулаком по столу так, что подпрыгнули чашки и расплескался чай.

— Видеть его не могу, скотину. Убил бы, честное слово, рука бы не дрогнула.

ГЛАВА ВОСЬМАЯ

Кристалл имел такую красивую правильную форму, что казалось, он совершенно не нуждается в огранке. Он был чист и прозрачен, как воздух в лесу после первого настоящего летнего ливня. В нем сверкала страшная ослепительная молния, в нем медленно, тяжело закипал солнечный свет, вспыхивала сотня нежных крошечных радуг. От него пахло свежестью предгрозового ветра, который набегает внезапно, после долгой духоты, жаркой дрожащей тишины, когда замолкают птицы, замирают листья на деревьях, чернеет небо.

У Павлика Попова под рубахой вместе с нательным крестом висел на шнурке холщовый мешочек. Там хранился алмаз. Когда Павлик бегал, камень подпрыгивал на шнурке, тяжело, больно бил в грудь.

Весна 1830 года на Урале была ранняя, быстрая, после майского половодья наступила настоящая тяжелая жара. В начале июня грозы гремели почти каждый день.

Павлик возвращался из соседнего поселка, гроза застала его в открытом поле. Громовые раскаты раскалывали землю, как пустой орех. Дождь все не начинался, и от этого было еще страшней. Пропотевшая рубашка холодила кожу. Павлик бежал, и камень бил его в грудь. До деревни оставалось всего ничего, в белом блеске молнии он успел различить угольно-черный силуэт заброшенной деревянной часовенки, и тут страшная жгучая боль пронзила его насквозь. Он упал в дорожную мягкую пыль и потерял сознание.

Очнулся он оттого, что совсем близко, вслед за громовым раскатом, прямо над головой раздалось оглушительное конское ржание. Дождь шел стеной, и сквозь его пелену Павлик различил вздыбленный черный силуэт, страшную оскаленную морду. Конские копыта зависли над ним, били воздух, пронизанный тугими струями ливня. Павлик вскрикнул, попытался вскочить, но не смог.

— Кес ке се?! О, мон дье, повр анфан! Читьо слючилось, бьедное дитя? — прозвучал рядом высокий женский голос.

Графиня Ольга Карловна Порье возвращалась с утренней конной прогулки. Она не боялась грозы, ей нравилось скакать на своем вороном Адамисе сквозь ливень. Графиня едва успела остановить коня, заметив лежащего на дороге крестьянского мальчика-подростка. Сначала ей показалось, ребенок мертв, но, спрыгнув на землю и склонившись над ним, графиня обнаружила, что он дышит и глаза его широко открыты.

— Что случилос? — спросила графиня, с трудом выговаривая русские слова.

— Молнией меня убило, ваше сиятельство, — морщась от боли и слизывая с губ дождевые капли, объяснил Павлик.

— Убиль! О, мон дье! — воскликнула графиня, вскочила в седло, пришпорила коня и поскакала за помощью.

Павлика в экипаже графини привезли к ней в дом. По дороге он тихонько постанывал, но сознания не терял. Молния была ни при чем, просто он споткнулся о большой камень, упал и раздробил колено. Однако графский лекарь немец Риббенбаум, осмотрев мальчика, сообщил, что, кроме повреждения ноги, есть еще несомненные признаки воздействия природного электричества. Ребенок пострадал от молнии, и наилучший способ лечения — закопать его на несколько часов в сырую землю.

— Се терибль! Се де ла барбари! — ужаснулась графиня. — Повр анфан! Же не ле перметре па! Я нье позьволью мучить ребьенка! — и стала горячо спорить с доктором, проявляя при этом удивительные познания в медицине.

На шум явился граф. Он тут же узнал Павлика и

рассказал, что именно этот мальчик год назад нашел на прииске первый алмаз.

— О, мон дье! Анпосибль! — воскликнула графиня. — Се ле гарсон ки а трове ле дьямон!

Закапывать в землю Павлика не стали. Графиня решила сама заняться его коленом, приказала принести нутряного сала, винного уксуса и душистой соли.

— Кес ке тю а? — ласково спросила она, заметив холщовый мешочек у него на груди. — Пюи ж ле вуар?

— Ваше сиятельство, это... это бабушка от сглазу привязала, — испуганно зашептал Павлик.

— Кес ки э ариве а во зье? Чтьо у тьебя с глязам?

— Глаза у меня здоровые. Это, ваше сиятельство... — Павлик не знал, что сказать, готов был заплакать и вдруг выпалил красивое французское слово: — Сувенир! Это сувенир, сударыня!

— О, сувенир! — обрадовалась графиня.— Пьюи же ле вуар? — она подцепила ногтем грубую нитку, которой зашит был мешочек.

— Ме се ле дьямон! Это алмаз, и такой крюпний! Ти украль дьямон на прииск?

— Нет, ваше сиятельство. Я не крал. Его наша курица снесла! — сообщил Павлик, безнадежно, горестно всхлипнув.

— Ла пуле? Анпосибль!

В качестве экспертов и судей были немедленно призваны граф, минералог Шмидт, графский управляющий господин Брошкин. Шмидт, осмотрев кристалл, заявил, что в камне не менее сорока карат, чистота удивительно высокая, нет никаких изъянов, а что касается истории с курицей, то это похоже на правду.

Куры питаются твердым зерном. Камни в их желудках способствуют пищеварению, поэтому им нравится клевать камни, все равно какие.

Этим пользуются рабочие, чтобы выносить камни

с приисков. Один ученый коллега рассказывал господину Шмидту историю о том, как «куриное» воровство процветало на знаменитом изумрудном прииске Чивор в Колумбии. Рабочие-индейцы попросили разрешения брать с собой на работу по нескольку курочек, якобы для того, чтобы подкармливать их остатками пищи. Несушки мирно паслись на прииске, до тех пор, пока один из надзирателей не обратил внимания, с каким аппетитом птички склевывают камни. Группу рабочих, которая в тот день отправлялась с прииска домой, задержали, птичек выпотрошили. Их желудки были набиты отборными изумрудами.

— Ла пуле! Се манифик! — воскликнула графиня.

— Почему вы не предупредили об этом раньше, месье? — недовольно спросил граф минералога.

Павлик Попов с перевязанным коленом и с десятью рублями за пазухой был отправлен домой, в деревню. Графиня решила, что среди ее коллекции драгоценных камней этот алмаз — самый интересный, у него забавная и таинственная судьба. Таким алмазам принято давать имена. Сначала она хотела назвать его «Ла пуле» — курица, но потом решила, что это звучит грубо, и лучше будет назвать камень в честь мальчика — алмаз Павел.

Граф распорядился, чтобы ни одной курицы на территории прииска не было, а минералог Шмидт записал эту историю в своем дневнике.

* * *

Наташа ждала звонка в дверь, как выстрела в спину, расхаживала по квартире, из комнаты в комнату, из угла в угол, словно искала место, где можно спрятаться от следователя, который сейчас придет. Она не была готова к разговору, панически боялась ляпнуть лишнее. Следователь непременно окажется мерзавцем, безжалостным роботом, для которого главное — поскорее передать дело в суд, и совершенно безразлично, что будет с Саней в тюрьме, что будет с ней и с их ребенком. А как же иначе? Он ведь представитель государства, а от государства, как известно, ничего хорошего ждать не приходится.

Она не замечала, что до сих пор не сняла сапоги и куртку. Ее сильно знобило, хотя в квартире было очень тепло.

«Я не должна говорить про Мухина, — стучало в голове, — возможно, они с Саней сообщники. Вдруг он просил меня позвонить Мухину именно потому, что они — сообщники, и Вова должен меня проинструктировать насчет разговора со следователем? О, Господи! Но тогда я тоже сообщница? Я что, правда думаю, будто мой Саня мог убить человека?»

Она застыла посреди комнаты, уставилась в зеркало, висевшее над диваном, и в первый момент себя не узнала. Бледное, даже с каким-то голубым оттенком лицо, красные, совершенно сумасшедшие глаза, красный распухший нос, растрепанные волосы. Настоящая ведьма. Жена убийцы. Сообщница.

Между прочим, Артем Бутейко всегда ее раздражал, у него была удивительная способность все вокруг себя превращать в гадость. Она никогда не понимала, как может Саня с ним общаться. Она знала, что у Артема были всякие коммерческие связи, Саня с его помощью устраивал какие-то рекламные дела. Когда Бутейко приходил к ним в дом, он обязательно говорил ей лично что-нибудь неприятное, например, что она потолстела и постарела. Вроде бы ерунда, но настроение портилось.

Бутейко не просто получал удовольствие, когда обижал людей, он еще и деньги на этом зарабатывал, печатал свои мерзкие статейки, в которых всегда кого-нибудь зло высмеивал, поливал грязью.

Выходил на экраны какой-нибудь приличный фильм, и тут же Бутейко выступал с гадостной рецензией. Чем лучше был фильм, чем известней режиссер, тем злее гавкал на него Артем. Саня, с ухмылкой читая очередной критический шедевр своего приятеля, говорил: «Ах, Моська, знать, она сильна...»

Стоило какой-нибудь эстрадной звезде выпустить очередной диск или клип — Бутейко обязательно высказывал по этому поводу свое драгоценное мнение, сообщал, что «звезда» растолстела, как свинья, или наоборот, стала тощей, как вобла, что никакого голоса у нее нет, на голове парик, а под париком лысина, зубы все до одного вставные, глаза стеклянные. Такой знаменитой она стала потому, что в юности переспала со всеми членами ЦК КПСС, а сейчас ее клипы озвучивают безвестные молодые певицы, которых она держит в своем подвале на ржавых цепях и только ночью, под усиленной охраной придворных уголовников, выпускает погулять.

Конечно, кто угодно мог «заказать» Бутейко, например, эта эстрадная звезда. И между прочим, была бы по-своему права.

В дверь наконец позвонили, Наташа вздрогнула, словно проснулась, бросилась в прихожую, скинула куртку, стала снимать сапоги. Мало ли, вдруг следователю покажется подозрительным, что она до сих пор одета по-уличному? Молния не расстегивалась. Дернув изо всех сил, она сломала ноготь до мяса, села на пол, всхлипнула, глядя, как проступает под ногтем кровь.

«Вот возьму сейчас и не открою! Нет меня дома, и все!»

Однако тут же поднялась с пола и открыла дверь.

...Илья Никитич увидел перед собой испуганную, зареванную девочку лет шестнадцати в одном сапоге. Он знал, что ей двадцать, но выглядела она значительно младше своих лет.

— Добрый день, Наталья Владимировна, — он протянул руку и пожал ее маленькую ледяную кисть, заметил кровь на пальце. — Что случилось? Порезались?

— Нет. Ноготь сломала. Здравствуйте. Проходите, пожалуйста. Но только у меня очень мало времени, я должна ехать к маме за ребенком, — заявила она и, наклонившись, принялась ожесточенно дергать молнию сапога. В молнии застряла ткань стареньких джинсов.

— Не мучайтесь, сломаете, — посоветовал Илья Никитич, — лучше наденьте второй, вам ведь все равно скоро уезжать. Я не отниму у вас много времени. Где мы можем поговорить?

— Извините. Вас зовут Илья Никитич? Вы следователь?

— Именно так, — кивнул он, — но только об этом надо было спросить прежде, чем открывать дверь.

— Да, наверное, — она натянула второй сапог, — пойдемте в комнату.

Мебели в квартире было мало, посреди гостиной стоял детский манеж, на его бортике висело несколько пар ползунков.

— Ну что, Наталья Владимировна Анисимова, как вы себя чувствуете?

— Я? Нормально... Почему вы спросили?

— Вы очень бледная, глаза опухшие, красные, вот, ноготь сломали... Ну ладно, долго я вас мучить не буду. Всего несколько вопросов. Зачем вы хотите продать кольцо?

— Мне надо оплатить адвоката. Моего мужа подставили. Это будет сложно доказать, и без адвоката не обойтись, — она вскинула подбородок и сдула легкую светлую челку со лба, — и вообще, если вы хотите меня допрашивать, то я буду говорить с вами только в присутствии адвоката.

— Вот как? Ну ладно. Только это пока не допрос, а беседа. Можно мне с вами просто побеседовать?

— Можно, — буркнула она и смущенно отвернулась.

— Спасибо, — улыбнулся Илья Никитич, — скажите, а вы уже встречались с адвокатом? Он назвал вам цену?

— Да.

— Сколько, если не секрет?

— Много. Пять тысяч.

— Рублей?

— Долларов.

— Действительно, много. Деньги, которые вашему мужу должен был Бутейко, очень бы пригодились сейчас. Верно?

— Бутейко у многих брал в долг. Он жил в долг, — пробормотала она еле слышно и покраснела. У нее была очень тонкая белая кожа, и краснела она яркими пятнами.

— У кого еще, кроме вашего мужа? Назовите, пожалуйста, хотя бы одного человека.

— Я не знаю...

— Ну как же? Вы сказали — у всех. Кто эти «все»?

— У всех, у кого можно было взять, он брал. Опросите его знакомых, пусть сами скажут... Это кошмар какой-то. Мой муж никого не мог убить, даже Бутейко.

— Почему «даже»?

— Потому что Бутейко обо всех писал и говорил гадости. Не человек, а сгусток пошлости. Мой муж здесь совершенно ни при чем, — пробормотала она так быстро и тихо, что Илье Никитичу пришлось подвинуть кресло поближе. Колесики скрипнули, Наташа вздрогнула, вскинула голову, сдула челку со лба и добавила громко, почти выкрикнула: — У Бутейко полно врагов, в том числе среди знаменитостей. Он всех поливал грязью, всех ненавидел, и его ненавидели. Кто угодно мог нанять киллера. Просто кто-то узнал о долге, заманил Саню в ловушку и подставил. А знаете почему? Потому, что у нас нет ни связей, ни денег. Таких, как мы, подставить проще всего.

— Хорошо, Наталья Владимировна, я понял вас. Не нервничайте так. Скажите, пожалуйста, вы давно знакомы с родителями Бутейко?

— Мы с мужем бывали у Артема в гостях, — голос ее опять затих до шепота, она передернула плечами, словно пыталась стряхнуть с себя нервную дрожь.

— Часто?

— Нет. Два или три раза.

— А откуда вы знаете, что Вячеслав Иванович занимался ювелирным делом?

— Саня рассказывал, и сам Артем как-то говорил.

— Вы не могли бы подробней об этом рассказать? Что именно говорил Артем?

— Ну, это был обычный треп. Мы болтали об эмиграции, о том, как в конце семидесятых начали уезжать евреи в Израиль, и Артем рассказал, как вывозили золото, сколько придумывали фокусов. Отливали из золота мыльницы, бритвенные лезвия, уголки для старых чемоданов, пуговицы, кнопки. Так вот, его отец будто бы этим занимался и на этом заработал кучу денег. Артем врал, наверное. Он вообще любил приврать. Саня говорил, когда они учились в школе, папа Бутейко работал всего лишь гравером в ювелирном магазине. Он не мог заниматься такими вещами, его бы в тюрьму посадили, — она замолчала, испуганно уставилась на Илью Никитича и прошептала: — Господи, какая же я дура! Вы ведь следователь, а я вам такое рассказываю. Вдруг это правда, и Артем не врал? Тогда получается, я стучу на его родителей! Они ни в чем не виноваты, у них и так горе...

Зазвонил телефон, она вздрогнула, вскочила и бросилась на кухню.

— Прости. Я не могу. У меня сейчас следователь, — услышал Илья Никитич ее громкий, возбужденный голос. — Не знаю. Как только он уйдет, я сразу приеду. Нет, не говорила... Мама, перестань... Зачем? Он меня допрашивает, а не тебя. Ни в коем случае!.. Вова Мухин здесь вообще ни при чем... А потому, что ты можешь все испортить. Прекрати, мама, пожалуйста... Я очень прошу тебя, не вмешивайся. Я сама буду решать, что важно, а что не важно. Все, прости. Ну я не знаю, свари ему кашу... Все, пока... Нет, я сказала!

Наталья вернулась в комнату, уселась в кресло, она тяжело, часто дышала, как после бега на длинную дистанцию. Илья Никитич поймал ее испуганный напряженный взгляд.

— Ваш муж учился с Бутейко в одном классе. Они дружили или нет? — спросил он спокойным, равнодушным голосом.

— Нет.

— Но в гости все-таки ходили. Вы к нему, он к вам.

— Это были деловые отношения.

— Какое же дело их связывало?

— Я плохо разбираюсь в бизнесе. Кажется, реклама...

— Бутейко когда-нибудь приглашал вашего мужа на телевидение?

— Да, но очень давно, года три назад. Мы еще не были женаты. Саня рассказывал, Бутейко придумал какое-то идиотское ток-шоу, пригласил Саню в качестве героя, нацепил на него маску и заставил нести какую-то дикую ахинею. Но все провалилось. Там была одна известная телеведущая в качестве гостя программы. Чуть ли не Беляева. Она начала задавать вопросы, и стало ясно, что история фальшивая. Бутейко вообще никогда ничего дельного придумать не мог. Саня чуть со стыда не сгорел, хорошо, что был в маске. А до этого он пригласил Саню в программу «Стоп-кадр». Он там сделал сюжет о какой-то ресторанной драке, и Саня был вроде свидетеля.

— О, так вашего мужа можно назвать настоящей телезвездой, — покачал головой Илья Никитич, — он просто вырос в мире знаменитостей. Наталья Владимировна, а почему вы не захотели передать мне трубку, когда ваша мама об этом попросила? — поинтересовался он, не меняя интонации.

Она сморщилась, как от боли, зажмурилась и помотала головой.

— Не могу больше... не могу... Вы подслушивали? Так я и знала!

— Ничего подобного, — улыбнулся Илья Никитич, — просто вы не закрыли дверь и говорили громко. Вы, наверное, думали, если я старый, значит, глухой. Так о чем же ваша мама хотела со мной побеседовать?

— Понятия не имею. — Наташа шмыгнула носом и отвернулась.

— Кто такой Вова Мухин?

— Никто.

— Наталья Владимировна, мы ведь с вами не в игры играем. Вы взрослый человек, а ведете себя как неразумный младенец. Вы понимаете, что мне ничего не стоит позвонить вашей маме и выяснить, о чем она хотела со мной поговорить?

— Понимаю, — обреченно кивнула Наташа, — но, пожалуйста, не нужно. Она только все запутает.

— Почему вы так думаете?

— Потому, — упрямо буркнула Наташа, но по ее лицу Илья Никитич понял, что она почти сдалась.

— Наталья Владимировна, у меня совершенно нет желания сажать вашего мужа на скамью подсудимых, если он действительно невиновен, — произнес он тихо.

— А вы верите, что он невиновен? — Наташа вскинула глаза, впервые посмотрела не него внимательно, как на человека, а не на сказочное чудовище.

— Скажем так, я не исключаю, что Бутейко убил кто-то другой, — медленно проговорил Илья Никитич, — но это будет очень сложно доказать.

— А зачем? — она вдруг зло прищурилась. — Лично вам зачем это доказывать?

— По должности положено, — он откашлялся и поправил галстук, — ладно, Наталья Владимировна, давайте не будем отвлекаться. Вы так и не ответили, кто такой Вова Мухин?

— Ну да, конечно, — она жестко усмехнулась, — вы такой хороший человек, вы боретесь за справедливость... Да вам глубоко наплевать и на моего Саню, и на меня, и на нашего ребенка. Вам важно поскорее скинуть это дело, оно ведь такое простое, зачем же возиться?

— Действительно, зачем возиться? — тяжело вздохнул Илья Никитич. — Ваш муж взят на месте преступления, выстрел произведен из его пистолета, мотив убийства имеется. Так чего же я вам вопросы задаю? Зачем я вообще к вам пришел? Мог бы вызвать в прокуратуру, провести формальный допрос, а потом с чистой душой передать дело в суд. Анисимов Александр Яковлевич будет осужден по статье сто пятой, «Умышленное убийство». Ему дадут пятнадцать лет. Адвокат, который требует за свои услуги пять тысяч долларов, возможно, сумеет смягчить приговор, и ваш муж получит десять лет общего режима. Вряд ли ему удастся добиться для вас чего-то большего, слишком много прямых улик и доказательств вины вашего мужа.

— Да! — перебила его Наталья. — Слишком много! Но Саня не брал с собой пистолет, когда уходил из дома. Он шел на деловую встречу, у него были какие-то переговоры, да он вообще не прикасался к нему с августа. Пистолет валялся в ящике...

— Заряженный?

— Откуда я знаю?

— Он при вас когда-нибудь стрелял?

— Один раз, на даче, в березу. Нарисовал фломастером кружочки на картонке, прибил к стволу, но в «яблочко» ни разу не попал. Вы поймите, для него пистолет был просто игрушкой. А главное... самое главное, что к тому моменту, когда он в последний раз вышел из дома, пистолета в ящике уже не было.

Наташа сбивчиво, но очень подробно рассказала обо всем, и о вечеринке, на которой в последний раз Саня демонстрировал свое оружие, и о Мухине, с которым два дня назад столкнулась ее мама у них в подъезде, и даже о том, что выкрикивал ей Саня, когда она пробилась к нему в отделение милиции.

— Между прочим, именно Мухин звонил ему утром, кажется, с ним и еще с кем-то он должен был встретиться вечером, — вспомнила она, — ну конечно! С Климом! Мы потому и поссорились. Когда он сказал, что идет встречаться с Климом, я подумала, он врет.

— Почему?

— Понимаете, это какая-то мифическая фигура. Вова Мухин постоянно о нем рассказывает всякие небылицы, и невозможно представить, что у Вовы есть такие знакомые. Он ведь тупой, как пробка.

— Тупые люди редко рассказывают небылицы, — заметил Илья Никитич, — у них, как правило, с фантазией плохо.

— Ну, Вова в другом смысле тупой. Просто для него самое главное, самое интересное в жизни — деньги. И больше ничего. Он только о деньгах думает и говорит. А Клим для него — что-то вроде живого доллара в человеческом обличии, с ногами, руками, со стальными мускулами.

— А фамилию этого доллара с мускулами Мухин не называл?

— Кажется, Эрнест Климов, гражданин Германии. Миллионер, супермен, красавец мужчина, — Наташа усмехнулась, — мне всегда казалось, что Вова просто рассказывает о том, каким бы ему самому хотелось быть. Саня все просил его познакомить с этим Климом, хотя бы издали показать супермена-миллионера, но Вова постоянно придумывал какие-то предлоги, и так никто этого Клима не видел. А тут вдруг Мухин позвонил и сказал Сане, что Клим хочет с ним встретиться, будто у Клима есть какие-то деловые предложения. Я решила, что Саня врет. Нет никакого Клима, просто Вова пригласил его в какое-нибудь похабное местечко, в сауну к девочкам.

— А что, у вас были основания так думать про вашего мужа? — хмыкнул Илья Никитич.

— Нет, конечно. Просто мне очень не хотелось, чтобы он куда-то шел так поздно вечером, особенно с этим Вовой. Вобщем, мы с Саней поссорились, потом помирились, потом опять поссорились, когда он уходил.

— Вы говорили ему, что пистолета в ящике нет?

— Собиралась сказать, но потом забыла.

— Так. Значит, когда вы пришли в милицию, он просил вас позвонить Мухину и проверить, на месте ли коробка с патронами. Вы сделали это?

— Нет. Я сначала хотела позвонить Мухину, но потом подумала, вдруг он как-то замешан в этом деле, и я только все испорчу. Саня ведь ничего не помнит.

— А патроны?

— Просто не успела. Честно говоря, после Саниных слов про отпечатки я боялась притрагиваться к этой несчастной шкатулке.

— А когда вы заглядывали туда в последний раз, не помните?

— Не помню. Очень давно. Там дорогие украшения, а куда мне их надевать? В магазин и в детскую поликлинику?

— Ну, так давайте посмотрим вместе.

— А вы можете снять отпечатки со шкатулки и с ящика, в котором лежал пистолет?

— Конечно. Я сегодня же пришлю к вам трассолога. Но давайте все-таки посмотрим, на месте ли патроны. Не волнуйтесь, я все сделаю аккуратно.

В перламутровой шкатулке патронов не оказалось. Прабабушкиного кольца там тоже не было. Исчезли также сережки с изумрудами, золотая цепочка, золотой браслет с зеленой эмалью. Остались только дешевые серебряные украшения.

ГЛАВА ДЕВЯТАЯ

Варя медленно вошла в полутемный ресторанный зал, равнодушно скользнула взглядом по лицам, улыбнулась нескольким знакомым, кивнула хозяину заведения, Стасу, Станиславу Руслановичу Тиболову.

Бывший спортсмен-пятиборец, чемпион Европы после травмы сначала заделался бандитом, потом сел на сравнительно небольшой срок, а выйдя на свободу, открыл ресторан, назвал его собственным именем «Стас», отлично обустроил, и довольно скоро заведение стало одним из самых престижных мест в Москве, элитарным закрытым клубом. Здесь были лучшие повара, лучший кордебалет, мощная бдительная охрана.

«Если сейчас подойдет, поцелует мне руку, сам лично проводит за столик, значит, все нормально», — загадала Варя, пристально взглянув на Стаса. Он сидел за одним из столиков, беседовал с восходящей эстрадной звездой Катей Красной. Варю он заметил сразу, но всего лишь приветливо кивнул, улыбнулся и продолжил разговор с певицей.

«Ну что ж, — решила Варя, — все впереди, еще не вечер».

Три года назад, когда Мальцев впервые привел ее в клуб, хозяин почтительно пожал руку Дмитрию Владимировичу, а по лицу Вари просто скользнул ледяными тусклыми глазами. Потом, во второй и в третий раз, одаривал вежливо-небрежным кивком.

Иногда случалось, что она приезжала на пару часов раньше Мальцева, Стас улыбался издали, а если проходил мимо ее столика, спрашивал, появится ли сегодня Дмитрий Владимирович и в котором часу.

Как-то Варя сидела в одиночестве у стойки бара и разговорилась с танцовщицей здешнего кордебалета. Девушку звали Элла. Посреди разговора она вдруг замолчала на полуслове, уставилась на дверь и пробормотала, шлепнув себя по коленке:

— Ну, все, я проиграла Лариске триста баксов!

Варя увидела, как хозяин целует руку какой-то рыжей зубастой дуре в соболином боа на голых плечах. Дура скалила свои огромные, как у кролика, зубы, заливалась басистым грубым хохотом. Ржала, как мужик или, скорее, как сивый мерин.

— Это издали она кажется молодой, — прошептала Элла, — на самом деле ей почти полтинник. Нет, все-таки интересно, как ей это удалось?

— Что именно?

— Женить на себе Кирпича.

— А кто такой Кирпич?

— Ну, привет! Ты правда не знаешь? Или придуриваешься?

— Правда не знаю, — призналась Варя и, заметив презрительно удивленный взгляд танцовщицы, выругала себя последними словами. Если здесь называют какое-то имя с той особенной, почтительной интонацией, с которой Элла произнесла «Кирпич», всегда надо делать вид, будто тебе известно, кто это, будто ты вообще лично знакома с этим Кирпичом, Валуном или Булыжником.

— Виталий Кирпичов, банк «Байкал». Нет, ну бред какой-то, он ведь моложе ее на три года, и вообще...

— И когда же свадьба? — осторожно поинтересовалась Варя.

— Откуда я знаю?

— А откуда знаешь, что у них все решено? Может, это вообще вранье, сплетня?

— Ну конечно! — Элла выпятила нижнюю губу и сдула со лба светлую челку, потом окинула Варю внимательным, неприятным взглядом. — То, что я тебе скажу, известно всем. Не знать этого неприлично. Запомни, Стас так встречает только жен или будущих жен. У них есть влияние и перспектива. А любовницы приходят и уходят.

— Но ведь на этой, рыжей, Кирпич еще не женился, — шепотом заметила Варя.

— Не важно. Вопрос уже решен. Иначе не стал бы Стас целовать ей ручку. Вот видишь, за столик провожает. Ну, точно, придется отдавать Лариске триста баксов. Мы с ней поспорили. Я была уверена, что у этой мымры ни фига не выйдет. А вот ведь, умудрилась... Жалко денег, блин.

С тех пор Варя каждый раз с легким замиранием сердца ждала, что и к ней наконец подойдет хозяин и приложится к ее ручке. Она почему-то была уверена, что это произойдет раньше, что Дмитрий Владимирович решится сказать свое царское слово.

Стас поднялся, Катя Красная продолжала что-то говорить ему и улыбаться. Было видно, что он нетерпеливо ждет конца ее монолога. Варя остановилась у стойки бара, рассеянно поправила волосы. В зеркальной стене отражался весь небольшой зал, был отлично виден столик у эстрады, задранное вверх смеющееся лицо певицы, чуть склоненная мощная фигура хозяина.

«В сущности, все вы уроды», — подумала Варя и надменно передернула плечами. Она уже поняла, что бывший бандит-пятиборец к ней подходить не собирается. Он спешил к другому столику, за которым сидела ярко-белокурая красавица в скромном черном пиджачке. Пятидесятилетняя матрона, жена известного политика, мать двоих взрослых детей, дама порядочная и приятная во всех отношениях, была заядлой тусовщицей. Она не пропускала ни одного престижного мероприятия, ни одной премьеры, презентации, всегда сидела в первом ряду, на самом почетном месте, сверкала своей голливудской улыбкой везде — на телеэкране, на журнальном глянце, в полумраке самых дорогих казино и ресторанов. Хозяину она снисходительно протянула тонкую холеную руку. Он поцеловал ей кончики пальцев.

«Эй, скотина, подойди ко мне! Ну, пожалуйста, подойди! Я тоже скоро стану женой большого политика. Я тоже вери импортент персон. Нет? Ну ладно, все впереди!» — с ненавистью глядя в подбритый затылок хозяина, она подумала, что, когда ее упругий толстячок дозреет, поведет ее под венец, и эта лощеная сволочь подойдет наконец, чтобы чмокнуть своими липкими губами ее, Варюшины, нежные пальчики, она обязательно что-нибудь такое придумает. Например, нарочно уронит в этот момент колечко. Ему придется ползать по полу, пока не отыщется пропажа.

— Привет, — подмигнул ей молоденький бармен, — как дела?

— Нормально. Кофейку свари мне. — Варя повертела на пальце кольцо с крупным рубином, взглянула на свои крошечные золотые часики, но не для того, чтобы узнать время, а просто лишний раз полюбоваться изящной дорогой вещицей. Часики эти она купила сегодня днем, просто от скуки заехала в ювелирный на Тверской.

«Тысяча баксов, мамочка. Представляешь, тысяча баксов за побрякушку, часики. А знаешь, сколько стоит мое платье? Полторы тысячи! Скромненько, но со вкусом. А туфли? Ты думаешь, пряжки на них из простого металла? Нет, мамуля, это золото. Скажу тебе по секрету, набойки на каблучках тоже золотые. Не веришь? Ну ладно, как хочешь. Однако пуговицы на моей дубленке уж точно из чистого золота. Это сейчас последний писк, мамуля. Золотые пуговицы на дубленке. А в середине — настоящие жемчужины, не речные, не искусственно выращенные, а самые натуральные. Из ракушки. Всего лишь три года назад у меня не было даже теплой телогрейки, чтобы выйти зимой из дома. А теперь пять шуб и три дубленки. Ты все не можешь поверить, что пуговицы и набойки золотые. А разве ты когда-нибудь могла представить, мамочка, что, выходя из дома, будешь выбирать, какую тебе надеть шубу, норочку до пят или голубой песцовый жакет? Мне кажется, тебе больше идет норочка. И мне очень нравится, когда у тебя в жизни только такие проблемы...»

— Варюша, солнышко, кисочка моя, что ж ты здесь сидишь в одиночестве? — Варя вздрогнула. Кто-то неслышно подкрался и закрыл ей глаза пухлыми горячими ладонями. — О чем таком приятном думаешь, что самой себе улыбаешься? — пропел у ее уха голос, слишком высокий для мужчины и слишком низкий для женщины. — Ну что, узнала, красотулечка моя?

— Привет, Пусик. Тебя ли не узнать? — пропела в ответ Варя и смачно матюгнулась про себя.

Пусик, популярный эстрадный певец, славился своей толщиной, голубизной и немыслимыми эротическими шоу, в которых оголялся целиком, только шелковый лоскуток прикрывал гениталии. Он спрыгивал со сцены, проходил по залу, панибратски похлопывал по плечам самых известных мужчин, те почему-то краснели и принужденно хмыкали, в ответ бесстыдник колыхал животом, задницей и массивными, как у женщины, грудями.

Он окружал себя стройным мужским кордебалетом. Худенькие длинноволосые мальчики ритмично двигали бедрами в такт его песням.

— Как дела, солнце мое? Все цветем, хорошеем? — Пусик ласково заправил ей за ушко выбившуюся прядь. — Я пою сегодня. У меня, между прочим, новая программа.

153

— Буду с нетерпением ждать, — улыбнулась Варя.

— А Дмитрий Владимирович к которому часу подъедет?

Варя едва сдержалась, чтобы не расхохотаться в эту круглую глупую рожу. При одном только упоминании ее матрасника жирный Пусик весь подобрался, стал серьезным и значительным, даже как будто похудел немного.

— Обещал к одиннадцати. А что?

— Так... ничего... Ладно, побежал. Мне скоро переодеваться. Между прочим, сегодня никакого стриптиза. Я знаю, Дмитрий Владимирович не любит. Петь буду во фраке, репертуар классический. Моцарт, Чайковский.

Надо отдать Пусику должное, голос у него был великолепный. Варя не понимала, зачем он натужно хрипит и пищит, исполняя свои эротические шлягеры, если имеет такой богатый глубокий тенор? Впрочем, она почти ничего не понимала во всех этих людях, шумных, ярких, самовлюбленных до слепоты.

«Ты зря так быстро убежал, Пусик, — лениво, без злобы подумала Варя, провожая взглядом широченную спину, обтянутую белоснежным сукном дорогого пиджака, — я ведь догадываюсь, зачем тебе нужен мой всемогущий Мальцев. Неделю назад на тебя всерьез наехала налоговая полиция. Ты стал как-то слишком уж резво мухлевать с пиратскими компакт-дисками, кому-то недоплатил, кого-то обидел, и тебе сейчас позарез надо подружиться с Дмитрием Владимировичем. Но ты не учел главного. С такими, как ты, мой Мальцев не дружит. Он жутко добропорядочный. Он даже смотреть не станет в твою сторону. Но вот если я его попрошу тебе помочь, если с умным видом поболтаю о милосердии, о сострадании, тогда у тебя, свинья, появится шанс. Маленький, слабенький, но единственный твой шансик».

— Варь, кофе твой стынет, — бармен подвинул ей чашечку, щелкнул зажигалкой, заметив, что она вертит в пальцах сигарету.

Еще месяц назад этот юный, свежий, но уже совершенно гнилой изнутри лакейчик никак не хотел запомнить, какой она любит кофе. Не эспрессо, не капучино, а настоящий, по-восточному, сваренный на раскаленном песке. Три ложки кофе и две сахару на крошечную турку. Два зернышка кордамона. Ровно два, не больше и не меньше. Но теперь мальчик наконец усвоил ее вкусы. Делал все, как нужно, без всяких просьб и напоминаний. Рядом с чашкой обязательно ставил вазочку с поджаренным пресным миндалем.

На маленькой сцене уже началось ночное шоу. Кордебалет отплясывал под живую фортепьянную музыку, на этот раз вся программа была составлена в стиле ретро. Варя так и не пересела за столик, прихлебывала кофе, грызла миндаль и на сцену поглядывала сквозь зеркало за стойкой бара. Там вздымались пышные многослойные юбки, девочки дружно взвизгивали, притопывали, подпрыгивали, задирали ноги. Варя подумала, что это напоминает кафешантан времен гражданской войны, именно так изображали разгульную белогвардейскую жизнь в старых советских фильмах.

Дмитрий Владимирович появился внезапно, когда солистка на сцене отбивала чечетку. Фортепиано замолчало, дробный ритм танца отщелкивали динамики, спрятанные за сценой. Варя сначала почувствовала знакомый холодок за спиной, а потом уж увидела в зеркале полное холеное лицо заместителя министра. Рядом с ним маячили почтительные физиономии хозяина и метрдотеля. Из глубины зала торопливо наплывала необъятная фигура певца Пусика. Он был уже в концертном черном фраке, весь колыхался, таял в приторной улыбке. Казалось, парчовый галстук-бабочка на его горле возбужденно помахивает твердыми крыльями.

— Привет, солнышко. — Мальцев наклонился, сухо, быстро чмокнул Варю в щеку.

— Здравствуй. — Варя улыбнулась, легко соскользнула с высокого стула у стойки, взяла Дмитрия Владимировича под руку.

— Ты ела?

— Нет. Тебя ждала.

— Дмитрий Владимирович, добрый вечер! — пропел Пусик так громко, что отвлек внимание зала от чечетки. Бесцеремонно оттеснив хозяина, он протянул руку, но Мальцев ответил на приветствие только легким кивком. Пухлая кисть певца неловко зависла, все это видели, и толстяк залился краской, уронил свою тюленью ласту и забормотал, быстро хлопая глазами: — Дмитрий Владимирович, я подготовил новую программу...

— Что-нибудь сообрази нам поужинать. Времени мало, — обратился Мальцев к хозяину так, словно огромный певец в черном фраке был пустым местом.

«Да, свинья, плохо дело, — усмехнулась про себя Варя, — ничего, тебе полезно понервничать. Может, похудеешь».

Их проводили к столику для важных персон, который был спрятан в специальном углублении. Пока сервировали стол, Варя исподтишка разглядывала лицо Мальцева. Губы поджаты, глаза сухо блестят. У Дмитрия Владимировича был тяжелый день.

Иногда Варина болтовня, ее тихое ласковое щебетание расслабляли и успокаивали его, иногда, наоборот, раздражали. Сжатый рот и застывшие глаза означали, что следует молчать. Такие вещи Варя училась угадывать с первого взгляда.

Всегда, при любых обстоятельствах, ее присутствие должно приносить ему только положительные эмоции. С ней ему должно быть лучше, чем без нее. Но фокус не в том, чтобы всегда соответствовать его желаниям и потребностям. Главное, чтобы он ни в коем случае не заметил ее усердия. Ему должно казаться, будто она ведет себя абсолютно естественно, не пытается ему угодить, а просто любит его, нежно, страстно, именно так, как ему хочется. Однако при этом он ни на секунду не должен заподозрить, что она стремится поскорей выйти за него замуж. Вот так: очень любит, но замуж не стремится, потому что слишком выгодный он муж, а настоящая любовь должна быть бескорыстна.

Варя не сомневалась, что он, при всей своей солидности, жесткости, при всем своем цинизме, нуждается в любви, как каждый нормальный человек. Иногда он коротко и скупо рассказывал о своих проблемах с двумя предыдущими женами.

Первая была его ровесницей, сокурсницей, приехала в Москву из Ростова. У нее была жесткая хватка, ей удалось очень быстро избавиться от провинциального южно-русского говора, от природной пухлости и вялости форм. Девушка легко освоила столичный стиль, и в одежде, и в поведении. Она хотела стать не просто москвичкой, а настоящей административной львицей, иметь собственную пятикомнатную квартиру, дачу, собственный кабинет в каком-нибудь министерстве, секретаря, шофера и так далее. В принципе ничего дурного в этих желаниях нет, но если они осуществляются, человек начинает относиться к самому себе с таким восторгом и трепетом, что для иных чувств в его душе просто не остается места.

В первые годы жена для Дмитрия Владимировича была боевым товарищем. Они вместе делали карьеру. Но ему недоставало жесткой провинциальной хватки. Он был коренным москвичом, в молодости все не мог избавиться от интеллигентской рефлексии, которая никак не способствует продвижению вверх по служебной лестнице. Дмитрий Владимирович не поспевал за стремительным карьерным ростом супруги. Это стало его раздражать, сначала слегка, потом всерьез. На седьмом году совместной жизни его уже бесило все. Каждый жест сановной супруги, каждый взгляд, начальственные хамские интонации, плебейский апломб, жесткость суждений. Как только подрос их сын, они развелись.

— Она слышала и видела только себя, — говорил Мальцев о своей первой жене, — и поэтому жить с ней было невозможно.

Вторая его избранница оказалась полной противоположностью первой. Тихая москвичка, пухленькая, инфантильная, с нежным голоском и без всяких амбиций. Она готова была стать настоящим ангелом-хранителем семейного очага. Любимым ее чтением были кулинарные книги и журналы по садоводству. Мальцев таял, слушая вечерами ее милый щебет и поглощая вкуснейшие борщи, кулебяки, яблочные шарлотки.

У них родилась девочка, и Мальцев не мог нарадоваться на свою идеальную семью. Проблем не было. Вообще никаких проблем. Жена ни разу не повысила голоса. Не высказала недовольства чем-либо, наоборот, без конца повторяла, как она счастлива. Счастливой ее делало все: каша, съеденная ребенком до последней ложечки, удачное тесто для пирожков, стиральный порошок, который в магазине на соседней улице на два рубля дешевле.

Росла девочка, она была такой же тихой и пухленькой, как мама, она училась печь пирожки и шила куклам платьица. Мальцев делал карьеру, был постоянно занят на службе. Жена сидела дома, полнела, старела, вечерами встречала его сдобными пирогами и тихим щебетом.

Он приходил усталый и сладко засыпал под этот щебет, не дожевав очередной пирог.

— Она быстро деградировала, сидя дома, — говорил Дмитрий Владимирович о своей второй жене, — неприлично растолстела и выглядела старше своих лет. Но главное, с ней неудобно было появляться в приличных местах потому, что она щебетала, не закрывая рта, и все о своих кулебяках, об огородных удобрениях и о мексиканских сериалах. Я пытался как-то встряхнуть ее, оживить, просил, чтобы она занялась собой, почитала что-нибудь, кроме кулинарных книг, сходила в театр или, ну я не знаю, на показ мод хотя бы, начала делать гимнастику и бегать по утрам вместе со мной. Дочка выросла, я отправил ее учиться в Англию, и жене было совершенно некуда себя деть.

С первой своей супругой Мальцев прожил семь лет, со второй пятнадцать. Официально они еще не развелись, но уже полгода жили врозь. Мальцев в загородном доме, супруга в хорошей двухкомнатной квартире в Москве, которую он приобрел для нее, когда почувствовал, что просто сходит с ума от вкусных кулебяк и тихого щебета.

И как будто по заказу, в одно прекрасное утро, совершая свою обычную пятикилометровую пробежку, Дмитрий Владимирович встретил на лесной дорожке юную красавицу с ярко-синими глазами и шелковыми черными волосами.

Она подвернула ногу, не могла встать, и пожилому чиновнику пришлось помочь ей добраться до Дома отдыха, проводить прямо до номера. Вывих прошел удивительно быстро, и всего лишь через три дня они опять встретились в лесу. Она тоже бегала каждое утро. И

Дмитрию Владимировичу показалось, что вместе бегать значительно интересней.

Нравится мне твоя поза унылая,
Грустно опущенный взгляд,
Я бы любил тебя, но, моя милая,
Барышни замуж хотят, —

пел своим нежным тенором со сцены «голубой» певец Пусик.

— Это называется «классический репертуар», — с усмешкой заметила Варя, — это Моцарт и Чайковский.

Мужской кордебалет был обнажен только до пояса. Мальчики отплясывали вокруг толстой звезды в штанах и галстуках-бабочках на голых, еще по-детски тонких шейках.

Ужин состоял из двух порций запеченной семги с зеленым салатом, минеральной воды и фруктов. Дмитрий Владимирович спиртного на дух не переносил и мяса не ел. Варя старалась перенимать его здоровые привычки. Единственное, от чего не могла отказаться, это от курения.

Взгляд его надолго застыл в одной точке. Казалось, он ничего не видит и не слышит, не чувствует изумительного вкуса запеченной семги.

— Все-таки у тебя потрясающие глаза, — услышала Варя его чуть охрипший, усталый голос и поняла, что все это время он смотрел не куда-нибудь, а на нее. — Угораздило же тебя родиться с такими глазами!

— Спасибо, — она благодарно улыбнулась. Он редко баловал ее комплиментами, иногда ей даже казалось, что он привык к ее красоте, перестал замечать.

— При таком освещении, — продолжал он задумчиво, — получается редкий сапфировый оттенок. Ты знаешь, сколько оттенков бывает у сапфиров? Больше ста. Но самый красивый синий цвет все-таки у алмаза. Есть уникальный сапфирово-синий бриллиант «Хоуп», один из самых загадочных камней в мире. Великолепный, редчайший бриллиант глубокого сапфирово-синего цвета, замечательной чистоты и совершеннейшей огранки. У него идеальные пропорции. В нем сочетается цвет сапфира с игрой и блеском алмаза. Вот такого цвета сейчас твои глаза.

— Разве алмазы бывают синими?

— Алмазы, Варюша, могут быть розовые, желтые, зеленоватые. Но это не цвет, а всего лишь оттенок, который только снижает ценность камня. Синими обычно называют слабоокрашенные алмазы, они имеют серо-голубой отлив, как небо, затянутое рыхлыми легкими облаками, и кажутся скорее мутными, чем синими. Настоящий, глубокий сапфировый цвет у алмаза — это чудо, загадка.

— Ты его когда-нибудь видел?

— Да. Он находится в Смидтоновском институте в Вашингтоне.

— То есть он никому не принадлежит?

— Многие коллекционеры готовы были отдать целые состояния за этот камень. Но он больше не продается, ни за какие деньги. Он не должен никому принадлежать.

— Почему?

— «Хоуп» приносит беду владельцам. В середине шестнадцатого века он был привезен из Индии в Европу вместе с чумой. Чума, конечно, пряталась не в камне, ею были заражены крысы в корабельном трюме, однако камень плыл в Европу на том же корабле.

— Ну, это ерунда, — улыбнулась Варя, — виноваты крысы. Или вообще никто.

— Королева Мария-Антуанетта дала его поносить

своей подруге, принцессе Ламбалле, — продолжал Мальцев, и Варе показалось, что рассказывает он не ей, а самому себе, — вскоре принцесса была жестоко убита, а потом обезглавили и саму Антуанетту. Во время Французской революции алмаз был похищен, прошел через множество рук авантюристов, мятежников, дипломатов, пока в 1830 году не вынырнул, но в сильно уменьшенном виде. Таким и приобрел его английский банкир Хоуп, после чего сын банкира был отравлен, а внук потерял все свое состояние. В 1901 году русский князь Корытовский преподнес «Хоуп» парижской танцовщице мадемуазель Ледю и вскоре застрелил ее в приступе ревности. Сам князь буквально через несколько дней был убит террористами. Следующий владелец, султан Абдул-Хамид, подарил синий алмаз своей любовнице. Ее зверски растерзали во время дворцового переворота, а сам султан лишился власти и был изгнан. Потом алмаз достался какому-то испанцу, и тот утонул в открытом море. Следующими владельцами стала чета богатых американцев, и стоило камню попасть к ним, тут же погиб их единственный ребенок. Несчастный отец лишился рассудка.

— Ты в это веришь?

— Это известные исторические факты, — улыбнулся Дмитрий Владимирович.

— Нет, ты веришь, что во всем виноват камень?

— Конечно.

— Почему ты сказал, что мои глаза такого же цвета, как этот ужасный «Хоуп»?

— Ты боишься, цвет твоих глаз принесет несчастье?

— Ну, а если боюсь? — спросила она вполне серьезно.

— За кого же больше? За себя или за меня? — Лицо

162

его оставалось серьезным, он смотрел на Варю слишком пристально и многозначительно, что было ему совершенно не свойственно.

— Я боюсь за нас обоих, — выпалила она и отвернулась.

— И что из этого следует?

Она ждала, что он наконец рассмеется или хотя бы улыбнется, но он оставался серьезным.

— Может, мне стоит носить цветные контактные линзы?

— Ни в коем случае! — послышался рядом мелодичный женский голос. — У вас изумительный цвет глаз, редчайший сапфирово-синий цвет. Я давно обратила внимание на ваши глаза, Варенька.

К их столику подошла блондинка в черном пиджаке, жена известного политика. Мальцев встал и поцеловал даме руку.

— Через неделю мы с Марком празднуем серебряную свадьбу, — сообщила дама, усаживаясь за их столик, — будем рады вас видеть. Сначала банкет в «Праге», потом небольшой фуршет дома, для своих.

— Спасибо, Ниночка, мы непременно приедем, — кивнул Мальцев и еще раз поцеловал даме руку.

Варя благодарно улыбнулась, но улыбка тут же застыла. Она заметила, как смотрит Мальцев на руку дамы, на перстень с огромным сверкающим бриллиантом. Ее всегда продирал озноб, когда у него становились такие глаза: холодные, внимательные и совершенно сумасшедшие.

ГЛАВА ДЕСЯТАЯ

— Госпожа Беляева, как, по вашему мнению, повлиял кризис на рождаемость в России? — пожилая американка в широком фольклорном платье, с девичьей рыжей челочкой, прикрывающей жесткие морщины на лбу, сверлила Елизавету Павловну блестящими темно-карими глазами.

Лиза смотрела, не отрываясь, в стеклянную витрину сувенирного магазина. Ее кофе давно остыл, сигарета тлела в пепельнице.

— Лиза, вы слышите меня? Недавно моя знакомая приехала из Москвы на несколько дней, она рассказывала, что женщинам в России сегодня не хватает денег на контрацептивы. Растет количество абортов, в том числе криминальных. Джейн, корреспондент журнала «Ледиз чойс», аккредитована в Москве, живет там уже пять лет. Она привезла с собой чудовищный материал о том, как несовершеннолетние девочки избавляются от нежелательной беременности, иногда выбрасывают новорожденных на помойку.

— Да, это ужасно, — кивнула Лиза.

Но ее собеседница ожидала более бурной реакции, она недоуменно подняла брови и поджала губы.

— Вы простите меня, Лиза, я человек прямой и откровенный. Всегда говорю правду в глаза. У вас, русских, появилось какое-то равнодушие. Раньше этого не было. Это вообще не свойственно русскому характеру — ледяное безразличие к ближнему. Вы совершенно спокойно стали относиться к трагедиям, которые происходят рядом с вами, у вас в стране.

— Не всем можно помочь, Керри. Что толку, если мы будем плакать и вздыхать над каждой трагедией?

— Плакать и вздыхать — это нормальная человеческая реакция. Вы, русские, стали стесняться проявления живых чувств. Вы всегда были самой сострадательной нацией в мире, а теперь становитесь самой беспощадной и циничной. Неужели это связано с демократическими переменами? Неужели для русской души так вредна свобода?

— Не знаю... — Лиза правда не знала, что на это ответить. Наверное, в чем-то американка была права, но легко судить других.

«Возможно, люди сделались жестче и циничней, но не потому ли, что сейчас в России становится товаром даже такая бесплатная вещь, как сострадание? Оно, оказывается, тоже имеет денежный эквивалент и, значит, теряет смысл...» — подумала Лиза, но вслух этого не произнесла, потому что было лень поддерживать разговор.

— Кому же знать, как не вам? — вскинула брови Керри. — Вас почти каждый вечер слушает и смотрит вся Россия.

— Я только рассказываю новости, всего лишь констатирую факты.

— Это ко многому обязывает.

— Безусловно.

Повисло молчание, оно было неприятным для обеих. Американка первая решилась прервать его.

— Наверняка у вас есть какие-то определенные мысли на этот счет. Я не читаю по-русски, не могу следить за вашей прессой, смотреть русские телеканалы, но Джейн рассказывала, что порнопрограммы идут у вас в дневное время не по специальным, а по общенациональным каналам. Она считает, что ваши средства массовой информации сейчас представляют собой отхожее место. Низкий профессиональный уровень компенсируется дешевой сенсационностью, печатается масса недостоверной, непроверенной информации, в основном негативного и непристойного характера. Это рождает в обществе ощущение вседозволенности. Ваши журналисты как будто сговорились в каждом материале доказывать публике и самим себе, что человек есть скот. А скот ни за что не отвечает. Такая позиция чревата хаосом и гибелью. Вы согласны?

— Ну, мне кажется, ваша приятельница несколько сгущает краски. Я все-таки тоже представитель средств массовой информации...

— О вас, Лиза, я слышала только положительные отзывы. Джейн старается смотреть все ваши программы. Вы максимально объективны и не агрессивны в подаче новостей.

— Спасибо.

— Кстати, кроме журнального материала, Джейн отсняла еще две кассеты хроники. Провинциальные интернаты для умственно отсталых брошенных детей, колонии для несовершеннолетних, где отбывают срок юные детоубийцы. Материал страшный, он еще не смонтирован. Джейн поручила мне спросить вас, не хотите ли вы использовать фрагменты в одной из своих программ.

— Да, наверное, это было бы любопытно, — равнодушно кивнула Лиза и посмотрела на часы.

— Любопытно? На мой взгляд, это необходимо показать в России. Я давно не видела ничего более впечатляющего. Я буквально заливалась слезами, когда смотрела эту страшную хронику.

— Керри, но вы же сами только что сказали, что наше телевидение дает слишком много негативной информации.

— В этом материале главное — достоверность. Там нет попытки напугать, сгустить краски. Я как представитель феминистского движения считаю, что вы просто обязаны показать эти кадры вашему зрителю. Насколько мне известно, контрацепция до сих пор остается в России исключительно женской проблемой.

Лиза молча изучала живописную группу плюшевых белых медведей и морских котиков в витрине.

— Либо вы очень устали сегодня, либо у вас проявляются первые симптомы нового русского паталогического равнодушия, — американка холодно улыбнулась, — такое впечатление, что вам все безразлично. Абсолютно все.

«Чего она от меня хочет? — устало подумала Лиза. — Более выразительных эмоциональных реакций? Интересно, почему хладнокровие собеседника иногда так заводит людей? Возможно, этот глупый сальный Красавченко в чем-то прав насчет поедания чужой энергии. Американка Керри, пожилая, идеально воспитанная леди, устала за долгий бурный день не меньше, чем я. Третий вечер подряд она втягивает меня в дискуссии на социально-психологические темы. Вчера у меня были силы поддерживать разговор на высоком эмоциональном уровне. Мы обсуждали несчастное положение российских пенсионеров, коррумпированность чиновничьего аппарата и его тесную связь с криминалитетом, безобразия в нашей армии. По очереди приводили возмутительные примеры, охали, ахали, ужасались, делали глубокомысленные выводы. Распрощались как лучшие подруги. А сейчас я не могу сосредоточиться на социальных несправедливостях, и она недовольна мной. Она обижается...»

— Простите, Керри, темы, которые вы затрагиваете, слишком важны. А я действительно очень устала, поэтому не хочу комкать разговор. Давайте перенесем его на завтра.

— Но завтра день заполнен до предела. Заседание комитета закончится еще позже. А мне надо обсудить с вами еще массу проблем. Должна признаться, моя настойчивость не бескорыстна. Я готовлю большую аналитическую статью для журнала «Нью-Йоркер» о положении женщины в сегодняшней России. Джейн дала мне очень много материалов, но она американка, то есть рассматривает ваши проблемы со стороны. Мне важно поговорить с вами как с русской деловой женщиной. Я отниму у вас еще минут пятнадцать. Не возражаете?

— Хорошо, Керри.

— Прежде всего, я хотела бы поговорить о пресловутом русском долготерпении. Когда о нем говорят как о национальной черте характера, как об особенности русской ментальности, мне всегда хочется добавить, что это национал-половая черта. Ваши женщины потрясающе терпеливы, никто не позволяет так над собой издеваться. В вашей массовой культуре абсолютным идолом становится даже не тело, а мясо, человеческое мясо, в основном женское. Люди не просто раздеваются публично, а препарируют себя и других, как трупы, как туши на бойне. Ваши дамы, воспитанные на зыбкой грани ортодоксальных идей, остаются покорными, как домашние животные, позволяют себя ощупывать и оценивать, как овец на рынке.

— Отчасти, вы правы, — равнодушно кивнула Лиза, — но при чем здесь ортодоксальные идеи?

— Под ортодоксальностью я понимаю и коммунистическую доктрину, и православную, на мой взгляд, это две стороны одной медали. А что касается долготерпения мужской части населения России, то здесь позвольте мне усомниться...

— Господи, какой бред, — пробормотала Лиза по-русски.

— Что вы сказали? — вскинулась леди. — Простите, Лиза, я не понимаю по-русски, — она растянула губы в любезной улыбке. Такая улыбка годится на все случаи жизни и напоминает конфеты без сахара и обезжиренные сливки. — Вы, кажется, не согласны со мной?

— Не согласна, — Лиза отхлебнула наконец свой кофе, быстрым движением загасила сигарету в пепельнице, — ортодоксальность русского коммунизма ни малейшего отношения не имеет к православию. Это совершенно противоположные понятия. Враждебные друг другу, взаимоисключающие.

— Не скажите. В восемнадцатом году иерархи русской Православной церкви с готовностью пришли на поклон к большевистской власти. Это исторический факт. С одной стороны — массовые расстрелы священников, монахов, сестер милосердия, вандализм, уничтожение церковных ценностей, с другой — сотрудничество с палачами. Вы, русские, во всем и всегда доходили до крайности, прежде всего в воплощении философских идей. Об этом писали ваши гениальные христианские философы начала века, Соловьев, Бердяев. «Русская душа всегда оставалась неосвобожденной, она не признает пределов, она требует всего или ничего». Не знаю, насколько точно я цитирую, мысль вам должна быть ясна. Все или ничего. В этом ваша сила, но в этом же и губительная слабость. Опять мы сталкиваемся с единством противоположностей. Вы со мной согласны?

— С вами или с Бердяевым? — машинально уточнила Лиза и подумала, что американка скорее хочет высказать свое мнение, чем услышать чужое. Ну и хорошо, ну и ладно. На собственное мнение у Лизы сейчас просто не было сил.

— С нами обоими, — смешок американки был похож на радужный мыльный пузырь, легко и плавно вылетевший из ее тонкого рта, — а вообще, Лиза, я бы хотела узнать, насколько актуальна сейчас для образованной части общества русская философия начала века? Там ведь так много всего сформулировано, причем довольно точно. Неужели это драгоценное наследие потонуло в вашем сегодняшнем плоском прагматизме?

«Если прагматизм плоский, как может в нем что-либо потонуть?» — лениво заметила про себя Лиза.

Продолжая глядеть в витрину сувенирной лавки, она выбила очередную сигарету, щелкнула зажигалкой. Американка ждала ответа и морщилась от дыма. Опять повисла неприятная пауза.

— Лиза, с вами все в порядке? Вы слишком много курите. От этого вы такая бледная и рассеянная.

— Я боюсь, дело совсем в другом, — прогрохотал рядом глубокий бас, — госпожа Беляева влюблена. Так выглядят влюбленные женщины, уж поверьте моему многолетнему опыту.

Мягкое кресло гостиничного бара затрещало и качнулось, словно хилая трехногая табуретка, приняв в себя стокилограммовую тушу норвежца Ханса Хансена. Ему было шестьдесят пять. Он курил трубку из черного дерева и носил галстук-бабочку не только с официальным пиджаком, но и с пуловером грубой вязки, — приветствую вас, милые дамы. Керри, вы измучили госпожу Беляеву вашими феминистскими разговорами. Дайте русской леди хоть немного расслабиться. Мы ведь не в конференц-зале, и сейчас уже одиннадцать вечера.

— Неужели правда одиннадцать? — спохватилась Лиза, взглянула на часы и резко поднялась. — Простите, Керри, вы затронули весьма интересный и важный вопрос, обидно обсуждать его в таком сонном состоянии, — она чуть покраснела, вспомнив, что говорила то же самое несколько минут назад. Ну, да ладно. Главное, скорее ускользнуть, нырнуть в свой номер, запереть дверь и никого не видеть.

— Спокойной ночи, Керри, спокойной ночи, Ханс. Американка величественно кивнула в ответ. Норвежец подмигнул и произнес интимным шепотом:

— Спите сладко, Лиза. Хотя влюбленных обычно мучает бессонница, — он многозначительно хмыкнул и принялся разжигать свою трубку.

В пустом лифте она прижалась лбом к холодному

зеркальному стеклу. Лифт бесшумно взлетел. Двери разъехались, Лиза хотела выйти, но наткнулась на Красавченко.

— Подождите. Это не ваш этаж, — сказал он с сияющей улыбкой. — Добрый вечер, Елизавета Павловна.

Он нажал кнопку. Двери плавно закрылись. На несколько секунд они остались вдвоем, в замкнутом пространстве, и ей стало не по себе. Она подумала, что глупо бояться этого сального кота. Он стоял совсем близко, дышал в лицо жвачной мятой, поедал Лизу глазами и, кажется, готов был к более активным действиям, но лифт остановился.

Красавченко пропустил ее вперед и вышел следом. Она вдруг вспомнила, что его номер на двенадцатом.

— Хочу немного проводить вас. Не возражаете?

— Пожалуйста, — равнодушно кивнула она.

Он взял ее под руку, чуть склонился к уху.

— Елизавета Павловна, вы очень хотите спать?

— Честно говоря, да.

— Жаль. Ну, хотя бы пятнадцать минут своего драгоценного времени вы можете уделить старому нудному дипломату? Давайте с вами выпьем коньячку в баре на пятом этаже. Просто для того, чтобы снять напряжение долгого суетного дня. От коньяка хорошо спится.

— Анатолий Григорьевич, коньяк я не пью, сплю и так очень крепко... — начала Лиза и вдруг, вырвав руку, бросилась бегом по коридору. Было слышно, как в ее номере заливается телефон. Короткие, нервные междугородние звонки. — Простите, — повернулась она, открывая дверь, — спокойной ночи.

Оставшись один в коридоре, Красавченко огляделся по сторонам и прижался ухом к дверной щели.

— Да, я тоже ужасно соскучилась... нет, все хорошо... Сразу не получится, дня через два, не раньше...

Несмотря на внешнюю солидность, двери номеров

171

отлично пропускали звук. Красавченко слышал каждое слово. Он уже подумал было отойти, не рисковать. Ничего интересного. Ясно, ей звонит муж.

— Я пока не знаю, но в любом случае мне придется пару вечеров провести с семьей. Я обещала... Он был такой грустный в аэропорту, он почувствовал... Вообще, все это тяжелей и серьезней, чем казалось сначала... Перестань. Я приеду, мы поговорим... Я тоже все время о тебе думаю, ничего не могу поделать... Потому, что все это ни к чему. Ни тебе, ни мне... Будь, пожалуйста, осторожней. Береги себя... Нет, ни в коем случае. Достаточно того, что ты приехал меня провожать, маячил там, как тень, и мне все время казалось, он тебя заметил. Если я опять увижу тебя в аэропорту, я стану сразу как деревянная. Он все почувствует... А ты хочешь, чтобы мне было безразлично, что он чувствует?.. Хорошо, с тобой я постараюсь это не обсуждать... Я понимаю... Прости, мне плохо без тебя. Я становлюсь мнительной идиоткой, вот сейчас норвежский профессор сказал, что я выгляжу как влюбленная женщина... Никакого счастья, сплошная рефлексия... Да... Нет... я тебя тоже очень люблю, Юрочка...

«Ого! Вот вам и верная жена, — присвистнул про себя Красавченко, — вот вам и образцовая мать семейства. Теперь все понятно. И блеск в глазах, и вспышка молодости. Юрочка — это очень интересно. Мужа ее зовут Михаил Генрихович. А кто такой Юрочка?»

* * *

В маленьком кабинете Бородина стекла запотели от пара. Кипел чайник. Илья Никитич заваривал чай, капитан Косицкий просматривал заключения экспертов.

Была проведена экспертиза на вменяемость гражданина Анисимова А. Я. Психиатр из больницы имени Ганнушкина утверждал, что на момент экспертизы Анисимов вменяем, однако ретроградная амнезия могла иметь место. Это косвенно подтверждал и результат анализа крови.

В крови Анисимова обнаружили синтетическое вещество, относящееся к группе галлюциногенов и обладающее ярко выраженной наркотической активностью. Оно временно парализует деятельность головного мозга, и не исключено, что полученная подозреваемым доза могла вызвать ретроградную амнезию. Но главное, к моменту убийства наркотик уже был введен в организм Анисимова вместе с алкоголем и выстрелить в таком состоянии он не мог, даже если бы очень хотел.

— То есть его надо отпускать? — спросил Иван, дочитав документы.

— Ну, если ты оплатишь из своего кармана круглосуточную охрану для Анисимова, для его жены и ребенка, тогда можем и отпустить под подписку о невыезде. — Илья Никитич выложил пирожки на тарелку, налил чай.

Кроме пирожков, у него были еще и бутерброды с ветчиной, на каждом лежал тонкий ломтик малосольного огурца и веточка укропа.

— Пей чай, Ваня. Между прочим, настоящая ветчинка, тамбовский окорок. Это тебе не какая-нибудь датско-немецкая прессованная соя с пищевыми красителями. Чувствуешь разницу?

Капитан действительно давно не пробовал натуральной ветчины. В сочетании с ржаным хлебом и малосольным огурцом было изумительно вкусно, под такую славную закуску не хватало ледяной водочки, и капитан в который раз пожалел, что Илья Никитич не пьет ничего, кроме чая и кефира.

— Ваня, мне бы тоже очень хотелось отпустить Анисимова к жене и сыну, но делать этого пока нельзя, — Бородин размешал сахар и сливки в своей чашке с лондонскими гвардейцами, глотнул чаю, зажмурился на секунду, размышляя, какой выбрать пирожок, с капустой или с куриной печенкой.

— А вы не преувеличиваете, Илья Никитич? — осторожно спросил капитан. — Жалко парня. Понятно, дело разваливается, все надо начинать с нуля, но парня ужасно жалко.

— Будет еще жальче, если, не дай Бог, тяжеловес с широкими плечами и короткой шеей, тот, что так отлично бегает, убьет их обоих, Анисимова и его жену. Знаешь, так вот сгоряча, от обиды. Слушай, ты с чем любишь пирожки, с капустой или с печенью?

— С капустой.

— Ну, так и быть. Бери вот этот, кругленький. У тебя кто-нибудь дома печет пироги?

— Бабушка пекла когда-то, но только большие и по праздникам.

— Тогда тем более выбор за тобой. — Илья Никитич принялся за пирожок с печенью, некоторое время молча жевал, потом отхлебнул чаю и произнес: — Хочешь смешную историю о петардах? Мне на днях один телевизионщик рассказал. В начале восьмидесятых он работал оператором на ЦСДФ, на Студии документальных фильмов. Отправилась как-то съемочная группа в Сибирь, снимать научно-популярное кино о дореволюционных ссыльных местах. В городе Томске в гостинице «Заря» пили ночью водку. Оператору очень нравилась дама, консультант-историк, аспирантка Университета. Он так разгорячился, что решил в ее честь устроить салют. Незадолго до этого он побывал в Китае и привез оттуда набор петард. У нас тогда понятия не имели, что это за штуки. Кроме хлопушек с конфетти и бенгальских огней, ничего не было. В общем, кинодокументалисты крепко выпили и часа в два ночи отправились погулять по городу. Единственным трезвым человеком во всей компании оставалась как раз дама-историк. Но никто ей не сказал, чем они собираются заниматься, для нее готовился сюрприз, и предотвратить безобразие было некому. На одной из городских площадей оператор велел всем отойти на несколько метров и взорвал самую мощную петарду. Она закрутилась, захлопала, искры полетели. И тут выскакивают два патрульных милиционера, видят, носится над площадью какая-то круглая светящаяся дрянь, и пальба, как при перестрелке. Милиционеры выхватили пистолеты: «Стоять! Что здесь происходит?» Вся группа растерялась, только дама-историк мигом сориентировалась и говорит: «Мы бы сами хотели знать, что здесь происходит. Мы — съемочная группа из Москвы, вышли подышать воздухом перед сном и вот, увидели этот ужас. Как вы думаете, товарищи милиционеры, может, НЛО спустился с неба?»

На следующий день в газете «Томский комсомолец» появилась заметка, в которой говорилось, что над городом совсем низко пролетел НЛО. Свидетелями происшествия стали два милиционера и группа кинодокументалистов из Москвы. А еще через неделю сенсационное сообщение перепечатало несколько центральных газет, в том числе «Труд». В Томск понаехали уфологи, а администратор съемочный группы получил строгий выговор за то, что не организовал съемку летающей тарелки. Вот так, Ваня, рождаются мифы.

— Смешная история, — кивнул капитан, — а с Анисимовым все грустно. Мне кажется, его все-таки лучше отпустить. А можно вообще, между прочим, приставить к нему наружников и попробовать взять убийцу на живца. Если вы так уверены, что он попытается...

— Я уверен только в том, Ваня, что семью Аниси-мовых в качестве живца я использовать не позво-лю, — быстро, раздраженно пробормотал Илья Ни-китич. — Я работаю в прокуратуре, а не в спортивном обществе «рыболов-охотник». Анисимов посидит, ни-чего не с ним не случится, тем более он не в тюрьме сейчас, а в больнице имени Ганнушкина. Там прово-дили экспертизу, я попросил, чтобы его там подер-жали в боксе для буйных.

— Он что, буянит? — вскинул брови капитан. — У него действительно съехала крыша?

— Ага, — кивнул Илья Никитич, — буянит, домой просится. Нет, шучу, конечно. С Анисимовым все нор-мально. Просто я его устроил отдохнуть по блату. Зав. отделением — мой старинный знакомый. Все-таки там у них значительно лучше, чем в камере, особенно если не лечат, а просто так держат.

— А вы уверены, что убийца пойдет на такой риск? Логичней, если он сейчас исчезнет, затаится. Он ведь не дурак.

— Да уж, этот плечистый тяжеловес совсем не ду-рак. Он все отлично придумал, и, вероятно, ему ка-жется, что ни одной мелочи не упустил. Он собой чрезвычайно доволен, и если узнает, что его гениаль-ная конструкция дала здоровенную трещину, разоз-лится ужасно и может сгоряча наделать глупостей. В принципе он ведь мог просто дождаться Бутейко во дворе и застрелить, как это делается в большинстве случаев. Но ему понадобилась хитрая инсценировка. Знаешь, что из этого следует?

— Он заранее предвидел, что мог бы стать в пер-вые ряды подозреваемых?

— Нет, Ваня. Из этого следует, что ему надо было подставить именно Анисимова. Почему, пока не знаю. Бутейко и Анисимов — одноклассники, знакомы много лет, и связывает их многое, так что в какой-то временной точке вполне могли пересечься интересы всех троих, включая Тяжеловеса. Но в любом случае, если мы сейчас отпускаем Анисимова, он сразу превращается в опаснейшего свидетеля. Тяжеловес потратил столько умственной энергии, чтобы не было вообще никакого следствия, а оказывается, оно идет, и ищут уже непосредственно его.

— Но есть еще свидетель. Сообщник, который запускал петарды, а перед этим похитил пистолет у Анисимова.

— Это совсем другое. Давай уж тогда по порядку. Я свои пирожки уже съел, так что можно и о делах поговорить. Смотри, что мы имеем на сегодня. Анисимова пригласили в ресторан, добавили в водку или в вино наркотик, потом спящего доволокли до машины, привезли к дому Бутейко, положили возле лестницы, отпечатали пальцы на пистолете. Тяжеловес знал, в котором часу у Бутейко заканчивается эфир, и рассчитал все довольно точно по времени. Но он не знал, что делать с выстрелом. На «Вальтере» нет нарезки для глушителя. Акустика на лестничной клетке отличная, и, хотя была ночь, кто-то мог не спать, моментально среагировать на звук, выглянуть если не в дверь, то в дверной глазок. Вот тут начинается самое интересное — трюк с петардами. Если во дворе, под окнами, звучит канонада, то хлопок выстрела в подъезде вряд ли кто-то услышит. Но при всей своей оригинальности, именно звуковой трюк оказался той ниточкой, за которую можно потянуть и распутать весь клубок. Кстати, инсценировка, даже самая гениальная, всегда имеет свои слабые стороны. Приходится продумывать и учитывать слишком много деталей. Сообщник, который устроил салют во дворе, запомнился сразу троим свидетелям. Если бы не эти петарды, Анисимов, возможно, так и остался бы единственным нашим фигурантом.

— Ну хорошо, а пистолет? — спросил капитан. — Ведь экспертиза показала, что ни в одном из карманов Анисимова не осталось следов оружейной смазки.

— Ерунда, — поморщился Илья Никитич, — о том, что Анисимов не прикасался к пистолету, известно со слов его самого и его жены. А они оба, как ты понимаешь, в данном случае не свидетели. Отпечатки на оружии есть. А следы смазки совсем не обязательно попадают на ткань.

Иван отхлебнул наконец остывшего чаю и принялся за пирожок с капустой, который одиноко лежал на тарелке. Илья Никитич хоть и говорил больше, чем капитан, но успел и чай выпить, и съесть свой пирожок с печенью вместе с парой бутербродов.

— А если бы у Анисимова не возникло амнезии, если бы он вспомнил, с кем пил в ресторане? — спросил капитан, закуривая.

— Ну и что? Мало ли с кем он ужинал перед убийством? Ушел из ресторана первым, поймал такси и — привет. Откуда его приятели знают, куда он поехал и что делал дальше? Как минимум час он находился без сознания, под наркотиком. Если точно рассчитать время, можно все успеть, и самого главного он вспомнить не сможет. Так оно и произошло.

— Но подождите, Илья Никитич, вы сказали, возможно, Анисимов и убийца тоже знакомы? Известно, что в ресторан его пригласил Мухин. Вторым человеком был Тяжеловес. Если они раньше встречались, Анисимов должен знать убийцу.

— Наверняка знает, — кивнул Илья Никитич.

— Ну и как же?

— Анисимов шел в ресторан на деловую встречу с человеком, которого раньше якобы никогда не видел.

Он был настроен на то, чтобы понравиться немецкому бизнесмену Эрнесту Климову и договориться о сотрудничестве, а вовсе не на то, чтобы мучительно вспоминать: где же я раньше мог его видеть? К тому же встречаться они могли давно и мельком, свет в зале был наверняка не яркий, убийца мог изменить внешность, ну и так далее.

— То есть вы считаете, что от Анисимова мы не сумеем получить никакой конкретной информации об этом Климове-тяжеловесе? Ну хорошо, а Мухин? Его ведь можно хоть сейчас брать по двести тринадцатой. Поступила жалоба от жильцов дома, это же в самом деле хулиганство — пускать петарды ночью. А потом мы получим его пальчики, они наверняка совпадут с теми, что остались в квартире Анисимовых на шкатулке и на ящике письменного стола, в котором лежал пистолет, и у нас уже будет сто пятьдесят восьмая.

— Слушай, капитан, ты с кем собираешься в прятки играть? — улыбнулся Илья Никитич. — Тоже мне, хитрый опер.

— А почему нет? Вы же сами сказали, он слабак, этот Мухин. Он моментально расколется и выведет нас на убийцу...

— ...которого придется искать еще лет десять. Если мы отпустим Анисимова и возьмем Мухина, мы спугнем и разозлим убийцу. Он станет совершенно непредсказуем. К тому же я не удивлюсь, если Эрнеста Климова зовут как-то иначе, и никакой он не бизнесмен из Германии.

На это Иван возразить ничего не мог. Вполне возможно, Мухин знает только вымышленное имя и вымышленную биографию этого удачливого «немца». Розыск может растянуться на годы, а убийца, загнанный в угол, иногда становится непредсказуемым. Может убить Анисимова вместе с женой и даже с ребенком, может раствориться в пространстве, а потом возникнуть в другом облике. Пусть он считает, что никто на его след еще не вышел и единственным подозреваемым остается пока Анисимов.

Капитан допил чай, загасил сигарету.

— Да, а чем кончилась история с НЛО над городом Томском? Оператор добился взаимности?

— Нет, — покачал головой Илья Никитич, — слишком строга была дама-историк. Не дрогнуло ее сердце даже от ночной канонады. Кстати, знаешь, как ее звали? Беляева Елизавета Павловна.

— Беляева? Та самая? Ну вообще-то ради такой женщины можно устроить салют.

— Да, конечно... А ты знаешь, что три года назад Бутейко довелось крепко схлестнуться с этой дамой в теледебатах в прямом эфире? — задумчиво произнес Илья Никитич.

— Это вы к чему? — не понял Косицкий.

— Это я к тому, что надо как следует просмотреть и прослушать пленки, оставшиеся в доме Бутейко. У него богатейший видео- и аудиоархив. Дело в том, что о взаимной многолетней ненависти Бутейко и Беляевой говорит все Останкино.

ГЛАВА ОДИННАДЦАТАЯ

Лиза родилась в 1959 году. Родители ее училась на втором курсе Геологоразведочного института. Им обоим было по восемнадцать лет. Оба превыше всего на свете ценили свою модную в те годы профессию, а вернее, ее внешнюю киношно-романтическую атрибутику. Рюкзак за плечами, гитара, общий вагон поезда дальнего следования, песни Городницкого и Визбора — вот это было жизнью, а все прочее презрительно именовалось «тупым мещанским существованием».

Мама впадала в депрессию, стоило ей взглянуть на корыто с пеленками, папу трясло от чинных прогулок по парку с колясочкой. Они жестоко ссорились, и, вероятно, молодая здоровая семья распалась бы за первые два месяца жизни маленькой Лизы, но на помощь пришла бабушка Надежда, мамина мама, которой тогда было всего лишь сорок лет. Совместными усилиями кое-как дотянули до полугодовалого возраста и отдали ребенка в ясли. Надежда Сергеевна отпустила романтиков-родителей на все четыре стороны. До семи лет Лиза жила со своей молодой энергичной бабушкой, кандидатом химических наук, преподавателем Университета.

Бабушка овдовела за год до рождения Лизы. Муж ее, физик-атомщик, руководитель крупной засекреченной лаборатории, получил большую дозу радиации при испытании установки в Институте атомной энергии и умер от рака щитовидной железы. Дедушкина фотография висела у бабушки над тахтой. Лиза иногда залезала в ящик письменного стола, открывала бархатный черный футляр с дедушкиными орденами и медалями и играла в пиратов, которые прячут сокровища на острове. Она знала, что ей за это попадет, и всегда успевала вовремя все убрать, запереть ящик, спрятать ключ в одну из старинных фарфоровых вазочек на серванте. Бабушка так ни разу ничего и не заметила, она вообще мало что замечала вокруг, писала научные статьи, работала с десятком аспирантов, неслась по жизни со спринтерской скоростью и волочила с собой за руку сонную маленькую Лизу с двумя косичками, которые всегда расплетались по дороге в детский сад.

— В следующий раз ты будешь сама причесываться, — говорила бабушка, на бегу завязывая капроновые ленты бантиками, — и вообще, человек все в этой жизни обязан делать самостоятельно.

В четыре года Лиза умела застилать свою постель, одевалась и раздевалась без посторонней помощи, причем всегда знала, где лежат ее маечки, носочки, носовые платочки и не изводила бабушку вопросами. Без всяких напоминаний чистила гуталином свои ботинки и зубным порошком белые матерчатые туфельки.

Летом Лизу иногда забирала на дачу сестра покойного дедушки тетя Клава. Лиза любила старый двухэтажный деревянный дом с большой застекленной верандой. Участок в десять соток казался ей целым миром, там шуршали крылья бабочек, звенели крошечные комариные скрипки, стрекотали кузнечики, в малиннике у забора злая крапива охраняла дымчато-рубиновые нежные ягоды. В конце июля над плотной темной зеленью кустарника кружил сизый одуванчиковый снег.

Лиза знала, что до революции на этом месте находилось дворянское имение Батурино. Там, где участок сливался с дубовой рощей, у болотца, сохранился круглый каменный остов беседки.

Бабушка Надежда приезжала на дачу редко, родители еще реже. С мая по сентябрь там обитали тетя Клава, ее сын Валерий и невестка Зоя. Своих детей у них не было, с маленькой Лизой они никак не могли найти общего языка, то умильно сюсюкали, то раздражались из-за ерунды, принимались усиленно воспитывать. Впрочем, большую часть дня Лиза была предоставлена самой себе. Иногда ее самостоятельность вызывала у родственников целую бурю эмоций. Пятилетняя девочка бралась мыть посуду, делала это вполне грамотно в неудобных дачных условиях, наливала в тазик горячую воду, сыпала сухую горчицу, потом споласкивала тарелки под рукомойником.

— Что ты делаешь?! Ошпаришься, все перебьешь! — восклицала тетя Клава.

— Не беспокойтесь, я умею, — отвечала Лиза и вежливо улыбалась тете Клаве. Этой взрослой улыбке она научилась у бабушки, долго, старательно скалила зубы перед зеркалом, пока не получилось похоже.

— Ну что ты гримасничаешь? Я хочу тебе помочь, а ты скалишься, как собачонка. Странный ребенок.

В определение «странный ребенок» дачные родственники вкладывали всю силу своей нелюбви к Надежде Сергеевне и Лизиным родителям. Бабушку они считали надменной эгоисткой, маму и папу называли не иначе как «эти».

Лиза чувствовала, что у взрослых какие-то сложные, злые отношения, но она так любила деревянный дом, сад, дубовую рощу за садом, серебристое лягушачье болотце в глубине участка, что старалась не замечать семейных конфликтов и упрямо просилась на дачу. А что там они говорят про бабушку — не важно. Она все равно самая красивая, самая умная в мире.

Легкая, стремительная, с гладкими блестящими волосами цвета лимонной карамели, в светлых узких платьях, в туфельках на острых «шпильках», в волшебной дымке дорогих духов, бабушка приводила ее в детский сад раньше всех, иногда даже раньше, чем приходили на работу воспитательницы, а забирала позже всех.

— Ты разумный человек, ты понимаешь, что я задержалась на работе, — говорила бабушка.

Родителей Лиза видела редко и не воспринимала всерьез. В бабушкиной чистой элегантной комнате появлялись шумные некрасиво одетые существа, от них пахло дымом, лица их были темны от ветра и солнца. У папы лохматая светлая брода неприятно шевелилась, когда он разговаривал или жевал. Однажды на кухне, рассказывая об очередных таежных приключениях, мама вытащила из кармана штормовки огромный складной нож, вскрыла банку тушенки, отломила горбушку от белого батона и стала есть прямо из банки, подхватывая ножом большие куски мяса.

— Оленька, ты уже вышла из тайги, — тихо произнесла бабушка, и Лиза на всю жизнь запомнила, какое у нее было при этом лицо.

В Москве родители не задерживались надолго, а если такое случалось, то двухкомнатная маленькая квартира в Новых Черемушках за неделю превращалась в филиал геологической экспедиции. Посреди комнаты раскладывалась палатка, мама, сидя на полу, латала ее суровыми нитками. В соседней комнате папа чинил байдарку. Приходили бородатые юноши в грубых свитерах, спортивно-туристического вида девушки курили на балконе. Все время кто-то играл на гитаре и пел песни про тайгу. Не хватало только костерка на кухне. Маленькая Лиза просилась назад, к бабушке.

Родители плохо чувствовали себя в городе. Они легко справлялись с бытовыми проблемами в полевых условиях. Там, в степях Казахстана, на Камчатке и Курилах, в восточносибирской тайге они умели разжигать костры одной спичкой, раскладывать палатку под проливным дождем за десять минут, строить непромокаемые шалаши из ельника, скручивать котелки из бересты и кипятить в них воду, жечь чагу, спасаясь от комаров и гнуса.

В Москве становилось проблемой мытье посуды, поход в гастроном приравнивался к подвигу. Они не вылезали из своей спортивно-полевой униформы. Китайские кеды, трикотажные треники с вытянутыми коленками, тельняшки, куртки-штормовки. Зимой Лизин папа мог отправиться в гости в телогрейке и кирзовых сапогах. Мама если и делала попытки принарядиться, то всегда это кончалось плачевно. Капроновые чулки на ее ногах морщились, пузырились, закручивались спиралью. Каблуки перекашивались и ломались. У платья почему-то обязательно отпарывался подол, у юбки ломалась молния, с блузок градом сыпались пуговицы.

Когда Лизе исполнилось семь, бабушка с чистой душой вручила ее родителям, потому, что в школу ребенок должен поступать по месту жительства, потому, что у бабушки изменились обстоятельства. Она выходит замуж за своего аспиранта, который моложе на пять лет, она работает над докторской диссертацией и скоро станет заведовать кафедрой, свободного времени у нее нет ни минуты, в сутках всего двадцать четыре часа, и вообще, девочка уже большая и совершенно самостоятельная.

Чем старше становилась Лиза, тем больше походила на бабушку Надежду. День ее был расписан по минутам, воротнички и манжеты на школьном коричневом платье сверкали белизной, красный галстук был идеально выглажен, обувь вычищена до зеркального блеска, светло-пепельные волосы, расчесанные массажной щеткой до шелковой гладкости, заплетены в тугую аккуратную косу.

Порванные колготки, пятно на платье, опоздание в школу на три минуты, четверка вместо пятерки — все это вырастало для нее в трагедию, но переживать и плакать она позволяла себе только ночью, в подушку.

Со стороны казалось, что все ей дается легко, без усилий. Никто не догадывался, что разумная, аккуратная, улыбчивая девочка живет так, словно идет по канату над пропастью, и каждый неверный шаг не просто опасен, а смертельно опасен. Лиза не умела прощать себе даже самых мелких ошибок. Она раздражалась, ненавидела себя и превращала собственную жизнь в кошмар. Из-за ерунды, из-за четверки в четверти, могла заболеть всерьез, с высокой температурой.

С первого по десятый класс она была лидером. Со всеми умудрялась поддерживать ровные отношения. Избегала конфликтов с ловкостью опытного дипломата, муштровала себя как злобный фельдфебель нерадивого новобранца. Ей плохо давалась астрономия, и хотя она уже знала, что поступать будет на исторический факультет университета и астрономия ей не пригодится, все равно сидела ночами над учебником, читала дополнительную литературу. Не понять, не одолеть что-либо было для нее оскорбительно.

В университет она поступила сразу после десятого класса, с первой попытки. Экзамены сдала на «отлично» и не считала это победой. Иначе просто быть не могло. В университете, как и в школе, близких друзей у нее не было. Сокурсники относились к ней так, словно она была старше их лет на двадцать. Ее уважали, ей смотрели в рот, она была лидером потому, что никогда не ошибалась и не радовалась чужим ошибкам. Всегда находила выход из самых сложных ситуаций, не только для себя, но и для других, причем совершенно бескорыстно. Со всеми она была приветлива и доброжелательна, но никого не подпускала к себе ближе, чем на расстояние вытянутой руки.

Идеальная фигура, идеальная кожа, правильные строгие черты лица, пепельные густые волосы, большие голубые глаза — при всех этих щедрых данных она могла бы стать красавицей, роковой женщиной, но не становилась, потому что это ей было не интересно.

— Внешность сама по себе ничего не значит, — говорила бабушка Надежда, — если ты разгильдяйка и дура набитая, то хорошенькое личико тебе только прибавит проблем, создаст иллюзию благополучия и вседозволенности, а нет ничего гаже лопнувших иллюзий. От них остаются грубые рубцы на всю жизнь, как от глубоких гнойников. Ты хороша без всяких усилий, в этом нет никакой твоей заслуги, следовательно, это ничего не меняет в твоей жизни. То, что дается даром, без усилий, не стоит воспринимать всерьез. Женщина, которая строит расчеты на своей внешности, как правило, проигрывает по-крупному, не сегодня, так завтра.

На влюбленных мальчиков-сокурсников Лиза смотрела с добродушной сочувственной усмешкой. Пылавшие вокруг юные страсти, романы, измены, сплетни, аборты, ранние свадьбы и разводы касались ее постольку, поскольку кто-нибудь из пострадавших приходил поплакать ей в жилетку. И чем больше было чужих слез, тем тверже становилось Лизино убеждение, что сама она никогда ни в кого не влюбится. Ей не хотелось сделаться героиней сплетен, попасть в страшный советский абортарий, оказаться обманутой и так далее. За блеском влюбленных глаз ей виделся мрак неразрешимых унизительных проблем. Она продолжала осторожно идти по канату над пропастью, тщательно просчитывая каждый следующий шаг, потому что ошибка могла обернуться для нее смертельной бедой.

Даже в мужа своего Лиза ни минуты не была влюблена. Просто он оказался самым умным и надежным из всех прочих претендентов на ее руку и сердце.

С Михаилом Генриховичем Беляевым Лиза познакомилась в архиве музея Революции. Ей было двадцать, она заканчивала третий курс, писала курсовую работу по народовольцам, по совету преподавателя обратилась за помощью к специалисту, научному сотруднику музея. Специалистом этим оказался Михаил Генрихович.

Тридцатилетний интеллектуал был молчалив, широк в плечах, смотрел на Лизу снисходительно и нежно, обращался с ней как с маленьким балованным ребенком. Никто на свете, включая маму, папу и бабушку, никогда, даже в самом раннем детстве, не видел в ней ребенка.

Через несколько дней после знакомства они засиделись в музейном архиве до закрытия. В пустых гулких залах не было ни души.

— Давайте перекусим и продолжим, — сказал он и вытащил из портфеля пакет с бутербродами. Их было всего четыре, и все с колбасным сыром, который Лиза с детства терпеть не могла. Михаил Генрихович тут же понял это по выражению ее лица, хотя она была уверена, что не подала виду.

— Не любите колбасный? — спросил он очень серьезно, как о чем-то важном и значительном.

— Нет, — призналась Лиза, — не люблю.

— А какой вам нравится?

— Швейцарский. С большими дырками. Но он бывает только в заказах и в закрытых буфетах.

Михаил Генрихович тонким ножиком вырезал в ломтике сыра несколько аккуратных круглых дырок и протянул бутерброд Лизе:

— Пожалуйста. Вот вам швейцарский.

Лиза почувствовала, что в ближайшие несколько лет вряд ли встретит кого-то лучше, чем он, и ничуть не удивилась, когда Михаил Генрихович предложил ей выйти за него замуж. Он сначала предложил это, а потом уж пригласил к себе, в свою однокомнатную холостяцкую квартиру поздним вечером.

Для всех они были идеальной парой. Оба терпеть не могли конфликтных ситуаций и умели легко справляться с любыми затруднениями, которые обязательно возникают при совместной жизни. Оба были правильными, мудрыми, ответственными людьми и ценили друг друга потому, что знали, как мало таких на свете. Каждый был уверен, что вытянул самый счастливый в жизни билет из всех возможных для него лично.

Лиза закончила университет с красным дипломом, и через несколько месяцев родился здоровенький крупный мальчик Витя. Михаил Генрихович продолжал работать в музее, получал все меньше, но и это не стало проблемой. Лиза умудрялась учиться в аспирантуре и зарабатывать с маленьким ребенком на руках, ночами писала хлесткие аналитические статьи для самых модных газет и журналов, бралась консультировать кинорежиссеров, которые снимали исторические фильмы, попутно собирала материалы для кандидатской. Все, за что бралась, она делала отлично. Ей хватало пяти часов сна, ни разу, несмотря на зверскую усталость, она не сорвалась, не повысила голос на мужа.

Чем старше она становилась, тем острее чувствовала, как провисает под ее ногами невидимый канат Умерла бабушка Надежда. Папа отморозил ноги и руки в казахской степи, в маленькой районной больничке Павлу Сергеевичу ампутировали правую кисть и левую ступню. В Москве удалось сделать протезы, но жизнь казалась конченой, постаревший геолог-инвалид жестоко запил. Мама сначала проявляла чудеса любви и героизма, ухаживая за ним, спасая его от глубокой депрессии и надвигающегося хронического алкоголизма, но не выдержала, попыталась уйти к другому человеку, однако вскоре вернулась к папе и стала пить вместе с ним.

Лиза обошла всех известных и неизвестных наркологов Москвы, прочитала груды медицинской литературы, через полгода могла бы сдать экстерном экзамен по наркологии, однако из огромного количества усвоенной информации сделала единственный вывод: родителям ее помочь невозможно. Логика проста, как мычание. Человек может бросить пить, но только если сам захочет. Родители бросать не хотели.

Мама опускалась быстрее, чем папа. Квартира в Черемушках превратилась в вонючий сарай. Пьяная мама ползала по брезентовым клочьям истлевшей палатки, в руке ее дрожала толстая иголка, она старательно штопала, латала, протыкала иглой прогорклый воздух. Папа с «беломориной», прилипшей намертво к нижней губе, левой рукой пощипывал струны треснутой гитары и напевал что-то невнятное про звездное небо над тайгой.

Лиза оставляла сумки с продуктами и молча уходила. Все рушилось, невидимый канат под ее ногами обрывался. Она летела в пропасть, и некому было подхватить ее. Михаил Генрихович дорожил ею как ровным, надежным, самостоятельным человеком, «товарищем по семье», который никогда не дерзнет нарушить его покой своими проблемами. Сын Витя был еще совсем маленький. А близких друзей, перед которыми не стыдно расплакаться, она так и не нажила.

Боль пульсировала внутри, как звуковая волна при экстренной посадке реактивного самолета. От боли звенели барабанные перепонки, распухало сердце. Лиза продолжала жить на автопилоте, не позволяя себе расслабиться ни на минуту. Ничего не изменилось в ней, она была все так же работоспособна, обязательна, приветлива. Только иногда взгляд ее застывал, как будто леденел. Голубые глаза становились почти белыми, смотрели в одну точку и ничего не видели, кроме мрака и хаоса.

Витя подрос, он был умным развитым мальчиком, в четыре года знал все буквы, в пять читал по слогам. В 1988-м Михаил Генрихович уволился из музея, легко и быстро освоил компьютер. Он в совершенстве владел английским и немецким, устроился на работу в только что открывшуюся российско-австрийскую компьютерную фирму, стал получать приличные деньги, выезжать за границу.

Лиза продолжала писать статьи, заработала известность как политический обозреватель. Ее все чаще стали приглашать на телевизионные ток-шоу, мода на жаркие дискуссии в прямом эфире была в самом разгаре. Ток-шоу смотрела вся страна, лица публичных спорщиков запоминались зрителями надолго и всерьез. Елизавета Беляева тут же стала любимицей публики. Она говорила убедительно и остроумно, свободно держалась перед камерой и отлично смотрелась на экране. К тому же она довольно лихо сумела вписаться в склочный завистливый телевизионный мир, где вместе с популярностью обязательно растет число тайных и явных недоброжелателей, всегда готовых к активным действиям.

Вскоре ее пригласили в качестве постоянного эксперта-консультанта в одну из популярных публицистических программ. Раз в неделю Лиза делала обзор политических событий, у нее была удивительная способность излагать сложные мысли простым и доступным языком. Она не подавляла среднего телезрителя своим интеллектом, а, наоборот, заряжала, создавала иллюзию, что это он, зритель, такой умный, все понимает и отлично во всем разбирается. Она искренне, тепло улыбалась в камеру, шутила смешно, но без злобы и пошлости. Вскоре у нее появилось множество постоянных поклонников и даже фанатов. Были зрители, которые смотрели публицистическую программу исключительно ради Елизаветы Беляевой.

Однажды известный политик в интервью назвал ее «самым милым лицом нынешнего телеэкрана». Потом, пойманный в фойе на каком-то фестивале популярный киноактер на вопрос журналиста, что он думает о сегодняшних телеведущих, ответил, что больше всех ему нравится Елизавета Беляева, и, чтобы ее увидеть, он смотрит каждый четверг какую-то глупую молодежную программу. Он морщился и щелкал пальцами, вспоминая название программы.

— Но Беляева не телеведущая, — заметил корреспондент, — она эксперт, обозреватель, консультант.

— Какая разница? — улыбнулся в камеру актер. — Кроме нее, там не на кого смотреть и некого слушать.

Дело кончилось тем, что Лизу с треском вышибли из программы, заявив, что она неправильно понимает ее концепцию.

Лиза запретила себе страдать по этому поводу. Она была на четвертом месяце беременности, ей следовало поберечь нервы. К тому же известный режиссер затеял съемки исторического телесериала и пригласил Лизу в качестве консультанта, так что без работы она не оставалась ни дня.

Муж ее к этому времени получал столько, что она могла бы сидеть дома и воспитывать детей. Но это для нее было исключено. Совмещать работу и семью — не проблема, если умеешь толково распоряжаться временем, не даешь себе расслабиться.

Дочку она назвала в честь бабушки, Надеждой. О том, что у знаменитой и всеми любимой Елизаветы

Беляевой родилась дочь, сообщило несколько тонких иллюстрированных журналов, сопроводив публикации красивыми цветными снимками.

Между тем у Павла Сергеевича случился инфаркт. Он попал в реанимацию. Мама на некоторое время бросила пить, взбодрилась, подтянулась, надела кроссовки, джинсы, стала приезжать к внукам. К ее приезду все спиртное, которое было в доме, прятали куда-нибудь подальше. Ольга Федоровна чинно пила крепкий кофе, курила на балконе, иногда рвалась постирать пеленки, всякий раз забывая, что Михаил Генрихович покупает для Надюши в валютном супермаркете то, что можно назвать одним из величайших достижений западной цивилизации, — памперсы.

Из больницы Павла Сергеевича перевезли в дорогой подмосковный санаторий. Он почти поправился, но стоило ему вернуться домой, и все пошло по-старому. Выздоровление надо было непременно отпраздновать, совместный запой продолжался неделю, закончился вторым инфарктом. На этот раз спасти Павла Сергеевича не удалось. Ольга Федоровна стала пить в одиночестве. То ли здоровье у нее было крепче, чем у мужа, то ли просто Господь хранил, оставлял ей шанс, но алкоголизм ее вошел в ту стадию, когда запои чередуются с долгими периодами просветления, и это может продолжаться многие годы.

Подросла Надюша, Лиза вернулась на телевидение. В программе «Стоп-кадр» поменялся состав ведущих, и Лизу опять стали приглашать туда в качестве консультанта, что серьезно подняло рейтинг программы.

На первом канале в очередной раз сменилось руководство, Елизавета Беляева стала одной из ведущих ежедневных новостей, появлялась в эфире два раза в неделю. Кроме того, каждый понедельник она вела двадцатиминутную передачу «Личность», в непринужденной обстановке за чашкой кофе беседовала с известными политиками, экономистами, юристами. Попасть к ней на передачу было не только престижно, но приятно, она в совершенстве владела искусством диалога, никогда не выставляла собеседника в невыгодном свете, была приветлива, доброжелательна, но при этом умела создать ощущение довольно острой дискуссии.

Популярность ее росла, ей было сложно выйти на улицу, зайти в магазин. Ее узнавали, на нее глазели, у нее просили автографы. Несколько постоянных сумасшедших поклонников дежурили у дома, караулили у Останкино. Стоило мелькнуть на каком-нибудь светском мероприятии, тут же щелкали фотовспышки, и в дюжине желтых изданий появлялись ее снимки с язвительными комментариями.

«Образец добропорядочности, Елизавета Беляева никогда не обнажает плечи и ноги, многие подозревают, что нашей телезвезде есть, что скрывать».

«Если вы думаете, что в бокале у Беляевой французский коньяк, то ошибаетесь. Там всего лишь виноградный сок. Беляева не употребляет спиртного, не ест мяса и никогда не ссорится с мужем, с которым живет двадцать лет».

«В отличие от прочих дам, которые с визгом бросались на шею секс-символу российского кино актеру К., госпожа Беляева обменялась дружеским рукопожатием с красавцем мужчиной. Вероятно, эта чопорная леди целуется только с собственным мужем и только в полной темноте».

Миллионам людей было интересно, в какой школе учатся ее дети, в каких магазинах она покупает продукты, какими духами пользуется, что ест на завтрак, какие таблетки принимает при головной боли, страдает ли депрессиями и бессонницей и как справляется с этим, чем питается ее собака и почему у старушки доберманихи Лоты такой скверный характер.

Однажды утром десятилетняя Надюша вышла погулять с Лотой и вынести мешок с мусором. Из кустов выскочил взлохмаченный молодой человек бомжовского вида, выхватил у ребенка мешок, распотрошил его и стал снимать на пленку содержимое. Лота бросилась защищать родную помойку, обнаружила там недогрызанную кость и вцепилась молодому человеку в штанину. Позже выяснилось, что это внештатный корреспондент какой-то желтой газетенки. Он задумал сделать оригинальный репортаж о бытовых отходах звезд телевидения и шоу-бизнеса.

Иногда ей казалось, что каждый ее шаг сопровождается ярчайшим беспощадным светом прожекторов, она чувствовала, как этот свет жжет кожу, пронизывает насквозь. Вокруг тысячи любопытных глаз, каждый закоулок не только ее жизни, но и ее души выставлен на всеобщее обозрение, и спрятаться невозможно.

Так можно жить, это не смертельно и даже приятно, но до тех пор, пока тебе нечего скрывать.

ГЛАВА ДВЕНАДЦАТАЯ

— Ну, и сколько ты хочешь за свои жалкие цацки? — презрительно спросил бородатый мужик, взвесив на ладони горстку ювелирных украшений.

— Ни хрена себе, жалкие! — обиделся Вова Мухин. — Давай все назад, я на Арбате за один только перстень возьму полтора куска зеленью.

— Да, конечно! Размечтался! Лопух ты, парень, тебе за все вместе нигде больше пятисот не дадут.

На самом деле Вова уже побывал на Арбате, обошел нескольких уличных скупщиков, и действительно, нигде больше пятисот не давали. Вова был искренне возмущен. В ювелирном магазине точно такие сережки с изумрудами стоили семьсот пятьдесят баксов.

Конечно, магазин — это другое дело, однако обидно ведь. Тем более обидно за перстень. Он старинный, камень в нем здоровый, настоящий изумруд, к тому же вокруг мелкие алмазы, и золото семьсот пятидесятой пробы, он специально дома в лупу разглядел. А если еще учесть браслет золотой с эмалью, цепочку золотую, то пятьсот за все это жутко мало.

Однако крутиться с этой ювелиркой тоже нельзя. Надо сбыть поскорей, и все дела.

— Ладно, давай назад мою ювелирку, и я пошел, — буркнул Вова, надеясь, что мужик накинет хотя бы полсотни.

— Твою? — хитро прищурился бородатый.

— А чью же, блин? — возмутился Мухин.

— Ладно, пятьсот, без базара.

— Шестьсот. — Вова чувствовал, хватит уже торговаться. Этот мужик в заледенелом «жигуленке» на площади у Белорусского вокзала может сейчас запросто сдать его в ментовку, и тогда полный финиш. Однако жалко было самого себя до слез.

— Вон, видишь, под навесом у метро два лейтенанта чебуреки едят? — Бородатый, зажав украшения в кулаке, высунулся из окошка машины. — Давай их позовем и спросим, на сколько твои цацки потянут, не в смысле баксов, в смысле срока.

«Ну, влип по-черному...» — Вова тоскливо взглянул мужику в глаза и произнес с болью в голосе:

— Пятьсот двадцать пять.

Бородатый молча показал ему пять стодолларовых купюр. Вова, повинуясь инстинкту, протянул руку и взял у мужика деньги. Перед деньгами, даже небольшими, даже до слез маленькими, он никогда не мог устоять.

Когда у Вовы Мухина было мало денег, он становился вялым и раздражительным, у него болела голова, ныли сразу все зубы и печально урчало в животе. Он не мог смотреть на себя в зеркало, казался себе жирным уродом, впрочем, все другие люди, мужчины, женщины, и даже очень красивые женщины, тоже казались ему уродами. Когда было мало денег, у Вовы начиналась депрессия. Ему все время хотелось есть. Вова варил себе макароны, ел их в немыслимом количестве, по две пачки в день, толстел, страдал изжогой, несварением желудка, ненавистью к самому себе и ко всему окружающему миру, однако все равно продолжал есть макароны с кетчупом, кислым майонезом или с дешевым маргарином.

Прогулки на свежем воздухе, солнышко, птичье пенье, кино, музыка, веселые компании с девочками, а также витамины и физкультура — ничего не помогало Вове. От депрессии было только одно лекарство, проверенное, надежное, эффективное на сто процентов. Деньги. Как только у Вовы появлялась в кармане хотя бы тысяча долларов (но не меньше), он становился здоровым, бодрым, забывал о макаронах, ел фрукты и овощи, улыбался до ушей, утром делал зарядку, принимал холодный душ, растирался жестким полотенцем, легко сбрасывал лишние килограммы, распрямлял спину, гулял на свежем воздухе, слушал диски модных групп, смотрел боевики и триллеры, плавал в бассейне, ходил на дискотеки и знакомился там с красивыми девушками.

Продолжалась эта счастливая полоса ровно столько, на сколько хватало наличной суммы. Деньги кончались, Вова наливался тоскливой ненавистью к себе и к миру, толстел, забывал о гимнастике, веселой музыке и красивых девушках, варил себе макароны и в мрачном молчании поедал их, иногда прямо из дуршлага, один, на грязной кухне.

Деньги были для Вовы явлением мистическим. Он знал совершенно точно, что появление их в его кармане, как и во всех прочих, чужих карманах, никоим образом не связано с такими скучными и бессмысленными понятиями, как образование, профессионализм, работа. Деньги нельзя заработать. Их можно «сделать».

Человечество, при всем его бесконечном разнообразии, делилось для Вовы на две простые категории, на тех, кто умеет делать деньги, и на всех остальных. Себя самого Вова искренне относил к первой группе, потому что остальным просто не имело смысла жить на свете.

После «черного августа» Вова не вылезал из депрессии. Работа массажиста в оздоровительном комплексе была всего лишь работой, а следовательно, денег не приносила. Зарплаты хватало на макароны и кислый майонез. Вова толстел и совсем не улыбался.

Оздоровительный комплекс оставался престижным заведением, имел постоянных клиентов, среди них попадались и крупные чиновники, и бизнесмены, и прочие денежные люди. Но клиенты, которые раньше, не глядя, красивым жестом выкладывали крупные купюры в качестве чаевых, теперь начали аккуратно считать свои деньги. Да и клиентов стало меньше. Цены на услуги оздоровительного комплекса резко подскочили, а количество платежеспособных людей сократилось. Осталась одна надежда: Клим. Таинственный, великодушный и всемогущий Клим.

Всего лишь восемь месяцев назад он возник ниоткуда, как будто по мановению волшебной палочки. Пришел в оздоровительный центр, качался на тренажерах, парился в сауне, потом лег на массаж. Оказался разговорчивым клиентом, рассказал, что в Москве проездом, живет в Германии, занимается бизнесом. Вова считал, что достаточно хорошо разбирается в людях. Одним из решающих признаков для него было количество чаевых и манера их давать. Бизнесмен из Германии с красивым именем Эрнест Климов дал много, и так небрежно, словно сотня долларов для него вообще не деньги. Из этого Вова сделал вывод, что бизнес его процветает, и постарался продолжить знакомство, дал понять, что у него много разных приятелей, есть и знаменитые, например, журналист Артем Бутейко, так что в принципе если нужна реклама, то можно организовать недорого в разных там газетках-журналах.

На самом деле Вова понятия не имел о том, как делается реклама в газетах и какие имеются возможности у Артема Бутейко, но разве это важно? Главное, заинтересовать хорошего человека своей скромной персоной.

И хороший человек, немецкий бизнесмен Эрнест Климов заинтересовался, зауважал Вову, захотел с ним дружить. Как только он приезжал в Москву из Германии, сразу навещал Вову в оздоровительном центре, делал у него массаж, давал щедрые чаевые, приглашал в дорогие кабаки, посидеть, оттянуться. Платил, разумеется, сам, и не скупился на рассказы о своем успешном бизнесе, о том, как начал с нуля, с нескольких блоков сигарет, а закончил миллионным состоянием. Вове тоже хотелось рассказать в ответ что-нибудь интересное, но про самого себя нечего было, и он развлекал Клима историями про своих приятелей, про Саню Анисимова, про Артема Бутейко. Клим внимательно слушал и никогда не перебивал.

Когда случился августовский кризис, Клима в Москве не было, и Вова ужасно боялся, что больше он не появится. Многие зарубежные фирмы сворачивали свои дела в России. Вова не знал, какие именно у Клима здесь дела, но догадывался, что весьма серьезные. Клим ездил не на джипе, не на «мерсе», а на обыкновенном «жигуле-шестерке», причем с московским номером. Он намекнул Вове, что это такая конспирация. А что касается татуировок, двух перстней на среднем и безымянном пальцах правой руки, так это детская дурь. Хотелось быть крутым в тринадцать лет. Надо бы вывести, да все некогда.

Вова сильно нервничал после августа, растолстел до невозможности, помрачнел так, что лицо стало свинцовым, как грозовая туча. Связь с Климом была односторонней, оставалось только ждать и надеяться.

И надежды оправдались. Клим появился в конце октября. Вова обрадовался ему, как родному, стал рассказывать, какие новости у его приятелей, у Анисимова и Бутейко. Клим в свою очередь поделился с Вовой планами на ближайшее будущее.

Заварились такие крутые дела, что у Мухина дух захватывало, как на вершине «чертова колеса» в парке Горького. Однако Вова головы не потерял, свет грядущих больших денег не ослепил его. В шкатулке, где лежали патроны, он нашел целую кучу ценной ювелирки и прихватить ее не забыл. Не дурак. Обидно, что деньги получились маленькие, но и они не помешают.

* * *

— Господи, сделай так, чтобы все это поскорей кончилось! — пробормотала Елизавета Павловна Беляева, положив трубку.

После короткого телефонного разговора во рту у нее пересохло, сердце билось слишком сильно и болезненно, щеки пылали. Вместо того чтобы ворковать как взволнованная голубка, надо было сказать в трубку что-нибудь резкое, обидное, хотя человек, с которым она говорила, ни в чем не был виноват перед ней.

Она скинула туфли, упала в кресло, машинально нажала кнопку телевизионного пульта. Гостиничный номер наполнился безумной рок-музыкой, на экране выделывалась какая-то знаменитая группа, четыре бесполых существа в разноцветных перьях скакали и орали, размалеванные лица наплывали, заполняя экран, безобразно гримасничали, наверное, это было смешно, но Лизе захотелось плакать. Она выключила телевизор, соскользнула с кресла, приоткрыла окно. Сырой ветер, мерный гул ночного города немного успокоили ее. Медленно, тяжело стучали капли о карниз. Снег таял, ночь была теплой и пасмурной. Собор подсвечивался снизу голубыми лучами прожекторов. В лучах косо неслись крупные темные снежинки. Не долетая до земли, снег превращался в дождь.

— Зачем ты мне позвонил? По какому праву ты вообще влез в мою жизнь? У меня семья, мне много лет, — пробормотала Елизавета Павловна, глядя сквозь идеально чистое стекло на тонкие башни собора Святой Екатерины и обращаясь к своему недавнему собеседнику, который находился сейчас в Москве, в нескольких тысячах километрах от Монреаля.

...Они познакомились этим летом, когда у Лизы заболела собака.

Доберманиха Лота жила в доме десять лет, у нее был скверный характер, она позволяла гладить себя только хозяевам, и то не всегда. На чужих не лаяла, но грозно скалилась и, если кто-то вел себя фамильярно, могла тяпнуть. До преклонных лет грызла обувь, причем самую лучшую, а когда ее наказывали, забивалась под стол и рычала оттуда, объявляла сухую голодовку, сутками не ела, не пила и не просилась гулять. Обаятельной щенячьей игривостью она не отличалась даже в детстве, а к старости стала совсем мрачной. Раньше можно было ее оставить с домработницей Светланой летом на пару недель и поехать отдохнуть всей семьей, но последние три года Светлана не соглашалась жить в доме наедине с «этой зверюгой» ни за какие деньги.

— У всех собаки как собаки, а у нас какая-то вредная коммунальная соседка, — говорил Михаил Генрихович. Дети с ним соглашались. Лота внимательно слушала, поджимала свой короткий хвост-обрубок и сверкала глазами, словно понимала каждое слово.

Это упрямое неприветливое существо было по-настоящему привязано только к Лизе. Остальных членов семьи Лота почти не замечала, оставалась с ними холодна и надменна, как лакей в английском доме с нежеланными гостями. Только Лизе она клала лапы на плечи, вылизывала лицо, только перед ней переворачивалась на спину и давала погладить пузо, что у собак, как известно, считается знаком высшего доверия и бескорыстной преданности.

И вот этим летом Лиза обнаружила на розовом Лотином пузе большую опухоль. Знакомый кинолог дал ей телефон ветеринара, лучшего специалиста по собачьей онкологии. Ветеринар Юрий Иванович Захаров сказал, что Лоте необходима полостная операция под общим наркозом.

— Не проще ли усыпить? — спросил Лизу муж ночью на кухне. — Собаке уже десять, больше двенадцати доберманы редко живут, так стоит ли мучить ее и себя? — Он осекся, встретив спокойный и внимательный взгляд Лоты. Собака с тихим, жалобным поскуливаньем подошла к Лизе, поставила передние лапы к ней на колени, лизнула в щеку, потом улеглась рядом и не отрываясь стала глядеть на Михаила Генриховича.

— Ты пойми, если операция как у человека, то и ухаживать надо, как за человеком. Кто этим будет заниматься? — продолжал Михаил Генрихович, стараясь не смотреть Лоте в глаза. — И потом, мы через десять дней улетаем на Крит. Мне пришлось потратить столько сил, чтобы уговорить Светлану с ней остаться, дети так ждали этой поездки.

— Ничего страшного. Ты полетишь с детьми.

— Лиза, мы уже три года не отдыхали вместе. — Михаил Генрихович не сказал больше ни слова, но резче, чем обычно, двинул стулом, когда встал, и так громко закрыл за собой кухонную дверь, что Лиза вздрогнула.

Шестнадцатилетний Витя, узнав грустные новости, потрепал Лоту по загривку и сказал:

— Ничего, старушка, прорвемся!

Одиннадцатилетняя Надюша заплакала:

— Только не надо ее усыплять! Может, все обойдется?

Решили, что действительно будет разумно, если мама останется в Москве с больной несчастной Лотой, а папа отправится с детьми на Крит. Через десять дней Лиза проводила свою семью в аэропорт и повезла Лоту в лечебницу.

Операция длилась больше трех часов.

— Опухоль я удалил, метастазов пока нет, но я не могу гарантировать, что они не появятся в ближай-

203

шее время. У нас нет стационара. Вам придется забрать ее домой, — сказал доктор.

— Да, я знаю.

— Первые десять дней будет очень тяжело, каждый день придется менять повязку, обрабатывать швы. Она будет ходить под себя. Вы сумеете сами делать ей уколы?

— Если научите, сумею.

— Это не сложно. Значит, вы готовы забрать собаку домой? — спросил он, глядя мимо Лизы.

— Да, конечно. Прямо сейчас?

— Нет, завтра. Я должен понаблюдать, могут быть осложнения от наркоза. А завтра в десять утра вы приедете за ней.

— Вы что, собираетесь сидеть с ней всю ночь? — удивилась Лиза.

— А как же? Я всегда сам остаюсь с животными после таких тяжелых операций. У нас не хватает среднего и младшего персонала.

— Я останусь с вами, — решительно заявила Лиза.

— Не возражаю, помощь мне пригодится.

Наркоз отходил тяжело, собаку била крупная дрожь, она пыталась встать на ноги, содрать повязку. В глазах ее застыло такое глубокое, осмысленное страдание, что Лиза вдруг ясно поняла: не выживет Лота. Промучается еще неделю, может, месяц, и конец. Вероятно, муж прав. Честней и гуманней было бы сразу усыпить. Спокойная безболезненная смерть.

Повязку Лота умудрилась содрать, принялась ожесточенно, с хриплым плачем, зализывать и покусывать швы. Врач сделал ей успокоительный укол, повязку поменяли, Лота вяло порычала и заснула. Они отправились в ординаторскую, Юрий Иванович сварил кофе на электроплитке.

— Может, гуманней было бы сразу усыпить? —

произнесла Лиза вслух то, что мучило ее все это время.

— Нет, — покачал головой врач, — они всегда чувствуют, когда хозяева привозят их усыплять. А предательство для них страшней, чем физическое страдание.

— Да, я знаю, они все чувствуют, но если не обсуждать это при собаке, попытаться обмануть?

— Человека вы можете обмануть. Собаку никогда.

— Сколько ей осталось?

— Если не пойдут метастазы, она сможет прожить еще год, при хорошем уходе и два года. Но это будет больная собака, вам придется тратить на нее значительно больше времени и сил, чем раньше, — он закурил, помолчал, глядя в окно, и произнес тусклым, равнодушным голосом: — Станет тяжело, позвоните, я приеду и сделаю укол.

— Но вы же сказали, я сама смогу ее колоть.

— Нет, этот укол вы сами сделать не сумеете.

В лечебнице, кроме них и Лоты, не было никого, стояла гулкая тишина, и вдруг послышался странный щелкающий звук. Юрий Иванович вскочил, бросился в коридор. По коридору на расползающихся лапах очень медленно шла Лота. Она шаталась и волочила за собой разбитую банку капельницы.

Когда собаку уложили на место, поставили новую капельницу, Лиза заплакала. Впервые в жизни она не сумела сдержаться при постороннем человеке, но никакой неловкости не почувствовала, даже потом, когда совсем успокоилась.

Юрий Иванович приезжал к ней каждый вечер. Она не просила, он сам звонил и приезжал, обрабатывал швы, ставил капельницу. Казалось, при нем Лота чувствовала себя лучше. Услышав звонок в дверь, она ковиляла в прихожую и даже слабо крутила своим хвостом-обрубком. Лиза пыталась дать ему денег, он отказался. Она купила для него бутылку французского коньяка, он заявил, что совсем не пьет.

— Юрий Иванович, вы ставите меня в неловкое положение, — сказала Лиза.

— Чем же? Операцию и медикаменты вы оплатили в кассе лечебницы.

— Но вы тратите столько времени и сил, приезжаете сюда каждый вечер. И потом, я знаю, такая операция стоит значительно дороже.

— Елизавета Павловна, я сейчас сделаю Лоте инъекцию, а вы сварите, пожалуйста, кофе.

На следующий день Лиза позвонила знакомому кинологу, спросила, как ей отблагодарить ветеринара.

— Не берет денег? Странно. Это очень дорогой врач. Да, спиртное он не употребляет совсем. Ну, я не знаю, если вас это так беспокоит, подарите ему хороший одеколон.

Лиза купила дорогую мужскую туалетную воду. Юрий Иванович принял подарок, но на следующий вечер вытащил из сумки и поставил на ее туалетный столик коробочку «Шанель №19».

— Да вы что, Юрий Иванович... — опешила Лиза.

— Кажется, это ваш запах. И давайте на этом успокоимся.

Лота чувствовала себя все лучше, нос у нее сделался влажным, холодным, она начала понемногу есть, попросилась на улицу, и Лиза стала выходить с ней во двор два раза в день. Помощь ветеринара уже не требовалась, но когда он позвонил и спросил, надо ли приехать, она неожиданно для себя ответила:

— Да, пожалуйста, если вы можете...

Они просидели на кухне до рассвета, и разговор у них получался странный. Слова почти ничего не значили. Уютная болтовня двух усталых немолодых людей, которые отлично понимают друг друга. Но в паузах повисала тяжелая жаркая тишина, от которой у обоих покалывало кончики пальцев.

— Простите, Юрий Иванович, я вас совсем заболтала, — спохватилась она, когда за окном стало светать.

Они не могли назвать друг друга на «ты» и по имени. Воздух вокруг них так сгустился, что казалось, от простого «ты» все взорвется к чертовой матери.

— Меня никто не ждет, — произнес он низким тяжелым голосом.

— Ну все равно. Простите меня. Поздно уже, вернее, рано. Рассвет. Пора спать.

— Да, конечно, — он поднялся, — я поеду. Всего доброго.

Они неловко столкнулись в узком дверном проеме и застыли, глядя друг другу в глаза. Какое-то угрюмое, дикое, совершенно незнакомое чувство медленно закипало у нее внутри, заполняло все пространство ее души, не оставляя ни капли света.

«Совсем сбрендила, старая дура?» — грубо рявкнул разумный внутренний голос.

У нее кружилась голова, ноги стали ватными, но все-таки хватило сил отступить в сторону, ускользнуть от его настойчивых губ, стряхнуть его твердые теплые ладони.

— Лиза, я не могу больше. Я не железный. Я понимаю, ты замужем, но я один, ты знаешь, я не женат, поехали ко мне, — он продолжал смотреть на нее в упор, и только сейчас она заметила, что глаза у него темно-серые, а не черные, как казалось раньше.

— Спокойной ночи, Юрий Иванович. Простите, что заболтала вас. Всего доброго, — хрипло произнесла она, глядя в пол.

Когда за ним закрылась дверь, Лиза упала на кровать и заплакала, горестно, безутешно, как в детстве из-за плохой оценки. «О, Господи, ну почему? Что в нем такого? Практически, первый встречный, случайный, ничем не примечательный человек. Зачем мне это?» — думала она под собственные судорожные детские всхлипы.

Приковыляла Лота, стала слизывать слезы с ее лица, пытливо, внимательно глядела в глаза, словно спрашивала: «Что с тобой?»

— Мне плохо, Лота. Мне просто отвратительно. Я не знаю, что теперь делать, — бормотала она, гладя собаку, — со мной никогда ничего подобного не было и быть не могло.

Политический обозреватель, кандидат исторических наук, мать двоих детей, верная жена, образец строгости и добропорядочности, Елизавета Павловна сошла с ума, влюбилась, как шестнадцатилетняя девчонка. Впервые в жизни.

На следующий день Лиза отправилась в аэропорт, встречать мужа с детьми. Кончился отпуск, хлопоты с Лотой взяла на себя домработница. Собака после пережитых страданий стала трогательно-тихой и ласковой.

Юрий Иванович звонил каждый вечер, но уже не домой, а на ее сотовый, аккуратно интересовался здоровьем собаки. Она вежливо благодарила, подробно докладывала, как Лота себя ведет, что ест, как спит. Собака чувствовала себя хорошо, и казалось, невозможно было придумать повода для встречи.

— Я должен осмотреть Лоту, — решительно заявил он через неделю по телефону, — когда вам удобно, чтобы я приехал? Лиза, я не могу без тебя, — добавил он быстро, на одном дыхании, совсем другим голосом.

«Никогда! — испуганно выкрикнула про себя Лиза. — Никогда и ни за что!»

Но это было совсем уж глупо. При чем здесь здоровье собаки? Лоту действительно пора было показать врачу.

— Мне бы не хотелось вас затруднять. В общем, все в порядке... Хотя, если не возражаете, я после эфира заеду домой, возьму Лоту и привезу ее к вам в лечебницу.

«Что за чушь ты несешь? Эфир у тебя заканчивается в час ночи...»

— У вас сегодня, кажется, ночной эфир?

— Да, конечно, давайте завтра утром. Хотя... утром у меня запись... Простите, что же я вам голову морочу?

— Правда, Елизавета Павловна, сколько можно морочить голову мне и себе? Записывайте адрес и приезжайте сегодня после эфира ко мне домой. Вместе с Лотой.

Она записала адрес в своем ежедневнике, опять на нее накатило странное головокружение, слабость, почти дурнота. Ей стало страшно выходить в эфир в таком состоянии. Из зеркала в гримерной глядела на нее помолодевшая, восторженно-томная идиотка. Глаза сверкали, брови выгнулись удивленными дугами, линия рта смягчилась, ресницы трепетали, как крылья бабочек. Что-то появилось в ней беспомощное. У нее началось раздвоение личности. Влюбленная романтическая дурочка с фиалковым огнем в глазах и розовым дымом в голове мешала разумной сорокалетней ответственной даме жить и работать. Сыпалось все: карьера, семейное благополучие, она самой себе не нравилась, она себе не доверяла.

Хорошо, что в ночном эфире она беседовала не с какой-нибудь напористой скандальной личностью, а с пожилым интеллигентным финансистом. Двадцать минут разговора тянулись бесконечно, Лиза чувствовала, как светятся у нее глаза, как губы сами собой растягиваются в дурацкой загадочно-счастливой улыбке, которая была совершенно неуместна, ибо речь шла о вещах серьезных и печальных, о нестабильности рубля и дефиците бюджета.

Вместо привычной телестудии, вместо объектива камеры и солидного собеседника за студийным столом она видела перед собой Юрия Ивановича, как он сидит у телевизора, и всей кожей чувствовала, как он на нее смотрит, как ждет, когда закончится эфир.

— Вы были очаровательны, Лиза, — заявил после эфира старый финансист и церемонно поцеловал ей руку, — знаете, в вас появилось что-то совсем новое. Глазки заблестели по-особенному.

Впервые за многие годы к ней обратился по имени совершенно чужой человек, впервые скользнула в интонации игривая снисходительность. Так принято общаться с хорошенькими молоденькими секретаршами. И еще ей показалось, что все, кто находился в павильоне — администратор, операторы, осветители, — уставились на нее с нехорошим любопытством.

Была бы она легкомысленней и хитрей, сумела бы прокрутить этот странный период своей жизни в убыстренном легком ритме тайного романа, как это делают тысячи женщин. При чем здесь муж, дети, работа? Ну да, любовь, страсть, с кем не бывает? Зачем же делать из этого трагедию? Живи и радуйся, только научись врать половчее — мужу, детям, любовнику, себе самой. Разве так уж сложно врать, честно глядя в глаза?

Переступив порог своей квартиры, не снимая плаща, она сказала мужу, что прямо сейчас едет с Лотой в лечебницу, чтобы показать собаку ветеринару. Он равнодушно удивился:

— Ночью?

210

— Днем там очередь, — ляпнула она в ответ и покраснела.

— Мне казалось, у тебя с этим доктором сложились такие теплые отношения, что он может принять Лоту и без очереди.

— Миша, какие отношения могут быть с ветеринаром? — Руки у нее дрожали, никак не удавалось пристегнуть карабин поводка к ошейнику Лоты. — С чего ты взял, что у меня с ветеринаром могут быть какие-то особенные отношения?

— Да ни с чего я не взял, мне дела нет до ваших отношений, просто я не понимаю, неужели нельзя отвезти собаку на осмотр днем?

— Завтра у меня запись.

— Завтра я могу съездить с Лотой к врачу. Я вижу, ты очень устала, ты даже похудела за это время. Тебе сейчас надо принять душ и лечь спать. Там есть телефон?

— Где?

— В лечебнице.

— Зачем тебе?

— Я позвоню ветеринару и скажу, что ты не приедешь. Договорюсь на завтра.

— Завтра у него нет приема.

— Ладно, Лиза, поступай, как знаешь, — он взял у нее из рук поводок и прицепил карабин к ошейнику, — если тебе приспичило после прямого эфира в третьем часу ночи мчаться в ветеринарную лечебницу, пожалуйста. Я не возражаю. Только не забудь взять ключ. Я буду спать, когда ты вернешься.

Она поцеловала его на прощанье, но лучше бы она не делала этого. От его лица, от гладко выбритой щеки, ощутимо повеяло холодом.

По пустым ночным улицам она доехала по записанному адресу за десять минут. Юрий Иванович ждал ее на улице, у въезда во двор. Она издалека заметила его невысокую коренастую фигуру и в последний раз подумала: «Господи, ну что же в нем такого? Почему именно он?»

Когда он обнял ее, прямо на улице, у машины, ни слова не говоря, стал торопливо, жадно, целовать ее лицо, ей вдруг почудилось, что в кустах за детской горкой вздрогнул белый огонь фотовспышки.

ГЛАВА ТРИНАДЦАТАЯ

К старости графиня Ольга Карловна Порье научилась говорить по-русски. Язык, прежде казавшийся ей варварским, увлек ее богатством смысловых и чувственных оттенков. Русские слова переливались и играли радужными гранями, как драгоценные камни, которые она так любила.

— Старык. Старьичек. Старец. Стар-рикашика, — повторяла графиня, раскатисто грассируя, смеялась и хлопала в ладоши, как малое дитя.

В 1880 году графине стукнуло восемьдесят, она была ровесницей века. Память ее угасала, рассудок стал зыбким, как перистые облака перед закатом. Стариком она называла своего покойного супруга графа Юрия Михайловича и часто, сидя в кресле перед камином, беседовала с ним по-русски. Монолог ее дробился на разные голоса. Тоненький, дрожащий принадлежал ей самой, а скрипучий, хриплый — графу, которого она ясно видела перед собой, в пустом вольтеровском кресле.

— Душа моя, ты помнишь деревенского мальчика, который нашел наш первый камень? — задумчиво спрашивал покойник. — Нехорошо, что мы не приняли участия в его судьбе.

— Я лечила его раны своими руками, я не позволила закопать его живьем в землю, — возражала графиня, — я в его честь назвала лучший алмаз в своей коллекции, и будет с него.

— Ты должна огранить алмаз «Павел», душенька. Я хочу, чтобы он сверкал на твоей груди. Закажи у Ле Вийона брошь в виде цветка орхидеи, пусть вокруг камня будут тонкие платиновые лепестки, на них бледно-голубые прозрачные топазы, как капельки утренней росы, а между ними овальные изумруды, как листья.

— Это манифик, мон амур, это изумительно! — Графиня кокетливо щурилась, обнажала в улыбке вставные зубы. — Но с каким же платьем я надену эту брошь?

— С голубым бархатным. Или вот, с белым, из китайского шелка с фламандскими кружевами. Оно тебе так к лицу, душенька.

— Полно, граф, — Ольга Карловна капризно надувала губы, — эти платья теперь не наденет даже горничная Луша. Рукава а ля жиго давно не носят.

— Неужели? Что же носят?

— О, мой свет, все необычайно изменилось. Победил турнюр, исчезли сборки, в моде костюм-коллан. Исчезло все, что торчит, даже верхняя юбка.

— Душенька, ты хочешь сказать, дамы теперь носят только нижние юбки? — смутился граф.

— Ты всегда понимаешь меня превратно, дорогой. Дамы отказались от кринолина, но победил турнюр.

— Кес ке се турнюр, мой ангел?

— О, это выпуклость сзади, ниже спины, ее поддерживает специальный каркас из китового уса.

— Ты шутишь, душечка?

— Ничуть. Сейчас все дамы носят турнюры. Но больше ничего пышного, напротив, все чрезвычайно узко, тесно. Лиф спустился глубоко на бока, позади длинный шлейф, перед приподнят так, что туфельки видны.

— Прелестно. А что, горничная Луша все так же расторопна?

— Полно, мой свет, она уже старуха. — Графиня снисходительно улыбалась и качала головой. Она не желала напоминать графу, как с этой горничной, румяной быстроглазой девушкой, она застала своего мужа в одной из отдаленных беседок поздним вечером. Но сам покойный граф, вероятно, помнил, как зудели злые уральские комары и как Луша звонко шлепала их своей тяжелой крестьянской ладонью на нежной графской спине.

— Ты, душенька, всегда была склонна к преувеличениям, — печально заметил граф, — ты ревновала меня даже к сиделке, когда я лежал в параличе.

— Ты ошибаешься, мой свет, — вздохнула графиня, — не было ревности в моем сердце. Ревность — мелкое чувство, а я великодушна.

Графиня правда была великодушна. Она все простила покойнику, и эту Лушу, и вереницу прочих, румяных, быстроглазых, среди которых были и гувернантки, и модистки, и актрисы, и даже грязная девка-птичница, которая приглянулась ему, когда он лично отправился на птичий двор узнать, пасутся ли на прииске графские куры.

— Так что ты решила с алмазом «Павел»? — кашлянув, спросил граф. — Он так и будет лежать в потаенной шкатулке?

— Скажи, а почему тебя это так беспокоит? Неужели там это важно?

— Не знаю, душенька, не знаю...

Двери распахнулись, в комнату вкатился деревянный конь на колесиках, вслед за конем вбежал пятилетний темноволосый мальчик и, приложив палец к губам, спрятался за креслом графини. Графиня с улыбкой наблюдала, как тает в воздухе печальная тень ее покойного супруга, и только когда не осталось даже слабой дымки, спросила ласково:

— Что происходит, Мишель?

— Бабушка, спрячь меня, мисс Кларк хочет, чтобы я мазал волосы помадой.

Деревянный конь, проехав еще немного по паркету, остановился. В комнату вплыла полная пожилая девица в клетчатом платье.

— В чем дело, мисс Кларк? — строго спросила графиня по-английски.

— Сейчас явятся гости, ваше сиятельство, княгиня Завадская с дочерьми, и я хотела, чтобы его сиятельство выглядел как подобает маленькому джентльмену, — англичанка присела в глубоком почтительном книксене.

— Идите, Мери, — сказала графиня, — вылезай, баловун, — она протянула руку и погладила темные мягкие локоны любимого правнука.

— Баловник, бабушка, а не баловун, — пятилетний Мишель выскочил из-за кресла только тогда, когда за суровой мисс тихо закрылась дверь.

— Так почему же ты не хочешь быть джентльменом, баловник?

— Мне не нравится липкая помада, я не хочу пахнуть цирюльником. И еще, я не люблю, когда приезжает княгиня со своими дочками. Можно, я посижу с тобой, бабушка?

— Маман будет недовольна. Ты должен выйти к гостям. Будут маленькие княжны.

— С ними скучно, — вздохнул Мишель, — они ломаки. Я хочу побыть с тобой, бабушка. Расскажи мне про куриный камень.

— Я рассказывала много раз, ты знаешь эту историю наизусть. Завтра я вызову ювелира, самого лучшего, самого знаменитого в Москве. Он огранит алмаз, сделает из него брошь в виде цветка орхидеи, с тонкими лепестками из платины. На каждом лепестке, как капельки росы, будут сиять прозрачные нежно-голубые топазы, а между лепестками листья, маленькие продолговатые изумруды. Топазы я прикажу огранить кабошоном.

— Что такое кабошон, бабушка?

— При такой огранке кристалл принимает форму

гладкой полусферы, без граней, вроде половинки бильярдного шара. Прозрачные камни не принято так обрабатывать, но я хочу, чтобы топазы были похожи на капли росы. Лепестки закрепят подвижно, на тонких стерженьках-пружинках, как в большом бриллиантовом букете ее величества императрицы.

— Бабушка, а алмаз «Павел» не потеряет свою волшебную силу, если его огранят и вставят в брошку? — спросил мальчик таинственным шепотом. — Ты же раньше говорила, что волшебные камни нельзя гранить.

— Разве? Ах, ну да, конечно, однако жаль, что такая красота лежит в шкатулке.

— Ты приколешь эту брошь к платью и пойдешь на бал?

— Нет, мой ангел. Я слишком стара для такой броши.

— Ты подаришь ее маман?

— Нет. Твоя маман слишком легкомысленна.

— Я понял, бабушка, ты хочешь подарить ее кузине Анете.

— Нет. Я не хочу дарить кузине алмаз «Павел», — графиня поджала губы, как обиженный ребенок, — почему я должна непременно дарить кому-то? Пройдет много лет, настанет новый век, двадцатый век, Мишель. Меня уже не будет на свете, ты станешь взрослым мужчиной. Ты женишься.

— На Долли Заславской? Никогда! Она пищит, как мышь, и чуть что, бежит жаловаться княгине, а княгиня шипит, как угли в камине, если брызнешь водой. Я никогда не женюсь, бабушка.

— Кроме Долли, есть много других девиц, какая-нибудь тебе приглянется. Я думаю, ты женишься как раз в первый год двадцатого века. Раньше не надо. В двадцать пять лет в самый раз, уж поверь мне, мой ангел. Не слишком рано, но и не поздно. А теперь слушай меня внимательно, слушай и запоминай, — она приблизила к правнуку свое сморщенное, сильно набеленное лицо и прошептала: — Это будет счастливый, разумный век. Люди научатся наконец сначала думать и лишь потом что-то делать, а не наоборот, как это происходит сейчас. Бессовестные устыдятся, безжалостные пожалеют ближнего, рука убийцы окаменеет, из уст лгуна вместо слов будет раздаваться собачий лай.

— Ой, бабушка, значит, наш буфетчик Федор будет только лаять и ничего не сумеет сказать? Он ведь все время врет, что варенье заплесневело, что сыр высох, а холодная телятина заветрилась.

— Мишель, при чем здесь буфетчик? — поморщилась старуха, и с лица ее на бархатную обивку кресла полетела пыль пересохших свинцовых белил. — Буфетчик здесь совершенно ни при чем. Я говорю о двадцатом веке, о том чудесном, разумном веке, в котором тебе, мой ангел, предстоит жить. Ты станешь взрослым мужчиной, в твоем благородном сердце вспыхнет любовь, и я надеюсь, что предмет обожания окажется достойным твоего титула и твоего положения в обществе. Ты женишься...

— Бабушка, что такое предмет оборжания? — испуганно прошептал Мишель.

— Будь любезен, не перебивай меня. После венчания ты приколешь на платье своей молодой красавицы жены брошь-орхидею. Платиновые тонкие лепестки с топазовыми каплями росы, листья из удлиненных изумрудов, а в центре будет сиять алмаз «Павел». И красавица жена тебя никогда не разлюбит. Вы будете жить долго и счастливо в разумном, милосердном, прогрессивном двадцатом веке.

* * *

Лиза приняла душ, закуталась в теплый гостиничный халат и наконец согрелась. Она включила приемник, нашла спокойную классическую музыку, расчесала волосы и не сразу услышала стук в дверь. Стучали тихо и настойчиво, потом раздался знакомый голос:

— Елизавета Павловна, простите, откройте, пожалуйста, на минутку.

— В чем дело? — громко спросила Лиза.

— Откройте, я не могу кричать, — ответил из-за двери Красавченко.

— Извините, Анатолий Григорьевич, но я уже сплю.

— Я всего на одну минуту, это очень важно. Мне надо кое-что вам передать, а завтра рано утром я улетаю.

«Да что я, в самом деле, боюсь его?» — раздраженно подумала Лиза.

— Хорошо, Анатолий Григорьевич, подождите, я сейчас открою.

Она надела джинсы и футболку, прошла босиком по ковру и распахнула дверь.

— Еще раз извините, — Красавченко шагнул в номер, — я возвращался к лифту, заметил на полу вот это, — он протянул ей твердый белый прямоугольник, — я подумал, может, вы обронили, когда бежали к телефону? Может, это вам нужно?

В маленьком коридоре было темно. Лиза поднесла картонку к глазам. Это была визитная карточка антикварной лавки, возможно той, в которой она вчера покупала мужу музыкальную шкатулку.

— Нет, это мне совершенно не нужно. Не стоило беспокоиться. Спасибо и спокойной ночи, Анатолий Григорьевич.

219

— Но карточку вы обронили? Или кто-то другой?

— Какая разница? Это всего лишь визитка магазина.

— Между прочим, отличная антикварная лавка, — Красавченко взял карточку у нее из рук, — я ведь тоже ходил вчера по торговому центру. У этого антиквара чудный выбор ювелирных украшений. Вас интересуют драгоценности, Лиза?

— Не очень.

— А мне почему-то показалось, что интересуют. У вас красивые сережки. Я давно обратил внимание. Аметист, если не ошибаюсь?

— Бразильский топаз.

— Да что вы! Разрешите-ка взглянуть. — Красавченко стал теснить ее в комнату, где свет был ярче, бесцеремонно прикоснулся к ее уху. — Действительно, голубой бразильский топаз. Очень редкий и ценный камень. Огранка «маркиз». Золото семьсот пятидесятой пробы, удивительно тонкая работа. Антиквариат. Модерн начала века. Жаль, у меня нет лупы. Вы купили их или они достались вам по наследству?

— Анатолий Григорьевич, извините, но мне, честное слово, совсем не хочется обсуждать с вами мои серьги. Шли бы вы к себе в номер.

Однако он уходить не собирался, аккуратно прикрыл дверь. Щелкнул английский замок.

— У меня в номере пусто и скучно, — лицо его растянулось в комически жалобной гримасе. Это выглядело так фальшиво, что Лизу затошнило.

— Я вас не приглашала в гости. Я очень устала, хочу спать, — она протянула руку, чтобы открыть дверь, но он поймал ее кисть.

— А, вот кольца я раньше не замечал. Это ведь комплект? Голубой топаз — ваш камень? Он соответствует вашему знаку Зодиака? Неужели вы Скорпион?

Или ваша прабабушка была Скорпионом? Вы так любите этот комплект, что даже на ночь не снимаете?

— Обычно снимаю, просто сейчас забыла, от усталости. Простите, Анатолий Григорьевич, я действительно очень устала и хочу спать. Не могли бы вы уйти к себе? — Лиза резко выдернула руку, отступила к окну. Красавченко плюхнулся в кресло, вальяжно закинул ногу на ногу.

— Елизавета Павловна, ну вы же взрослая, сдержанная, хорошо воспитанная дама. Что с вами? Откуда такой тон? Разве я вас чем-то обидел? Давайте спокойно посидим, минут пятнадцать, не больше, выпьем что-нибудь, и я сразу уйду. Честное слово.

— Ну ладно, — вздохнула Лиза, — если вы так хотите пообщаться, мы можем спуститься в бар на седьмом этаже. Он открыт круглосуточно.

— Зачем? Все необходимое есть в номерах. Разрешите? — не дожидаясь ответа, Красавченко поднялся с кресла, откинул крышку бара. — Чего вам налить? Коньяк, виски, сухое рейнское вино...

— Я же говорила, что не пью, и вообще, должна заметить, Анатолий Григорьевич, что для дипломата вы ведете себя несколько странно. Бар, между прочим, платный. Коньяк очень дорогой.

— А, вы об этом? Не волнуйтесь, я оплачу ваш счет за пользование баром. Так что же будем пить? Нам с вами непременно надо выпить за удачу. За счастливую звезду, под которой вы родились. Я не сказал вам вчера, когда мы сидели в кондитерской, что квартал красных фонарей не только самое неприличное, но и самое криминальное место в этом городе. Просто не хотел вас пугать, вы и так слишком перенервничали. Между прочим, не зря. Вас могли запросто ограбить, отнять сумку, вырвать из ушей ваши чудесные серёжки. Если бы я случайно не оказался рядом, все могло бы кончиться очень печально. И вот, вместо того чтобы поблагодарить, вы меня обижаете, шарахаетесь от меня, как от чумы.

— Простите, Анатолий Григорьевич. Я чрезвычайно вам благодарна и вовсе не хотела вас обидеть. — Лизе стало неловко. Она подумала, что он прав, она ведет себя как-то нехорошо, невежливо. — Вы выпейте, что вам больше нравится. А я мысленно к вам присоединюсь.

— Ну конечно! — Он рассмеялся. — В одиночестве я могу выпить и у себя в номере. Раньше так благодарили водопроводчиков и электриков из ЖСК. Наливали стакан спиртного. Вы еще мне денег предложите за то, что я вытащил вас из опасной ситуации, это будет совсем красиво! Я имею право хотя бы чокнуться с вами? Давайте выпьем белого сухого вина. Оно слабое, как виноградный сок.

Он открыл бутылку, разлил вино по большим хрустальным бокалам.

— За вас, Елизавета Павловна, за вашу красоту, за вашу счастливую звезду! — произнес он торжественным шепотом.

Лиза пригубила вино и тут же поставила бокал.

— Ой, подождите, у вас сейчас ресничка в глаз попадет. — Красавченко протянул руку, притронулся к ее лицу.

— Не надо, я сама, — она резко встала и вышла в ванную. Свет там был очень ярким, но, как ни вглядывалась Лиза в зеркало, никакой выпавшей ресницы не заметила. Поправила волосы, вернулась в комнату.

— Значит, к драгоценностям вы равнодушны? — улыбнулся Красавченко, когда она опять уселась в кресло напротив него. — Ну что ж, за это тоже стоит выпить.

— Почему?

222

По журнальному столу веером рассыпались цветные фотографии. Лиза увидела себя рядом с простиуткой мужского пола, на фоне светящейся вывески Незабываемые радости орального секса». И соответствующая картинка, которая делала английскую надпись понятной без перевода.

— Читатели желтой прессы с удовольствием поверят комментариям, в которых будет сказано, что вы договариваетесь о цене, — со вздохом сообщил Кравченко. — А вот прелести лесбийской страсти. Посмотрите, как нежно вас держит за руку эта пышная светловолосая негритянка. А здесь уличный мужской стриптиз, возможно с последующей групповухой. Вот так честнейшая Елизавета Павловна Беляева развлекается за границей. Вот они, нынешние нравы. Добропорядочная женщина, мать семейства, уважаемый всей страной политический обозреватель, скрылась за этой дверью с заманчивой надписью «Вавилонские ночи. Экзотические удовольствия. Сегодня скидка двадцать процентов!». Самое печальное, что никакая экспертиза не сумеет доказать подделку, обнаружить фотомонтаж. Ведь мы с вами знаем, снимки совершенно подлинные. Любопытно, что на вашем лице нельзя прочитать ни испуга, ни смущения. Вы выглядите здесь весьма возбужденной, что вполне естественно в такой обстановке. У вас просто глаза разбегаются. Читатели желтой прессы получат огромное удовольствие, об этом будет говорить вся Москва. Тираж двух-трех поганых газетенок взлетит, номера с фотографиями пойдут нарасхват. Кто-нибудь обязательно притащит эту гадость в школу, где учатся ваши дети.

— Почему я не заметила вспышек? — пробормотала Лиза.

— Потому, что их не было. Квартал освещается до-

— А просто так, — он поднял бокал, ей пришлось сделать то же самое. — Нет, все-таки удивительный камень, голубой топаз. Вы так и не ответили, вы купили комплект в антикварном магазине или он достался вам по наследству?

— Анатолий Григорьевич, почему вас это так интересует? Вы серьезно увлекаетесь астрологией и ювелирным делом?

— Нет. Я увлекся вами, Елизавета Павловна, и пытаюсь нащупать тему, которая была бы вам интересна, стараюсь растянуть разговор. Я понимаю, что веду себя глупо и даже не совсем вежливо. Но когда я вижу вас, со мной что-то происходит. Я теряю голову. С вами такого не случалось?

— Анатолий Григорьевич, идите к себе. В нашем с вами возрасте уже не интересны эти игры.

— Лиза, это не игра. Я совершенно серьезно спрашиваю, вы никогда не теряли голову? Не влюблялись так, что обо всем забывали, о приличиях, о здравом смысле? Я знаю, у вас кристальная репутация, вы двадцать лет замужем, вы образец нравственности, но так не бывает, чтобы красивая, яркая, сильная женщина ни разу в жизни не теряла голову. Впрочем, вероятно, правы были древние ассирийцы, когда утверждали, что человек, украшающий себя топазом, сохраняет честность и порядочность на всю жизнь. Или нет?

— Анатолий Григорьевич, вы, часом, не пьяны? — осторожно поинтересовалась Лиза.

— Я трезв, как стеклышко. Я прозрачен и чист, как эти чудесные топазы. А вот с вами что происходит? Щеки пылают, глаза блестят. Тайный роман, сильное позднее чувство. Я угадал? Можете не отвечать, вижу по глазам, что угадал. Но беда в том, что роман этот вас совсем не радует. Вам неуютно, стыдно. Вы боитесь, что рано или поздно узнают коллеги, семья. Вы

не относитесь к тому распространенному типу женщин, которые с удовольствием делятся всеми деталями своей личной жизни и болтают о своих победах при каждом удобном случае, пытаясь таким образом повысить себе цену в глазах окружающих. Вам самоутверждаться не надо. Цена и так высока. Вы влюблены всерьез, мучительно стыдитесь этого, боитесь огласки, но ничего поделать с собой не можете, получается полнейшая чушь. Вместо счастья и удовольствия постоянная внутренняя борьба, муки совести, воспаленные нервы.

— Нет, вы явно не в себе, Анатолий Григорьевич, — громко и неестественно рассмеялась Лиза, — что за бред вы несете?

— Ну вот, — он печально вздохнул и развел руками, — так и знал, что вы станете мне возражать. Между тем ваша тайная любовная история написана у вас на лбу. Вас лицо выдает, глаза. Кстати, вам очень идет состояние влюбленности. Вы удивительно похорошели.

— Спасибо на добром слове. Возражать я вам не собираюсь, — отчеканила Лиза, стараясь сохранить спокойствие, — просто это не ваше дело. Я не хочу обсуждать с вами свою личную жизнь.

— Ага, значит, есть, что обсуждать? — Красавченко хитро прищурился. — Я ведь просто спровоцировал вас на откровенность. Клянусь, я ничего не знал о вашем романе. Вы сами только что признались. Из этого следует, что между нами уже установились теплые доверительные отношения. Давайте за это выпьем.

Лиза машинально чокнулась с ним, сделала несколько больших глотков вина. У нее сильно пересохло во рту.

— За нашу нежную дружбу, — улыбнулся Красавченко, — на правах друга я подскажу вам отличное средство от томительной, ненужной любви. Не

надо относиться к этому так серьезно. Им[?] езность вам мешает. Сбавьте тон, будьте [?] ленней.

— Простите, я не совсем поняла...

— Бросьте. Все вы отлично поняли. В к[?] цов, живем один раз, живем мало и очень сл[?] ремся за выживание. Все эти дутые роман[?] страсти делают человека слабым, рассеянн[?] защитным. Проще надо быть, естественней, [?] матушке-природе.

— Все это, конечно, очень интересно. Но [?] перенесем философскую дискуссию на друго[?]

— Давайте, — кивнул Красавченко, — мы [?] вообще обойтись без дискуссий. Знаете, что ва[?] сделать? Переспать со мной. И сразу станет ле[?]

— С вами? — Лиза критически оглядела его [?] изнесла со спокойной улыбкой: — В общем, ид[?] так плоха, как кажется. Я подумаю об этом.

— Об этом не думают. Это делают, — он мед[?] поднялся с кресла и снял пиджак, — сразу пр[?] все ваши комплексы, проблемы решатся сами [?]

— Есть одна, которую вряд ли удастся ре[?] Дело в том, что вы мне не нравитесь, Анатоли[?] горьевич. Вы хам и пошляк. Боюсь, ничего не [?] чится. А теперь будьте добры, выйдите вон.

Красавченко кашлянул, провел ладонью по[?] сам.

— Ну что ж, очень жаль. Спокойной ночи. С[?] за вино. О счете можете не беспокоиться. Я [?] завтра утром, — он подошел к двери, взялся за [?]

— Вы пиджак забыли, Анатолий Григорьев[?]

— Ах, да, спасибо, — он вернулся, взял пидж[?] надевать не стал, вытащил из внутреннего ка[?] небольшой конверт и тихо произнес: — Я ве[?] кое-что забыл. Вот, взгляните.

статочно ярко. Живой товар должен быть виден во всех подробностях. Вспышка не срабатывала, но смотрите, какие четкие, качественные получились снимки. Фирма «Кодак» не зря рекламирует свою продукцию.

— Чего вы добиваетесь, Красавченко?

— Всего лишь внимания к моей скромной персоне. Внимания и уважения. Но подождите, я еще не закончил. Вполне возможно, таким горячим материалом заинтересуется телевидение, снимки попадут в какую-нибудь скандальную ночную программу, типа той, что ведет ваш знакомый Артем Бутейко. Он очень остроумно их прокомментирует!

Елизавета Павловна резко поднялась с кресла, подошла к окну. У нее сильно закружилась голова, ее зазнобило так, словно температура поднялась до сорока градусов. Меньше всего ей сейчас хотелось, чтобы Красавченко заметил, как изменилось ее лицо.

ГЛАВА ЧЕТЫРНАДЦАТАЯ

Следователь Бородин долго, упорно звонил в дверь квартиры Бутейко. Он не сомневался, что хозяйка дома. Наконец зашаркали торопливые шаги, и тут же стало тихо. Елена Петровна прижалась к дверному глазку. Железная дверь как будто даже нагрелась от волнения хозяйки. Кстати, железная дверь при такой бедности — весьма красноречивая деталь интерьера.

Вопрос «кто там?» прозвучал минуты через три.

— Следователь Бородин, — бодро отозвался Илья Никитич, — будьте любезны, откройте, пожалуйста.

— А в чем дело? У вас есть санкция прокурора?

— Елена Петровна, я не собираюсь сейчас проводить ни допросов, ни обысков. Мне нужно, с вашего позволения, взять на время кассеты с интервью, которые брал Артем. Я все верну через несколько дней.

Заскрежетали замки, звякнула цепочка. Дверь медленно приоткрылась. Три дорогих, сложных итальянских замка, да еще цепочка и стальной засов.

— Я только что встала, — надменно сообщила мать погибшего, — вы могли бы заранее предупредить о вашем приходе.

— Извините, Елена Петровна, — Илья Никитич виновато улыбнулся, — я просто был неподалеку, решил к вам заглянуть на минутку. Еще раз извините, что потревожил. Мне необходимо прослушать кассеты с интервью, которые брал ваш сын.

— Интервью? — равнодушно переспросила Бутейко. — Делайте что хотите, идите к нему в комнату, слушайте кассеты. Мне все равно.

— Значит, вы не возражаете, чтобы я забрал кассеты? — уточнил Илья Никитич.

— Как же я могу возражать? Это ваше право.

Елена Петровна поправила прическу, демонстративно повернулась спиной к Бородину, отправилась на кухню, взяла тряпку и стала тщательно протирать пластиковую поверхность буфета, которая и так была чистой. Илья Никитич вытер ноги, прошел вслед за ней.

— Елена Петровна, может, вы меня все-таки проводите в комнату Артема? Я ведь не знаю, где лежат кассеты.

Она застыла с тряпкой в руках и вдруг развернулась к нему лицом. Это было совсем другое лицо. Елена Петровна улыбалась. Бородин впервые обратил внимание, какие у нее великолепные зубы, ровные, крупные, белоснежные. Неужели сохранились свои в таком возрасте? Если это вставные, то такая лучезарная улыбка стоит тысяч пять долларов, не меньше. И вообще, если внимательно присмотреться, то Елена Петровна вовсе не похожа на полунищую старушку, у которой все позади.

Лицо гладкое, почти без морщин. И волосы на этот раз как-то подкрашены, уложены. Когда она улыбается и выпрямляет спину, ей можно дать лет сорок. А если еще одеть и подкрасить — ну просто очень интересная женщина получится.

— Да, конечно, простите. Вас Илья Никитич зовут? Вы извините меня, Илья Никитич. Я при нашей первой встрече вела себя с вами ужасно, но вы должны понять мое состояние. У вас есть дети?

— Нет.

— Наверное, вы счастливый человек. Теперь, после того, что случилось, я думаю, лучше вообще не иметь детей. Чаю хотите?

— Спасибо, — удивленно кивнул Бородин, — не откажусь.

— Пойдемте, провожу вас в комнату Артема, покажу, где лежат кассеты, вы отберете, что вам нужно, а я пока чайку заварю свежего. Не возражаете?

Илье Никитичу показалось, что его собеседницу подменили. Какой-то был здесь подвох. По паспорту ей пятьдесят пять. Сейчас перед ним настоящая леди, а пару дней назад это была взвинченная, испуганная, агрессивная истеричка, злобная страшная старуха, готовая орать, врать, угрожать, лишь бы... «Лишь бы что?» — спросил себя Бородин.

Она изо всех сил старалась скрыть, что ее муж был знаком с ювелирным делом. В общем, вполне понятно. Он нелегально работал с золотом и камнями у себя на квартире, она боится, что сейчас, в процессе следствия, вскроются какие-то старые дела. Непонятно другое. С какой стати она вдруг так резко изменила показания? Сначала, над трупом сына, заявила о трех тысячах, а потом вдруг — нате вам! — не было никакого долга.

Однако сейчас Елена Петровна просто ангел. Вот, пожалуйста, улыбается. И не подумаешь, что потеряла единственного сына.

— Проходите, Илья Никитич, не стесняйтесь. Простите, здесь у меня не прибрано.

В прошлый раз хозяйка пригласила его на кухню, а дверь в комнату плотно прикрыла.

Комнаты были смежные. Илья Никитич заметил у раскладной тахты старую швейную машинку. Это была громоздкая конструкция с ножной педалью, похожей на фрагмент чугунной ограды. На стуле висел огромный лоскут дешевой пестрой ткани. Вероятно, Елена Петровна латала или шила постельное белье.

В полированном серванте красовался стандартный чешский хрусталь и немецкий фарфор. Из фужеров и чашек никто никогда не пил, в вазочках конфеты не ночевали.

Все в этом доме было подернуто налетом серости, нищеты, какой-то нарочитой дешевизны и экономности. Илье Никитичу бросилась в глаза большая аккуратная заплата на вытертой обивке кресла, линялые льняные шторы, торшер с прогоревшим насквозь пластмассовым абажуром.

Саша Анисимов говорил правду. Родители Бутейко многие годы ничего, кроме продуктов, не покупали. Впрочем, маленькая смежная комнатка, в которой еще недавно жил их сын Артем, светский лев, тусовщик, любитель одеваться у Версаче, от родительской ничем не отличалась. Новенький японский телевизор с видеомагнитофоном и компактный, довольно дорогой музыкальный центр резко выделялись на фоне унылой опрятной нищеты.

Кассеты с интервью хранились в специальных коробках. Все они были подписаны, на каждой стояла дата и фамилия собеседника Бутейко.

— Елена Петровна, вы не возражаете, если я заберу их на некоторое время? — спросил Илья Никитич.

— Пожалуйста, я не возражаю, хотя совершенно не понимаю, зачем вам все это нужно.

— Что именно?

— Допросы, обыски, изъятие кассет с интервью. Вам как будто делать нечего. Столько дел нераскрытых, столько преступников на свободе гуляет, а вы тратите время на то, что ясно без всяких усилий. Не понимаю, — она повела полными плечами, как будто даже кокетливо, и опять сверкнули в улыбке белоснежные зубы.

— Елена Петровна, когда речь идет о таком серьезном деле, как умышленное убийство, необходимо знать все совершенно точно. Нельзя ошибиться, — устало объяснил Бородин.

Он перекладывал кассеты в свой портфель, попутно читая надписи. Попадалось много знакомых фамилий. Бутейко брал интервью у известных эстрадных певцов, продюсеров, скандальных депутатов Госдумы, лидеров каких-то опереточно-радикальных крошечных партий. Рядом с некоторыми именами стояли специальные пометки, например, «Сюзанна Громова, жесткое порно», или «Вольдемар Райский, клуб геев».

— Да, конечно, все сразу я не унесу, — задумчиво произнес Илья Никитич, — придется наведаться к вам еще раз. Эти верну, новые возьму. Не возражаете?

— Конечно, конечно, я понимаю, их так много, вам нести тяжело.

Одну кассету Илья Никитич разглядывал дольше других. Надпись на ней была сделана не синей шариковой ручкой, а красным фломастером. Жирно, очень аккуратными печатными буквами было выведено «Беляева».

Точно такую же надпись Илья Никитич обнаружил еще на двух аудиокассетах и на одной видеокассете. Совершенно машинально он повернулся к Елене Павловне и спросил:

— Беляева — это, кажется, политический обозреватель ОРТ?

— Да, Елизавета Беляева, та самая, — не без гордости заявила Бутейко, — между прочим, когда-то они с Темочкой работали вместе, на одном канале.

* * *

Красавченко сидел в кресле, вальяжно раскинувшись, и чувствовал себя в Лизином номере как дома. Он все тянул время, держал паузу, он, правда, был неплохим психологом. Каждая минута неопределенности шла ему на пользу. Лиза нервничала все больше, чувствовала себя все хуже, а чем человек взвинченней, тем он слабей, тем проще им манипулировать.

Она уже успела несколько раз задать простой и логичный вопрос:

— Что вам от меня надо?

— Внимания и уважения, — отвечал он бархатным елейным голосом.

— Это не серьезно. Давайте конкретней, чего вы хотите? — Лиза отошла от окна, уселась в кресло напротив Красавченко. Шок прошел. Мозги прочистились. «А вообще, — подумала она, — для реального шантажа слишком глупо и дешево. И весь он со своими ухаживаниями, намеками, глубокомысленными замечаниями какой-то ненатуральный, пластмассовый, как штампованная китайская игрушка. Однако почему-то он ведь привязался ко мне. Хотелось бы знать почему. Надо спокойно дождаться, когда он наконец сам выскажет свои требования. Надо дать ему возможность сделать хоть один серьезный ход. Это может быть опасно, но иных вариантов нет. Пока я просто ничего не понимаю».

— Я вас внимательно слушаю, Анатолий Григорьевич.

— Я уже сказал, мне надо поговорить с вами. Мне надо, чтобы вы соизволили обратить на меня внимание, чтобы вы услышали меня.

— Ну вот, говорите. Я вся внимание.

— В наше время людям все тяжелее докричаться друг до друга, никто не хочет слушать ближнего, только самого себя. — Он вздохнул и выразительно закатил глаза.

«Похоже, он просто тянет время, валяет дурака, — вдруг догадалась Лиза, — как будто ждет чего-то. Иных вариантов я не вижу. Можно, конечно, попытаться еще раз его выставить, но это не так просто. Возможно, сейчас он уйдет, но завтра все начнется сначала... О, Господи, да что же мне так худо? Может, давление? Или магнитные бури?»

— Ну, вы прямо экзистенциальный философ, — она слабо усмехнулась, — заслушаться можно, так все глубоко и содержательно.

— Перестаньте! — впервые он повысил голос и густо покраснел. — Бросьте этот ваш идиотский тон! Всему есть предел!

— Для шантажиста вы слишком нервны и обидчивы, — сочувственно заметила Лиза.

Несколько секунд он молчал, она видела, как он лихорадочно работает над собой, пытается побороть раздражение.

— Анатолий Григорьевич, вам нехорошо? — спросила она тихо и серьезно, без тени иронии.

— С чего вы взяли? — Он вздрогнул, и Лиза искренне поздравила себя с первой за этот вечер маленькой победой.

— Вы краснеете, бледнеете, у вас руки дрожат.

Он тревожно взглянул на свои руки. На самом деле, не было никакой бледности и дрожи. А вот сама Лиза чувствовала себя все хуже. Ее сильно знобило. Впрочем, ее всегда знобило, когда она хотела спать.

Спокойно глядя ему в глаза, она произнесла усталым, безразличным голосом:

— А знаете, Анатолий Григорьевич, продавайте вы эти несчастные снимки куда хотите. Мне безразлично. Более того, я могу в прямом эфире рассказать смешную историю о том, как гуляла по Монреалю, забрела случайно в квартал публичных домов и порно-заведений. Меня обступили, стали наперебой предлагать дешевые услуги. Вот ведь кошмар! Но такое могло случиться с кем угодно и где угодно. В Париже есть Плас-Пигаль, в Нью-Йорке Сорок седьмая улица, и там тоже хватают за руки, демонстрируют товар. Я поспешила уйти, и очень обрадовалась, встретив соотечественника, любезного дипломата господина Красавченко. Он, как истинный джентльмен, вывел меня из порно-джунглей, успокоил, угостил фруктовым салатом. Но оказывается, прежде чем спасти меня от приставучих проституток мужского пола, он решил запечатлеть для истории уникальные кадры. То ли мое испуганное лицо показалось ему необыкновенно выразительным, то ли заинтересовали окружившие меня колоритные фигуры, в общем, в немолодом дипломате проснулся юный репортерский азарт. Но азарт — вещь опасная. Стоит только поддаться ему, и не замечаешь, как теряется чувство реальности.

— Возможно, — кивнул он, — я допускаю, что снимки не так уж страшны для вас. Но согласитесь, приятного мало. А если учесть всякие тайные сложности в вашей личной жизни... Нет, Лиза, я вовсе не теряю чувство реальности. Ведь вы испугались, вы занервничали, стало быть, не так уж и глупо я все придумал.

— Да, я растерялась в первый момент. Но нельзя делать ставку на растерянность. Она очень быстро проходит. Знаете, Анатолий Григорьевич, я, пожалуй, подам на вас в суд за шантаж. И давайте на этом распрощаемся. Третий час ночи. Очень спать хочется.

Спать действительно хотелось так, что язык заплетался, ноги и руки стали ватными, перед глазами все плыло. Лиза заставила себя встать с кресла, шагнула к двери, но чуть не упала, ноги подкосились, она едва успела ухватиться за притолоку, крепко зажмурилась на секунду, пытаясь прийти в себя, но стало еще хуже. Она с трудом нащупала замок, открыла дверь нараспашку и произнесла как можно громче:

— Спокойной ночи, Анатолий Григорьевич.

Однако голос ее прозвучал как-то неестественно глухо.

Красавченко продолжал сидеть, глядя в пол, и нервно теребил уголок кружевной салфетки, лежавшей на журнальном столе.

— Если вы сейчас же не выйдете, я позову ночного портье, — пробормотала Лиза, чувствуя, что теряет сознание.

— Для этого вам надо сначала надеть туфли. Вы же не пойдете в коридор босая? И вообще, вы вряд ли сумеете сделать несколько шагов. Вам плохо, я вижу. Как вы ни пытаетесь взять себя в руки, вам очень плохо, Лиза.

Она захотела крикнуть, но крик застрял в горле. Тело стало как будто чужим. Она чувствовала, что медленно сползает на пол, но ничего не могла поделать. Красавченко подскочил к ней, быстро бесшумно закрыл дверь, подхватил ее под мышки и как куклу поволок к креслу. Она все видела, слышала, понимала, но не могла шевельнуться. Она еще раз попыталась крикнуть, но из горла вылетел лишь слабый хрип.

— Говорить вы сможете, — объяснял Красавченко, усаживая ее в кресло, — но шепотом, совсем тихо, так, что услышу вас только я и больше никто. Двигаться не пытайтесь. Не тратьте на это силы. В ваше вино я добавил десять миллиграмм вещества, которое называется «АШ-709». Это яд. Противоядие у меня, я дам его вам, как только вы ответите на несколько вопросов.

— Не морочьте мне голову, — хрипло прошептала Лиза, — при большинстве отравлений требуется не противоядие, а промывание желудка... Вы не могли ничего добавить. Я бы заметила.

— Ресничка, — напомнил Красавченко, — я успел. Дурное дело не хитрое.

— Вас арестуют... В вино вы добавили наркотик, а не яд.

236

— Лиза, время пошло. Если я пойму, что вы мне врете, завтра утром горничная обнаружит ваш труп в номере. Вскрытие покажет, что вы скончались от острой сердечной недостаточности. Никто не видел, как я входил сюда, никто не увидит, как выйду. Ни одного моего отпечатка не останется. Старайтесь говорить правду. Вашей семье принадлежал дачный участок в поселке «Большевик» по Савеловской дороге.

— Батурино...

— Ну да, правильно, поселок назывался Батурино до революции, потом его переименовали в «Большевик», и ваш дедушка получил там большую хорошую государственную дачу. Вы часто приезжали на дачу?

— Да.

— Кто-то из ваших родственников копал там землю?

— Да.

— По всему участку или в каких-то определенных местах?

— Бабушка Клава сажала малину вдоль забора. Дядя Валера вскапывал огород. На участке был небольшой пруд... Болотце... в самой глубине, у дубовой рощи.

— Правильно. Там остался каменный круглый фундамент садовой беседки.

— На нем было удобно рубить дрова.

— Кто-нибудь там копал землю?

— Нет. Там рубили дрова для печки, и росла крапива... Ее косили, а она все равно вырастала, очень быстро. Мне плохо, я не могу дышать...

— Нет, Лиза, с дыханием у вас все в порядке. — Красавченко поднял ее руку и стал считать пульс. — Вы стабильны. Вы можете говорить. Вы уверены, что вокруг пруда у рощи никто из ваших родственников не копал землю?

— Это могло быть до моего рождения, могло быть в раннем детстве. Зачем вам? Что вы хотите?

— Камень.

— Какой камень? Я не могу дышать.

— Можете. Я сказал, вы стабильны. Откройте глаза. Смотрите мне в глаза. Где камень?

— Я не понимаю, о чем речь... При чем здесь наш дачный участок? Он давно нам не принадлежит. Когда умерла бабушка, дача досталась родственникам.

— Лиза, у меня в руках шприц. Здесь противоядие. Осталось две минуты. Где камень? Брошь в форме цветка орхидеи, с крупным бриллиантом в центре, с платиновыми лепестками, украшенными маленькими круглыми топазами, которые напоминают капли росы, с продолговатыми изумрудами в виде листьев.

— Мне нужен врач. Мне плохо.

— Вы или кто-то из ваших родственников находили что-либо в земле на дачном участке?

— Да.

— Что именно?

— Дождевых червяков.

ГЛАВА ПЯТНАДЦАТАЯ

В последнее десятилетие девятнадцатого века среди московских сановников распространилась старинная петербургская мода. За проигрыш в макао расплачивались алмазами. Столы были покрыты черным бархатом, рядом с каждым игроком стоял небольшой кедровый ящик. Золотой ложечкой черпали по камушку за каждую девятку. Эта аристократическая забава была придумана еще во времена Екатерины Второй. Тогда она напоминала иллюстрацию к сказкам «Тысячи и одной ночи». Но на рубеже железного девятнадцатого века это больше походило на пир во время чумы. Во всяком случае, для графа Ивана Юрьевича Порье увлечение алмазным макао закончилось настоящей чумой, разорением и безумием.

Иван Юрьевич с юности был азартным игроком. Жизнь его состояла из бесконечной череды выигрышей и проигрышей. Как любой игрок, не умеющий вовремя остановиться, проигрывал он чаще и больше, чем выигрывал.

Алмазное макао окончательно добило не только его, но и будущность его семейства. Таинственное сияние драгоценных кристаллов действовало на графа опьяняюще, он забывал за бархатным столом, что ему почти шестьдесят, что он плешив и толст, страдает подагрой и несварением желудка, что его Крестовоздвиженский прииск давно истощился, там больше нет ни золота, ни алмазов, из двух имений одно заложено, другое полностью разорено вором-управляющим.

За месяц граф Иван Юрьевич не только влез в огромные долги, но и проиграл уникальную семейную коллекцию алмазов. Обнаружив, что сыпать в кедровый ящичек больше нечего, граф впал в черную меланхолию, потом сделался буен, рвал без разбора бумаги в своем секретере, жег в камине одежду и белье, чуть не спалил дом. Первого января 1900 года граф Иван Юрьевич скончался в лечебнице для душевнобольных.

Сын его, Михаил Иванович, обнаружил, что все наследство составляют долги отца, расплатиться с кредиторами он никогда не сумеет, а пощады ждать не приходится. Единственным разумным выходом могла бы стать только спешная выгодная женитьба.

Графский титул стоил дорого, Михаил Иванович был хорош собой, однако выбор оказался невелик. О том, что имущественные дела аристократического жениха обстоят более чем скверно, знала вся Москва.

В красавца графа давно и безнадежно была влюблена единственная дочь купца-золотопромышленника Болякина, Ирина Тихоновна, дородная, всегда немного сонная тридцатилетняя барышня с пышным бюстом и темными усиками. Дело решилось очень скоро, Ирина Тихоновна на робкое предложение графа ответила живым пламенным согласием.

Батюшка, купец Болякин, сначала отнесся к сватовству графа настороженно. Он даже поспорил с дочкой, но та привела неоспоримые доводы в виде короткого обморока и обещания отравиться. А поскольку Ирина Тихоновна в ранней юности уже пыталась травиться морфином из-за какого-то петербургского гуляки-корнета, и доктора сказали, что психика ее весьма неустойчива, Тихон Тихонович не стал возражать.

Он пригласил графа в свой кабинет и имел с ним непродолжительную беседу.

— Ваше сиятельство, — сказал купец, — я считаю своим долгом предупредить вас, что моя дочь не совсем здорова.

— Да что вы, — искренне удивился граф, — она выглядит совершенно здоровой.

— Я имею в виду не физический, а нервный недуг. У нее случаются приступы меланхолии и тяжелой подозрительности.

— Смею вас уверить, Тихон Тихонович, что мое искреннее чувство победит этот недуг, — ответил граф, — я люблю Ирен.

— Да будет вам, ваше сиятельство, — купец укоризненно покачал головой, — вы женитесь на моей Ирине потому, что у вас денег нет. Положение у вас безвыходное, но у меня тоже. Моя Ирина засиделась в девках, доктора говорят, ей надо замуж скорей, иначе совсем занеможет. Но за купца она не пойдет, а кроме вас, титулованные особы к ней пока не сватались, да и вряд ли посватаются. К тому же она вбила себе в голову, что влюблена в вас до смерти. Дочь у меня одна, и ради ее счастья я готов расплатиться с долгами вашего покойного батюшки, графа Ивана Юрьевича, Царство ему Небесное, — купец встал, истово с поясным поклоном, перекрестился на красный угол, потом сел, тяжело уставился на графа и продолжал: — Я готов спасти вас от долговой тюрьмы, но и вы уж нас уважьте, ваше сиятельство. Будьте для моей Ирины добрым мужем, живите с ней честно, по-христиански.

— Да как же иначе, дорогой Тихон Тихонович? — улыбнулся граф. — Конечно, по-христиански.

— Даете ли вы мне честное слово, что не обидите мою Ирину?

— Конечно, сударь, — поспешно ответил граф, — я даю вам честное слово.

Купец смерил его долгим внимательным взглядом и произнес задумчиво:

— Ну, глядите, ваше сиятельство. Обещались.

...Через неделю вся Москва судачила о том, что купец-золотопромышленник Болякин расплатился с кредиторами графа Порье.

22 апреля 1900 года в церкви Преподобного Пимена граф Михаил Иванович Порье обвенчался с купчихой первой гильдии девицей Болякиной. В московском свете союз это сочли пикантным. Прабабка Ирины Тихоновны была горничной графини-прабабушки Ольги Карловны Порье, и находились злые языки, которые поговаривали, что граф устроился приживалом к дворовой девке. Впрочем, злые языки всегда болтают что-нибудь злое.

В ночь перед венчанием Михаил Иванович извлек из запертого ящичка своего секретера, ключ от которого всегда носил при себе, небольшую серебряную шкатулку старинной работы. Изнутри шкатулка была обита алым бархатом. На бархатной подушечке лежала брошь в виде цветка орхидеи.

В кабинете был полумрак, горел только маленький ночник под зеленым абажуром. На миг графу показалось, что у камина в старинном вольтеровском кресле притаилась прозрачная тень прабабушки.

«После венчания ты приколешь на платье своей молодой красавицы жены брошь-орхидею. Платиновые тонкие лепестки с топазовыми каплями росы, листья из удлиненных изумрудов, а в центре будет сиять алмаз «Павел». И красавица жена тебя никогда не разлюбит. Вы будете жить долго и счастливо в разумном, милосердном, прогрессивном двадцатом веке».

Платиновые лепестки были закреплены подвижно и чуть подрагивали на ладони. Топазы влажно светились в полумраке, изумруды казались почти черными. Искусно ограненный алмаз «Павел» разбрасывал вокруг себя лучи, тонкие и острые, как иглы. Казалось, кристалл впитывает весь свет, который есть в комнате. Граф, как бывало в детстве, поднес камень совсем близко к глазам и увидел множество нежных маленьких радуг.

«Черт, ведь если продать, можно заплатить хотя бы часть долгов, — мелькнуло у него в голове, — а возможно, и все долги. Я ведь не пытался оценить брошь, я никому ее не показывал. Вероятно, она страшно дорого стоит. Прабабушка так просила на смертном одре никогда не продавать «Павла», так просила... Однако что же теперь? Купчиха Болякина? Ладно, авось как-нибудь я справлюсь с дурой-бабой».

Граф представил темные усики и пышный бюст Ирины Тихоновны, тяжело вздохнул, убрал брошь назад в шкатулку и запер ее в ящике секретера.

Сразу после венчания новобрачные отправились путешествовать за границу. Десятилетие перед Первой мировой войной было для Европы едва ли не самым спокойным и счастливым за всю ее историю. Двадцатый век действительно обещал быть разумным, милосердным и прогрессивным. Он сократил расстояния между странами и людьми. Велосипед, автомобиль, электрифицированные дороги сделали путешествия легкими, приятными и доступными. У среднего европейца появилось новое ощущение пространства и себя в пространстве. Люди стали здоровей и красивей, спорт вошел в моду, дамы отказались от корсетов, солнечных зонтиков и вуалеток, перестали бояться солнца и ветра, укоротили юбки, запрыгали на теннисных кортах, научились плавать, кататься на лыжах, водить автомобили.

Ирина Тихоновна не уставала рассуждать о том, что увлечение спортом безнравственно и вредит женскому здоровью.

В Париже выступал Сергей Дягилев с русским балетом. Граф Михаил Иванович был балетоманом, но впервые не получил от спектакля никакого удовольствия. Ирина Тихоновна не стеснялась громким шепотом одергивать его, ей все казалось, что его бинокль устремлен не на сцену, а в соседнюю ложу, где поблескивали в полумраке обнаженные плечи известной парижской кокотки мадемуазель де Пужи.

В Риме Ирина Тихоновна устроила скандал из-за того, что ей почудилось, будто хорошенькая горничная в отеле передала графу какую-то записку и прикоснулась щекой к его щеке, когда ставила перед ним чашку шоколада. Она перерыла все вещи графа в поисках этой записки, не обнаружив ничего подозрительного, разозлилась еще больше и настояла на том, чтобы переехать из отеля в частный пансион. Но там прямо под балконом был теннисный корт, по корту бегали две юные англичанки в немыслимо коротких юбках, и граф слишком долго задерживался на балконе, наблюдая их игру.

В Венеции самое сильное впечатление на нее произвел слишком долгий взгляд графа на открытые выше колен ноги какой-то смуглой красавицы, которая сидела в гондоле, закрыв глаза и подставив лицо солнцу.

— Вы ведете себя безнравственно, Мишель! — повторяла Ирина Тихоновна, продираясь сквозь пеструю радостную толпу Неаполитанского карнавала и крепко держа графа под руку. — Что вы позволяете себе? Вы позорите меня за мои же деньги!

Михаил Иванович понял, что погиб. Хитрый Тихон Тихонович оформил все имущественные документы таким образом, что в случае развода граф оставался нищим как церковная мышь.

ГЛАВА ШЕСТНАДЦАТАЯ

Во сне Елизавета Павловна замерзла, но проснуться не могла. Холод вошел в сон вместе с воем ветра и мерным стуком капель о стекло. Ветер выл уже не за окном гостиницы, не в Монреале, а в старинной дубовой роще, в подмосковном поселке Батурино.

Кончался сентябрь, он был дождливым, и опавшие листья быстро теряли нарядный желто-оранжевый окрас, безобразно темнели, гнили, тяжелый дождь и резиновые сапоги редких дачников втаптывали их в мягкий суглинок.

В двухэтажном доме у рощи давно жили чужие люди.

Огромный, в двадцать соток участок в элитарном подмосковном поселке «Батурино» был еще в сталинские времена выделен дедушке за особые заслуги в развитии советской науки. Дедушка завещал дачу жене и сестре, на равных правах. Перед смертью он просил, чтобы дом и участок не делили пополам, жили как настоящая семья, все вместе. Он по наивности своей надеялся, что сложные отношения между его любимой женой и не менее любимой сестрой как-нибудь наладятся на свежем воздухе, за круглым семейным столом. Но ничего не наладилось. Бабушка Надежда на дачу почти не ездила, она была городским человеком, ее раздражали комары, общий холодильник, общий умывальник на улице, поджатые губы Клавдии, быстрые хищные глазки Зои, язвительные намеки на какую-то ее мнимую вину перед покойным мужем.

Чем старше становилась Лиза, тем неуютней чувствовала себя на даче, в чужом враждебном семействе. Ее попрекали, что все время читает книжки и не помогает копаться в огороде, дядя Валерий обязательно за столом повторял: «Кто не работает, тот не ест», и у Лизы застревал в горле кусок редиски. С каждым годом она приезжала на дачу все реже, в комнате, где она обычно жила, устроили что-то вроде кладовки, поменяли замки на калитке и на двери дома, и ключей Лизе не дали.

Бабушка Надежда не успела оставить завещания, Валерий и Зоя ловко, быстро переоформили дом и участок на тетю Клаву, наверное, сунули взятку в поселковом совете, щедро заплатили нотариусу, в общем, по документам единственной владелицей оказалась Клавдия, и она, разумеется, завещала дачу сыну. Бездетные Валерий и Зоя осуществили наконец свою многолетнюю мечту, стали полноправными хозяевами дома и участка.

Родители Лизы пробовали спорить, но не через суд, а просто по телефону. Они объясняли родственникам, что Лиза выросла в этом доме, очень его любит, что так порядочные люди не поступают. Но эти сентиментальные доводы вызывали у Валерия и Зои здоровый саркастический смех.

Лиза к тому времени была уже вполне взрослой, чтобы попытаться отвоевать половину дома и участка, но не хотела пачкаться. Она трезво оценивала свои силы и знала, что с Валерием и Зоей тягаться не стоит. Они способны вцепиться зубами в то, что хотят иметь, и готовы за это любому перегрызть глотку, истрепать нервы. Они способны, она — нет, а ее родители тем более. Она решила, что больше никогда не приедет в поселок, пусть дачная жизнь останется светлым теплым воспоминанием, и уютный деревянный дом не превратится в поле боя.

С тех пор прошло пятнадцать лет, Лиза так ни разу не побывала в поселке. Но этой осенью приехала, чтобы похоронить свою Лоту именно там, в дубовой роще.

Старая собака прожила после операции всего два

месяца. В начале сентября у нее отнялись задние лапы. Умирала она долго, мучительно, до последнего дыхания все пыталась встать, глядела на Лизу покорными, совершенно человеческими глазами и каждый раз начинала дрожать, когда кто-нибудь в семье заводил разговор о том, что хватит мучить животное, надо Лоту усыпить.

— Кажется, собака для тебя дороже всех нас, вместе взятых, — говорил Михаил Генрихович, — неужели ты не видишь, как это травмирует детей? Нельзя превращать дом в ветеринарную лечебницу и жить в постоянном трауре из-за умирающего животного. Это все-таки животное, а не человек.

Лиза ловила себя на том, что при муже и при детях стесняется плакать, стыдится своей острой, невыносимой жалости.

— Никогда не думал, что ты, мамочка, такая сентиментальная, — сказал как-то сын Витя, услышав, как она ночью разговаривает с Лотой, баюкает пса, словно младенца.

Впервые в жизни она позволила себе на некоторое время выйти из роли спокойной, надежной, железной отличницы, свободной от сантиментов, полностью владеющей своими эмоциями. На работе, среди чужих, еще держалась, но с близкими не могла, и это их пугало, раздражало. Даже дочь Надюша холодно пожимала плечиками, глядя на мамины слезы, и разумно замечала, что собака — не человек.

Только с Юрой она не чувствовала себя виноватой, он не считал, что так сильно переживать из-за собаки ненормально, неприлично. Перед ним не стыдно было плакать от жалости и бессилия. Он понимал ее без всяких объяснений. С ним хорошо было молчать, сидя в машине, и слушать, как сентябрьский дождь стучит по крыше. Для того чтобы успокоиться и согреться, достаточно было просто уткнуться носом в его плечо, вдохнуть запах прокуренного свитера.

Лота умерла ночью, после долгих мучительных судорог. Лиза сидела на полу, держала ее голову на коленях и чувствовала, как отчаянно борется со смертью живое существо. У животных нет бессмертной души, им страшнее умирать, они уходят в никуда, в черноту. Возможно, это глупость, приторные сантименты, которые не стоят ни гроша.

Возможно, прав был муж, когда говорил, что она ведет себя словно выжившая из ума слезливая старая дева. В мире столько кошмара, настоящего человеческого горя, а тут всего лишь собака, к тому же капризная, недобрая, к тому же с ней было так тяжело в последнее время, она ходила под себя, и запах не истреблялся никакими моющими средствами, она громко всхлипывала ночами, все пыталась встать на четыре лапы, падала с грохотом, будила мужа и детей, которым рано вставать.

— Послушай, ты хотя бы отдаешь себе отчет, что это ненормально — так переживать из-за собаки? — услышала Лиза голос мужа, и только тогда заметила, что Лота уже не дышит, а сама она захлебывается слезами.

С тех пор прошло совсем немного времени, ей часто снился дождливый, до черноты пасмурный день, когда вместе с Юрой они поехали в поселок «Большевик», который теперь назывался Батурино, чтобы там, в дубовой роще, похоронить собаку.

Из-под колес вишневой «шкоды-фелиции» летели брызги, дождь заливал ветровое стекло.

— Почему ты дрожишь, Лизонька? — не отрывая глаз от дороги, Юра тронул ее руку. — Если холодно, я могу включить печь.

— Не нужно. Это нервное.

— Ты боишься, нас увидят?

— Нет. В поселке сейчас пусто, в плаще под капюшоном вряд ли кто-то узнает. К тому же темнеет... Нет, ничего я не боюсь, просто я не была здесь пятнадцать лет. Я очень любила в детстве эту дорогу, поворот к роще. Почти ничего не изменилось.

Машину оставили у небольшой поляны, где когда-то была волейбольная площадка, в рощу зашли со стороны соседней улицы. Лиза издалека заметила, что в окне старого деревянного дома горит свет, и отвернулась.

Лопата легко входила в мягкую мокрую землю. Стало совсем темно, Лиза зажгла карманный фонарик. Когда все было уже закончено и над собачьей могилой вырос небольшой холмик, совсем рядом послышались шаги. Кто-то приближался к ним в темноте, хрипло, надрывно кашляя. Тонкий фонарный луч выхватил из мрака капюшон плащ-палатки, сморщенное старческое лицо.

— Покурить не найдется? — произнес хриплый голос.

Юра вытащил пачку сигарет из кармана, чиркнул зажигалкой. Старик судорожно закашлялся от первой глубокой затяжки и спросил:

— Кто такие?

— Мы так, проездом, — ответила Лиза.

— А что копали-то здесь?

— Собаку похоронили.

— Почему здесь?

— А где же? Ведь не на кладбище, и не на помойку выбрасывать, — ответил Юра и закурил.

— Это я понимаю, но почему именно здесь? Между прочим, документы у вас имеются?

— Зачем?

— Может, вы не собаку, а труп здесь зарыли. Известно, какое сейчас время.

— Да, конечно. Труп, — грустно усмехнулась Лиза.

Что-то в голосе старика, в его сморщенном пропитом лице было знакомое.

— Ты, дамочка, так не шути. Давайте-ка мне документы, а то сейчас за милицией пойду.

— Николай Петрович? — внезапно вспомнила Лиза. — Надо же, дядя Коля... Вы здесь до сих пор сторожем работаете?

— Верно, сторожем. А ты откуда знаешь?

— Да уж знаю. Я здесь, можно сказать, выросла. В детстве каждое лето приезжала. Как Наталья Даниловна, здорова?

— Померла Наталья Даниловна, — старик опять закашлялся, потом произнес уже другим, спокойным голосом: — Что-то я тебя не узнаю, дамочка. На себя посвети, чтоб я видел.

— Я здесь пятнадцать лет не была, — Лиза осветила свое лицо фонариком, — вот, теперь узнали?

— Лизавета? Ну ты смотри, какая стала! Слушай, по телевизору ты, что ли, новости ведешь?

— Я.

— Это ж надо! А я все смотрю, ты или нет? Это муж твой, что ли?

— Муж, — не задумываясь, ответил Юра.

Потом, в машине, они долго молчали, и только когда подъехали к Кольцевой дороге, он спросил:

— Ты не обиделась?

— За что?

— За то, что я имел наглость назваться твоим мужем?

— Я не обиделась, но не стоило этого делать, — в голосе ее мелькнули неприятные металлические нотки.

— Просто я подумал, мало ли кому этот сторож разболтает о твоем приезде, и будет лучше, если он скажет, что ты приезжала сюда с мужем.

— Да, наверное, ты прав.

Они опять замолчали и больше не произнесли ни слова до конца пути. Ей все еще было холодно, хотя в машине работала печка. На нее навалилась тоска, тяжелая и вязкая, как размокший суглинок.

* * *

Около трех часов утра в нижнем холле гостиницы «Куин Элизабет» стояла тишина. За стойкой ночной портье читал роман Дина Кунца в мягкой обложке. Время с двух до шести считалось самым спокойным, постояльцы редко приезжали и уезжали ночами, а если такое случалось, то об этом всегда было известно заранее. Приезжающие бронировали номера, отъезжающие заказывали по телефону «звонок-будильник» и такси. Чтобы не уснуть, портье читал мистические триллеры и слушал через наушники тяжелый рок.

На эту ночь не поступало никаких заказов. Портье, перевернув последнюю страницу романа, посмотрел на часы, выключил плеер и решил немного вздремнуть. Его разбудил мелодичный звонок. Портье встряхнулся, протер глаза и увидел высокого широкоплечего господина, который быстро шел от лифта к дверям. Одет он был в черные джинсы, черную кожаную куртку, на ногах кроссовки, на плече спортивная сумка. Большие очки с дымчатыми стеклами и кожаная кепка, надвинутая до бровей, делали его похожим на гангстера.

— Простите, сэр, — окликнул его портье, — двери заперты.

Незнакомец резко остановился и произнес, не оборачиваясь:

— Откройте, пожалуйста.

Глядя на высокую широкоплечую фигуру человека в черном, портье вдруг подумал, что он похож не на гангстера, а на оборотня-маньяка, серийного убийцу из триллера, который он только что закончил читать.

— Простите, сэр, могу я узнать, вы живете в нашей гостинице или приходили к кому-то в гости? — спросил портье, машинально нащупывая кнопку экстренного вызова охраны.

Прежде чем ответить или хотя бы обернуться, господин в кепке застыл на несколько секунд, сунул руку за пазуху. Портье готов был уже нажать на кнопку, но незнакомец вытащил из кармана ярко-голубую глянцевую карточку с серебряным уголком, и портье успокоился, издали узнав фирменную гостиничную визитку.

— Спасибо, сэр. Не могли бы вы подойти и показать мне карточку? Прежде чем выпустить вас, я должен проверить по компьютеру, все ли у вас в порядке с оплатой.

— Но я никуда не уезжаю, — ответил незнакомец, и портье обратил внимание на его славянский акцент, — я всего лишь хочу немного погулять по ночному Монреалю.

— Я понимаю, сэр, и все-таки я обязан проверить. «Сейчас он медленно подойдет к стойке, на губах его будет играть зловещая улыбка, в руке блеснет лезвие старинной опасной бритвы, — подумал портье и почувствовал, как бледнеет, — я не успею опомниться, как он полоснет мне по горлу. Последнее, что я увижу — четырехугольные зрачки за дымчатыми стеклами его очков. Кровь широкой, пульсирующей струей хлынет из сонной артерии, он окунет в нее свои белые пальцы без ногтей и медленно проведет по монитору компьютера, наискосок, от угла до угла, оставляя четыре красные полосы. Мерзкий скрип разбудит маленькую сироту Дженифер, она чувствует каждое движение маньяка, даже находясь на расстоянии нескольких тысяч километров...»

— Что случилось, Эдди? — услышал он недовольный голос охранника и вздрогнул, как будто очнулся после секундного обморока. Оказывается, он сам не заметил, как нажал кнопку вызова.

Незнакомец стоял у стойки и нетерпеливо отстукивал пальцами дробь по голубой гостиничной визитке. Разумеется, ничего не случилось. Пришлось извиняться и перед постояльцем, и перед охранниками.

«Нельзя читать столько мистики, особенно ночью, — подумал портье, набирая на компьютере сложную славянскую фамилию постояльца. Все было в порядке. Номер оплачен до конца следующих суток, никаких долгов за телефонные звонки и платный бар.

— Сейчас я вас выпущу. — Портье вышел из-за стойки, позванивая связкой ключей, направился к двери. — Будьте осторожны, сэр, Монреаль — не самый безопасный город в это время.

— Спасибо, я всегда осторожен, — улыбка у него была в точности как у маньяка на мягкой обложке триллера.

Анатолий Григорьевич Красавченко очень спешил, и пустынную площадь перед гостиницей пересек легкой рысцой. Пробежав несколько кварталов по улице Святой Екатерины, он свернул, миновал тускло освещенные витрины торговых центров и уже через десять минут оказался на залитой мертвенным светом улице. Именно сюда забрела по рассеянности Елизавета Павловна Беляева и металась, как загнанное животное, среди приставучих проституток и наркоманов.

Анатолий Григорьевич сбавил темп и медленно побрел по обледенелой панели, вглядываясь в лица сонных девушек, которые даже в такое неурочное время не оставляли свои рабочие места. Это был товар самого низкого качества. Смутные, бессмысленные лица, покрытые слоями дешевой косметики, свалявшиеся парики, гнилые зубы. Существа, сожженные наркотиками и алкоголем, равнодушные ко всему на свете, кроме денег, на которые можно купить наркотики и алкоголь. Красавченко сообразил, что не стоит напрасно терять время. Сэкономить ему не удастся, да он и не особенно рассчитывал на это.

Заметив его равнодушие к девушкам, к нему привязался молодой человек в красных клетчатых рейтузах, тот самый, который совсем недавно предлагал свои дешевые услуги Елизавете Павловне. Красавченко брезгливо фыркнул, ускорил шаг, свернул в переулок и попал на параллельную улицу. Она была пуста, фасады домов казались чище, вывески переливались разноцветными огоньками. Здесь сексуальные услуги стоили на порядок дороже. Товар не мерз на панели, а прятался внутри. Красавченко выбрал заведение с самым невинным названием: «Галерея «Маленький Амстердам».

Это действительно была галерея, похожая на подземный торговый центр. Вход стоил двадцать канадских долларов. У лестницы стояли крепкие охранники. Спустившись вниз, Красавченко оказался между двумя рядами сверкающих стеклянных витрин. За стеклами были видны жилые комнаты с хорошей мебелью. В комнатах шла неспешная, вполне обыденная жизнь.

Девушки в открытых купальниках, в прозрачных пеньюарах, в кружевном нижнем белье, в эластичных трико и в кожаных тугих шортах сидели за столиками, потягивали колу из железных банок, листали яркие журналы, курили, некоторые лежали на стилизованных под старину кушетках или прямо на полу, на ковриках. Казалось, им не было никакого дела до редких покупателей, глазевших на них сквозь стекло.

Красавченко внимательно вглядывался в лица, у некоторых витрин останавливался, знаками просил повернуться в профиль, подойти ближе к стеклу. Наконец он нашел, что искал.

Высокая пепельная блондинка лет тридцати в джинсовых шортах и простенькой маечке сосредоточенно читала газету, сидя в кресле-качалке у круглого журнального столика. В глубине виднелась добротная большая кровать и пластиковая душевая кабинка. Красавченко тихонько постучал ногтем в стекло. Женщина вскинула голову. Он долго, пристально вглядывался в ее лицо. Большие голубые глаза, высокий лоб, высокие скулы, прямой короткий нос, бледные крупные губы. Женщина встала, прошлась по ковру босиком, повернулась, демонстрируя себя со всех сторон. Красавченко удовлетворенно кивнул, она улыбнулась и показала знаками, что вход с другой стороны.

Там была глухая стена с дверью. У двери его встретил охранник.

— Пожалуйста, ознакомьтесь с нашими правилами и прейскурантом, — он протянул целую пачку бумаг. Красавченко пробежал глазами перечень услуг, предоставляемых этой женщиной, тихо присвистнул, заметив, что дороговато получается.

«Аванс пятьдесят долларов наличными. Кредитные карточки не обслуживаются, чеки не принимаются. Запрещено целовать леди в губы, прикасаться к ее волосам, причинение боли и нанесение увечий преследуется по закону...»

— Вы все прочитали, сэр? — спросил охранник. — Вас устраивают условия?

— Да.

— Пожалуйста, аванс и подпись.

— Сначала мне необходимо поговорить с леди.

— У вас какие-то особые пожелания, не входящие в перечень услуг?

— Да.

— В таком случае, вы должны обсудить это сначала с менеджером. Я провожу вас в его офис.

Делать было нечего, Красавченко последовал за охранником в глубину галереи. Там располагался просторный уютный кабинет, обставленный дорого и со вкусом. Из-за стола навстречу ему поднялся маленький пухлый старик с белоснежной кругленькой бородкой и розовой глянцевой лысиной.

— Присаживайтесь, сэр. Я вас слушаю.

— Я хочу заснять леди на видео.

— Нет проблем, сэр, — любезно улыбнулся менеджер, — мы предоставим вам оператора с видеокамерой, тридцать минут съемки у нас стоят семьдесят пять долларов плюс стоимость основных услуг. Кассету вы получите через час после окончания съемки.

— Да, это меня устроит, — кивнул Красавченко, — тридцать минут вполне достаточно.

— Вы хотите, чтобы вас снимал мужчина или женщина?

— Все равно. Могу я попросить еще сделать несколько поляроидных снимков?

— Разумеется.

Охранник проводил его к белокурой леди. Когда стеклянную витрину закрыли плотные железные жалюзи, Красавченко вытащил из сумки небольшую коробку с театральным гримом.

— Перед съемкой мне надо вас немного подкрасить, детка.

Проститутка не возражала.

ГЛАВА СЕМНАДЦАТАЯ

Павел Владимирович Мальцев успел съесть свой любимый омлет с тертым сыром и выпить второй стакан апельсинового сока, а Красавченко все не было. Павел Владимирович заказал чашку кофе без кофеина и взглянул на часы.

Маленькое кафе, в котором они договорились встретиться, находилось в двух шагах от «Куин Элизабет». Из окна отлично просматривались подъезды гостиницы и площадь. Красавченко должен был выйти из гостиницы и пересечь площадь двадцать минут назад. Мальцев заволновался всерьез.

Точность была единственной надежной и достойной чертой наемника. Если он опаздывает, значит, что-то случилось. Он мог бы позвонить, телефон знает. Разумеется, случилось что-то плохое или очень плохое. Когда связываешься с негодяем, приятных сюрпризов ждать не приходится.

Что, если Красавченко, получив долгожданную информацию, решил тихо смыться? Что, если он никакой не Красавченко и загранпаспорт у него поддельный? Сколько всяких проходимцев шастает по миру, и никакие анкеты, никакой пограничный контроль не мешает им менять имена, исчезать, появляться вновь на другом конце земли, получать гражданство, приобретать недвижимость, открывать счета в банках. Вчера он был каким-нибудь Махмудом Ибрагимовым, чеченским террористом, а сегодня — гражданин Германии герр Штольц, владелец конной фермы, игорного дома и небольшого замка на живописном берегу Рейна. Вчера его называли каким-нибудь Васькой Черепом, и он руководил бандой шпаны в Люберцах, а завтра он американец русского происхождения Василий Васильефф, имеет ресторан на Брайтоне и виллу на Гавайях, по воскресеньям пьет безалкогольное пиво с полицейским начальством. Английского не знает, но взаимопонимание полное.

Павел Владимирович допил свой остывший кофе и пожалел, что не курит. Прошло еще десять минут. Он нервничал все сильней. Из гостиницы вывалила толпа туристов. Подъезжали и отъезжали автобусы, закрывая панораму. Мальцев напряженно искал глазами высокую широкоплечую фигуру, пытаясь собраться с мыслями и решить, что делать, если Красавченко так и не появится. Он готов был уже расплатиться и идти в гостиницу, подниматься к нему в номер, что, в общем, не имело смысла, но тут услышал за спиной знакомый голос:

— Доброе утро. Извините, задержался.

Он был в черных джинсах, в черной кожаной куртке нараспашку, в дымчатых очках. На плече у него болталась дорогая спортивная сумка. На тонких губах играла какая-то совсем новая, сытая, блатная ухмылочка. Павел Владимирович демонстративно взглянул на часы.

— Ну, проспал, с кем не бывает? — развел руками Красавченко, усаживаясь за стол. — Ночь была трудная, нервная, — он щелчком пальцев подозвал официанта, и жест получился такой хамский, что Павел Владимирович брезгливо поморщился.

— Слушай, дипломат, здесь так не принято.

— Пардон. — Красавченко снял куртку, остался в теплом черном пуловере, под которым была белая рубашка. Павел Владимирович заметил на воротнике розовато-бежевое пятно, след косметики.

— Да, я вижу, — кивнул он, — ночь у тебя действительно была трудная и нервная.

Подошел официант, и Красавченко заказал себе два жульена, говяжью вырезку с кровью, французский картофель, большой овощной салат, томатный сок.

— Ничего не ел со вчерашнего вечера, — объяснил он, — после ночной работы у меня просто волчий аппетит, даже в девять утра могу сожрать полный обед. Ну, что вы на меня так смотрите? Нет, она ничего не знает про побрякушку. Я допросил ее по полной программе. Результат нулевой. Вообще, все это какой-то абсурд. Такое ощущение, что мы с вами оба сошли с ума. Кстати, я все хотел вас спросить, насколько близко вы знакомы с нашим заказчиком?

— Ты уже трижды задавал мне этот вопрос.

— Разве? Ну ладно, задам еще раз. Тем более сейчас это особенно актуально.

— Почему?

— Потому, что мы с вами в тупике. Работа закончена, во всяком случае моя часть работы.

— С чего ты взял?

— Больше некого допрашивать. Беляева — последнее звено в этой цепочке.

— Есть еще другие пути. Подпольные ювелиры, их, между прочим, не так уж много, и кое с кем из них мы можем встретиться. Есть потомки тех людей, которые поселились в Батурине сразу после революции. Мы ведь начали с пятидесятого года, то есть пропустили больше двадцати лет.

— Да, конечно. Поиском этой брошки можно заниматься до конца своих дней. Предки, потомки, ювелиры, огороды... Поймите вы, нельзя действовать, рассчитывая только на счастливый случай. Лучше вообще ничего не делать, чем дергать удачу за хвост. Она ускользнет, как ящерица, у нее хвост новый вырастет. — Красавченко замолчал, ожидая, пока официант расставит перед ним тарелки. Он снял дымчатые очки, чтобы лучше разглядеть свою кровавую говядину. Павел Владимирович успел заметить, как неприятно он ест, каждый кусок подносит близко к глазам, вертит на вилке, потом стремительно отправляет в рот и жует быстро, жадно, кося глазами в сторону, как пес, который стащил чужую кость.

— Нельзя рассчитывать на счастливый случай, — повторил он, прожевав первый кусок мяса, — но вы так и не ответили мне, насколько хорошо знаете заказчика. Вы его видели? Или он вышел на вас через посредника?

— Видел пару раз.

— И какое он на вас произвел впечатление?

— Я не понимаю, к чему ты клонишь? При чем здесь мои впечатления?

— При том... — он отправил в рот второй кусок, глотнул минералки, — мне кажется, он больной.

— Кто?

— Наш заказчик.

— Очень интересно, — усмехнулся Павел Владимирович, — откуда такие мрачные подозрения?

— Ну, подумайте сами, разве нормальный человек вышвырнет такие деньги на ветер? Сколько он уже потратил ради этой несчастной брошки? Нет, он точно больной.

— А ты знаешь, Толик, в прошлом году на аукционе «Сотби» за потертого плюшевого медведя было заплачено пятнадцать тысяч долларов.

— Правильно, — кивнул Красавченко, — ничего удивительного, все коллекционеры сумасшедшие. Ими движет придурь, безумие.

Павел Владимирович хрипло откашлялся и, стараясь не глядеть собеседнику в глаза, равнодушно произнес:

— Ну что ж, в этом есть своя логика. Почему же ты с самого начала не отказался участвовать в этом безумии?

— Да кто же откажется от живых денег? К тому же

вначале все выглядело вполне разумно. Я взялся выполнить обычную для себя работу, проверить круг людей, которые могут владеть информацией. Я этим занимался много раз. С моей стороны не было ни одного прокола. Но сейчас, когда мы оказались в тупике, я понял, что сама идея этой операции абсурдна, и мне странно, как вы не этого не понимаете. Мы с вами, два нормальных человека, два профессионала, идем на поводу у сумасшедшего, ищем иголку в стоге сена. Мы никогда не найдем этот несчастный камень. Я не могу рисковать ради какой-то брошки, пусть даже она стоит миллион долларов. Это ведь все равно не мой миллион.

— Ты что, хочешь выйти из игры?

— Ни в коем случае. Зачем же расставаться с больным человеком, который готов сорить деньгами? — Красавченко уже расправился с говядиной, доедал последние, самые поджаристые ломтики французского картофеля, никак не мог подцепить их вилкой и принялся есть руками. — Сколько он выложил на одну только эту нашу поездку в Канаду? Дорога, жилье, суточные. И ради чего, спрашивается?

— Погоди, — перебил его Павел Владимирович, — я не понимаю, какого черта ты вдруг стал считать деньги заказчика?

— Ну, если он сам их не считает, так почему бы не вмешаться? — Красавченко весело подмигнул, выпил залпом остатки своего томатного сока и принялся за салат.

Павел Владимирович кивнул официанту и попросил стакан минеральной воды. У него пересохло во рту.

— И каким же образом ты собираешься вмешиваться?

— Сейчас попробую объяснить, — он откинулся на спинку кресла и закурил, — если камень мы не найдем, то ни копейки больше не получим. Верно?

— Допустим, — кивнул Мальцев и жадно втянул ноздрями табачный дым. Он бросил курить пару лет назад, но сейчас захотелось нестерпимо, — я возьму у тебя сигарету?

— Разволновались? — Красавченко понимающе улыбнулся. — Пожалуйста, курите на здоровье.

— У тебя что? «Мальборо»? Нет, для меня слишком крепко. Погоди, я сейчас, — он вскочил, бросился в соседний зал, к бару.

«Какая сволочь... какая опасная сволочь...» — Павел Владимирович бестолково уставился на бармена за стойкой, словно у него, а не у самого себя хотел спросить, сколько еще надо прожить лет на свете, чтобы не ошибаться в людях? Почему всегда кажется, что если ты нанял злодея и хорошо ему заплатил, то его злодейство будет работать на тебя, а не против тебя?

— Я могу вам помочь, сэр? улыбнулся ему бармен.

— Пожалуйста, пачку сигарет, самых слабых.

Когда он расплачивался, отсчитывал тяжелые конадские монетки, руки его уже не дрожали, глаза стали спокойными.

«Тебе, Паша, пятьдесят четыре года. Ты доктор искусствоведения, ты много всякого дерьма повидал в жизни, потому что ты любишь драгоценные кристаллы, а они притягивают к себе, как магниты, и кровь, и дерьмо, и пули. Стыдно трусить перед этим ублюдком, у которого, кроме наглости и звериного напора, ничего нет».

К столу он вернулся спокойной, неспешной походкой. Курить ему расхотелось.

— Слушаю тебя, Толик, — произнес он, усаживаясь.

Красавченко сосредоточенно ковырял в зубах зубочисткой.

— Мы с вами должны использовать те возможности, которые открываются для нас в процессе операции. Для себя лично использовать, чтобы не оказаться потом в дураках.

— И какие же, по-твоему, нам с тобой открываются возможности?

— Пока только одна. Ее зовут Елизавета Беляева. Теперь вы поняли?

— Нет.

— Ну, это ведь так просто! — Он укоризненно покачал головой. — Вы же умный человек, Павел Владимирович. Беляева — это живой эфир, а знаете, сколько стоит живой эфир?

— Дорого стоит. Дальше что?

Красавченко несколько секунд молчал, держал таинственную паузу и наконец произнес, чуть понизив голос:

— У меня появилась возможность получить видеопленку, на которой образец чистоты и нравственности занимается грубым сексом с чужим мужчиной, изменяет мужу, причем с огромным удовольствием.

— И кто же этот счастливец? — Павел Владимирович покосился на белый воротничок его рубашки, испачканный пудрой и помадой.

— Я же говорил вам, что к этой даме нужен индивидуальный подход, — опять на его лице заиграла сытая блатная улыбочка, — сорок лет — это серьезно. Женщина способна на многое в этом критическом возрасте. Я говорил, а вы мне не верили, иронизировали. Ну, что вы на меня так смотрите? Баба есть баба, будь она хоть трижды гениальной и знаменитой.

— Ты хочешь сказать, что тебе все-таки удалось... — Павел Владимирович откашлялся, — или тебе помог твой препарат?

— Какая разница? Главное, все получилось, к нашему взаимному удовольствию. Нет, насчет препарата вы меня обижаете. Сначала все получилось, а потом уж мы с ней выпили по бокалу вина.

— Слушай, по-моему, это ты сумасшедший, а вовсе не наш заказчик.

— В таком случае, вам придется выбирать между двумя психами, — усмехнулся Красавченко, — причем выбирать сию минуту.

— Ты что, собираешься ее шантажировать? — Павел Владимирович залпом выпил воду. — Господи, какой пошлый ход! Сейчас только ленивый не пытается заработать на постельном компромате. Вряд ли этим кого-то удивишь и напугаешь. И потом, ты не учитываешь главного. Затащить в постель и заснять на пленку не так уж сложно. Допустим, ты справишься с этой задачей или уже справился. Но что дальше? Ты ведь понимаешь, чтобы запустить порнушку в эфир, надо обладать такими связями, такими деньгами и полномочиями, какие тебе, дорогой мой, не снились. А уж Беляева знает это еще лучше. Она не испугается.

— Кроме миллионов телезрителей, у Елизаветы Павловны есть еще семья. Не надо никаких особенных связей, чтобы подкинуть кассету ее мужу.

— Ладно, гений, допустим, тебе все удастся. И сколько ты сумеешь из нее вытянуть? У нее просто нет таких денег, ради которых стоит рисковать. Взяток она не берет. Да, получает неплохо, но если уж шантажировать, то лучше найти кого-нибудь побогаче.

— Правильно. И я уже выбрал. Наш заказчик человек очень богатый, но совершенно не умеет распоряжаться своими деньгами, не знает, куда их деть, тратит на глупые побрякушки. Так пусть лучше нам отдаст. — Красавченко весело подмигнул и закурил еще одну сигарету. — Не все, но хотя бы часть.

— Очень интересно, — криво усмехнулся Мальцев, — а при чем здесь Беляева?

— Ну я же сказал, Беляева — это прямой доступ к телеэфиру. Благодаря нашей нежной дружбе я получаю неограниченные возможности. Я успел понять, что заказчик тщательно скрывает свою страсть к драгоценным камням. Из этого я сделал вывод, что он скорее всего не банкир, не частный предприниматель, а крупный государственный чиновник. Я прав?

— Понятия не имею. — Павел Владимирович равнодушно пожал плечами и почувствовал, как под рубашкой между лопатками выступает ледяная испарина.

— Я прав, — улыбнулся Красавченко, — как всегда! Вы все никак не хотите меня дослушать, почему-то очень нервничаете, постоянно перебиваете.

— Не знаю, кто из нас нервничает, — криво усмехнулся Мальцев.

— Вот и я не знаю. Ну ладно, это не важно. Вы готовы меня спокойно выслушать?

— Я тебя очень внимательно слушаю.

— За то, чтобы кассета с грубой эротикой в ее исполнении не попалась на глаза мужу и детям, Елизавета Павловна станет иногда выполнять мои просьбы. И первым я выступлю в эфире сам, мне есть что рассказать, биография моя достаточно интересна. Тему для разговора мы выберем любую, но я непременно вставлю в свой монолог несколько прозрачных намеков, которые наш заказчик отлично поймет. И если он не откликнется, то в следующем эфире я выдам уже более конкретную информацию о хобби государственного чиновника и о тех методах, которыми он пользуется для утоления свой страсти к драгоценным камням.

— Это замечательно! — Мальцев совершенно неожиданно рассмеялся, да так весело, что сам удивился. — Это просто класс! Ты действительно гений, Толик. Двойной шантаж! Только ничего у тебя не выйдет. Прости, дорогой, но я не верю, что Беляева в здравом уме, по доброй воле, согласилась с тобой, таким красивым, переспать. Если это произошло, то вовсе не так, как ты рассказал. Сначала ты добавил ей свою гадость в вино, а потом уж затащил в койку. Не думаю, что тебе удастся повторить это на «бис» и заснять на пленку. Ведь у тебя пока нет кассеты?

— Если честно, уже есть. Но это строго между нами.

— Стахановец, — хмыкнул Мальцев, — передовик-многостаночник, мать твою... Что же, она не заметила, как ты вытащил камеру, закрепил на штативе? Ты сначала выключил Беляеву, напоил ее своей дрянью, а потом включил камеру. Других вариантов нет. А это, дорогой мой, уже статья, и серьезная. Это тебе не старика-сторожа отравить. Там, понятно, кроме меня, свидетелей нет, а я, конечно, буду молчать. Но как только ты сунешься к Беляевой со своим шантажом, она просто подаст в суд, и тебя посадят.

— За что же? — Красавченко недоуменно вскинул брови. — За любовь? Ну да, я воспылал страстью к ней и не скрываю этого. Чувство мое оказалось взаимным, я счастлив и горд. Но я не виноват, что какая-то мразь засняла нас скрытой камерой. Что же делать, если мы живем в такое кошмарное, циничное время? Вообще, все, что касается Елизаветы Павловны, — это мои проблемы. От вас мне нужна информация о заказчике. Для того чтобы передать ему свои условия, мне надо с ним как-то связаться. Пока я могу сделать это только с вашей помощью.

— А я все гадаю, почему ты вдруг так щедро делишься со мной своими наполеоновскими планами.

— Короче, вы согласны мне помочь? — Красавченко взглянул на часы. — Времени мало, я должен успеть к перерыву между совещаниями. Я должен сегодня обязательно показаться на глаза Елизавете Павловне, а то она заскучает, забеспокоится. Я предлагаю вам пятнадцать процентов от каждой выплаты. Согласны?

— Сколько ты собираешься попросить у нашего заказчика?

— Для начала сто тысяч. Дальше видно будет.

— Ладно, уговорил. Идея, при всей ее гнусности, в общем не так и плоха. Как ты верно заметил, кто же откажется от живых денег? Но только не пятнадцать, а двадцать пять.

— Двадцать.

— Не мелочись. Жадным везет меньше. Двадцать пять, или выходи на заказчика сам.

— Черт с вами, договорились. Почему вы улыбаетесь?

— Так. Настроение хорошее с утра. Солнышко светит, небо голубое.

— Разве? По-моему, сегодня пасмурно и сыплет противный мокрый снег.

— Это здесь, в Монреале. А в Москве ясно, солнечно, легкий морозец. Я мысленно уже дома.

Они расплатились и вышли из кафе. Павел Владимирович нырнул в антикварную лавку, которая находилась тут же, за соседней дверью. Разглядывая столовое серебро позапрошлого века, он то и дело косился на огромное наклонное зеркало. Оно было расположено таким образом, что отражало всю площадь перед гостиницей. Павел Владимирович дождался, пока высокая широкоплечая фигура пересечет площадь, исчезнет за гостиничными дверьми, и только потом выскочил из антикварной лавки, свернул за угол, добежал до маленькой платной стоянки, где оставил машину.

Руки его дрожали, он никак не мог попасть ключом в замочную скважину. Белый «форд», взятый напрокат в день приезда, отчаянно засигналил. У Павла Владимировича заныло сердце.

«Не хватало мне сейчас сердечного приступа», — подумал он под визг сирены.

В кармане нашлась упаковка нитроглицерина, он сунул приторный шарик под язык, отключил сигнализацию, рухнул на мягкое бархатное сиденье, зажмурившись, досчитал до пятидесяти и позвонил брату в Москву.

ГЛАВА ВОСЕМНАДЦАТАЯ

Телефон зазвонил, когда Дмитрий Владимирович плескался в своем ледяном бассейне. Он подплыл к бортику и попросил, весело отфыркиваясь:

— Подай-ка мне трубочку.

На улице было минус десять. Варя куталась в шубку, сидя на лавочке, а розовый бодрый Мальцев, высунувшись по пояс из ледяного бассейна, беседовал с братом, Павлом Владимировичем, который находился в Монреале и, возможно, тоже сейчас торчал по пояс из ледяного бассейна. Они были очень похожи и жить друг без друга не могли. Правда, профессионально их ничего не связывало. Дмитрий Владимирович занимался финансами и политикой, а Павел Владимирович минералогией и ювелирным искусством. Он был одним из лучших специалистов по Фаберже, экспертом по ювелирному антиквариату.

— Что? Слушай, Пашуля, может он пошутил? Может, это у него такой своеобразный юмор? Так я не понял, кассета уже есть или он только планирует? Да, ну ты, братец, даешь, нашел помощничка! Ладно, прости, не буду. Я понимаю. Как сейчас себя чувствуешь? Прежде всего, успокойся. Ни в коем случае, Паша! Ты понял меня? Не вздумай идти в гостиницу! Он тебя просечет моментально. В котором часу у тебя самолет?.. Так, еще раз скажи номер рейса... Ну вот и хорошо, езжай в свой отель, отдохни, постарайся просто отключиться. Я пришлю за тобой машину в Шереметьево, тебя привезут ко мне, и мы спокойно все обсудим. Да, я понял... Как там погода в Монреале?.. А у нас солнышко, легкий морозец. Ну все, Пашуля, держись, братик. Будь здоров.

Дмитрий Владимирович отдал Варе телефон и легко, пружинисто выпрыгнул из бассейна. Варе в лицо полетел фонтан ледяных брызг. Судя по всему, с утра у Мальцева было замечательное настроение, и, хотя только что по телефону любимый брат Паша сообщил ему о каких-то проблемах, оно ничуть не испортилось. Он чувствовал себя здоровым, бодрым, полным сил.

— Тебе привет от Павла. Слушай, киска моя, ты такая спортивная девочка и не умеешь плавать. Пора научиться. Подай-ка мне полотенце. Спасибо. — Дмитрий Владимирович энергично растер спину, сделал несколько приседаний и наклонов. — И почему ты совсем перестала бегать по утрам, а, лентяйка маленькая? — Он обнял Варю и поцеловал ее холодную щеку. — Вот, потому и мерзнешь, что мало двигаешься. Ладно, пойдем завтракать.

За столом Дмитрий Владимирович погрузился в чтение свежих газет, глаза его быстро пробегали по строкам, которые заботливо выделил для него желтый маркер пресс-секретаря. Варя прихлебывала апельсиновый сок и смотрела в окно. Наверное, завтра придется встать в семь утра, вместе с ним, надеть кроссовки и пробежать пять километров. Ужасно не хочется, но придется. Если бы его жена не ленилась и бегала бы каждое утро вместе с ним, то вряд ли он бы с ней разошелся. Все очень просто. Он бегал один и встретил Варю. Он до сих пор уверен, что это произошло совершенно случайно.

— Какие у тебя на сегодня планы? — спросил он, не отрывая глаз от газеты.

— К двум мне надо в университет, потом хочу к маме заехать.

— Как она себя чувствует?

— Нормально.

— А как у тебя дела в университете?

— Все в порядке.

— Ладно. Мне пора, — Дмитрий Владимирович отложил газету, встал, одним глотком допил свой зеленый чай, — пойдем, проводишь меня.

Когда за его бронированным джипом закрылись железные ворота, Варя вздохнула с облегчением, вернулась в дом, закурила и уселась с ногами в кресло. Если бы можно было вот так сидеть целыми днями, никуда не вылезать из теплой красивой гостиной, никого не видеть и не слышать!

В последнее время на нее все чаще наваливалось странное оцепенение, не хотелось двигаться и разговаривать, глаза застывали в одной точке, она могла бы часами сидеть, замерев, как кукла. Только так она чувствовала себя в полной безопасности, только так не могла выдать себя жестом, словом, мимикой.

Один раз Мальцев застал ее врасплох, заметил выражение ужаса, с которым она глядела в ледяную глубину бассейна. Это так напугало его, что он спросил, здорова ли она.

— Со мной все нормально. Я совершенно здорова, — ответила она и заставила себя улыбнуться, — просто недавно смотрела ужастик, там из бассейна вылезают мертвецы.

— Не надо смотреть глупости. Ты уже большая девочка.

На самом деле фильмы ужасов ее успокаивали. Ей удавалось с их помощью обмануть себя, уговорить, что все пережитое четыре года назад было таким же фильмом, кто-то написал сценарий, актеры выучили роли, загримировались, помощник режиссера щелкнул хлопушкой, и на пленке запечатлелись события, от которых кровь стынет в жилах. В действительности ничего этого не происходило.

Кто-то снял такое кино, она сто раз прокрутила его на видике, потому так отчетливо все запомнила. Кто-то снял кино, она сыграла там главную роль. Ну правильно, она всегда мечтала стать киноактрисой. Особенно тогда, в семнадцать лет.

Она заканчивала школу и собиралась поступать во ВГИК, на актерское отделение. После затяжных холодов в середине марта наконец потеплело, выглянуло первое весеннее солнышко. Она отправилась погулять по центру, зашла в Детский мир, купила себе отличные босоножки, чешские, на небольшом удобном каблучке, и причем очень дешево.

У нее было замечательное настроение, она улыбнулась собственному отражению в огромном зеркале между стеклянными дверьми магазина и поймала такой восхищенный, такой теплый мужской взгляд, что улыбнулась еще раз, но уже не самой себе, а стройному интеллигентному брюнету с усиками.

Сколько раз за эти четыре года она видела во сне его лицо, такое симпатичное, гладкое, и представляла, как расползаются живые ткани, как они стекают с костей, и череп обнажается, вместо глаз зияют черные дыры. Такое происходило с фашистами в фильме Спилберга, когда вскрыли Ковчег, и оттуда стали выплывать прозрачные грозные ангелы. Они смотрели в лица злодеев, и взгляды их были как сама смерть.

Ну что стоило тогда, четыре года назад, пролететь хотя бы одному ангелу над Кузнецким Мостом, над Лубянской площадью, над гулом автомобильной пробки и пестрой равнодушной толпой? Наверняка под грозным ангельским взглядом любезный молодой человек по имени Гарик растаял бы, сгинул, превратился в безобидную липкую лужицу, как пломбир в картонном стаканчике под лучами теплого мартовского солнца.

— Хотите еще мороженого, Варюша? Оно у вас растаяло.

— Нет уж, хватит. От мороженого поправляются.

— Это правильно, если вы мечтаете стать актрисой, надо следить за фигурой. Вообще, данные у вас отличные. Распустите-ка волосы.

Она послушно щелкнула заколкой, встряхнула волосами. Ее совершенно не смущал его внимательный, ощупывающий взгляд. Он ведь профессионал, кинорежиссер. Он заметил ее, выделил из толпы и пригласил на главную роль в российско-французском фильме.

Она изо всех сил старалась ему понравиться, улыбалась, чтобы он видел, какие у нее красивые белые зубы, смеялась и запрокидывала голову, чтобы он обратил внимание, какая у нее длинная, ну просто лебединая шейка.

— Съемки будут в Париже и в Риме. У вас есть загранпаспорт?

— Нет.

— Ну, это не проблема. Французы взяли всю организационную часть на себя, так что паспорт они вам сделают сами, очень быстро. Главное, чтобы вы прошли конкурс. Претенденток на роль очень много.

— А какой будет конкурс? Что надо делать?

— Как обычно. Фотопробы, потом кинопробы, потом проба в роли. Делать ничего не нужно, главное, быть как можно свободней, раскомплексованней. Как говорил великий Станиславский, актер должен раскрепощаться. Вы понимаете меня?

— Да, конечно, — с готовностью кивнула Варя, — и когда будет первая проба?

Он посмотрел на часы, задумался на секунду и вдруг подмигнул, наклонился к ней, положил руку на плечо.

— Мы с вами всех перехитрим, Варенька. Мы сейчас поедем в гости к лучшему фотографу Москвы, к Зоечке Ивановой. Вы наверняка о ней слышали. Она снимает всех знаменитостей, работает для западных журналов. У нас будут такие снимки, что французы с ума сойдут. Вы пройдете вне конкурса. Только нельзя терять времени. Завтра утром Зоечка улетает в Нью-Йорк, у нее контракт на съемки конкурса «Мисс Вселенная».

— В гости? — смутилась Варя. — Но это неудобно...

— Ерунда. Мы с Зоей учились вместе во ВГИКе, она на операторском, я на режиссерском. Знаете, что такое студенческое братство? Это когда в любое время суток ты можешь завалиться в гости, и тебе будут рады. Ну что, поехали? Здесь совсем не далеко.

Если бы тогда, хоть на минуту, она засомневалась — нет, не в намереньях молодого человека, которого звали Гарик, и даже не в подлинности знаменитого фотографа Зоечки, а в самой себе, в собственной удачливости, неотразимости. Но нет, не было никаких сомнений, наоборот, было чувство заслуженной победы. Над кем, интересно? Наверное, над всеми другими девочками, которые толпами осаждают приемные комиссии театральных училищ, присылают свои снимки в журналы, стоят в очередях на просмотры, чтобы участвовать в конкурсах красоты, атакуют рекламные агентства и школы фотомоделей. Их много, их страшно много, но она единственная. Она самая лучшая. У нее большие, яркие глаза, синие, как васильки, как чистые драгоценные сапфиры. У нее атласная белая кожа, черные, тяжелые, с шелковым блеском волосы. Редкое сочетание — синие глаза и черные волосы. К тому же высокий лоб, тонкий прямой носик, яркий, крупный, чувственный рот, нежный, чуть удлиненный овал лица, высокие скулы. И совершенно идеальная фигура, рост сто семьдесят пять, все объемы как на заказ, девяносто-шестьдесят-девяносто. Спрашивается, до каких пор, с такой вот потрясающей внешностью, можно вместе с интеллигентной безработной мамой торговать цветами на привокзальной площади, жить в коммуналке, радоваться, что удалось купить по дешевке приличные босоножки? Это несправедливо.

Лет с тринадцати, каждое утро, глядя на себя в зеркало, она мечтала увидеть собственное лицо на киноэкране, крупным планом, в разных ракурсах. Она не сомневалась, что сразу после десятого класса легко, без всякого блата, без малейших усилий, поступит на актерское отделение Института кинематографии.

Варя Богданова всегда знала, что ей суждено стать звездой, и поэтому спокойно, с высоко поднятой головой, отправилась неизвестно куда, вместе с первым встречным сексуальным маньяком, который представился ей кинорежиссером. Впрочем, он показал ей какую-то синюю картонку, на которой было написано «Мосфильм».

Они ехали на метро, потом на троллейбусе, потом, в подъезде панельной пятиэтажки, ударил в нос запах мочи. А в однокомнатной квартире воняло еще сильней. Позже она поняла почему. Гарик пичкал своих жертв психотропными препаратами, чтобы было меньше шума, и они слабели, переставали соображать, ходили под себя. Глухонемая сообщница Зоя, которой принадлежала квартира, и ее дочь, четырнадцатилетняя дебильная девочка Раиса, не успевали стирать белье.

Вонь и грязь в квартире немного смутили Варю в первый момент, но Гарик объяснил, что это обычный художественный беспорядок. Из кухни появилась рыхлая женщина в грязном ситцевом халате, с отечным испитым лицом.

— А это Зоечка, познакомьтесь.

Женщина что-то промычала в ответ.

Позже, давая показания следователю, Варя как будто пересказывала содержание фильма, и собственный рассказ запомнился ей лучше, чем сами события. Она столько раз повторяла эти свои показания, что выучила их почти наизусть.

«Когда мы приехали в квартиру, режиссер угостил меня крепким кофе, а потом дал открытый купальник и велел переодеться. Я почувствовала, что нахожусь в каком-то заторможенном состоянии, но встряхнуться, преодолеть вялость никак не могла. Режиссер разделся догола и предложил лечь с ним в постель. Когда я возразила, он объяснил, что ему необходимо убедиться в моей раскованности. Предложил мне выпить шампанского, чтобы совсем раскрепоститься и избавиться от комплексов. Бокал принесла его сожительница. Вкус показался мне странным».

Потом время для нее как будто остановилось. Когда она немного приходила в себя, пыталась встать, ее тут же опять поили какой-то дрянью. Она не знала, сколько уже находится в этой вонючей квартире, на этой кровати со скомканным влажным бельем, несколько часов или несколько суток. В какой-то момент она поняла, что это ей уже безразлично, и испугалась. Если все безразлично, значит, скоро она умрет. У нее хватило сил сообразить, что нельзя покорно глотать горькую смесь, которой потчует ее глухонемая тетка. Она сделала вид, что пьет, и успела вылить содержимое стакана в щель между стеной и кроватью.

В голове постепенно прояснялось, но слабость была страшная. Больше всего она боялась, что маньяк или его подруга заметят, как она приходит в себя, и стала изображать что-то вроде обморока. Ее одели в обноски, вывели на улицу.

Было раннее холодное утро. Маньяк вел ее через какие-то пустые проходные дворы, она едва волочила ноги, голова кружилась, но изо всех сил она старалась запомнить дорогу. Минут через двадцать они оказались на железнодорожной станции. Это был не вокзал, а именно станция, совсем маленькая, с узкой платформой. Варя попыталась прочитать название, но буквы расплывались.

Подъехала электричка. Маньяк втащил Варю в пустой вагон, усадил на лавку, поднес к ее губам горлышко плоской коньячной бутылки, попытался влить ей в рот что-то белое, густое, как кефир, но не успел. Объявили, что двери закрываются, он бросился к выходу. Бутылка осталась лежать у Вари на коленях. Варя сообразила, что надо поставить ее рядом с собой на лавку, чтобы жидкость не вылилась, и тут же потеряла сознание.

Позже выяснилось, что маньяк приготовил для нее на прощанье смесь из восьмидесяти таблеток. Психотропные и снотворные препараты выписывали в изобилии врачи районного психодиспансера для слабоумной девочки Раисы.

Что именно спасло Варе жизнь — инстинкт самосохранения, когда она потихоньку вылила содержимое стакана, или закрывающиеся двери пустой электрички, в которые поспешил выскользнуть осторожный маньяк, уже не важно.

Очнулась она оттого, что кто-то тряс ее за плечо.

— Эй, девка, ты чего с утра так наклюкалась? Билет предъяви!

Впервые она взглянула на себя в зеркало в отделении милиции на станции «Окружная», куда приволокли ее под руки два здоровенных контролера. В грязном сортире над умывальником висело треснутое мутное зеркало, и оттуда взглянула Варе в глаза пьяная сумасшедшая бомжиха лет сорока. В черных, взлохмаченных, тусклых волосах виднелась седина. Она не сразу заметила, что в ушах у нее нет золотых сережек с бирюзой, а на пальце такого же, с бирюзой, колечка. Исчез золотой крестильный крестик. Вместо куртки, джинсов и свитера на ней было драное засаленное пальто, надетое прямо на голое тело, вместо кожаных модных ботиночек — войлочные дырявые боты.

Она заставила себя умыться холодной водой, она

уже начала давать показания дежурному следователю, но опять потеряла сознание. Из милиции ее на «скорой» увезли в больницу, туда пришла к ней мама, туда же впервые пришел к ней маленький кругленький следователь Илья Никитич Бородин.

Как только врачи разрешили ей подняться, она сумела привести оперативников в вонючую квартиру в панельной пятиэтажке. Ей казалось, что даже с закрытыми глазами, на ощупь, она может найти это место и голыми руками убить всех троих, даже четырнадцатилетнюю дебильную Раису.

Все трое оказались дома и были арестованы. Кроме них, в квартире находились две девочки, пятнадцати и семнадцати лет, обе в бессознательном состоянии.

Следствие длилось совсем недолго. Маньяк, которого звали не Гарик, а Рафик Тенаян, чистосердечно признался в пяти убийствах и семи изнасилованиях в изощренной форме. Большинство его жертв были несовершеннолетними. Троих он придушил, двое умерли от передозировки психотропных и снотворных препаратов, позже, когда дело было передано в суд, скончались, не приходя в сознание, те две девочки, которых обнаружили в квартире.

Варя спокойно, как говорящая кукла, давала свидетельские показания на суде. Адвокат в своей пламенной речи несколько раз повторял, что все до одной жертвы вошли в квартиру к маньяку совершенно добровольно, у каждой был шанс уйти. Каждая готова была сниматься в обнаженном виде и не отказывалась от кофе и шампанского. Адвокат говорил так азартно, так убедительно, что даже Варе на миг показалось, что жертвы виноваты больше самого преступника. И все в зале взглянули на нее уже как-то иначе. Жалость в глазах сменилась холодным любопытством.

— Значит, вы сами, без принуждения, отправились

в неизвестную квартиру с человеком, с которым были знакомы меньше часа? — спрашивал вкрадчивый высокий голос.

— Сама, — спокойно отвечала Варя.

— И сами по просьбе Тенаяна сняли одежду?

— Да.

Она старалась не смотреть в сторону железной клетки, где сидел и ухмылялся Тенаян. Ему как будто нравилось слушать подробности.

Когда объявили приговор, всего лишь пятнадцать лет вместо ожидаемой смертной казни, по залу прошел удивленный гул. Варя встала и выбежала вон.

А через пару дней после суда из голых кустов во дворе у ее дома выскочил парень с длинными сальными волосами, в зеленой кожаной куртке-«косухе». Рядом с ним был оператор, прямо в лицо Варе уперлись камера и микрофон.

— Скажите, Рафик Тенаян был вашим первым мужчиной? Что вы испытали, когда он лишил вас девственности? Вы ведь сами, добровольно, вошли в квартиру, разделись и легли с ним в постель?

Она закричала и побежала, ей показалось, что она сходит с ума и мир состоит из уродов, злобных наглых уродов, у которых сало в глазах, сало в мозгах, и нет никаких иных органов, кроме половых. Если бы в тот миг в руках у нее оказалось оружие, автомат например, она, не задумываясь, прошила бы очередью обоих, и журналиста, и оператора. И не было бы у нее чувства, что она убивает людей. У нее вообще никаких чувств, кроме ужаса и брезгливости, не осталось.

Ей долго еще мерещилось, что журналист и оператор преследуют ее, сначала пешком, потом на машине. А потом, когда она шла по улицам, ей мерещилось, что все на нее смотрят, и все знают, что она сама, по доброй воле, сняла с себя одежду в вонючей квартире маньяка.

279

Неизвестно, как долго она бродила по городу, не разбирая пути, не чувствуя ни времени, ни холода, ни мокрого снега. Опомнилась в каком-то незнакомом районе, на набережной. Уже начало темнеть, снег стал гуще, он шел сплошной стеной. Варя остановилась и стала смотреть на черную воду. По воде медленно плыли грязные тонкие куски льда. И чем дольше она смотрела, тем спокойней и медленней билось ее сердце. Оглядевшись, она увидела лестницу, которая вела прямо к воде. Достаточно было просто спуститься вниз и шагнуть в воду. Это было совсем просто и не страшно. Только потом, когда ледяная свинцовая толща стиснула ее тело и холод стал пожирать ее, как стая из тысячи рыб пираний, она по-настоящему испугалась, и впервые в жизни ей по-настоящему безумно захотелось жить...

Спустя четыре года, совсем недавно, всего лишь дней десять назад, включив ночью телевизор, она долго, тупо глядела в лицо бойкому ночному телеведущему. Он сильно изменился. Остриг волосы, немного потолстел. Но глаза все такие же, тусклые, мертвые, как грязный лед Москвы-реки. Впрочем, возможно, это и не он. У него совершенно никакое лицо, можно двадцать раз увидеть и не запомнить, не узнать.

— Что за гадость ты смотришь, Варюша? — удивился Дмитрий Владимирович, заглянув в гостиную.

— Ты не знаешь, кто это? — спросила она, не отрывая глаз от экрана.

— Понятия не имею. Какой-то очередной помоечный журналистишка, — он протянул руку к пульту, но за секунду до того, как погас экран телевизора, передача кончилась, и Варя успела прочитать первую строку титров: «Ведущий Артем Бутейко».

ГЛАВА ДЕВЯТНАДЦАТАЯ

Елизавета Павловна проснулась от настойчивого телефонного звонка, не открывая глаз, протянула руку. Телефон в гостиничном номере стоял на тумбочке у кровати. Но рука наткнулась на пустоту.

Голова раскалывалась, а телефон продолжал надрываться. Лиза обнаружила, что лежит поперек кровати, в футболке. Одеяло скомкано, подушки раскиданы, покрывало валяется на полу, рядом, безобразным комком, валяются ее джинсы. За окном светло, на часах одиннадцать.

— Добрый день, госпожа Беляева, с вами все в порядке? — услышала она в трубке. — Вы должны сегодня выступать в прениях по докладу...

«О, Господи, я проспала! Как такое могло случиться? Заседание началось в девять, сейчас перерыв...»

— Да, простите, я себя неважно чувствую, — ответила она слабым голосом.

— Что случилось? Вам нужен врач?

— Нет, спасибо. Все нормально. Мне уже лучше. Вероятно, я немного простудилась. Через полчаса спущусь в конференц-зал.

Лиза тут же пожалела о своем обещании. Чувствовала она себя действительно ужасно. Болела не только голова, но все тело, как будто ее избили ночью. Под горячим душем стало немного легче. Она отчетливо вспомнила, что у нее в номере был Красавченко, причем она его в гости не приглашала. Он явился, воспользовавшись каким-то дурацким предлогом, что-то, связанное с ювелирными украшениями. Он интересовался ее серьгами и кольцом, болтал о знаках Зодиака.

Взглянув в зеркало, она обнаружила, что выглядит отвратительно. Волосы встрепанные, лицо бледное, отечное, под глазами серые мешки. Серьги были в ушах, кольцо на пальце.

«Ну да, а как же иначе? — подумала она. — Этот Красавченко хам, мерзавец, но все-таки не грабитель. Он сотрудник МИДа, официальный участник конференции».

И тут она почувствовала неприятный холодок в желудке. Она вспомнила, что все это время Красавченко вертелся в гостинице, в фойе, в барах, постоянно попадался ей на глаза, но в конференц-зале она его ни разу не видела. Не встречала его и на заседаниях тематических групп. Впрочем, могла просто не заметить в зале, участников больше трехсот человек.

— Кто же нас познакомил? — пробормотала Лиза. — А ведь никто! Никто нас не знакомил. Он подошел ко мне сам, когда я завтракала во фруктовом баре на седьмом этаже, представился, и мне, разумеется, не пришло в голову проверять, выяснять, тот ли он, за кого себя выдает. Здесь десятки людей знакомятся друг с другом. Однако я ни разу за эти дни не видела, чтобы он разговаривал с кем-то из участников конференции. То есть его имя и то, что он сотрудник МИДа, я знаю только с его слов. Так зачем же все-таки он вломился ко мне в номер ночью? Откуда он вообще взялся и что ему от меня нужно?

Смутное ощущение гадливости постепенно обрастало вполне определенными подробностями. Ночью состоялся совершенно непристойный разговор. Сначала Красавченко нагло, неуклюже клеился к ней, а потом выяснилось, что он заснял ее в квартале «красных фонарей» на фоне проституток обоего пола и порно-афиш. Он показал фотографии и пытался ее шантажировать. И что было дальше? Да ничего не могло быть. Она выставила его из номера. Однако он не ушел. Почему?

Если бы шантаж сводился только к этим дурацким картинкам, она вообще не стала бы с ним разговаривать, вызвала бы ночного портье и попросила, чтобы ей помогли избавиться от незваного гостя. Но она не сделала этого. И еще, он так и не сказал, зачем ему все это надо, чего он хочет в обмен на фотографии.

Чем отчетливей восстанавливались слова и события, тем холодней становилось Лизе под горячим душем.

«Он знает! — вспыхнуло у нее в голове. — Я пропала, он все знает».

Она до красноты растерлась теплым полотенцем, включила фен, оделась, быстро подкрасилась, кое-как подколола влажные недосушенные волосы. Головная боль не затихала. Лиза выпотрошила содержимое своей сумочки на журнальный стол. На дне лежала упаковка анальгина с хинином.

— Лекарство, — пробормотала она, вскрывая упаковку, — яд, противоядие...

Слова эти сами собой всплыли в памяти. Перед глазами встало гладкое пластмассовое лицо с квадратным подбородком. Лицо героя сериала, глянцевая картинка комикса.

«Мы с ним пили вино. Стоп, а где стаканы? Вымыл и убрал? Ну да, разумеется. Все аккуратно убрал за собой, и бутылку тоже. Он очень настаивал, чтобы мы с ним выпили, — вдруг вспомнила Лиза, — правильно, я ведь вообще не пью, а уж в компании с Красавченко, ночью, наедине, ни за что не стала бы по доброй воле. А может, этого и не было? С собой он вина не приносил, это я точно помню. Ну да, он взял бутылку из платного бара в моем номере. Он еще сказал, что утром оплатит пользование баром. Ему непременно надо было выпить со мной, чтобы подсыпать мне в вино препарат, который... Который что? Расслабляет волю? Отбивает память? Настолько сильно отбивает, что я не могу вспомнить, сама сняла джинсы или это сделал Красавченко? Может, он вообще изнасиловал меня, а я ничего не помню? Маньяк, ублюдок... надо срочно заявить в полицию. Однако о чем я буду заявлять? Как я могу доказать то, чего не знаю? К тому же наверняка сегодня его уже нет в гостинице».

Она открыла платный бар. Там лежала карта вин. Не хватало одной бутылки, белого рейнского.

Прежде чем пройти в конференц-зал, она остановилась у стойки регистрации.

— Добрый день, мэм. Я могу вам помочь? — приветливо улыбнулась девушка за стойкой.

— Я хотела бы узнать, сколько я должна за пользование платным баром? — Лиза назвала свою фамилию и номер.

— Минутку, — девушка пробежала пальцами по клавиатуре компьютера, — вы ничего не должны, мэм.

— Но этого не может быть, — Лиза постаралась улыбнуться, — я пользовалась баром.

— Возможно, сведения еще не поступили.

— Да, конечно, — растерянно кивнула Лиза, — я могу получить чек на то, что уже оплачено?

— В компьютере пока нет таких сведений, мэм.

«А ты ждала, что этот урод заплатит за вино, в которое он подсыпал какую-то пакость? Идиотка!» — зло выругала себя Лиза и решительно направилась в конференц-зал.

Там все еще продолжался «бранч», перерыв с перекусом. Из ресторана прямо в зал принесли подносы с бутербродами, салатами и фруктами. Стоял приглушенный многоязыкий гул, участники расхаживали по залу с пластиковыми тарелками и стаканами в руках. Лиза решила, что не худо сейчас выпить кофе и съесть что-нибудь. К ней тут же подлетел распорядитель и сунул в руки пластиковую тонкую папку с бумагами.

— Госпожа Беляева, ознакомьтесь, пожалуйста, с документами по сегодняшнему заседанию тематической группы.

Кофе был американский, наливали его из огромных кофеварок. Лиза могла пить эту бурду только со сливками. Руки у нее дрожали, папку с бумагами она зажала под мышкой, и это было ужасно неудобно. Отклеивая крышку от пакетика, она расплескала сливки, несколько капель попало на юбку. Она взяла салфетку, наклонилась, чтобы смахнуть жирные белые капли, а когда подняла голову, прямо перед собой увидела улыбающуюся физиономию американки Керри.

— Добрый день, Лиза. Что, маленькая неприятность? Не волнуйтесь, эти сливки не оставляют жирных пятен. Они обезжиренные. Других здесь не подают. Давайте, я подержу, — она взяла папку. — Я так беспокоилась за вас. Как вы себя чувствуете?

— Честно говоря, плохо, — Лиза постаралась улыбнуться, — голова болит.

— О, вы тоже страдаете мигренью? — сочувственно кивнула американка и положила в свою тарелку несколько кусков оранжевой дыни.

— Да, у меня бывают очень сильные приступы, к тому же я до сих пор не могу привыкнуть к разнице во времени. Когда здесь ночь, в Москве день.

— Я знаю, вам не спалось этой ночью. Кажется, вы даже выходили погулять? Это действительно неплохое средство от бессонницы — ночная прогулка. Советую вам сейчас как следует подкрепиться, следующий перерыв только через четыре часа. Возьмите сэндвич с цыпленком, они сегодня очень вкусные.

Несмотря на две таблетки анальгина с хинином, голова раскалывалась. Лиза туго соображала.

— Простите, Керри, — болезненно поморщилась она, — я не поняла, о чем вы? Какая прогулка?

У стола с подносами толпилось много народу. Руки тянулись за бутербродами. Маленький пожилой индус в белой чалме нечаянно задел Лизу локтем, она сильно вздрогнула, чуть не пролила кофе, но вовремя успела поставить горячий стакан. Индус стал усиленно извиняться, кланяясь и прикладывая к груди маленькую коричневую руку.

— Давайте отойдем в сторонку, только не забудьте все-таки взять сэндвич с цыпленком, они действительно отличные, — сказала Керри и направилась к выходу.

Лиза послушно последовала за ней с цыплячьим сэндвичем на тарелке и остывающим кофе в стакане. Она шла сквозь толпу, кому-то машинально кивала, улыбалась и думала только о том, как бы не пролить кофе и как бы никто не заметил, что у нее сильно дрожат руки. Керри уже успела занять свободный столик в холле, Лиза села напротив.

— Вы действительно очень рассеянны, Лиза. Вы забыли, мы с вами живем в соседних номерах. Между двумя и тремя часами из вашего номера был слышен какой-то шум, шаги, несколько раз открывалась и закрывалась дверь. Я не приняла снотворное и никак не могла уснуть.

— Керри, я шумела всю ночь и мешала вам спать, — испуганно пробормотала Лиза, — это ужасно, простите.

— Ерунда. Пусть это вас не беспокоит. У меня многолетняя привычка работать ночами, я не сплю даже тогда, когда нет необходимости сидеть за письменным столом. Такой необходимости давно уже нет, — Керри подцепила пластмассовой вилкой ломтик дыни, поднесла ко рту, — когда дети были маленькие, не хватало денег на беби-ситтер, мне приходилось справляться самой, и только ночами я могла сосредоточиться. Вам это должно быть знакомо, у вас ведь тоже двое детей? — Она наконец осторожно откусила маленький кусочек дыни. — Вам не кажется, что зимой фрукты имеют совсем другой вкус? — Лицо ее стало рассеянным, безучастным, она несколько секунд смотрела в одну точку и вдруг, решительно хлопнув белесыми ресницами, прошептала: — Лиза, я случайно видела, как ночью из вашего номера выходил этот странный человек. Кажется, его зовут Красавчик? — последнее слово она произнесла по слогам, как будто с легкой брезгливостью, и тут же заела его дыней.

Лиза машинально потянулась за сигаретами, но вспомнила, что сумочка ее осталась в номере, растерянно озираясь, произнесла хриплым, чужим голосом:

— Простите, Керри, мне надо отойти на минуту, я должна купить пачку сигарет. Нет, мне придется подняться в номер, я оставила сумку и деньги.

— Вы не успеете. Сейчас перерыв кончится. Я могу одолжить вам несколько долларов на сигареты. Сколько нужно?

— Три доллара. Спасибо, Керри. Скажите, вы знакомы с этим человеком? — спросила она, уже встав с кресла.

— Лиза, купите себе сигарет.

Лиза послушно направилась к автомату в дальнем углу холла, опустила монеты в щель, долго бессмысленно глядела на пачки за стеклом, выбрала «Кент», который никогда не курила, и почти бегом вернулась к Керри.

— Вы знаете этого человека? — повторила она, усаживаясь за столик и раздирая целлофановую обертку.

— Нет. Нас никто не знакомил. Но кое-что мне про него известно. Так как же правильно произносится его фамилия? Кравченкофф?

287

— Красавченко. Он дипломат, сотрудник Министерства иностранных дел.

— Он такой же дипломат, как я китайский император.

— Но Керри, откуда вы знаете?

— Сначала скажите мне, у вас нет с ним любовной истории? Обещаю, это останется между нами.

Лиза почувствовала, как бледнеет. Глаза ее застыли, она уставилась на американку, как будто видела ее впервые.

— Нет, — неприлично громко выкрикнула она и помотала при этом головой так, что расстегнулась заколка и волосы рассыпались по плечам, — никакой любовной истории нет и быть не может, тем более с этим... — Голос ее сполз почти до шепота, щеки вспыхнули. — А почему вы спрашиваете, Керри? Разве я похожа на женщину, у которой могут еще быть любовные истории? По-моему, я давно вышла из этого романтического возраста.

По лицу американки скользнула добродушная, слегка презрительная усмешка. Лиза поняла, что ответ ее прозвучал слишком эмоционально, чтобы казаться правдой. Американка не поверила. Надо было элегантно отшутиться, не бледнеть, не краснеть.

— Простите, что лезу не в свое дело, но вы мне симпатичны, и я считаю своим долгом вас предостеречь, — прошептала Керри, перегнувшись к ней через стол, — я знаю совершенно точно, что этот господин...

— Лиза, вы уронили, — произнес у нее за спиной знакомый голос по-русски.

Оглянувшись, она увидела Красавченко. Он положил на стол ее заколку.

ГЛАВА ДВАДЦАТАЯ

Графиня Ирина Тихоновна никого не хотела принимать, ей все мерещились шпионы, подкупленные любовницами мужа. Над графом стали посмеиваться, в свете вошло в моду рассказывать анекдоты про его семейную жизнь. Он стал мрачен и желчен. Особенно остро иронизировал Михаил Иванович над теми, кто был счастлив в любви.

Какой-нибудь князек объявлял о своей помолвке с юной красавицей, сиял, выслушивая поздравления и пожелания счастья, и тут же звучал тихий насмешливый голос графа:

— Желаю тебе плодиться и размножаться. Подсуетись, дружок, чтобы твоя Дульсинея поскорее стала брюхата, а то, не ровен час, лоб зачешется, рога полезут.

Бывало, чуть не доходило до дуэли. Иногда казалось даже, граф Порье как будто нарывается на дуло оскорбленного приятеля. Однако в последний момент Михаил Иванович шел на попятную, не стыдился извиняться.

Для дуэлей граф был слишком ленив, говорил, что подниматься в пять часов утра невозможное мучение, считал, что время благородных порывов давно миновало и теперь уж смешно стреляться из-за случайных едких слов. Впрочем, про себя он знал, что стрелок из него никудышный, и если дойдет до поединка, то он промахнется непременно, даже и с десяти шагов.

Сказать по правде, жизнь его с Ириной Тихоновной не была таким уж адом. Ну да, супруга пилила его, попрекала, делала ему бурные сцены, однако ведь не обязательно было все это слушать и принимать близко к сердцу.

— Почему ты не веришь мне, Ирина? — вяло спрашивал граф. — Ведь ты знаешь, я люблю тебя, я твой муж и никуда не денусь.

— Все мужчины лживы. Я видела, как ты посмотрел на ту девицу в парке, как она посмотрела тебя. Ты знаком с ней, у тебя с ней свидание.

— Да полно, Ирина, я ее впервые вижу.

— Не смей мне лгать! — Она повышала голос настолько, что прохожие оборачивались.

— Ирен, Бог с тобой, зачем мне лгать? Ради чего? Ради сомнительных прелестей этой чахоточной барышни? Да ты приглядись внимательней. У нее нос длинен, рот велик, плечи сутулы, она совсем не интересна, зачем она мне? — ласково шептал граф, сжимая полный локоть супруги. — Разве можно ее сравнить с тобой? Ты чаще смотри на себя в зеркало, моя радость, и это будет для тебя лучшим лекарством от ревности.

Такая методика иногда выручала графа. Ирина Тихоновна хмурилась, однако уже притворно, кокетливо. Ее полные щеки заливались краской девичьего смущения. Граф мысленно потешался над доверчивой супругой, но и над самим собой тоже. Он находил почти болезненное удовольствие в той дешевой мелодраме, в которую превращалась его жизнь. Он уверял себя и окружающих, что все это забавно, жизнь вообще есть фарс, достойный лишь ледяной иронии.

Как все самолюбивые люди, Михаил Иванович был склонен к обобщениям. Если у него жена глупая и взбалмошная, значит, таковы все жены, других не бывает. Встречая какое-нибудь воздушное создание со сверкающими глазами, детской улыбкой и осиной талией, он утешался тем, что в скором будущем и этому нежному ангелу предстоит стать тяжелой нудной дурой, способной отравить существование кому угодно.

Ирина Тихоновна между тем рассчитала всех горничных моложе пятидесяти и стала наведываться в департамент, где служил граф, причем выдуманные ею предлоги были настолько неуклюжи, что даже лакеи в приемной позволяли себе усмехаться в усы. Уловки графа помогали все меньше.

— Вы смеетесь надо мной, Мишель! — восклицала она с мелодраматическим придыханием, не дослушав очередного комплимента. — Я раскусила все ваши хитрости. Если так будет продолжаться, вам придется оставить службу и переселиться в деревню.

— Перестаньте ребячиться, сударыня, — морщился граф, — я государственный чиновник, я не могу оставить службу. А вот вам был бы полезен деревенский воздух.

Перепалки могли бы длиться бесконечно, однако тяжелая беременность немного притупила бдительность Ирины Тихоновны и смягчила ее нрав. Разрешилась она болезненным недоношенным мальчиком. Ребенок прожил всего неделю. Ирина так ослабла от потрясения, что графу удалось уговорить ее переехать на время в подмосковное имение. Доктора уверяли, что в городе ей жить вредно, чистый воздух поправит ее здоровье.

И правда, деревенская жизнь подействовала на нее удивительно благотворно. Она самозабвенно окунулась в сложный, полный забот и интриг мир домашнего хозяйства. Горячая подозрительность ее сосредоточилась теперь на управляющем, на архитекторе, которому было поручено заниматься капитальным ремонтом дома, на плотниках и малярах, которые, как ей казалось, крадут краску и гвозди, на скотном дворе, где, по ее мнению, разбавляли молоко. Вся ее мощная энергия уходила на брань с кухаркой, прачкой, горничными.

Многообразная хозяйственная деятельность отчасти примирила Ирину Тихоновну с мужем. Граф из врага сделался союзником. Он жил в Москве, в собственном доме на Неглинной, по будням был занят на службе в Департаменте образования. В Болякино наведывался на выходные и на праздники, изображал усталость от службы, жаловался на городскую суету и пыль, восхищался красотами подмосковной природы и хозяйственными успехами супруги, с важным видом выслушивал многословные рассказы о том, что все в имении воры, от кухарки до управляющего, и только бдительность Ирины Тихоновны спасает дом от разорения.

Правда, такая идиллия между супругами длилась не более двух дней, Ирина Тихоновна любила разнообразие, и тема воровства ей надоедала. Она принималась подробно расспрашивать графа о службе, о том, с кем и где он проводит вечера, и не верила его подробным отчетам. Подозрительность ее вспыхивала с новой силой, опаляла графа своим беспощадным огнем, и он, сославшись на срочные дела, удирал в Москву.

Соблюдая предельную осторожность, он завел себе опрятную молоденькую немку Гретхен из кондитерской, снял для нее небольшую квартиру на Пречистенке и потихоньку утешался два раза в неделю. Но немка скоро наскучила ему. Через месяц кондитершу сменила драматическая артистка, огненно-рыжая Маргарита Крестовская. Граф увлекся всерьез, тонкие белые руки, нежный профиль и прозрачные зеленые глаза почти свели Михаила Ивановича с ума, что было непозволительно в его положении. Граф все чаще заставал в квартире на Пречистенке непризнанных гениев, поэтов, художников, артистов, однако смотрел на это сквозь пальцы. Маргоша в шелковом черном халате с зелеными лилиями возлежала на кушетке, курила и, прикрыв изумрудные глаза, нараспев читала стихи модных символистов, гости устраивались прямо на полу, пили сладкие ликеры и простую водку.

Михаил Иванович не любил считать деньги, даже в собственном бумажнике, однако при всей своей рассеянности стал замечать, что всякий раз после нежного свидания бумажник худеет на несколько крупных купюр.

Однажды в туалетном ящике он нашел коробку со шприцем и пустую склянку из-под морфия.

Расстаться с красавицей оказалось не так просто, ей было известно, как опасается Михаил Иванович огласки, и пришлось наградить ее за молчание солидной денежной суммой.

Граф решил впредь быть осторожней и поселил на Пречистенке француженку-модистку Клер, заранее оговорив все условия их тайной любви. Несмотря на свои восемнадцать лет и загадочные черные глаза, Клер оказалась барышней рассудительной и практичной. С ней обо всем можно было договориться. Подарки она предпочитала получать деньгами, завела счет в банке, но и собственные обязательства выполняла честно. Граф решил, что ничего лучшего в ближайшее время не найдет, покой и гарантия секретности отчасти компенсировали недостаток страсти.

Однажды мрачным октябрьским вечером он лежал на кушетке в маленькой нарядной гостиной на Пречистенке. Он был в халате, курил трубку, лениво перелистывал томик Бальмонта. Мадемуазель расчесывала свои каштановые локоны и весело щебетала, пересказывая графу содержание новой фильмы с Верой Холодной, которую вчера смотрела в кинематографе у Никитских ворот.

В дверь позвонили, продолжая щебетать, Клер вышла в прихожую.

— О, мерси! Как красиво! — услышал граф ее радостный, удивленный голос. — Одну минуту, пожалуйста.

Она впорхнула в гостиную, подскочила к кушетке, чмокнула графа в щеку:

— Мон шер, там посыльный из цветочного магазина с целой корзиной белых хризантем, моих любимых. Надо дать ему на чай. Ты прелесть, мон ами, ты не забыл о дне моего рождения!

Граф о дне рождении Клер слышал впервые и никаких хризантем не заказывал, однако постарался на всякий случай скрыть удивление. Она поцеловала его еще раз, уже в губы, и в этот момент послышалось легкое покашливание.

— Вам что, милейший? — Граф чуть отстранился от Клер и увидел в дверях гостиной плечистого ухмыляющегося верзилу, которого узнал в ту же минуту. Это был Андрюха, личный шофер купца Болякина.

— Извольте одеться, ваше сиятельство. Тихон Тихонович велели доставить вас к нему в контору, — сказал шофер, ни на кого не глядя, — прошу прощения, мамзель, — он козырнул по-военному, развернулся на каблуках и вышел вон.

— Ты завтра же подаешь в отставку и отправляешься в Болякино, — сообщил Тихон Тихонович, не поздоровавшись и даже не предлагая сесть, — я хочу наследников, а пока ты в Москве забавляешься с мамзелями, внуков мне не видать как своих ушей.

— Позвольте, сударь, что за тон?! — Граф вспыхнул, но постарался взять себя в руки, уселся в кресло и закурил папиросу. — Я готов говорить с вами, Тихон Тихонович, но не здесь и не в таком тоне, — добавил он чуть тише.

— Говорить будем здесь и сейчас, каким тоном — мое дело, а папироску изволь загасить. Я дыму не терплю, — он пододвинул графу пустую мраморную чернильницу вместо пепельницы. Граф не просто загасил, а раскрошил папиросу в прах.

— Так-то, ваше сиятельство, — кивнул Тихон Тихонович, — а теперь изволь внимательно выслушать, что я тебе скажу. Я расплатился с долгами твоего покойного батюшки и содержу тебя в сытости не только из-за придури моей Ирины. Я думаю о будущем, о продолжении рода. Хочу, чтобы внуки и правнуки мои были графами, сиятельствами, — последние слова он произнес очень громко, при этом покраснев и стукнув кулаком по столу.

— Я русский дворянин, сударь, — ответил граф со спокойным достоинством, — я не позволю вам, сударь...

— Прощеньица просим! — перебил его купец с шутовским поклоном. — Мы люди не гордые. Можем с вашим сиятельством и развестись. Возвращайтесь к своей мамзели, но только с квартиры ей придется съехать, потому как своими кровными денежками я за ваш сиятельный блуд платить не намерен. И дом на Неглинной придется освободить-с.

— Позвольте, но это мой дом... — произнес граф еле слышно.

— Был ваш-с. А теперь записан на имя вашей супруги, и вам это отлично известно. А коли ты думаешь, что проживешь на жалованье, то учти, ты должен мне четыреста тысяч ассигнациями. Вот так-с, — купец развел руками, — что делать, ваше сиятельство, я человек коммерческий, обязан все заранее просчитывать.

— Да почему же четыреста? — возмутился граф. — Долгов батюшкиных было всего на триста двадцать!

— Так восемьдесят ты успел потратить на себя, на

заграницу, на артисток, мамзелей и прочее баловство-с.

— Но позвольте, за границу мы ездили вместе с Ириной! — возмутился граф, сгорая от стыда и отвращения, больше к самому себе, чем к купцу.

— Идея была твоя. А Ирина домоседка, вся в меня. Да и не понравилось ей там. В Италии жарко, в Англии холодно, в Париже пыльно, и везде кокотки.

—Однако...— выдохнул граф и стал лихорадочно подсчитывать в уме, сколько же он на самом деле прожил денег за эти годы, но задача оказалась непосильной.

— Сейчас можешь идти. Думай до утра, — сказал Тихон Тихонович.

Граф молча подошел к двери и уже открыл ее, чтобы поскорее выйти вон из этого роскошного купеческого кабинета, но тесть остановил его:

— Погоди. Прикрой-ка дверку.

Граф послушался, вернулся к столу.

— Если ты надеешься продать брошку с алмазом и поправить этим свои дела, то зря, — прошептал Тихон Тихонович, склонившись к его уху, — я желаю, чтобы эта вещь досталась моим внукам. Не бойся, Ирина не знает, никто, кроме меня, не знает о брошке в форме цветка орхидеи. Вещь хорошая, стоит дорого, я не трону, пусть себе лежит, где лежала, спрятать советую получше, однако продать не позволю. Такие вещи должны оставаться в семье. Все, Миша, иди и хорошо подумай, кто ты: граф Порье, честный семьянин, либо нумерованный арестант в долговой тюрьме. Третьего-то не дано, ваше сиятельство. — Он сочувственно подмигнул, нацепил пенсне на мясистый нос и углубился в чтение бумаг.

Ночью граф стрелялся, но пистолет дал осечку. Утром он подал в отставку, а через неделю переехал к жене в Болякино.

ГЛАВА ДВАДЦАТЬ ПЕРВАЯ

Артем Бутейко действительно успел наговорить много гадостей за свою короткую жизнь. Илья Никитич прослушивал кассеты с интервью и поражался бестактности вопросов, а главное, не понимал, кому все это интересно.

— Значит, первый в жизни оргазм ты испытал в детском саду? — звучал на пленке высокий монотонный голос Бутейко.

— Да. Нянька мыла пол, был тихий час, она наклонилась, я видел прямо перед собой огромный женский зад, туго обтянутый тонким халатом, — звучал в ответ голос известного эстрадного певца.

— Как ты можешь описать свои физиологические ощущения?

— Это был кайф! — стало слышно, как несколько человек засмеялись, то есть они беседовали вовсе не наедине. Певец отвечал охотно, вопросы его не смущали, ему нравилось рассказывать о самом себе что угодно. — Во мне все раскрывалось навстречу этому шикарному упругому заду, как раскрывается бутон розы.

— Очень романтично! Между прочим, это больше похоже на ощущение женщины, — глубокомысленно заметил Бутейко, — кстати, как ты относишься к однополой любви?

— Положительно. Но сам я, к сожалению, люблю только женщин.

— Почему к сожалению?

— Потому, что я считаю, человек должен все испытать в этой жизни.

В комнату заглянула мама.

— Илюша, иди кушать!

— Да, мамочка, сейчас, — кивнул Илья Никитич, продолжая слушать кассету.

— Твой первый половой акт оказал на тебя существенное влияние как на личность? — громко звучал голос Бутейко из магнитофона.

— Да, потому что у меня ничего не получилось. Я так волновался, что кончил, не успев снять штаны. Мне было двенадцать, а ей двадцать три. Она работала пионервожатой в лагере, — ответил певец.

Илья Никитич выключил магнитофон.

— Илюша, если у тебя опять маньяк, то ты сначала поешь, а потом прослушивай запись допроса, — сердито сказала мама, — иначе у тебя испортится аппетит. Я пожарила куриные котлетки, иди мой руки.

Лидии Николаевне было семьдесят три года. Всю жизнь она проработала искусствоведом в Пушкинском музее, занималась русским портретом конца девятнадцатого, начала двадцатого века. Уже пять лет она была на пенсии, но не вылезала из запасников музея, занималась научными исследованиями, работала с аспирантами-искусствоведами, писала очередную книгу. Кроме того, к ней постоянно обращались за консультациями коллекционеры, новые русские, которые вкладывали деньги в произведения искусства, а также сыщики с Петровки, таможенники, словом, все, кому требовалось мнение специалиста по портретной живописи. При этом она любила пожаловаться на слабое здоровье, и на вопрос «как вы себя чувствуете», отвечала: «Ох, не спрашивайте. Ужасно. Вчера еле доковыляла до Консерватории, там Кисин исполнял Скрябина, пришлось идти. А куда денешься? Нельзя же такое пропустить!»

— Так что, Илюша, у тебя опять сексуальный маньяк? — поинтересовалась Лидия Николаевна, когда Илья Никитич сел за стол.

— Нет. У меня на этот раз убийство журналиста.

— А, ну тогда понятно, почему там звучали такие

медицинские откровения. Теперь модно вываливать на публику самые интимные подробности. Тебе сколько котлет положить?

— Три. Они маленькие.

— Скажи, пожалуйста, журналист газетный или телевизионный?

— Универсальный. Мама, давай сначала поедим, — улыбнулся он, накладывая себе в тарелку квашеную капусту, — ты же сама говорила, что от этого может испортиться аппетит.

— Ах, универсальный? Как его фамилия?

— Артем Бутейко.

— Первый раз слышу. И что, многим были интересны его материалы?

— Ну, как тебе сказать? Если печатали, значит, кто-то читал. А в последнее время у него была своя еженедельная ночная программа на телевидении.

— Там он тоже обсуждал такие интимные вещи?

— Мамочка, ну почему тебя это так заинтересовало? — Илья Никитич не спеша, с удовольствием прожевал кусок котлеты. — Ты же почти не читаешь газет, не смотришь телевизор.

— Ну как же? Я смотрю. По каналу «Культура» иногда показывают неплохие передачи. Но дело не в этом. Мне кажется, в таком обостренном интересе к интимной стороне жизни есть очевидная психическая патология. Судя по тем нескольким фразам, которые я слышала, твой журналист был тяжело больным человеком. А больной человек мог поступить неосторожно и спровоцировать кого-то даже на убийство. Он ведь имел дело с известными, влиятельными людьми.

— Да, конечно, — рассеянно кивнул Илья Никитич, — котлеты замечательные. Скажи, пожалуйста, где у нас перец?

— Не надо тебе перца, Илюша. От острого у тебя

299

изжога. Так вот, я думаю, этого твоего журналиста могли убить, или, как теперь говорят, «заказать», за то, что он слишком глубоко влез в чью-то интимную жизнь. Ты со мной не согласен?

— Мама, те люди, которым он задавал свои бестактные вопросы, вольны были отказаться от разговора с ним.

— Тем более! Человеку свойственно намного тяжелей переживать собственную глупость, чем чужую бестактность и даже чужую жестокость.

— Ну, это ты, мамочка, преувеличиваешь, — хмыкнул Илья Никитич, встал и полез в буфет.

— Илюша, если ты ищешь перец, то я его выкинула. И вообще, сядь, не перебивай меня, пожалуйста. Я ничуть не преувеличиваю. Вспомни дело о маньяке-кинорежиссере, которое ты вел четыре года назад. Вспомни Вареньку Богданову, девочку, которая помогла следствию, выступила на суде, а потом пыталась покончить с собой. — Лидия Николаевна тяжело вздохнула. — Мы ведь вместе навещали ее в больнице. Она сказала, что самым тяжелым для нее было не насилие, не гадость, которую ей пришлось пережить. Больше всего ее мучило то, что она сама, добровольно, пошла вместе с маньяком, согласилась войти в квартиру и даже раздеться. Ей ужасно хотелось сниматься в кино. И этого она не могла себе простить, поэтому кинулась в Москву-реку. Ей было стыдно. А стыд, Илюша, одно из самых сильных человеческих чувств.

— Не вижу связи, — пробормотал Илья Никитич и отправил в рот последний кусок котлеты, — при чем здесь убитый журналист?

— Странно, — Лидия Николаевна пожала плечами, — обычно ты сразу понимаешь, что я имею в виду. Связь, Илюша, очень простая. Кто-то из влиятельных известных людей мог не простить самому себе, что позволил твоему журналисту втянуть себя в непристойный разговор. Но в отличие от девочки Вареньки, он не пытался покончить с собой, а прикончил журналиста, потому что журналист стал для него живым напоминанием о стыдном, глупом поступке. Илюша, ты так и не попробовал капусту, она, между прочим, отличная на этот раз. Не слишком кислая, но и не сладкая.

Илья Никитич кивнул и принялся задумчиво жевать квашеную капусту с клюквой, но вкуса почти не чувствовал.

«Мама, как всегда, преувеличивает и усложняет, связи между маньяком и журналистом нет, — подумал он, — ну, разве что оба страдали сексуальной озабоченностью, однако журналист Бутейко не маньяк, в отличие от кинорежиссера Рафика Тенаяна».

Между прочим, Рафик на какое-то время стал настоящим героем для прессы, журналисты рвались снимать его, брать интервью. Вполне возможно, в их рядах был и Бутейко.

Илья Никитич не сомневался, что нет никакой связи, однако дело четырехлетней давности отчетливо прокрутилось у него в голове. Рафик Тенаян, армянин московского происхождения, кинорежиссер по образованию, подлавливал на улицах хорошеньких несовершеннолетних девочек, предлагал им сниматься в кино, даже показывал удостоверение члена Союза кинематографистов, для первой фотопробы приглашал к себе в квартиру, поил снотворным и насиловал. Одна из последних его жертв, семнадцатилетняя Варвара Богданова, чудом осталась жива и привела оперативников прямо в квартиру к чудовищу, потом спокойно и четко давала свидетельские показания, участвовала в следственных экспериментах.

Жертв оказалось всего тринадцать. Две девочки погибли от передозировки снотворного. Одна сошла с ума. Варя Богданова без колебаний согласилась выступать на заседаниях суда, вела себя удивительно хладнокровно и мужественно, ни слезинки не уронила, ни разу не сорвалась. Собственно, благодаря этой девочке, а не самоотверженным усилиям правоохранительных органов и тонкому аналитическому уму следователя ублюдок был арестован и вина его полностью доказана.

Через два дня после оглашения приговора Варя кинулась в воду на Краснопресненской набережной. Был март, по Москве-реке плавали грязные тонкие льдины. Слава Богу, неподалеку остановилась патрульная милицейская машина. Молодой капитан милиции спас девочку.

Маньяка приговорили к пятнадцати годам. У него был отличный адвокат. Илья Никитич знал, что в зоне маньяк зарекомендовал себя отлично. Характеристики просто блестящие: дисциплинированный, трудолюбивый, активно участвует в художественной самодеятельности. Встал на путь исправления. Конечно, зеки уже давно свершили над ним свой собственный суд, Рафика «опустили». Однако, судя по отзывам администрации, он вполне спокойно пережил эту процедуру и смирился со своим новым статусом. Такие, как он, удивительно живучи, они легко адаптируются в любой социальной среде и в любой обстановке. Возможно, примерный «петушок» будет освобожден при очередной амнистии.

— Илья, тебе чай наливать? — услышал он недовольный голос мамы. — Я в третий раз тебя спрашиваю, а ты меня не слышишь.

— Да, мама, извини...

— Я, между прочим, говорю об интересных вещах.

Это, конечно, чисто теоретические рассуждения, к тому же совершенно дилетантские... Что ты делаешь? Я уже положила тебе сахар!

— Да, мамочка, спасибо. Я тебя внимательно слушаю.

— Илья, ты действительно слушаешь меня? Или только делаешь вид? — Лидия Николаевна грозно взглянула на него поверх очков. — Вот ты сказал: «не вижу связи». А между прочим, последней каплей для Вари стала встреча с коллегой твоего нынешнего трупа.

— Подожди, мамочка, я не понял...

— Что же непонятного? Ты помнишь, как активно вокруг того грязного дела топталась пресса? Маньяк стал настоящим героем, о нем сняли несколько телевизионных сюжетов, потом еще документальный фильм, а сколько было газетных и журнальных статей! Я даже слышала, о нем написана книга, целое документальное исследование. Хотя что там исследовать, не понимаю. Почему людей так привлекает всякая гадость? Из пошлого, примитивного чудовища сделали чуть ли не национального героя, как, впрочем, из других чудовищ, маньяков, воров в законе, наемных убийц.

— Ну, мама. Ты преувеличиваешь, — вяло возразил Илья Никитич, — конечно, патологическая жестокость вызывает острое любопытство, но все-таки не у всех, а у людей с пониженным интеллектуальным развитием. Они пока еще не составляют большинство нации, поэтому сексуальные маньяки все-таки не становятся национальными героями.

— Ох, Илюша, если по телевизору будут по всем каналам каждый день показывать ток-шоу, посвященные мастурбации, проституции, эрекции и прочим простым радостям бытия, то очень скоро люди окончательно сойдут с ума. О каком-нибудь Чикатило сегодня написано уже, вероятно, больше, чем о Федоре Михайловиче Достоевском. Спроси любого школьника, кто такие Солоник и Япончик, он тебе без запинки расскажет. А попробуй спросить, кто такие Врубель, Левитан, Кустодиев и чем они друг от друга отличаются, в ответ сегодняшний подросток в лучшем случае пожмет плечами, а скорее всего просто покрутит пальцем у виска. Тебе не приходило в голову, что это огромная тема для социально-психологического исследования?

— Мам, ты начала говорить, что последней каплей для Вари Богдановой стала встреча с каким-то журналистом, — осторожно напомнил Илья Никитич, — расскажи, пожалуйста, немного подробней. Это действительно любопытно.

— Ну, Илюша, ты уже большой мальчик, — засмеялась Лидия Николаевна, — неужели ты думаешь, что та давнишняя история имеет отношение к твоему убитому журналисту? Четыре года назад какой-то мерзавец с телекамерой преследовал несчастную девочку, чтобы вытянуть у нее подробности трагедии, которые ему казались пикантными. Да, возможно, если бы он не набросился на нее со своими ублюдочными вопросами, она не решилась бы кинуться в воду. Между прочим, он и потом не оставил ее в покое, прорывался в больницу, все хотел взять интервью.

— Ты мне этого не рассказывала.

— Ну конечно! Все я тебе рассказывала, просто ты, как Шерлок Холмс, удерживаешь в голове только ту информацию, которую считаешь необходимой для работы. Экономишь место, будто твоя голова что-то вроде книжного шкафа.

— Шерлок Холмс сравнивал память с чердаком, а не с книжным шкафом.

— Ну, все равно. Иногда то, что сегодня тебе кажется незначительным, завтра может оказаться необходимым звеном в цепи расследования. А не завтра, так через год. Но я говорю сейчас не об этом. Ты становишься черствым и бессердечным, Илюша. Не только события, но и живых людей ты начинаешь сортировать по степени необходимости для очередного расследования. Я понимаю, ты экономишь силы, я тебя отлично понимаю, но так нельзя. Бессердечный человек перестает ориентироваться в пространстве, теряет чувство реальности. Настанет момент, когда это будет мешать тебе работать.

— И все-таки про мерзавца с телекамерой, который преследовал Варю Богданову, ты мне ничего не говорила, мамочка, — быстро произнес Илья Никитич.

— Говорила, Илюша. Несколько раз рассказывала. Ты меня не слышал. Просто у тебя тогда не было дела об убийстве скандального журналиста.

ГЛАВА ДВАДЦАТЬ ВТОРАЯ

— Что случилось, господин Красавченко? Вы же собирались улетать, — произнесла Лиза по-английски, смерив его холодным равнодушным взглядом.

— Как вы себя чувствуете? — спросил он тоже по-английски и, не дожидаясь приглашения, уселся к ним за столик. — Я так волновался за вас, вы вчера плохо выглядели, были бледной, очень рассеянной. Вам не кажется, — обратился он к американке с доверительной улыбкой, — что русские женщины слишком загружают себя работой и совсем не думают об отдыхе?

— Вероятно, вы правы, — холодно кивнула Керри и поднялась, — перерыв кончается через пять минут. Жду вас в зале, Лиза, — она посмотрела на нее долгим многозначительным взглядом и ушла, оставив их вдвоем.

— Я написала заявление в местную полицию, — тихо сказала Лиза по-русски, — мне уже сделали анализ крови, через несколько часов будет установлено вещество, которое вы добавили в вино.

— Анализ вам делали прямо в полицейском участке? — деловито осведомился Красавченко.

— Да, там есть врач.

— Кровь брали из пальца или из вены?

— Из вены.

Он ловко схватил ее за левую кисть и закатал рукав до локтя. Она вырвала руку, он попытался схватить правую, но она вскочила и произнесла довольно громко по-английски:

— Вы слишком много выпили с утра, сэр! Вы ведете себя неприлично!

Два молодых японца за соседним столиком обернулись.

— Сядьте, Лиза. Сядьте и успокойтесь, — в его глазах не было ни тени испуга. Он смотрел на нее с холодным любопытством, как на лабораторную мышь. — Вы даже не сумеете ответить мне, где находится ближайший полицейский участок.

— Через два квартала, за собором Святой Екатерины.

— Не надо блефовать, это не в ваших интересах. Ни в какую полицию вы не обращались, и делать этого не станете. Вам просто не о чем заявлять. К тому же через два дня вы возвращаетесь домой. Вас ждет работа, семья и еще один человек, по которому вы так соскучились. А в полиции здесь, как и везде, сплошные бюрократы. Если предположить невозможное и заявление ваше будет принято, начнется волокита, вам придется задержаться в Канаде, причем за собственный счет. Это дорого, хлопотно, а главное, совершенно бесполезно. Нет признаков преступления. Вы живы, здоровы, отлично выглядите, у вас ничего ни пропало. А меня уже сегодня здесь не будет.

— Вы подсыпали мне в вино какое-то психотропное средство.

— Да Бог с вами, Елизавета Павловна, — засмеялся Красавченко, — за кого вы меня принимаете?

Лиза не знала, что ответить. Но ей и не пришлось отвечать. Участников конференции уже в третий раз приглашали пройти в зал. Перерыв кончился. У столика выросла мощная фигура норвежского профессора Ханса Хансена, он подхватил Лизу под руку.

— Мы с вами опаздываем, леди.

У входа в зал ее догнал Красавченко.

— Вы все-таки удивительно рассеянны, Елизавета Павловна. Все теряете, забываете. — Он театрально закатил глаза и произнес громко, по-английски: — Вот что делает любовь с женщиной!

— Пошел вон, — прошептала Лиза по-русски.

— Елизавета Павловна, выбирайте выражения, — ответил он также шепотом, — вот, возьмите, вы оставили документы на столе. После конференции жду вас в баре на двенадцатом этаже.

— Долго придется ждать.

— Думаю, нет. Вы придете сразу. Вы бегом прибежите. — Он ослепительно улыбнулся и исчез в толпе.

В зале Лиза нашла американку. Та пролистывала документы, выделяла какие-то абзацы разноцветными маркерами, ставила вопросительные и восклицательные знаки на полях.

— Керри, мы не договорили, — прошептала Лиза, усаживаясь рядом, — откуда вы знаете этого человека? Кто он?

— Он проходимец, — ответила американка тоже шепотом, не отрывая глаз от ксероксных страниц.

— Почему вы так решили?

— У него это написано на лице. У него бегают глаза. Он навязывает свое общество.

— И это все, что вам известно?

— Более, чем достаточно.

— Как вы узнали его фамилию, Керри?

— Я слышала, как он знакомился с вами. Я тоже завтракаю во фруктовом баре на седьмом этаже. Он все время возле вас крутится, Лиза. В списке членов российской делегации его фамилии нет. Ни один из присутствующих на конференции представителей российского Министерства иностранных дел с ним не знаком. Он живет в гостинице как частное лицо. Возможно, он и числится при министерстве, но на какой должности и в каком качестве — неизвестно. Я думаю, он тайный агент КГБ.

— Вы специально интересовались? Спрашивали о нем наших дипломатов и гостиничную администрацию? — удивилась Лиза.

— Да. Кое-кого я о нем спросила.

— Зачем?

— Он мне не понравился. Очень скользкий и неопределенный тип. Мне стало интересно, верно ли я угадала, что этот человек не тот, за кого себя выдает. В восьмидесятом году я побывала в СССР на Олимпиаде. Перед поездкой мы проходили специальный инструктаж, нас учили по некоторым признакам распознавать агентов КГБ.

— Но с тех пор прошло двадцать лет, Керри.

— Да, конечно. Организации с таким названием в России уже нет, хотя смена вывески ничего не значит. Будьте с ним осторожней, Лиза.

На трибуну вышел буддийский монах, бритый, в красной простыне, с голым плечом. Он говорил по-монгольски, и все надели наушники, в которых звучал синхронный перевод. Керри выключила в наушниках звук и углубилась в чтение бумаг. Лиза последовала ее примеру, достала листы из пластиковой папки и почувствовала острый приступ тошноты, такой острый, что рефлекторно зажала рот ладонью.

Среди бумаг она обнаружила несколько маленьких поляроидных снимков. Порнографические картинки. Двое кувыркаются в койке. Она глядела на фотографии не больше секунды, и тут же прикрыла их бумагами. Но этой секунды хватило, чтобы узнать действующих лиц. Красавченко и она. Она и Красавченко.

* * *

— Как заметил профессор Преображенский из «Собачьего сердца», репортеров надо расстреливать. И это совершенно справедливо. Нет, я, разумеется, ни на что не намекаю, поймите меня правильно, но профессия в

309

принципе паскудная. Мне приходилось работать и с газетчиками в качестве фотографа, и на телевидении я уже пятнадцать лет. Если нет операторской работы, иду на шабашку в газеты. Так вот, Артем Бутейко отличался каким-то особенным коварством, конечно, не тем будет помянут. Но если хотите знать мое мнение, он допрыгался. Его многие предупреждали.

Пожилой телеоператор Егор Лабух дымил, как паровоз, от окурка тут же зажигал следующую сигарету. Вместе с дымом у него изо рта лился поток всяких телевизионных и газетных баек. Он оказался настолько разговорчив, что даже терпеливый и жадный до информации Илья Никитич начал уставать.

— Скажите, Егор Викторович, а кто именно его предупреждал и о чем конкретно? — спросил он, вклинившись наконец в монолог собеседника и пытаясь направить разговор в более осмысленное русло.

— Нет, уж извините, имен я называть не буду, — криво усмехнулся Лабух, — вы все-таки убийство расследуете, я ляпну какое-нибудь имя и, не дай Бог, подставлю человека под подозрение. А ведь наберется не меньше сотни людей, причем все до одного — знаменитые, влиятельные, с серьезными возможностями.

— То есть не меньше сотни людей, у которых, по вашему мнению, могли быть мотивы для убийства Бутейко? — осторожно уточнил Илья Никитич.

— Ну, я, наверное, преувеличил немного, но в принципе после большинства его материалов, газетных, журнальных, телевизионных, у каждого его героя хоть на минуту такое желание возникало. А если учесть, что он еще и жил в долг, просил у всех, не стеснялся, то тут вам, как следователю, можно только посочувствовать. Хотя нет, я слышал, убийцу взяли на месте преступления, прямо в подъезде?

— Да, у нас есть подозреваемый, — уклончиво ответил Илья Никитич. — Так вы говорите, он жил в долг. Лично у вас он когда-нибудь занимал деньги?

— Дважды. Правда, все вернул. Нет, что касается долгов, тут вы, пожалуй, ничего не нароете. Долги он возвращал аккуратно, коллегам во всяком случае. А вот что касается людей, к которым он лез как репортер, тут я могу рассказать, что он творил, как изгалялся. Допустим, берет он интервью у популярнейшего киноактера, немолодого, интеллигентного. Тот рассказывает ему смешную историю, как озвучивал в мультике роль голубого резинового щенка, исполнял там песенку. Беседа выходит под заголовком: «Голубой я, голубой, никто не водится со мной». И большая фотография пожилого актера, причем самая неудачная. Или как-то на Шаболовке в буфете он случайно подслушал разговор. За соседним столиком сидел известный политик-демократ, бывший главный редактор молодежного еженедельника, и рассказывал, как в конце восьмидесятых один из кабинетов редакции пришлось сдать в аренду порнографическому журналу, который делали трое ловких мальчишек, и эти мальчишки бегали за сотрудниками редакции, уговаривая что-нибудь написать, перевести, предлагали несусветные гонорары. Буквально на следующий день в желтой, но очень тиражной газетке, в разделе светской хроники, выходит заметка на целый подвал, где рассказывается, как политик-демократ продавал порноизданию не только помещение, но и сотрудников, а особенно молодых сотрудниц. И все это как бы с юморком. Ну а что касается всяких любовных связей знаменитостей, тут уж ему равных не было. Выслеживал, подслушивал, шпионил, а потом стучал широкой общественности через средства массовой информации, кто с кем спит. Бывало, что и семьи из-за этого рушились.

— Неужели никто ни разу не подал на него в суд? — опять вклинился Илья Никитич.

— За что? За песенку голубого щенка? Ну разве может нормальный человек публично признаваться, что это для него серьезно? Одни вспыхивали и перегорали, не хотели пачкаться, тратить время и нервы, другие понимали, что именно этого он ждет, потому как скандал есть самая эффективная реклама. Зачем же такую гниду рекламировать? Ох, простите, нехорошо я говорю о покойном. Нехорошо. Но посудите сами, он ведь никого не щадил, вообще никого, причем выбирал для своей охоты не каких-нибудь эстрадных попрыгунчиков, а предпочитал нормальных, приличных людей, которым такая, с позволения сказать, популярность на фиг не нужна. Вот, к примеру, одна очень известная и всеми любимая телеведущая, не буду называть фамилии. Артем крутился около нее, как бес. Выведал, что у нее мать страдает хроническим алкоголизмом. Я с ним не поехал, но нашелся другой оператор, которому все по фигу. Засняли старую женщину во время запоя. Издевался он над ней прямо в кадре, как мог. Расспрашивал, какой была ее знаменитая доченька в детстве, до какого возраста писалась в штаны. А мамаша-то пьяная, ничего не соображает, едва языком ворочает. Пьяные слезы, истерика. И, разумеется, тут же дал в эфир в своей ночной программе в качестве специального репортажа. Сплошные крупные планы, испитое лицо, загаженная квартира. А в перебивку — фотографии телеведущей, чтобы зритель ни на секунду не забывал, чья это мамочка. Да еще музыкальным фоном пустил песню Окуджавы: «А на Россию одна моя мама, да только что она может, одна?»

— Когда же это было?

— Да меньше месяца прошло. Во второй или в третьей его передаче, точно не помню.

— И как отреагировала телеведущая?

— Честно говоря, не знаю. Слышал сплетню, будто она дала ему пощечину в холле Останкино на первом этаже, да не просто, а сначала перчатку надела. А он будто бы дал ей сдачи, и между ними чуть ли не драка завязалась, но похоже, сам Артем и пустил такую «утку». Это как раз в его духе.

«Любопытно, а почему лично вы, Егор Викторович, пожилой, вполне порядочный человек, опытный телеоператор и наверняка неплохой фотограф, работали с Бутейко, обслуживали его скандальную программу?» — мысленно спросил Илья Никитич. Только мысленно, ибо не хотел обижать человека, да и ответ был известен заранее: если отказаться, найдется десяток желающих, деньги всем нужны.

Что касается имени телеведущей, то тут и вопроса не возникло. Илья Никитич сразу понял, что речь шла о Беляевой.

Дома Бородин обнаружил, что на всех аудикассетах, помеченных надписью «Беляева», нет голоса Бутейко. Вопросы Елизавете Павловне задавали какие-то сладкоголосые юные девицы.

— Елизавета Павловна, как вы поступите, если узнаете, что муж вам изменяет?

— Госпожа Беляева, если в вашем доме появится молоденькая, сексуально привлекательная горничная и вы заметите, что у вашего мужа с ней связь, что вы сделаете?

— Вы собираетесь обращаться к хирургам-пластикам, чтобы сохранить молодость? Ведь вам уже много лет, и скоро вы станете старой.

Нет, такого рода вопросы задавались не сразу, не в первую очередь. Сначала все выглядело как обычное интервью. Разговор начинался мирно, вполне доброжелательно, сладкоголосые девушки непременно вначале интервью выражали Елизавете Павловне свое восхищение, пели песни про ее обаяние, красоту, ум, задавали невинные и удобные вопросы и только потом выстреливали ей в лицо какой-нибудь пакостью.

Беляева была равнодушна к лести, вежлива, сдержана, отвечала иногда остроумно, иногда вяло, вероятно, это зависело от настроения и обстановки. На хамские вопросы она отвечала просто: «А вы?»

— Мне двадцать один, а вам сорок! — сорвалась одна из корреспонденток.

— Ну, все еще впереди, надо думать о будущем, — спокойно отвечала Беляева.

— Скажите, Елизавета Павловна, вы двадцать лет жили с одним мужчиной потому, что больше не находилось желающих?

— Извините, я не могу с вами разговаривать. У вас неприятно пахнет изо рта, — спокойно отвечала Беляева.

На бумажном вкладыше одной из кассетных коробок Илья Никитич обнаружил надпись простым карандашом, крошечными буквами: «Сто пудов», 20.03.98». Он позвонил Косицкому и попросил выяснить, что это такое. Капитан тут же сообщил, что так называется бульварная газета.

— Достань номер за двадцатое марта прошлого года, узнай, кто брал интервью у Елизаветы Беляевой.

— У кого? У Беляевой? — Иван присвистнул в трубку. — У нас, часом, новый фигурант не намечается?

— Почему ты спросил? — быстро произнес Илья Никитич.

— Потому, что все телевидение знает об этой сладкой парочке. Беляева и Бутейко — заклятые враги, ненавидели друг друга. Вы сами мне сказали об этом, и еще я слышал от нескольких телевизионщиков. Это как будто висит в воздухе. Было какое-то чрезвычайно скандальное ток-шоу, после коего Бутейко вылетел с молодежного канала, долго не появлялся на экране, работал только в прессе и на радио. Одни говорят, Беляева его подставила в этом ток-шоу, оно шло в прямом эфире. Другие считают, что ее выступление было только поводом для руководства канала, чтобы избавиться от Бутейко.

— Очень интересно. Узнай все подробней. И постарайся разыскать корреспондентку, которая брала интервью для «Сто пудов», только очень быстро.

— На всякий случай сообщаю, что Беляева сейчас в Монреале на международной конференции по правам человека. Улетела за день до убийства, возвращается в субботу, — сказал Иван.

Положив трубку, Илья Никитич включил видеомагнитофон и почти сразу понял, что просматривает запись именно того ток-шоу, которое стало для Бутейко роковым.

...Посередине круглого зала сидел парнишка в черных джинсах и черном свитере. Лицо его было закрыто разрисованной маской.

— У меня был в жизни тяжелый период, — говорил он глухим, срывающимся голосом, — я хотел покончить с собой. Пробовал несколько раз, но у меня ничего не вышло. Я не смог... простите, мне трудно говорить.

— Да вы не волнуйтесь, — подбодрил его ведущий, Артем Бутейко, — вы расскажите, и станет легче. А возможно, мы сумеем вам помочь, попытаемся вместе разобраться в вашей тяжелой проблеме. Для этого мы здесь и собрались, чтобы помогать друг другу в трудностях и горестях, поддерживать того, кому тяжело.

— Спасибо... Да... хорошо... я попробую.

Камера заскользила по залу. Напряженные лица, в глазах сочувствие.

— Я полюбил девушку, но она бросила меня, ушла к другому. Я не хотел жить, я пытался разными способами убить себя, но понял, что не сумею сделать это сам. У меня был старый знакомый, мы учились в одной школе. Я знал, что он связан с криминалом. Я позвонил ему и сказал, что мне нужно сделать заказ. Убить человека.

Опять пауза, несколько секунд тишины. Публика выглядела все напряженней, у нескольких пожилых женщин выступили слезы на глазах, одна уже рыдала, не скрываясь, и сморкалась в платочек. Камера на несколько секунд задержалась на ее лице. Это было очень трогательно, крупная слеза катилась по морщинкам.

— То есть вы заказали самого себя? — сочувственно уточнил ведущий.

— Да, — глухо прозвучало из-под маски. — Я сообщил, что заказанный мною человек в такое-то время будет в таком-то месте, и пришел туда.

— Что же было дальше?

— Я увидел их, но испугался. Сработал какой-то инстинкт, я убежал. И вот уже год скрываюсь от них. Каждый день меня могут убить. За мной следят. Меня преследуют. Но теперь я понял, что такое жизнь. Я очень хочу жить, но знаю, меня все равно убьют, рано или поздно.

Камера взяла крупным планом лицо красивой плачущей девочки лет семнадцати. Огромные карие глаза, полные слез. Илья Никитич заметил, что одним из операторов был его знакомый, Егор Лабух.

— Миленький, ну как же так? — всхлипнула очередная бабушка в подставленный микрофон. — Ты еще такой молодой! Товарищи, надо что-то делать, надо помочь мальчику.

— А вы не пытались отменить заказ? — поинтересовался солидный мужчина с усиками.

— Может, вам просто в милицию пойти и все рассказать? — заикаясь от волнения, спросила женщина с красными взбитыми волосами и золотыми зубами.

— Это бесполезно, — покачал своей маской несчастный герой, — машина запущена. На меня идет настоящая охота, я все время это чувствую, вот сейчас я пришел сюда, но не знаю, что со мной будет, когда я отсюда выйду.

Публика в зале сострадала парнишке в маске очень искренне, очень серьезно, ему давали советы, его жалели, уговаривали еще пожить, ведь он так молод. Предлагали охрану, спрашивали, не надо ли помочь материально, хватает ли ему на хлеб, ведь, скрываясь от убийц, он не может устроиться на работу. Белокурая голубоглазая девочка лет пятнадцати тоненьким голоском пригласила его спрятаться у нее дома.

— Я сумею тебя защитить! Не бойся!

— Спасибо, спасибо, — повторял Бутейко в ответ на каждое такое предложение. Герой молчал, он от волнения и благодарности, вероятно, потерял дар речи и притаился под своей маской.

— И после этого говорят, что в наших людях исчезает чувство сострадания! — воскликнул ведущий. — Я благодарю зал. Послушаем, что скажут наши эксперты? — Он подошел к группе людей, которые сидели отдельно.

Двое мужчин, по виду бизнесмены-нувориши, и между ними Елизавета Беляева. Мужчины были представителями фирмы-спонсора. Беляеву зал приветствовал громкими аплодисментами. Первой микрофон взяла она.

— Прежде чем сказать что-либо, я хочу задать нашему герою несколько вопросов. Скажите, сколько вы заплатили за заказ?

— Я не могу ответить на этот вопрос...

— Почему?

— Ну, есть причины. Много... очень много.

— Хорошо. А как вы представились вашему приятелю? Вы назвались своим собственным именем?

— Да, конечно.

— Если я правильно поняла, вы с посредником, который принял заказ и взял деньги, учились в одной школе и хорошо знакомы?

— Да.

— А как вы представили того, кого заказали? Чью фотографию вы передали посреднику? Какой назвали адрес, телефон, фамилию?

По залу прошел гул. Бутейко решительно вырвал микрофон у нее из рук.

— Елизавета Павловна, у нас ведь здесь не следствие, не допрос. Это только повод для разговора. Мы ставим проблему, серьезную и злободневную, мы пытаемся в ней разобраться все вместе, помочь, а вы нападаете на человека, который попал в такую чудовищную ситуацию. Продолжим. Что скажете вы? — он отдал микрофон одному из мужчин.

— Я ничего не скажу, — мрачно буркнул тот, — у меня нет привычки перебивать. Госпожа Беляева еще не закончила, — он передал микрофон Елизавете Павловне.

— На самом деле, я почти закончила, — она мягко улыбнулась, — еще один вопрос. За год охоты на вас посредник так и не узнал, что вы — это вы?

— Нет. Если я раскрою тайну, меня сразу убьют. Я же сказал, что не уверен в завтрашнем дне. Вы поймите, деньги заплачены, машина запущена, работают профессионалы, и заказ будет выполнен рано или поздно. Вы просто не знаете законов уголовного мира. — Парнишка сильно нервничал, говорил быстро, возбужденно, и в его голосе, в интонации, во всей его фигуре Илье Никитичу вдруг почудилось что-то очень знакомое.

— Да, вероятно, я плохо знаю эти законы, — кивнула Беляева. — Во всяком случае, о профессиональных убийцах, которые приняли заказ, но за год охоты так и не поняли, кого им надо убить, я слышу впервые, — она улыбнулась и отдала микрофон Бутейко.

Зал гудел, смеялся, многие топали ногами и хлопали в ладоши. Только что рыдавшие старушки возмущенно перешептывались, качали головами. Девочка в последнем ряду, предлагавшая спрятать страдальца у себя дома, вложила четыре пальца в рот и оглушительно засвистела.

— Подождите, господа, — произнес Бутейко, откашлявшись, — мы только что выслушали мнение нашей уважаемой Елизаветы Павловны. Но это всего лишь мнение. Продолжим дискуссию, выступил только один эксперт, сейчас обратимся к представителю наших замечательных спонсоров. Поприветствуем нашего гостя, заместителя коммерческого директора банка «Надежда». Прошу аплодисменты, господа!

Но вместо аплодисментов продолжали звучать шиканья, топот и свист. Представитель банка мрачно помотал головой и отстранил протянутый микрофон.

В течение нескольких минут Бутейко еще пытался спасти передачу, бормотал в микрофон какие-то беспомощные, высокопарные фразы о сострадании, но только раззадоривал публику. Герой в маске поднялся и, сгорбившись, как побитый, прошмыгнул к выходу. Камера на долю секунды скользнула по нему. Маска была плоской, прилегала к лицу неплотно, Илья Никитич попытался разглядеть хотя бы часть лица, нажал «паузу», но увидел только скулу и край подбородка.

— Ну ладно, это можно уточнить, — пробормотал он и пустил пленку. Но больше смотреть было нечего. На экране возникла заставка, потом дали рекламу спонсоров.

Румяная глянцевая семейка, мама, папа, двое деток, мальчик и девочка, взявшись за руки, прыгали по сверкающему паркету пустой комнаты. На них, стоя в уголке, с улыбкой глядела бабушка, роль которой исполняла известная актриса. Обращаясь к телезрителям, она произнесла своим глубоким «мхатовским» голосом:

— Мои дети ждали квартиру много лет. Им помогла «Надежда».

— Но нужна еще и мебель! — восклицал мальчик.

— Есть «Надежда», будет и мебель! — подмигивал с экрана отец счастливого семейства, и, подхватив бабушку в хоровод, все вместе продолжали кружиться по пустой комнате со звонким смехом. Затем появилась эмблема банка, и «бабушкин» голос сообщил проникновенно:

— Мне много лет, всякое бывало, но я знаю: главное в жизни — надежда. «Надежда» вас не подведет.

Запись кончилась. На экране плясала черно-белая рябь. Прежде чем промотать пленку и посмотреть, есть ли на ней еще что-нибудь, Илья Никитич взялся за блокнот, отыскал телефон оператора. Был уже двенадцатый час, но Егор Лабух говорил, что звонить ему можно до двух часов ночи.

— Добрый вечер, Егор Викторович. Следователь

Бородин беспокоит. Простите за поздний звонок. Я только что просмотрел запись ток-шоу, которое вел Бутейко...

— А, то самое, — оживился оператор, — первое и последнее ток-шоу Артема. Кстати, можно спросить, как к вам попала кассета? Я думал, записи не осталось.

— Я нашел ее у Бутейко дома. Вы сказали, первое и последнее. Неужели для телевизионного начальства провал оказался настолько серьезным, что Бутейко после этого на три года отстранили от эфира?

— Специально, в административном порядке, никто не отстранял. Но у него после этого начались сплошные неприятности, пошла черная полоса. Спонсоры озверели. Они сказали, что не собираются оплачивать такую наглую халтуру, сказали, что он опозорил банк, сделал их посмешищем. Начальство канала было полностью солидарно со спонсорами, и еще ему досталось за то, что он своей наглой халтурой поломал эфирную сетку. Из-за того, что передача кончилась раньше на семь минут, получилась дыра, а это очень серьезно. Между прочим, с тех пор почти все передачи подобного рода идут в записи. Сейчас практически не осталось ток-шоу в прямом эфире. Только запись, с предварительным монтажом. Ведь если бы не эфир, можно было бы потом что-то сляпать из этой программы, вырезать Беляеву, вклеить кусочки из других передач, ну там, знаете, лица публики, которые плачут или смеются, аплодируют, в зависимости от того, что надо ведущему.

— Скажите, а Беляева знала заранее, о чем пойдет речь? Он предупредил, что история выдуманная и герой фальшивый?

— В том-то и дело, что нет. Артем наплел, что раскопал классный эксклюзив, для премьеры ничего лучшего найти нельзя. Но пусть это будет сюрпризом для всех, так интересней.

— А почему в качестве эксперта он пригласил именно ее?

— Она была уже очень популярна, а для подобных передач обязательно нужны «свадебные генералы». Артем не был настолько известным, чтобы знаменитости повалили валом на его первое ток-шоу. Он приглашал нескольких актеров, эстрадных певцов, но они говорили, что не могут участвовать в программах, которые еще не достаточно раскручены. К тому же тогда о Бутейко в этих кругах уже ходили нехорошие слухи. Лиза согласилась потому, что у нее были свободные два часа, ну и вообще, он так ее упрашивал, без «свадебного генерала» передача заведомо была обречена на провал. Лиза его просто пожалела.

— Да уж, пожалела, — эхом отозвался Илья Никитич, — а в общем, она была права, я бы так же поступил. Бессовестно дурачить людей, играть на их чувствах. Странно, что никому из публики не пришло в голову задать герою хотя бы один из тех простых вопросов, которые задавала она.

— Они зрители, люди с улицы. На них действовала магия эфира. Бутейко именно на это и рассчитывал. Понимаете, дело не в том, что он привел своего приятеля и выдумал фальшивую историю. Это как раз нормально. Дело в том, что историю эту, стержневую тему своей премьеры, он не потрудился добросовестно продумать, все рассыпалось от трех простых вопросов. Кстати, знаете, этот банк «Надежда» лопнул через год, исчез вместе с денежками вкладчиков. Молодые люди, которых вы видели на пленке, до сих пор в розыске.

— Подождите, вы сказали, он привел в качестве героя своего приятеля. Случайно не помните, как его звали?

— Да что вы, больше трех лет прошло.

ГЛАВА ДВАДЦАТЬ ТРЕТЬЯ

Дмитрий Владимирович уехал на весь день, у Вари с утра болела голова, была небольшая температура, она осталась дома. Пока горничная гудела пылесосом, Варя, накинув шубу, вышла в сад. В руках у нее был учебник по истории средних веков, надо было готовиться к зимней сессии. Она присела на скамеечку у бассейна, открыла книгу на заложенной странице, но не могла прочитать ни строчки. Она вообще не понимала, зачем Мальцеву так хочется, чтобы она училась в этом дурацком Университете искусств, изучала античность, готику, ренессанс, если все это давно забыто и никому не нужно.

Впрочем, особенного усердия от нее не требовалось. Даже за гробовое молчание на экзаменах ей ставили удовлетворительные оценки, преподаватели готовы были сами писать за нее рефераты, ей оставалось только иногда появляться в аудиториях. Мальцев платил за ее обучение большие деньги, к тому же помогал руководству университета налаживать контакты со спонсорами, что-то пробивал в мэрии, что-то в Министерстве культуры.

Варя боялась только одного: вдруг какой-нибудь принципиальный профессор, из породы Божьих одуванчиков, вздумает нажаловаться Мальцеву, что его протеже валяет дурака. Поэтому она иногда, на всякий случай, заглядывала в учебники.

День был ясный, ветреный. По голубой поверхности бассейна пробегала рябь. Варя, не отрываясь, смотрела на воду. И чем дольше она смотрела, тем холодней становились ее руки. Холод продирал, прогрызал насквозь, как стая невидимых голодных пираний. Надо было встать и уйти в дом, но она оцепенела, обхватив ладонями плечи, застыла на лавочке как неживая.

«Эти жуткие воспоминания для меня как наркотик, — подумала она, — я не могу забыть потому, что не хочу. Я не хочу забывать, как умирала и не умерла, но главное, мне нравится без конца вспоминать, как ты спас меня, рискуя жизнью. Наверное, за все твои сволочные тридцать два года это был единственный человеческий поступок. Ты сам не мог объяснить, почему кинулся в грязную ледяную воду. Сколько раз ты подробно рассказывал мне, как в тот проклятый вечер перепил кока-колы, которую вы бесплатно брали в коммерческой палатке вместе с курами-гриль, хот-догами и сигаретами, и спустился к воде, чтобы там, в укромном месте, справить малую нужду. Правда, выражался ты значительно грубей...»

Холодным мартовским вечером 1995 года патрульная милицейская машина остановилась на набережной потому, что капитан Соколов выпил слишком много колы. Он выскочил из машины, сбежал вниз по лестнице, ведущей к воде. Известно, как мало в Москве сортиров.

Через три минуты по рации поступил срочный вызов, на соседней улице ограбили ювелирный магазин. Молоденький лейтенант вылез из машины, чтобы поторопить Соколова, подошел к ограде и посмотрел вниз.

— Товарищ капитан! — крикнул лейтенант и увидел, что кто-то барахтается в ледяной воде, а Соколов снимает ботинки.

Лейтенант вызвал по рации «скорую», бросился вниз по лестнице и тоже стал раздеваться, но помощь не понадобилась. Соколов имел второй разряд по плаванию, и, хотя вода была ледяная, замерзнуть он не успел.

Спасенная девушка была без сознания, до приезда «скорой» Соколов сам оказал ей первую помощь, необходимую при утоплении и переохлаждении. Эти трогательные кадры успела заснять бригада «Дорожного патруля», которая примчалась к месту происшествия минут за десять до приезда «скорой».

При пострадавшей не оказалось никаких документов, и хотя она пришла в сознание, на вопросы отвечать категорически отказалась. Было совершенно очевидно, что девушка пыталась покончить с собой. А позже выяснилось, что она была одной из жертв известного сексуального маньяка Тенаяна, суд над которым закончился за два дня до происшествия. Пережитое насилие надломило ее психику.

Капитан Соколов получил благодарность с занесением в личное дело и денежную премию...

«Ты пришел ко мне в больницу, принес гроздь бананов и пачку сока. Вместе с тобой пришел молоденький лейтенант Коля. Он смотрел на меня своими ясными серыми глазами и повторял, что я такая симпатичная, такая классная, ну прямо красавица. А ты загадочно усмехался. Я еще тогда возненавидела эту твою идиотскую усмешку. Ты как будто перечеркивал, подавлял этой своей ледяной ухмылочкой любое проявление нормальных добрых чувств, не только в себе самом, но и в других. Ты никогда не улыбался, не умел, не хотел. Ты странно, неприятно кривил рот. На прощанье лейтенант Коля поцеловал мне руку, а ты снисходительно потрепал меня по щеке. Когда за вами закрылась дверь, я вжалась в подушку этой щекой, потому что она горела».

— Варя, я закончила. Может, вы пойдете в дом? Вам лучше лечь, Дмитрий Владимирович сказал, у вас с утра температура.

325

— Что? — Варя вздрогнула так сильно, что пожилая горничная смутилась.

— Извините, если напугала вас. Пойдемте, я заварю вам малину, вы совсем больны.

— Да, спасибо, — она заставила себя подняться.

Голова у нее кружилась. Действительно, надо было лечь, закутаться в мягкий вязаный плед, выпить горячего чаю с малиной и, в конце концов, хоть немного почитать учебник. Скоро сессия. Стыдно совсем ничего не знать, даже если за твое обучение платят большие деньги. И вообще, высшее образование лучше все-таки получить не только в виде диплома.

— Варя, возьмите градусник, пожалуйста, — услышала она тихий голос горничной.

— Зачем?

— Дмитрий Владимирович велел, чтобы вы обязательно померили температуру еще раз. Если у вас больше тридцати семи, я вызову врача.

— Он что, звонил?

— Да. Минут двадцать назад.

— Почему же вы меня не позвали?

— Я сказала ему, что вы занимаетесь, читаете учебник, он просил вас не беспокоить.

«Господи, какая трогательная забота, — усмехнулась про себя Варя, — видел бы ты, как меня любят, в каком я живу доме, на какой езжу машине, в какие хожу рестораны. Причем учти, все это совершенно бескорыстно, просто за то, что я такая, какая есть. Ну да, я сплю с ним, и мне это совсем не нравится, мне приходится каждую ночь разыгрывать спектакли на водяном матрасе, но все остальное у нас отлично. Он обязательно женится на мне, возможно, я даже сумею родить ему ребенка. Недавно меня обследовали в американской клинике и сказали, что я вовсе не бесплодна. Ты вдалбливал мне, что любовь — сопливое вранье, нормальный человек может любить только самого себя. Тебе нравилось повторять, что каждый мужик в душе такой же скот, такой же маньяк, как Рафик Тенаян, просто у Рафика отказали тормоза, и он попался. Был бы чуть хитрее, сумел бы и без всяких психотропных средств перетрахать хоть сотню малолетних дур вроде меня. Тебе нравилось делать мне больно, ты получал особое удовольствие, когда я плакала, как будто мстил мне за тот единственный добрый поступок, который совершил, спасая мне жизнь. Наверное, теперь мы квиты. Раньше мне хотелось плакать, когда я вспоминала, как ты сказал, что тюрьма для тебя хуже смерти, и ты вряд ли выйдешь оттуда живым. Потом мне это стало безразлично. А теперь я боюсь только одного: что вернешься».

— Я малину заварила, но еще полчаса настаивать надо. Может, я пока вам чайку принесу горяченького? Вы такая бледная сегодня, Варенька, я смотрю, все занимаетесь, ну правильно, без образования сейчас нельзя. Я вот своему Антошке долблю, долблю: учись, не стой с парнями в подворотне, опомнишься потом, поздно будет. Хорошо девочку иметь, ей армия не грозит, сразу после школы не поступит в институт, может и на следующий год, и через год...

Варя сжимала под мышкой градусник, куталась в плед, успокаивалась и согревалась под ласковую болтовню горничной. Приступ воспоминаний потихоньку отпускал. Если бы можно было вообще все забыть, не оглядываться назад.

Горничная поставила перед ней на журнальный столик поднос с чаем. Все чашки в доме Мальцева были антикварными, очень дорогими, и в первое время Варя ужасно боялась разбить какое-нибудь фарфоровое чудо прошлого века, но потом привыкла, поняла, что чай и кофе из кузнецовского фарфора пить значительно вкусней. Рядом с чашкой на подносе стояла кружевная фарфоровая конфетница из того же сервиза, в ней было любимое Варино лакомство, поджаренные несоленые миндальные орешки.

— Ох, картины-то я забыла протереть, — спохватилась горничная, — вот интересно, откуда здесь, за городом, столько пыли? Воздух чистый, убираю каждый день, а все равно, смотрите, какой слой на стекле, только вчера протирала, и пожалуйста. Вот каждый раз смотрю и удивляюсь, как эта девушка на вас похожа, будто с вас ее рисовали.

— Нет. Не с меня, — машинально произнесла Варя.

— Ну да, ну да... А то прямо копия — вы. Те же глаза, волосы. Случайно не интересовались, может, она вам родственница какая?

— Нет. Не родственница.

— Ага, ну ладно. Вроде все, чистенько. Средство это хорошее, просто отличное. Все-таки импортные с нашими не сравнить. Ох, а градусник-то!

Температура у Вари была нормальная, от крепкого сладкого чая прошла головная боль. Горничная удалилась на кухню, и сразу стало удивительно тихо. Варя соскользнула с дивана и подошла к портрету.

С большого полотна в простой деревянной раме на нее смотрела девушка лет семнадцати. Взгляд у нее был спокойный и печальный, огромная брошь в форме цветка довольно странно выглядела на простенькой белой блузке. Такие украшения носят только с шикарными вечерними туалетами. Да, она была очень похожа на Варю, эта барышня, запечатленная в год революции.

Камень, вправленный в брошь, жил как будто сам по себе. Он сиял и переливался, он впитывал в себя свет, и оттого общий фон картины казался сумрачным, хотя на заднем плане было ясное небо, летние легкие облачка. И красавица была грустной, немного напряженной. Наверное, чувствовала, что художника куда больше вдохновляет брошь, приколотая к ее блузке, под самым горлом, чем она сама, ее синие глаза, высокая гибкая шейка.

Картина появилась в доме год назад. Сходство так бросалось в глаза, что в первый момент Варя даже испугалась. А потом испуг сменился радостью. Она подумала: а вдруг именно из-за этого сходства куплен такой огромный, шикарный и, вероятно, очень дорогой портрет? Павел Владимирович Мальцев откопал его в крошечном краеведческом музее где-то под Москвой, конечно, сразу заметил, как похожа задумчивая синеглазая черноволосая девушка на Варю и решил сделать Дмитрию Владимировичу такой вот трогательный подарок.

Но уже через несколько минут она убедилась, что все не так. Картина была куплена по совсем иной причине. Павел Владимирович никакого сходства не заметил, он вообще на Варю внимания не обращал, при встрече говорил:

— Привет, красавица. Как поживаешь?

И тут же забывал о ее существовании.

Самое обидное, что сходство не сразу заметил и Дмитрий Владимирович. Братья сидели в кабинете, Варя смотрела телевизор в соседней комнате. Она приглушила звук, чтобы слышать их разговор. Ей было интересно, заметят ли они наконец, как похожа на нее барышня со старого портрета. Однако говорили они вовсе не об этом.

— Ну, конечно, будет тебе неизвестный Врубель гнить в запасниках краеведческого музея города Лысова! — раскатисто хохотал Павел Владимирович. —

И как тебе такое могло в голову прийти? Ты посмотри, какая здесь дата стоит. 1917 год. А Врубель когда умер? В 1910-м. Но дело даже не в этом. Ты приглядись внимательней, какая грубая, глупая кисть. Врубель! Скажешь тоже.

— Однако брошь с «Павлом» выписана совершенно точно, каждая деталька играет.

— Это фотографическая точность, на которую способен любой выпускник Художественной академии. Наверняка писал какой-нибудь маляр-приживала, изобразил барышню по заказу родителей, или жениха, или любовника. Врубель тогда был страшно моден, вот и попросили сделать а-ля Забела. Ну что ты на меня уставился, господин финансист? Хочешь сказать, ты не знаешь, кто такая Надежда Ивановна Забела?

— Понятия не имею.

— Оперная певица, жена великого художника. С нее он писал почти всех своих загадочных красавиц.

— Так, может, кто-то написал ее уже после его смерти? Если предположить, что брошь оказалась у нее, то можно пойти по этому следу. Если она была оперной певицей, к тому же вдовой, то граф Порье вполне мог иметь с ней роман и сделать такой подарок.

Павел Владимирович расхохотался так, что Варя подумала, он сейчас лопнет. Наконец, успокоившись, он произнес:

— Надежда Ивановна Забела умерла в 1913-м.

— Ну хорошо, а кто же эта барышня?

— Для начала надо выяснить, кто автор. Но вообще, Дима, думаю, мы с тобой в тупике. Если бы полотно принадлежало кисти хоть сколько-нибудь известного мастера, можно было бы узнать и про барышню. Сложно, но можно. Однако подписи здесь нет, просто закорючка какая-то, а дач и имений вокруг города Лысова было не меньше сотни, и девиц с синими глазами могло быть столько же. Да к тому же не факт, что портрет писан с барышни, случалось, писали и с крестьянских девок. Среди них тоже попадались красавицы.

— Граф не мог приколоть брошь с «Павлом» крестьянской девке на кофточку.

— А черт его знает, графа. Нет, Дима, это тупик. По всем каталогам мира алмаз «Павел» числится пропавшим без вести. Брошь-орхидею, в которую он был вправлен, никто не видел и в руках не держал.

— Ну как же? А ювелир Ле Вийон? Во всех каталогах есть подробное описание, характеристики, эскизы, рисунки и фотографии, сделанные с готовой броши. Вот, смотри.

— Да видел я сто раз, Дима, наизусть знаю. Оттого, что мне случайно попал в руки портрет какой-то неизвестной барышни, который валялся в запаснике краеведческого музея, у нас с тобой не прибавилось ни единого шанса найти брошь.

Как тогда, год назад, слушая разговор в гостиной, так и сейчас, разглядывая полотно, Варя почувствовала легкую обиду, не только за себя, но и за девушку на портрете.

— Вот так, подруга, всех интересует ювелирная побрякушка, и художника, который тебя рисовал, и моего Мальцева, а мы с тобой, хоть и красавицы, никому на фиг не нужны.

Она уселась на диван, допила свой остывший чай, принялась быстро, как белка, грызть жареный миндаль и сосредоточилась наконец на истории раннего средневековья.

«Своей многочисленностью, своим яростным натиском гунны вызывали везде неслыханный ужас. Грекам и римлянам бросались в глаза их некрасивая наружность, их приземистые широкоплечие фигуры, их скуластые безобразные лица с приплюснутым носом, их грубая одежда из невыделанных шкур, их жадность до сырого мяса».

ГЛАВА ДВАДЦАТЬ ЧЕТВЕРТАЯ

Ирина Тихоновна была так занята перестройкой дома и разоблачением бессовестной вороватой прислуги, так глубоко ушла в домашние хлопоты, что, казалось, позабыла даже о ревности. Перемены в жизни мужа не особенно ее заинтересовали, о московских шалостях графа благоразумный отец ей не докладывал. Отставку она приветствовала, но довольно вяло:

— Вот и слава Богу, Мишенька. Нечего тебе в этом департаменте штаны протирать, дел по хозяйству много, я одна не справляюсь.

Пока перестраивали дом, жить приходилось во флигеле. Там, кроме гостиной и столовой, было всего три жилые комнаты. Самая маленькая стала кабинетом графа. Туда он перевез свой секретер с потаенным ящичком, в котором лежала шкатулка с брошью.

С утра до вечера Ирина Тихоновна была занята важными делами. Она пересчитывала постельное белье, серебряные ложки, инспектировала состояние китайского кофейного сервиза, рассматривая чашечки и блюдечки на свет, нет ли трещин. Ее чрезвычайно занимало количество крупы и лапши в кладовке, часами она обсуждала подробности обеденного меню с кухаркой, снимала пробы с борща и сырого котлетного фарша.

Граф знал совершенно точно, что жизнь его кончена, и убеждался в этом каждое утро, когда видел свою жену в халате и папильотках. Ирина Тихоновна шумно, со стоном, зевала, шаркала по жарко натопленным комнатам флигеля.

— Нет, я отлично помню, что оставался еще помолотый кофе в кофемолке, а ты сыплешь новые зерна! — кричала она кухарке. — Это называется сливки? Да они совершенно синие, одна вода!

Ее высокий, удивительно громкий голос отдавался в душе графа болезненным эхом.

— Ты, Федор, мерзавец и вор! Я совсем недавно давала тебе полтинник на новую лопату! — летел визгливый крик с крыльца. — Нет, ты покажи, покажи мне черенок, я хочу видеть, что именно там сломалось!

За завтраком она поглощала вареные яйца, свиную колбасу и сладкие сайки с маслом, оттопырив пухлый мизинец, пила чай с блюдечка, с характерным громким присвистом. Лицо ее краснело, над верхней губой выступал бисерный пот и поблескивал в темных усиках. Граф жевал сухой калач, прихлебывал жидкий кофе и старался не поднимать глаз от газеты, но все равно вместо строк видел перед собой громадное, багровое, блестящее от испарины лицо супруги, которое заполняло все пространство столовой.

Иногда они вместе выезжали в Москву, но исключительно за важными хозяйственными покупками. О театрах, о кинематографе, о художественных выставках Ирина слышать не желала, начинала обстоятельно рассуждать об упадке нравов, всеобщем безбожии и разврате. Один только звук ее голоса действовал на графа так болезненно, что ему проще было согласиться с любой чушью, которую она несла, отказаться от всего на свете, лишь бы замолчала.

Единственным приятелем графа стал владелец соседнего имения, Константин Васильевич Батурин, обедневший дворянин сорока пяти лет, доктор медицины, грустный молчаливый человек, большой любитель шахмат и вишневой наливки.

Многие годы Константин Васильевич никуда не выезжал, ни с кем не общался, кроме старухи матушки

Елены Михайловны, верного своего помощника фельдшера Семена Кузнецова, вместе с которым пользовал крестьян в окрестных деревнях.

Жена его скончалась в родовой горячке, оставив ему дочь Софью. Девочка училась в Москве в гимназии, жила там у какой-то дальней родственницы и приезжала в имение только на каникулы. Стоило ей появиться, и доктор сразу расцветал, становился весел, многословен, суетлив, показывал соседям ее табель с отличными оценками.

— Делом надо заниматься, Миша, все болезни от безделья, это я тебе как врач говорю, — наставлял он графа, когда они сидели после обеда в батуринской дубовой роще, в каменной старинной беседке, за шахматной доской.

— Каким же делом, Костя? Крестьянских детей лечить от золотухи? Я не умею. Да и запах в избах своеобразный, я от него чихаю по пятьдесят раз, до обморока.

— Не лечить, так грамоте учить, потому что если они останутся в темноте и скотстве, то очень скоро события девятьсот пятого покажутся нам опереткой. Ты знаешь, в истории все повторяется, сначала как трагедия, потом как фарс, но у нас в России иногда происходит наоборот. Был фарс девятьсот пятого, будет, и очень скоро, такая трагедия, что от этой нашей тихой сонной жизни останется лишь мертвый пепел да печные трубы.

— У нас каждое поколение живет с ощущением, что оно последнее, и завтра конец света. Это лестно, в этом есть особая сладость. Пламень Апокалипсиса все гадости человеческие пожрет, добро и зло уравняет. Тебе шах, Костя.

— А это мы еще поглядим... — Константин Васильевич делал необдуманный ход конем, терял королеву, хлопал себя по коленке от досады. — Ты губишь себя, Миша, больно на тебя глядеть. Нет, я, конечно, понимаю, удрать от своей хлопотуньи-супруги ты не сумеешь, другой на твоем месте давно бы удрал, а тебе лень, сил нет, да и некуда.

— Чтобы удрать, не только силы нужны, но и деньги, хотя бы немного. Да и лень, Костя, это ты верно сказал, — граф залпом выпивал коньяк и тут же наливал еще.

— Твоя купчиха помрет от обжорства, а ты от запоя, — говорил Батурин, — глупо, стыдно.

— Туда нам обоим и дорога, — усмехался граф, — чем скорее, тем лучше.

— Это в тебе тоска бродит, проклятая наша дворянская хандра, и корень ее — безделье.

— Так что же мне, газетные статейки сочинять? Или столоверчением заняться? — усмехнулся граф. — У меня, Костя, такое образование, что я знаю много, но делать ничего не могу. Не умею.

— Вот, возьми Сонечкин этюдник, ящик с красками, пейзажи пиши.

— Зачем?

— Ты показывал мне свои альбомы, у тебя получалось неплохо.

— Верно, неплохо. Но то в детстве было, в юности, когда вообще все получается и всего хочется. А теперь зачем?

— Да просто так, Миша. Для себя, чтоб не спиться и с ума не сойти.

Тихон Тихонович наведывался в Болякино аккуратно, два раза в неделю, с ночевкой, пытался говорить с графом о политике, о войне на Балканах, о рабочих забастовках и социал-демократах, которых считал самыми опасными из всех политических болтунов, но граф только неопределенно мычал и пожимал плечами. Купцу становилось скучно.

После обеда Тихон Тихонович спал два часа, потом садился с дочерью играть в «дурачка», оба за игрой с хрустом поедали целое блюдо сладких сушек и со свистом выпивали самовар чаю.

Каждый раз, перед тем как сесть в свое сверкающее авто, купец подмигивал графу и говорил тихо:

— Я гляжу, Ирина моя потолстела, животик выпирает. Это от чего, интересно? От куриной лапши и пирогов с севрюгой или от чего другого? Внука долго еще мне ждать?

— Не знаю, — хмурился граф.

— Так кому же знать, как не тебе? Смотри, у ней седина в косе мелькает. Бабий век недолог, а время бежит как угорелое.

Время действительно бежало как угорелое. Шел четырнадцатый год. Кончался июнь. Двадцать восьмого числа серб Гаврило Принцип стрелял в Сараево в эрцгерцога Франца Фердинанда, присутствующего на учениях австро-венгерских войск в Боснии.

Утром граф с трудом продирал глаза, после завтрака ложился на кушетку с газетой или журналом, но не замечал, что по часу глядит в одну строчку, ибо в голове шумно, как мухи, роились мечты. То он воображал, как ночью идет через поле к станции, стук сердца заглушает трели ночных кузнечиков, вдали слышен торжественный бас паровозного гудка. Из багажа при нем только смена белья, бритвенный прибор, томик Бальмонта, пачка папирос и шкатулка с брошью. Он садится в вагон второго класса. Светает. Впереди вокзал, Москва, свобода, а дальше что угодно — Варшава, Париж, каторга, паперть, смерть.

Он начинал дремать и видел во сне, как крадется на кухню, из нижнего ящика достает пакетик с порошком, которым кухарка травит мышей, и за обедом высыпает содержимое в тарелку с куриной лапшой. Ирина подносит ко рту ложку за ложкой, выхлебывает все, потом хлебной корочкой подбирает жирные остатки.

Будил его тихий скрипучий голос старухи горничной:

— Пожалуйте обедать, ваше сиятельство. Кушать подано.

Перед едой граф выпивал рюмку коньяку, сначала только одну, потом две. Со временем он стал наливать себе из бутылки и просто так, между обедом и ужином, у соседа Константина Васильевича, за шахматной доской и мрачной немногословной беседой.

После ужина выпить следовало непременно, причем сразу рюмочки три. Коньяк кружил голову, и было значительно легче потом вообразить, закрыв глаза, что в постели с ним не Ирина, а вероломная рыжая Маргоша, или щебетунья Клер, или, в крайнем случае, кондитерша Гретхен.

Несмотря на его богатое воображение, сиятельных наследников не получалось. Ирина не беременела. Полнота ее стала болезненной, появилась одышка. Доктора пугали ее сложными латинскими названиями разнообразных болезней, прописали строгую диету из простокваши, ржаного хлеба и вареных овощей. Но всем диетам Ирина Тихоновна предпочитала порошки и пилюли. Доктора охотно выписывали рецепты, больная усердно лечилась, принимала все по часам, но ей не становилось лучше. Тихон Тихонович стал навещать их еще чаще, он беспокоился за дочь. Матушка ее скончалась в сорок лет от сердечной болезни, вызванной ожирением.

— Доктора мошенники, — говорила Ирина за ужином, накладывая себе в тарелку третью порцию свиного жаркого.

— Довольно уже, Ирина, — равнодушно заметил граф, — тебе нехорошо будет.

338

— И правда, Иринушка, — кивнул Тихон Тихонович, — ты больно много кушаешь, смотри, аж вся потная стала.

Вечер был жаркий, ужинали в саду. Сразу за садом начиналась дубовая роща.

Шестнадцатилетняя гимназистка Соня Батурина, худенькая, синеглазая, с длинной черной косой, проезжала по роще на велосипеде. Колеса мягко подпрыгивали на корнях, между толстыми бурыми стволами мелькало светло-голубое платье.

Прозвучала быстрая нежная трель велосипедного звоночка, горячий закатный луч полоснул по глазам графа, он вздрогнул, зажмурился, неловко двинул локтем, опрокинув кружку с густым, как кровь, малиновым киселем. Алое пятно расползлось по белой скатерти.

ГЛАВА ДВАДЦАТЬ ПЯТАЯ

У капитана милиции Василия Соколова был какой-то особенный, гипнотизирующий взгляд. Вроде глаза маленькие, неопределенного зеленоватого цвета, и совсем не выразительные, но стоило капитану долго, пристально поглядеть на кого-нибудь, и человек замолкал, начинал ерзать, иногда даже краснеть, словно его застали врасплох, когда он занимался чем-то если не противозаконным, то неприличным, например, потихоньку в носу ковырял или воздух испортил. И хотя ничего такого человек, попавший в поле зрения капитана Соколова, не делал, все равно казалось — что-то не так. То ли ширинка расстегнута, то ли перхоть на плечах.

В отделении капитана не любили. Он никогда не улыбался. Если кто-то при нем шутил или рассказывал анекдот, Соколов сохранял каменное спокойствие, глядел прямо в глаза шутнику, серьезно и без улыбки.

В детстве Соколова поколачивали и использовали для всяких мелких поручений старшие товарищи. Сверстников он презирал, ни с кем из своего класса не дружил. Ему нравилось крутиться среди взрослой шпаны, пусть даже в качестве маленькой шустрой «шестерки».

Он вырос на знаменитой Малюшинке. Тихий пятачок, несколько переулков и цепь проходных дворов в районе Цветного бульвара, за старым цирком и Центральным рынком, еще в прошлом веке считался нехорошим, бандитским местом.

Малюшинку называли младшей сестренкой Марьиной рощи, укромные воровские «малины» прятались в старых деревянных домах, назначенных на снос, но позабытых муниципальными властями и уцелевших вплоть до начала восьмидесятых.

Вася рос без отца, с мамой и бабушкой. Мама работала стюардессой. Возвращаясь из рейса, она сначала отсыпалась, потом занималась в основном собой, своей бурной личной жизнью. А бабушка разрешала Васе все, и главной ее заботой было, «чтобы мальчик правильно питался».

Когда Соколову исполнилось тринадцать, он впервые попробовал настоящий чифирь и настоящую чмару. С компанией старших товарищей он поучаствовал в так называемом «винте».

Пустить на «винт» означало по очереди использовать новенькую проститутку, прежде чем она отправится зарабатывать деньги для всей честной компании. Честная компания, то есть стая юношей призывного возраста во главе со взрослым рецидивистом Пнырей, держала под контролем всю Малюшинку, в том числе и проституток.

Чмару звали Галька Глюкоза. Она училась в педучилище, но ни воспитательницей, ни учительницей начальных классов быть не желала. Ей нравилась улица, она разгуливала по Малюшинке в юбчонке до пупа, в декольте до колен, и за нарумяненной пухлой щекой у нее всегда была таблетка глюкозы с аскорбинкой.

Соколова позвали на «винт» потому, что так захотелось Пныре. Он любил смотреть, как теряют невинность не только девочки, но и мальчики. Златозубый, совершенно плешивый рецидивист вообще был натурой творческой. Комнату в опустевшей коммуналке, с ободраными обоями, с двумя грязными матрасами, он украсил картинками, глянцевыми страницами старых зарубежных календарей с голыми женщинами в кокетливых позах. Женщины красовались на рубашках игральных карт. Когда Пныря тасовал колоду, розовые маленькие красотки как будто извивались под его ловкими шулерскими пальцами. И даже шариковая ручка у Пныри была особенная. В прозрачной трубочке, наполненной глицерином, плавала женщина. Стоило перевернуть ручку, и красотка теряла купальник.

У мамы-стюардессы, которая как раз находилось дома, не возникло вопроса, куда ее мальчик отправляется в десять вечера. Она ждала в гости своего друга майора милиции Топотко, и на Васин крик из прихожей «мам, я пойду погуляю» ответила: «Ага, погуляй, погода хорошая», причем даже не обратила внимания, что за окном ветер и холодный дождь.

В выселенном старом доме было тепло и уютно. Чифирь показался Васе горьким, от него вязало рот. Имелась еще какая-то индийская «дурь». Ее смешивали с табаком, выбитым из «беломорины», потом забивали назад в папиросу и курили, глубоко затягиваясь. От первой затяжки сильно закружилась голова. Вася решил воздержаться, чтобы не одуреть и не испортить свежесть впечатлений.

Перед «винтом» Гальку Глюкозу накачали водкой, чифирем, дали выкурить для бодрости сразу целую папиросу с «дурью». Пныря подмигивал пацанам, намекая, что в водку Глюкозке добавил еще кое-что. Цыганки, вертевшиеся вокруг рынка, торговали маленькими флакончиками, в которых были специальные «женские возбудители».

Пныря врубил музыку. Из новенького кассетника «Электроника» запела хрипатая француженка Далида. Галька захохотала, как сумасшедшая, начала раздеваться посреди комнаты, разбрасывая одежду и принимая позы красоток с календарных картинок. Вася смотрел и думал, что вот она, настоящая жизнь, вот он, взрослый крутой кайф, ради которого лохи работают, братва идет на дело, но цель одна: эта комната в ярких картинках, эта голая Галька с огромной белой грудью и круглым, рыхлым, как подушка, задом.

Процедура «винта» не произвела на него сильного впечатления, даже разочаровала. Это напоминало урок физкультуры, когда все по очереди отжимаются и приседают, потея от усердия, а учитель ведет счет, поглядывая на секундомер. Подошла его очередь, он быстро и деловито справился с поставленной задачей, и сам процесс не доставил ему удовольствия. Ему понравилось другое. Ощущение абсолютной власти над живым существом, которое вроде бы такое же, как ты, две руки, две ноги, голова. Вчера Глюкоза снисходительно трепала его по щеке, разгуливала по Малюшинке, хихикала с подружками, а сейчас она распластана на матрасе, и делай с ней, что хочешь. Ты сильный, ты главный, она ничто.

Когда пошли по второму кругу, и опять был Васин черед расстегивать штаны, он заметил, что Галькино тело стало каким-то совсем уж вялым и покорным.

Первый азарт прошел, пацаны забыли о Глюкозке, играли в карты, ржали, закусывали водку и чифирь домашней колбасой с Центрального рынка. На всю комнату орала из магнитофона группа «АББА». Вася взглянул в лицо Глюкозке. Глаза ее были широко открыты и смотрели прямо на Васю. Теплое влажное тело не шевелилось. Он потрогал пальцем ее губы и понял, что она не дышит.

Он быстро встал, застегнул штаны, огляделся. Гульба была в самом разгаре. Никто, кроме него, еще не знал, что произошло. Вася напрягся. Ему следовало принять очень важное решение.

Он был ребенком наблюдательным и блатной закон знал неплохо. Взрослые разговоры не пролетали мимо его ушей. Он мигом сообразил, что «мокруху» Пныря скинет на него, на малолетку, потому как ему за это, считай, ничего не будет.

Знал он также, что милиция не берет Пнырю потому, что тот всегда выкручивается. Всем известно, что он руководит бандой, но доказать ничего нельзя. Получается как в басне Крылова про лису и виноград: видит око, да зуб неймет. Это литературное сравнение Вася слышал не где-нибудь, а у себя дома, от близкого маминого приятеля, начальника районного отделения милиции, майора Топотко.

Тут же перед Васиным мысленным взором со сверхзвуковой скоростью прокрутились два варианта дальнейшего развития событий.

Вариант первый. Он сообщает Пныре о том, что Глюкозка откинула копыта. Начинается паника, в итоге ьсе линяют, а Пныря организует дело таким образом, что виноватым в смерти студентки педучилища окажется он, маленький беззащитный Вася Соколов. Как удастся Пныре решить эту задачу, не важно. Лысый рецидивист славился своей смекалкой, и говорили, что малолеток он приваживает не только для выполнения мелких поручений, но именно для того, чтобы иметь под рукой виноватого, которого можно отдать ментам, если что. Пныря умел уговорить, запугать, запудрить мозги, наобещать с три короба, а если не удавалось, то с непокорным малолеткой поступали по всей строгости. Его «опускали». А что это такое, объяснять не надо. Когда случалось следующей несовершеннолетней «шестерке» выбирать между детской колонией и петушиной славой, сомнений не возникало.

Вариант второй. Вася никому ничего не говорит, очень тихо уходит, бежит домой, где в данный момент должен еще находится товарищ майор, и рассказывает начальнику отделения, как только что пробегал мимо выселенного дома, а оттуда раздавались страшные девичьи крики, мужские голоса. Ему показалось, что за освещенным окном отчетливо мелькнул силуэт страшного дядьки с золотыми зубами, ну, того, лысого, его, кажется, Пныря зовут.

— Там такое творится, такое... кажется, они ее убивают, — задыхаясь, испуганно сообщит он майору.

Товарищ Топотко скажет Васе большое милицейское спасибо, быстро вызовет наряд, и Пнырю наконец возьмут с поличным, да не просто, а по «мокрому» делу. По очень «мокрому», потому как там еще и групповое изнасилование.

Второй вариант понравился Васе значительно больше первого. Первый грозил ему детской колонией, второй ничем не грозил, так как если возьмут Пнырю, бояться некого.

— Ты куда? — поинтересовался Пныря, заметив, как мальчик выскальзывает за дверь.

— Отлить, — не задумываясь, ответил Вася.

Через десять минут он был дома, а еще через двадцать Пнырю и его команду взяли тепленькими, пьяными, накуренными. О том, что вместо усталой чмары на матрасе лежит труп, они узнали только при аресте.

Позднее выяснилось, что цыганский возбудитель, подлитый несчастной Глюкозке в водку, был лекарством, которое ветеринары вкалывают строптивым кобылицам перед случкой, и для человека этот препарат в сочетании с алкоголем является смертельным ядом. Бутылочку нашли у Пныри в кармане куртки. Ему грозил если не «вышак», то пятнашка строгого режима.

Майор Топотко посоветовал Васиной маме переехать в другой район, от греха подальше. Он был искренне благодарен Васе, так как за успешное задержание особо опасного преступника получил звание подполковника, был поднят с «земли», то есть переведен из районного отделения в округ.

Семья переехала с Малюшинки в новый дом у метро «Войковская». Вася с бандитами больше не дружил. Он стал хорошим мальчиком. После армии поступил в школу милиции. Получал грамоты и значки «отличник боевой и политической подготовки». Умел ладить с начальством. Был аккуратен, подтянут, невероятно исполнителен. Мечтал дослужиться до генерала. Его внимательный, пронзительный взгляд, раздражавший товарищей, начальству казался признаком серьезности, надежности, безусловной преданности.

По окончании школы Соколов попал по распределению в районное отделение, а не на Петровку, как планировал, однако все было впереди.

Довольно скоро он получил звание старшего лейтенанта и должность заместителя начальника отделения по розыску. Однажды он допрашивал свидетельницу. Девица была молодая и красивая. Они остались вдвоем в кабинете. И вдруг она внезапным резким движением порвала на себе блузку, грохнулась на пол и заорала:

— Помогите!

— Ты что, дура, сбрендила совсем? — Вася вскочил, попытался поднять ее с пола.

— Тебе привет от Пныри, — прошептала девица с наглой улыбочкой и тут же, набрав воздуха, опять заорала во всю глотку: — Помогите! Насилуют! — При этом она умудрилась вцепиться в его китель обеими руками, да так крепко, что отодрать не было никакой возможности.

— Пусти, дура! Кто тебе поверит? — Вася пытал-

346

ся отцепить ее руки, но потерял равновесие, завалился прямо на нее.

— Пныря велел передать, что везде тебя, суку, достанет, — прошептала девица, — отпустишь Сизаря, будешь жить. Не отпустишь, сядешь, потом ляжешь. Понял?

В дверь заглянул дежурный.

— Насилуют! Помогите! — вопила девица.

— Соколов, ты что, с ума сошел? — дежурный помог ему подняться, девица продолжала орать, показывая всем разорванную блузку.

Свидетельница эта, Кускова Наталья Сергеевна, проходила по делу о квартирной краже. Рецидивист Сизарь был задержан в качестве главного подозреваемого. Вася знал, что в этом деле многое зависит от того, в каком виде он передаст документы в прокуратуру, причем никто его за руку поймать не сумеет, если он устроит все так, что Сизарь из подозреваемых перейдет в ряды свидетелей.

Вечером ему позвонили домой.

— Ну что, надумал? — спросил его приятный женский голос.

— Кто это? С кем я говорю?

— Вот дурной, — в трубке захихикали, — Пныря говорил, ты умный, а ты, оказывается, совсем дурачок, Вася. Так надумал или нет?

— Иди ты... — рявкнул Вася и бросил трубку.

Утром его вызвал начальник отделения и сказал, что поступило заявление от гражданки Кусковой Н.С. Гражданка эта обвиняет его, старшего лейтенанта Соколова, в том, что он, угрожая посадить, склонял ее к интимной близости, а получив отказ, попытался изнасиловать прямо в своем кабинет. К заявлению приложена справка из поликлиники, подтверждающая, что у гражданки Кусковой Н.С. обнаружены на теле синяки, ссадины и прочие характерные следы.

Вася кинулся к тому дежурному, который заглянул в кабинет:

— Ты же все видел...

— Я видел, как ты на ней лежал, — отводя глаза, сказал дежурный.

Соколов заперся в своем крошечном кабинете, занялся писаниной, оформлением документов по делу о квартирной краже. Вскоре рецидивист Сизарь был освобожден из-под стражи. Начальник отделения вызвал к себе Васю и сообщил, что гражданка Кускова свое заявление забрала.

— В следующий раз ни в коем случае не подходи, сразу звони, вызывай подкрепление, — посоветовал он Васе, влепив строгий выговор без занесения.

Через полгода ему опять передали привет от Пныри. Поступило заявление от хозяйки квартиры, в которой Вася вместе с опергруппой проводил обыск, что после обыска пропали золотые женские часы швейцарского производства стоимостью тысяча условных единиц, с бриллиантами на циферблате и на браслете. Вечером, вернувшись домой, Вася заметил, что на полном запястье его мамы поблескивают новенькие золотые часики.

— Откуда это у тебя? — спросил, разглядывая немыслимой красоты безделушку и чувствуя, как на лбу выступает холодный пот.

— Ох, ты не поверишь, — счастливо рассмеялась мама, — я их выиграла в беспроигрышную лотерею. Возле кулинарии, на углу, стоял столик. За столиком девушка. Привязалась ко мне, как банный лист. Ну, думаю, чем черт не шутит? Главное, платить ничего не надо. Просто развернуть бумажку и посмотреть, сколько там звездочек. Ты подумай, никогда раньше не играла ни в какие лотереи, и вот, сразу повезло. Нет, это, конечно, не золото, не бриллианты, иначе такая вещь стоила бы страшных денег. Подделка, разумеется. Но все равно, очень красиво, — она вытянула руку, полюбовалась часиками, потом расстегнула браслет, поднесла их близко к глазам, — конечно, подделка, хотя вот, проба есть, и камни сверкают, прямо как настоящие.

Раздался телефонный звонок, Васе передали привет от Пныри и изложили очередные требования. Он уже не посылал звонившего на три буквы. Он сделал все, о чем его просили. На следующий день хозяйка квартиры, извинившись, сообщила, что часы нашлись, и забрала свое заявление. А Васина мама так до сих пор и носит золотые швейцарские часы с бриллиантами, не веря даже часовщику, который менял кварцевые батарейки, что и золото, и бриллианты, все настоящее.

С тех пор два-три раза в год он получал приветы от Пныри и выполнял все, о чем просили. Страх потихоньку притупился, а совесть не мучила его с того самого момента, как дежурный капитан, опустив глаза, сказал: «Я видел, как ты на ней лежал».

К двадцати пяти годам Соколов получил капитанские погоны.

Сослуживцы его хоть и не любили, но уважали. То есть он считал, что уважают, на самом деле сторонились и не хотели связываться. Во-первых, из-за патологического отсутствия чувства юмора и стерильной трезвости с ним было скучно. Во-вторых, у него был неприятный, пронизывающий взгляд, в-третьих, слишком теплые и доверительные отношения с начальством. Но Вася и не стремился к дружбе с сослуживцами. Его, как в детстве, тянуло к старшим по возрасту и по званию. Количество звезд на погонах было для него главным и решающим достоинством человека.

Все в его жизни складывалось правильно и гармонично. Он шел вверх по служебной лестнице, его наконец приподняли над «землей», из районного отделения перевели в округ. Взятки он брал умеренно и умело, иногда ему неплохо платили за выполнение поручений Пныри. Он успел узнать, что Пныря коронован на зоне, сидеть ему еще долго, однако он не скучает, продолжает активно работать на своем поприще.

Вася Соколов тоже работал активно. За аккуратность в ведении дел получал денежные премии. Был экономен, умел копить, никогда не тратил на пустяки, только на серьезные покупки, например, на машину. Правда, он не рискнул купить иномарку, хотя денег хватило бы. Ограничился новенькой «шестеркой». Зачем выпендриваться? Капитан УВД на иномарке — это как-то нехорошо, это может вызвать лишние вопросы, разговоры. Следующим пунктом его жизненной программы стала квартира, небольшая, но собственная, потому как жить вместе с мамой и бабушкой ему надоело. У взрослого мужика должна быть собственная жилплощадь.

Женщинам Соколов нравился. На него обращали внимание по-настоящему красивые, уверенные в себе женщины. Фокус заключался в том, что застывший пронзительный взгляд они воспринимали как загадочный и влюбленный. Внимательные глаза крепкого, ладного, широкоплечего капитана их гипнотизировали, но вместо неприятных ощущений вызывали приятные. Красивые женщины не чувствовали себя пойманными врасплох, они не сомневались, что за внимательным застывшим взглядом стоит влюбленность.

ГЛАВА ДВАДЦАТЬ ШЕСТАЯ

х ночных ток-шоу Елизавете Павловне при-
ь сталкиваться с разными личностями. Попа-
реди них оголтелые циники-карьеристы, се-
лые администраторы, мудрые прожженные
ениальные авантюристы, партийные попки,
ные двум-трем идеологически ясным фразам.
тщеславие мешало думать, другим жадность
а чувствовать, были говоруны-однодневки, ко-
не могли остановиться, пьянели от собственного
оречия, теряли голову и говорили много лиш-
себе во вред. Но были и такие, которые проду-
али, тщательно взвешивали каждое слово, каж-
жест.

Однажды гостем ее стал лидер одиозной парла-
нтской фракции, фигура скандальная и непред-
азуемая. Лиза никогда не встречалась с ним рань-
е, знала только по телеэкрану и по прессе и очень
дивилась, когда увидела спокойного, усталого, пожи-
ого человека с тоскливыми пустыми глазами и вполне приятным лицом. Он коротко, деловито обсудил с
ней ход предстоящей беседы, политик был отлично
воспитан, немногословен, но главное, совершенно нор-
мален и даже скучноват.

«Когда хулиганство становится прибыльной про-
фессией, оно перестает доставлять удовольствие, оно
утомляет», — подумала тогда Лиза.

Как только включилась камера и администратор
программы подал сигнал, что через тридцать секунд
они будут в прямом эфире, лицо партийного лидера
удивительно преобразилось. Сместились лицевые
мускулы, надбровные дуги разбухли, отяжелели, на
лбу выступил пот, глазные яблоки поползли вверх,
глаза стали белыми. Он глядел в камеру исподлобья

Развлекать дам рассказами о суровых милицейских буднях капитан не умел, зато умел многозначительно молчать, изъясняться туманными намеками, и в сочетании с пристальным взглядом это со-
здавало иллюзию некоего богатого таинственного
прошлого, наполненного подвигами и риском. Однако иллюзии хватало ненадолго. Капитан не дарил
цветов, не водил в рестораны, вообще не ухаживал.
Когда дело доходило до интимной близости, он де-
лался безобразно груб, как какой-нибудь маньяк-
насильник.

От каждой он хотел добиться животной покорности Гальки Глюкозки, распластанной на матрасе. Только так ему нравилось, чтобы он главный, а
она — никто. Только так он получал удовольствие.
Но при этом брезговал платной любовью, которая
дает возможность удовлетворить самые сложные
потребности.

Соколов хотел завести одну постоянную женщину, причем обязательно очень красивую, неглупую,
верную, скромную, чтобы не тянула деньги, не качала права, не требовала жениться, чтобы не рожала
детей, потому что детей он совсем не любил.

И вот однажды ему крупно повезло. Он вытащил
из ледяной Москвы-реки Варю Богданову. Она была
совсем молоденькой, необыкновенно красивой, несчастной и беззащитной.

Для нее застывший внимательный взгляд капитана стал символом спасения. Она была жива постольку, поскольку он был рядом с ней. Пережитый кошмар почти лишил ее рассудка. Она боялась не только
воды и холода, но и людей. Самой себе она казалась
грязной, растоптанной, никчемной. После выписки из
больницы она не могла ходить по улицам. Ее все вре-

мя колотил озноб. Ей казалось, что прохожие как-то особенно на нее смотрят, узнают в ней ту самую дуру, которая сама сняла с себя одежду в квартире маньяка, а потом пыталась утопиться.

— Да, действительно, — сказал Соколов, когда она поделилась с ним своими страхами, — у тебя все это написано на лице. Знаешь, как у проституток их профессия почти сразу накладывает отпечаток, так и у тебя есть что-то такое в глазах. Ведь ты действительно пошла за Тенаяном добровольно и добровольно разделась. Значит, тебе хотелось этого.

Под видом жестокой правды он говорил ей много гадостей, которые усугубляли ее страх, делали еще беззащитней. Он добился совершенной покорности и зависимости. Ее мама попала в больницу с целым букетом нервных болезней. Варя не могла оставаться дома одна, у нее не было денег, она нигде не работала и не училась. Соколов перевез ее к себе. Он наконец купил себе двухкомнатную квартиру в Строгинской новостройке.

Две пустые, необставленные комнаты на отшибе, с голыми окнами, выходившими на пыльный пустырь, стали для Вари единственным безопасным местом в мире. Она постепенно превращалась в испуганного, забитого зверёныша. В квартире не было ни радио, ни телевизора. Соколов обедал на работе, по дороге обычно сам покупал еду, поэтому она могла неделями не выходить из дома. Иногда она ездила к маме в больницу, и всякий раз дорога становилась для нее пыткой. Ей казалось, что в автобусе и в метро на нее все смотрят.

Кончилось лето, пустырь почернел от осеннего дождя и грязи, потом побелел от снега. Варя куталась в ватное одеяло и часами смотрела в голое окно, на снег. Она очень обрадовалась, когда однажды он при-

нес домой маленького
овчарки. Щенок был со
вылял по пустым комна
ленькие лужицы, влезал
ким голоском, просился н
ропливо, жадно лакал моло

— Давай назовем ее Варь
лов и зло, обидно, без тени ул
Варька. Здорово звучит?

12 Эфирное время

совершенно безумным взглядом, как будто одними белками. Он грозно шевелил лохматыми рыжими бровями, надувал щеки, вытягивал губы трубочкой и говорил торопливо, хрипло, как будто бредил. Смысл его речи был один — абсурд.

После эфира они пили кофе в ее маленьком кабинете. Он оставил охрану за дверью, снял пиджак, в изнеможении откинулся на спинку кресла и закурил. На него было жалко смотреть. Глаза совсем потухли и ввалились, щеки обвисли, стало видно, что ему очень много лет, что он нездоров и смертельно устал. Он вытер потное лицо носовым платком, и Лиза решилась задать простой вопрос: зачем?

— Ради нашего общего дела. Во имя процветания великой многострадальной России, — ответил он с такой презрительной усмешкой, что ей стало не по себе.

— Понятно, — кивнула она и поднялась, не допив свой кофе, — спасибо за интересный разговор. Всего доброго.

Он тоже поднялся, обошел стол, галантно поцеловал ей руку.

— Я не прощаюсь, Елизавета Павловна. Я собираюсь еще не раз появиться у вас в эфире, впереди предвыборная борьба, надо чаще мелькать. Я подготовил пару скандалов, в бардаке снялся с голыми девками, в тюрьму к братве в гости съездил. Они меня любят, и девки и братва. Их много на Россию-то, очень много, куда больше, чем вам кажется. И все мои. Кстати, если кто вас обидит, не стесняйтесь, звоните. Мы с моими малышами поможем. Вы мне нравитесь, Елизавета Павловна.

— Спасибо, — она улыбнулась, — я как-нибудь сама.

— Я серьезно. Не стесняйтесь, если что. Мои малыши люди верные, опытные, и за хорошего человека, тем более за женщину, всегда готовы заступиться, причем совершенно бескорыстно, в отличие от прочих, добропорядочных, не прошедших зону. Братва и девки — самый верный народ. И все мои. Вот вам уже и десять процентов голосов на выборах. А для других, которые еще сомневаются в моем высоком предназначении, я стихи сочинил патриотического содержания. Хотите, почитаю?

— Спасибо. Лучше я послушаю их с телеэкрана. Пусть это будет для меня приятным сюрпризом, как для миллионов россиян.

— Правильно, потому что стихи дрянные. Но это большой секрет. А знаете, кто победит на выборах?

— Разумеется, вы, — улыбнулась Лиза.

— Совершенно верно. А знаете почему? Ни за что не догадаетесь, — он сделал «публичное» лицо, то есть скорчил глупую, злодейскую морду, и своем «публичным» голосом, отрывисто, гортанно, с истерическим придыханием, рявкнул: — Чем абсурдней ложь, тем охотней в нее верят. Кто сказал? Геббельс!

Лиза не сразу поняла, почему сейчас, сидя в конференц-зале, глядя на пластиковую папку, в которой между бумагами лежали порно-снимки, она вдруг вспомнила тот давний эфир и великолепного актера, государственного шута с его злодейскими гримасами. Возможно, просто потому, что этот человек был напрямую связан с криминальным миром, и ей пришла в голову отчаянная мысль воспользоваться его предложением, обратиться к нему за помощью. Впрочем, ей было сложно сосредоточиться, сообразить, что же произошло и как надо действовать. В голову упорно лезла всякая чушь.

«Неужели на этих фотографиях я? Но я должна была хоть что-то чувствовать, помнить. Если это был глубокий обморок, то на снимках должно быть заметно, что партнерша как кукла».

Она представила, с каким упоением начнет терзать ее желтая пресса, и не только желтая, как станут коситься на нее коллеги, какой обрушится шквал сплетен, и даже если потом удастся доказать, что это подделка, что она была без сознания, все равно, позор на всю оставшуюся жизнь.

Когда подобные истории случаются с мужчинами, у многих это вызывает если не сочувствие, то хотя бы понимание. Но женщине такого не простят. При любом исходе она уже станет не просто Елизаветой Беляевой, а той самой, которая, как свинья в грязи, кувыркалась в койке с каким-то мужиком. А если на этом фоне из-за пристального внимания папарацци еще всплывет ее реальный роман?

От одной только мысли об этом Лиза густо, горячо покраснела. Ох, как интересно! Оказывается, наша скромница, которая во всех интервью рассказывает о своей крепкой образцовой семье, о любви к мужу и детям, вовсю развлекается на стороне, да не с одним мужчиной, с двумя! А там, где двое, наверняка есть третий, четвертый, пятый. Кто же она? В русском языке для таких, с позволения сказать, женщин и слова-то приличного нет.

«Чем абсурдней ложь, тем охотней в нее верят».

Красавченко все рассчитал правильно. Он оставил ее наедине с фотографиями, в огромном зале, в толпе. Четыре часа паники, неизвестности. Вокруг люди, она не может достать эти жуткие картинки и разглядывать их прямо здесь. Не надо быть доктором психологии, чтобы понимать, как страшно действует на человека неизвестность, неясность угрозы. Если снимки фальшивые, тоже приятного мало, но это, разумеется, значительно легче пережить. А если все-таки там она, собственной персоной?

Ей захотелось не просто вымыться, ей захотелось кожу с себя содрать. Раньше она представляла себе, что чувствуют женщины, пережившие насилие, но представляла довольно абстрактно, и вот теперь пришлось испытать на собственной шкуре. Или все-таки не пришлось, и эта мразь к ней не прикасалась? Но тогда зачем, спрашивается, он ее усыпил? И каким образом она оказалась без джинсов, на кровати? Что, препарат, который он ей подлил, действует на человека как глубокий гипноз? Она не просто уснула или потеряла сознание, но могла двигаться, как сомнамбула?

Для того чтобы понять хоть что-то, надо хорошенько разглядеть лицо на снимках.

На трибуне менялись ораторы. Время как будто остановилось. Встать и уйти, сославшись на головную боль? Пробираться сквозь ряды, под пламенную речь очередного оратора, шепотом извиняться, просить, чтобы встали и выпустили ее? Проходы между рядами узкие, как в кинотеатре. Через четыре часа она созреет настолько, что действительно бегом побежит в бар на двенадцатый этаж, лишь бы скорее узнать, что ему нужно.

На самом деле есть два варианта: деньги или эфир. Если деньги, то наверняка огромная сумма, потому что ради нескольких тысяч вряд ли стоило шантажисту лететь в Монреаль, жить в этой гостинице в качестве частного лица, разыгрывать сложный многоактовый спектакль со слежкой, сальными ухаживаниями, фотосъемкой, отравленным вином. Слишком много хлопот для банального шантажа. Дороговато получается. Одноместный номер здесь стоит сто двадцать канадских или сто американских долларов плюс авиабилеты, канадская виза (между прочим, получить ее совсем не просто, надо заполнить пять страниц анкеты, назвать места рождения бабушек и дедушек, канадцы очень тщательно проверяют каждого иностранца). При такой глобальной подготовке, он наверняка успел выяснить ее материальное положение. Есть люди, которые значительно богаче политического обозревателя Беляевой, и не меньше, чем она, дорожат своей репутацией.

Значит, ему нужен эфир? Зачем? Может, он просто исполнитель и за ним стоят более серьезные люди?

Она вдруг вспомнила недавнюю свою беседу с генералом МВД. Речь шла о захвате заложников. Чеченцы держали у себя троих офицеров и требовали огромный выкуп. Они прислали в МВД видеопленку, на которой были засняты заложники. Их содержали в ужасных условиях, одному отрубили во время съемки палец, чтобы поторопить с выкупом.

— Я хочу предупредить тех, кто издевается над нашими офицерами, что нам известны их имена, а также имена и адреса их близких родственников в Москве. Если они надеются, что мы не решимся выйти за рамки закона, то пусть подумают о том, насколько законно действуют они сами, и пусть запомнят: если речь идет о наших товарищах, об офицерах милиции, мы ни перед чем не остановимся, — заявил генерал в прямом эфире.

Потом, в баре за чашкой кофе, один ехидный коллега заметил:

— А классно генерал тебя использовал для переговоров с бандитами. Коротко и ясно. Представляешь, если бандиты решат ему ответить, тоже в твоем эфире?

Эфир с генералом был одним из последних перед отлетом в Канаду. Прошла всего неделя. Тогда, в баре Останкино, она приняла реплику коллеги за неудачную шутку, а теперь подумала: вдруг это был намек?

«Вот так, вероятно, сходят с ума, — отстраненно заметила про себя Лиза, — что там у меня разовьется за эти четыре часа? Мания преследования? Бред отношения? Если сейчас вспомнить любой из недавних разговоров, любой эфир, любую случайную реплику, можно выискать какой-нибудь скрытый намек, нащупать тайную связь. Вероятно, именно этого и добивается Красавченко, ждет, когда я дозрею и соглашусь на любые его условия».

— Лиза, вы меня слышите? — американка испуганно смотрела на нее и трясла за плечо. — Снимите наушники. Синхрон уже давно не нужен.

— Да, конечно, — Лиза вздрогнула, огляделась, словно проснувшись. Металлическая дужка наушников запуталась в волосах, она дернула так сильно, что вырвала целый клок. На глазах выступили слезы.

— До сих пор болит голова? — сочувственно поинтересовалась Керри. — Или, может, этот Красафченкофф вас так расстроил? Вы на себя не похожи.

— Да, голова болит. Я, пожалуй, пойду, — прошептала Лиза.

Она дождалась, когда очередной оратор закончит свое выступление, и под вялые аплодисменты пробралась к выходу. В руках она держала пластиковую папку и больше всего боялась, что плотные фотографии сейчас выскользнут и упадут кому-нибудь на колени.

Подниматься на двенадцатый этаж ей не пришлось. Красавченко сидел в холле и читал русскую газету.

— Елизавета Павловна, я как чувствовал, что больше часа вы не выдержите, решил подождать.

Хоть вы и назвали меня дураком, я совсем неплохо разбираюсь в людях. А здесь, оказывается, есть русские газеты. Вот довольно свежий номер, всего лишь позавчерашний. Смотрите, какие любопытные новости. Убит ваш коллега, журналист Бутейко. Застрелен ночью в своем подъезде. Вы, кажется, начинали с ним на одном канале, и даже участвовали в его ток-шоу? Ну, вы совсем побледнели. Что, жаль коллегу?

Лиза, ни слова не говоря, взяла газету у него из рук и с трудом разобрала текст коротенькой заметки на последней странице, где публиковались криминальные сообщения. В глазах стоял тяжелый красноватый туман.

Во всем «Останкино» и, наверное, во всем мире, невозможно было найти человека, с которым ее связывала бы такая давняя взаимная ненависть.

«Я не хотела этого...» — пронеслось у нее в голове.

— Ну что, пойдемте? — широко, приветливо улыбнулся Красавченко.

— Куда? — едва шевеля губами, спросила Лиза и бросила газету на стол.

— Ко мне в номер, кино смотреть. Там, наверное, уже успели подсоединить к телевизору видео-приставку. Их здесь напрокат выдают. Очень удобно.

— Что вы несете? Какое кино?

— Вероятно, вы уже догадались, какое. Эротическая мелодрама из жизни всеми любимой телезвезды Елизаветы Беляевой.

— Послушайте, Красавченко, или как вас там зовут на самом деле? — Лиза тяжело уселась в кресло и закурила. — Я не собираюсь никуда с вами идти. Вы мне надоели. — Она положила горящую сигарету в пепельницу, вытряхнула снимки из папки. Их было всего три. Не глядя, стала рвать их на мелкие кусочки. Это оказалось непростым делом. Бумага была слишком плотной, но Лиза справилась. Через несколько минут перед ней лежали разноцветные блестящие клочки. Она сгребла их в ладонь, встала и выбросила в урну. Красавченко молча наблюдал за ней. Она вернулась к столику, загасила свою сигарету, взяла папку и направилась к лифту. Он остался сидеть.

ГЛАВА ДВАДЦАТЬ СЕДЬМАЯ

Граф старался не замечать, как в сытом сонном безделье безвозвратно уходит драгоценной остаток его молодости. Ирина Тихоновна едва проходила в дверь и теперь целиком сосредоточилась на своих многочисленных сложных болезнях, вызванных полнотой. Она даже пристрастилась к чтению, чего раньше с ней не бывало. Сначала в доме появились всякие сонники, травники, сборники рецептов народной медицины. Потом граф заметил на ее туалетном столике учебник практической магии.

— Меня сглазили, — заявила она однажды за завтраком, — и я знаю кто.

— Полно тебе, Иринушка, — попытался вразумить ее Тихон Тихонович, который гостил у них в ту пору, — что ты бредишь, как простая баба? Лучше вот в церковь сходи, причастись.

— Это не поможет, — решительно покачала головой Ирина Тихоновна, — слишком сильное заклятье.

— Перестань ерунду говорить, — поморщился Тихон Тихонович, — ты кушай меньше. Старайся сдерживать себя.

— Я и так без сил. Нужно совсем другое.

— Что же? — поинтересовался граф.

— Тебе, Михаил, не скажу, — она сверкнула на мужа маленькими черными глазками, и ему стало не по себе. В последнее время она почти не разговаривала с ним, глядела искоса, очень зло и подозрительно, иногда он замечал, что при нем она тихонько складывает свои жирные пальцы кукишем.

Ее увлекли заговоры, заклинания, всякого рода ведовство и шаманство. В полночь, при определенном положении луны, она отправлялась в рощу, рвала там какую-то траву, потом вымачивала ее пучки в крови черного петуха, которому перед тем собственноручно перерезала горло. Вместе со старой горничной Клавдией занималась спиритизмом, для чего не пожалела блюдечка от драгоценного китайского сервиза. Усилия ее сводились не столько к исцелению, сколько к поиску виноватого.

Ирина Тихоновна готова была кого угодно обвинить в своих недугах. То являлся к ней дух развратной царицы Клеопатры и хохотал в лицо, то приходила покойница-попадья из соседней деревни и плевала в щи. Однако главным и самым интересным персонажем ее потусторонних бдений сделался все-таки муж. Он хотел ее извести и жениться на молодой.

Вероятно, Михаил Иванович просто спился бы, как это часто случается с русским человеком в тяжелых обстоятельствах, но нашлось дело, которое увлекло его и даже вдохновило.

Граф послушался совета доктора Батурина и занялся живописью. В ранней юности он измалевал несколько альбомов изящными, забавными акварельками. Он зарисовывал уличные сценки, студенческие вечеринки, светские салоны и ресторанные залы. Иногда он выхватывал из толпы какую-нибудь характерную физиономию и запечатлевал на память. Но особенно ловко удавались ему карикатуры. Они были злы, обидны, однако точны чрезвычайно.

Теперь он пристрастился к простым реалистическим пейзажам. С этюдником уходил в лес, в поле, к маленькой быстрой речке Обещайке, которая протекала довольно далеко от Болякина. Писал маслом, широким, свободным мазком.

Однажды, жарким июльским вечером, именно у Обещайки, на мокром песчаном берегу, он так увлекся оттенками закатного неба и верхушками сосен, что не услышал легкого шелеста велосипедных шин за спиной.

— А вы делаете успехи, ваше сиятельство, — грудной низкий голос прозвучал у самого его уха, он вздрогнул, резко обернулся и встретил ярко-синие насмешливые глаза.

— Добрый вечер, Софья Константиновна, — граф не мог рисовать, когда ему смотрят под руку, положил кисть и достал папиросу, — разве занятия в гимназии уже закончились? — спросил он, смущенно кашлянув.

— Как же вы, Михаил Иванович, пейзажист, позабыли, какой теперь месяц? — улыбнулась Соня. — Июль, середина лета, а гимназию я в этом году закончила.

Она очертила острым носком белой туфли длинную дугу на влажном песке. Граф стал лихорадочно соображать, что бы еще такое сказать. Он не мог молчать с ней наедине. Ее лицо было подсвечено густым горячим солнцем и казалось прозрачным, как будто светилось изнутри нежно-розовым светом.

— И какие у вас планы на будущее, Софья Константиновна?

— На фронт, сестрой милосердия, — произнесла она быстро, без улыбки.

— Соня, откуда в вас это? Зачем вам? — опешил граф. — Ведь там стреляют, там вшивые окопы, хамская пьяная солдатня, дезертиры, пулеметы, ядовитый газ. Отец вас никогда не отпустит.

— Он пока не знает. И вы ему ничего не скажете, Михаил Иванович, — в глазах ее он заметил такой холодный решительный блеск, что испугался всерьез.

— Скажу непременно, и прямо сейчас, сегодня же.

— Да, но только потерпите уж до завтра, будьте любезны. Утром меня здесь не будет, и чтобы он не думал, что я пропала, вы передадите ему вот это письмо, — она протянула ему маленький незапечатанный конверт.

— Соня, вы ведь убьете его, — тихо проговорил граф, стараясь сохранить спокойствие, — да и война скоро кончится.

— Она никогда не кончится, — Соня взялась за руль своего велосипеда, прислоненного к березе, — прощайте, ваше сиятельство. Пишите свой пейзаж, у вас правда хорошо получается. А папе не говорите ничего, просто отдайте завтра это письмо. Он поймет и простит.

— Нет, Софья Константиновна, — граф накрыл ладонями ее ледяные маленькие руки, вцепившиеся в велосипедный руль, — я никуда вас не отпущу. Какой фронт, вы что?

— Не надо, Михаил Иванович, вы же знаете, что удержать меня не сумеете. Тоже мне, полицейский урядник, — она жестко усмехнулась, — пустите, пожалуйста. — Она попыталась высвободить руки из-под его горячих ладоней, но не смогла, он держал крепко.

— Да, я готов стать полицейским урядником, я, если понадобится, свяжу вас, запру, но не позволю. Это глупость, ребячество, отца вы любите и никогда не допустите, чтобы он погиб из-за вас, а он погибнет, вы это знаете, просто не хотите сейчас думать. Вами движут эмоции, какой-то идиотский героизм, экзальтация, что угодно, только не здравый смысл. Что хотите делайте, не пущу. Это так глупо и жестоко, вы самой себе потом не простите.

— Хорошо, — медленно произнесла Соня, — чтобы вы поняли, что это не эмоции, не экзальтация, можете прочитать письмо. Не волнуйтесь, я не удеру сейчас, я хочу, чтобы вы прочитали.

— Отпустите руль, давайте сядем, — граф так разволновался, что не мог вытащить листок из конверта.

Они сошли с мокрого песка, сели на траву под березой.

Письмо было написано крупным, решительным почерком. Граф стал читать, на всякий случай удерживая Сонину руку.

«Папа, прости меня и не бойся, со мной все будет в порядке, я выдержу, хотя бы потому, что теперь мне ничего не страшно. Неделю назад я получила известие, что поручик Данилов был растерзан пьяными дезертирами. Ничего более чудовищного со мной уже случиться не может. Мне надо как-то справиться с этой болью, а возможно, и отомстить. Кому, сама не знаю. Но месть — не главное. Такие, как Ванечка, поручики, корнеты, совсем мальчики, лежат в госпиталях, гниют в окопах, и только облегчая их страдания, я могу жить дальше. Не пытайся меня искать, я все устроила так, что не найдешь. Я буду молиться за тебя и за бабушку, я очень вас люблю, ты не говори ей, придумай что-нибудь. Прости и пойми меня, если можешь. Твоя Соня».

— Софья Константиновна... Сонюшка, девочка, — граф спрятал письмо в карман и быстро поцеловал ее тонкие холодные пальцы, — я все понимаю. Я отпущу вас, разумеется, но давайте сначала поговорим.

— О чем?

— Поручик Данилов был вашим женихом?

— Какая разница теперь?

— Нет, я должен знать. Мы с вашим отцом близкие приятели, и у него от меня нет секретов. Если бы у вас появился жених, Костя рассказал бы мне непременно. Он ведь живет вашей жизнью, Сонечка, и только о вас ему интересно разговаривать. А кроме меня, поделиться не с кем. Так вы были помолвлены с поручиком Даниловым?

— Нет.

— Расскажите мне о нем. Ваш отец ведь ничего не знает, и совсем уж жестоко, если вы исчезнете, уедете на фронт, а он так и не узнает, ради кого.

— Иван Данилов — старший брат моей гимназической подруги. Мы познакомились год назад, на детском благотворительном балу в Москве. Мы танцевали весь вечер, и я поняла, что люблю его. Он понял это еще раньше, сразу, как только меня увидел. Мы встречались редко, он почти сразу вернулся на фронт, писал мне, но не к тетке, а на свой домашний адрес. Наташа, его сестра, передавала письма. Один раз он приехал в отпуск, всего на сутки. Мы целый день бродили по Москве, был мороз, мы грелись в кондитерских и в кинематографе. Мы поклялись друг другу, что никогда не расстанемся, даже если ему суждено погибнуть, я никогда его не предам, ни за кого другого не выйду замуж, уйду на фронт сестрой милосердия или в монастырь. Последнее для меня слишком тяжело, я не так глубоко верую, а фронт — это выход, это спасение.

— Сколько лет ему было? — шепотом спросил граф.

— Двадцать.

— И он принял эту вашу клятву?

— Да. Потом он уехал и писал мне, что только моя любовь спасает его там, в грязи и ужасе, от пули, от безумия, от пьянства. И вот теперь... — слезы, долго копившиеся в ее горле, выплеснулись наружу, — он погиб, так страшно, так оскорбительно... не пуля, не бомба, не газ, даже не штыки, а сапоги грязной банды озверевших дезертиров. Его затоптали насмерть. В полку появились какие-то люди, они вертелись около солдат, призывали убивать офицеров, бросать оружие, брататься с немцами. Иван поймал одного такого, с целой кипой листовок, бросил листовки в костер, а провокатора отхлестал перчаткой по щекам и велел выпороть. А потом, вечером, на него напала целая банда дезертиров. Так случилось, что помощь подоспела слишком поздно. Наташа рассказала в своем письме все очень подробно и вложила в конверт письмо от поручика Соковнина, товарища Ивана, и я как будто видела все своими глазами, не просто видела — чувствовала его боль, его ужас. Как же я могу жить после этого? Кататься на велосипеде, есть землянику, играть ноктюрны Шопена? — Она зло растерла кулачком слезы по щекам. — А теперь отпустите меня, Михаил Иванович.

— Никуда я вас не отпущу. Можете кричать, драться. Пока вы не успокоитесь, не отпущу.

Она хотела сказать что-то, губы ее дрожали, по щекам текли слезы. Граф не дал ей говорить, резким сильным движением прижал ее голову к груди, уткнулся носом в нагретую солнцем макушку и зашептал отчаянно быстро:

— Я не хочу, чтобы вы уподобились тем пьяным дезертирам, которые затоптали живого человека насмерть сапогами. Ваш поступок именно таков, вы убьете, погубите вашего отца, бабушку, вы затопчете их, они не просто погибнут, а с такой же болью, как этот бедный поручик, причем боль эта будет куда сильнее, потому что душа болит нестерпимей, чем тело. Я не говорю о себе, это совсем не важно, но все-таки учтите, вы убьете сразу троих. Я сопьюсь совсем, сойду с ума, если не будет больше шороха шин, звона вашего велосипедного звоночка. Я умру, если никогда больше не увижу, как вы сидите с книгой на веранде, не услышу, как вы играете на рояле. Я старый, никчемный, пустой человек, меня почти нет, но я никуда вас не отпущу, просто потому, что я люблю вас, Сонечка.

Плечи ее уже не вздрагивали. Она замерла, уткнувшись лицом в его грудь, и как будто даже перестала дышать. Они сидели молча на влажной от вечерней росы траве, и было слышно, как разрываются в сумеречном крике деревенские петухи, как всплескивает рыба в речке Обещайке.

Граф тихонько поглаживал ее черные блестящие волосы, и собственная ладонь казалась ему тяжелой, грубой. Наконец Соня высвободилась из его рук, вскинула к нему лицо и тихо произнесла:

— У вас очень сильно сердце бьется, Михаил Иванович.

ГЛАВА ДВАДЦАТЬ ВОСЬМАЯ

Щенка назвали все-таки не Варькой, а Фридой. Вася объяснил, что у соседей по старой квартире была немецкая овчарка с таким именем. Целые дни Варя проводила со щенком, и ее устраивала эта компания.

В гости к Васе Соколову никто никогда не приходил. Варе казалось, у него нет не только друзей, но и родственников. Она знала, что где-то на Войковской живут его мать и совсем старенькая бабушка. В новостройке пока не было телефона, вероятно, Вася звонил маме и бабушке с работы.

Он почти ничего не рассказывал о своем детстве, о службе в армии, о том, что происходит у него на службе сейчас. Ему так нравилось превращать свою жизнь в нечто таинственное, закрытое, засекреченное, что получалось, у него просто нет ни прошлого, ни настоящего. Впрочем, у нее тоже не было. Иногда она ловила себя на том, что существует вне времени, и даже вне пространства, на десятом этаже белой, как снег, панельной новостройки, со снежным пустырем за голым окном. Пустырь сливался с белесым зимним небом, и она как будто парила в невесомости, в полупустой двухкомнатной квартире. Матрац на полу, кухонный стол, две табуретки, холодильник, кое-какая посуда в сушилке над кухонной мойкой.

Когда она спросила, почему он не покупает мебель, ну хотя бы кровать, он буркнул в ответ:

— Если покупать, то сразу хорошую. А на хорошую пока не хватит. Я и так выложился на квартиру.

Она, разумеется, не знала, что ему нравится спать с ней на матрасе, и голая комната напоминает ему пустую малюшинскую коммуналку.

Когда он возвращался, когда она слышала скрежет ключа в замочной скважине, у нее замирало сердце.

371

Его руки, грубые, сильные, каждый раз как будто заново вытаскивали ее из ледяной смертельной воды. Когда он наваливался на нее, ей слышался жуткий сухой шорох грязных льдин на Москве реке. Она прижималась к нему, согреваясь. Часто он делал ей больно, но она не замечала, потому что каждая клеточка ее тела отчетливо помнила смертельную боль, когда раздирает на куски ледяная вода, словно стая голодных пираний.

Он говорил ей много обидных, злых слов, но при этом глаза его глядели спокойно, пристально, в упор, и ей казалось, что думает он совсем не то, что говорит, просто у него склочная, мерзкая, неблагодарная работа, он очень устает. Он никогда не улыбался, и за его многозначительной серьезностью ей мерещились мужественные тайны, опасности, возможно даже подвиги. Ей было всего семнадцать лет, и никаких других мужчин, кроме него, она не знала. Маньяк Тенаян, разумеется, не в счет.

Однажды вечером она услышала возню у двери, взглянула на часы, подумала, что Вася сегодня вернулся раньше обычного, выскочила в прихожую. Фрида тоненько загавкала, закрутила хвостом. Дверь медленно открылась. Вместо Васи в квартиру вошли двое совершенно незнакомых мужчин, молодой и пожилой. Она вскрикнула, но скорее от неожиданности, чем от страха, потому что молодой улыбнулся и сказал:

— Привет, красавица.

— Здравствуйте, — Варя протянула руку и зажгла свет в прихожей.

Фрида радовалась гостям, прыгала и вертелась волчком. Она была еще слишком маленькой, чтобы отличать чужих от своих.

Молодой выглядел нормально. Высокий, крепкий, с круглым простоватым и вполне добродушным лицом, в дорогой канадской куртке, в новеньких черных джинсах. Пожилой напоминал пугало. Маленький, тощий, как скелет, совершенно лысый. Глазки у него были такие крошечные, а надбровные дуги так сильно выпирали, что казалось, это не лицо, а череп с пустыми черными глазницами.

— Кто такая? Как зовут? — спросил лысый.

— Варя. А вы кто?

— Сослуживцы твоего Васи.

— В армии вместе служили, — добавил молодой, помогая лысому снять дубленку, — меня зовут Петр Петрович. Можно просто Петя.

Лысый не представился. Варя обратила внимание, что дубленка у него совершенно новая и очень дорогая. А под ней шикарный костюм цвета кофе с молоком. Судя по тому, что светлые брюки не заляпаны грязью, гости прибыли на машине.

— Мы к Васе в отделение заехали, — объяснил молодой, — он сказал, освободится позже, дал нам ключи. Мы его подождем, не возражаешь?

— Проходите, пожалуйста. Чаю хотите?

— Угостишь — не откажемся, — кивнул Петя и снял куртку, — ну, куда проходить-то? Я гляжу, сесть некуда. Мебели никакой.

— Вот, на кухню. Садитесь.

Они уселись на табуретки, Варя включила электрический чайник, поставила на стол чашки, сахарницу, заглянула в холодильник. Там ничего, кроме четвертушки ржаного хлеба, засохшего куска сыра, банки сардин и пакета молока для Фриды, не было. Она все вытащила, принялась резать сыр и хлеб.

— Давно живешь с Васей? — спросил пожилой, вперившись в нее глазами-дырами.

— Полгода.

— Ну и как, не обижает?

— Нет.

— Сама-то учишься где? Или работаешь?

— Да в общем, пока нигде. Не учусь и не работаю.

— Чем же занимаешься?

— Вот, — она улыбнулась, — дома сижу. Васю жду. Хотите, я гренки с сыром сделаю. Все-таки вкуснее, а то хлеб совсем черствый, сыр сухой.

— Сделай, — кивнул Петя.

Варя поставила на плитку единственную сковородку, выложила на нее ломтики хлеба, прикрыла крышкой.

Пока она готовила, гости молчали, курили. Съев все гренки, выпив по два стакана чаю, поблагодарили. Варя курила редко, сигарет в доме не было, она взяла у гостей «Мальборо», опять включила чайник, уселась на подоконник.

— Ну, а как же ты познакомилась с Васей? — спросил лысый.

— Это долгая история, — смущенно произнесла Варя. Ей не хотелось врать, но и правду рассказывать тоже не хотелось.

— А, вот он нам сейчас сам и расскажет, — подмигнул Петя.

Действительно, щелкнул замок в прихожей. Варя хотела спрыгнуть с подоконника, но лысый помотал головой и прижал палец к губам, а Петя одним бесшумным прыжком улетел в угол, встал между стеной и дверью и тоже прижал палец к губам.

Варя кивнула и улыбнулась, решив, что друзья готовят для Васи приятный сюрприз. Но как только она увидела Васино лицо, улыбка растаяла.

— Бедно живешь, — проскрипел в тишине голос лысого, — жадничаешь.

Вася застыл в проеме. Варя заметила, что его рука

легла на кобуру. Петя стоял позади и держал пистолет у его затылка.

— Зачем? — тихо спросил Вася.

— Чтобы знал, стукачок, сколько ты стоишь.

— Пныря, скажи своему быку, пусть уберет пушку. Я так не могу разговаривать.

— А почему ты думаешь, что мы пришли разговаривать? — усмехнулся лысый, которого, оказывается, звали Пныря.

— Потому, что до сих пор нам это удавалось. Правда, через посредников, — произнес Вася каким-то высоким, чужим голосом.

— Слышь, мусор, ну-ка быстренько пушку свою на стол, — обратился к нему Петя, легонько стукнув дулом в затылок.

Вася расстегнул кобуру, достал пистолет, положил его перед лысым Пнырей.

— На пол, — скомандовал Петя.

— Как это?

— Ну, стульев-то нет, — объяснил Пныря и взял в руки пистолет, задумчиво поглядел на него, сунул в карман пиджака, — так что придется тебе, хозяин, посидеть на полу. Вот тут, в уголку, и присаживайся.

Казалось, о Варе вообще забыли. Вася даже не удостоил ее взглядом. Она замерла и почти не дышала. Только сердце грохотало, как колокол при пожаре.

Вася покорно опустился на корточки в углу, у мойки.

— Вот, хорошо, — кивнул Пныря, — так и сиди. И ты, Петюня, сядь, не маячь.

Петя опустился на табуретку, закурил.

— Можно мне? — хрипло спросил Вася.

— Угощайся, — Пныря кинул ему пачку и зажигалку, — своих нету, что ли? Жадный ты, Васька.

Никогда не думал, что из тебя такой жмот вырастет. Смотри, какую лапушку себе завел, какую красавицу, а кормишь плохо, одеваешь еще хуже, из дома небось не выпускаешь, боишься, уведет кто-нибудь. Правильно боишься. Вон какие у нее глазищи, с ума сойти можно, — он повернулся к Варе и улыбнулся ей, ласково подмигнул, — ничего, девочка, дядя Пныря тебя в обиду не даст.

Варя почувствовала, как под старенькой фланелевой ковбойкой, между лопаток, щекотно течет струйка ледяного пота. Глаза-дыры разглядывали ее, ощупывали в полнейшей тишине. Вася сидел в углу на корточках и смотрел в пол.

— Ладно, девочка, ты пока выйди, — произнес наконец Пныря.

Соскользнув с подоконника, Варя убежала в комнату, тихонько прикрыла за собой дверь, забилась под одеяло с головой и заплакала. Она ничего не понимала, но чувствовала, что произошло нечто ужасное.

Впрочем, успокоилась она довольно быстро. Из кухни слышались приглушенные голоса, стены в новостройке были тонкие. До нее дошло, что лучше все-таки послушать и попытаться понять, в чем дело, чем истерически рыдать в подушку.

— Спешить не надо, — донесся до нее голос Пныри, — время работает на меня. Пусть он живет и богатеет, собирает свою коллекцию, бережет ее и прячет от посторонних глаз. Ни одного волоска не должно упасть с его головы. Ты просто будешь наблюдать и сообщать, как у него дела. Держать руку на пульсе. Самое лучшее, если устроишься к нему в охрану. Но это тоже не завтра. Мне надо, чтобы мой человек стал для него близким и заслужил его полное доверие.

— Но есть ведь у него охрана, и как же я, прямо с

улицы? Нужны рекомендации...— возразил Вася все тем же чужим высоким голосом.

— Не обязательно сразу ты. Твоя Варя ведь неглупая девочка, и чистенькая, свеженькая, не какая-нибудь чмара корыстная, а настоящий розанчик. Сколько ей?

— Семнадцать.

— Вот. Самый сладкий возраст. Скажу тебе по секрету, перед такой лапушкой ни один нормальный мужик не устоит. А уж которому за пятьдесят, да при котором жена, толстая дура, сразу растечется киселем. Это я тебе гарантирую. А потом, когда все у них сладится, она тебя и порекомендует.

— А если она не согласится? — испуганно спросил Вася.

— Вот это уже твои проблемы. Ничего, как-нибудь уговоришь.

Вскоре гости собрались уходить, затопали в прихожей. Хлопнула дверь. Варя кинулась к матрасу, забилась под одеяло и услышала, как тихо, на цыпочках, подошел к ней Вася.

— Спишь? — спросил он, присаживаясь рядом и обнимая ее за плечи.

Она развернулась к нему лицом. Глаза его смотрели, как обычно, спокойно и внимательно.

— Варюша, тут такое дело, — начал он, — эти двое, которые приходили, они бандиты.

— Я поняла.

— Пныря — вор в законе. Когда мне было тринадцать, он подцепил меня на крючок. Так вышло. Я был сопливым пацаном. Теперь я от него завишу.

— Но ты ведь не бандит. Ты милиционер.

— Ладно, — поморщился Вася, — ты дурочкой-то не прикидывайся. На каждого милиционера есть свой бандит, и не один. Одно с другим связано так, что не

377

разделишь. И суть не в этом. А в том, что сейчас они меня могут убить или сделать так, что меня посадят надолго. Не знаю, что хуже.

— Если убьют, хуже. Из тюрьмы возвращаются.

— Другие — да. Я вряд ли вернусь. Именно потому, что милиционер. В общем, Варюша, все зависит от тебя. Понимаешь? Моя жизнь зависит от тебя, — он обнял ее еще крепче, прижал ее голову к груди и продолжал говорить хриплым шепотом, поглаживая по волосам, — нам с тобой надо будет на время расстаться. Ты познакомишься с одним человеком. Ты ведь хотела стать актрисой? Вот, ты как будто сыграешь роль, но не в кино, а в жизни.

— Какую роль?

— Ну, ты что, не понимаешь? — Он резко отстранил ее и посмотрел в глаза. — Ты станешь его любовницей, надолго и всерьез.

— Он бандит?

— Нет. Он нормальный человек, очень богатый, образованный.

— Сколько ему лет?

— Много. Пятьдесят три.

— Да он старик!

— Ну что ты, — Вася опять стал гладить ее по голове, — для мужчины это отличный возраст. Он спортом занимается, каждое утро пробегает пять километров, живет за городом, на свежем воздухе, в собственном доме.

— Женат?

— Да. Но жена старая, толстая, он ее не любит.

— А дети?

— Уже взрослые.

— Ты сам его видел?

— Нет. Только фотографии.

— Тебе эти бандиты дали?

— Да. Хочешь посмотреть?

— Нет, Вася. Не хочу.

— Почему?

— Потому, что я не собираюсь становиться любовницей старого чиновника. Пойди на улицу, возьми проститутку, заплати ей, и пусть она спит с этим чиновником. А я не могу, — голос ее дрожал, она высвободилась из его рук, отвернулась к стене, накрылась с головой одеялом и заплакала.

Он вышел из комнаты, шарахнув дверью. Она слышала, как он ходит по кухне, из угла в угол. До нее доносился запах табачного дыма. Прошло минут пятнадцать. Он вернулся в комнату, рывком сдернул одеяло, навалился на нее всем телом, стал целовать ей лицо, шею, ухо, повторяя с тяжелым придыханием:

— Варенька, девочка моя, помоги мне, я тебя люблю, я спас тебе жизнь, теперь ты меня спаси, ведь они уничтожат не только меня, но и тебя, и маму твою. Пойми, Варюша, нет у нас тобой выбора. Пныря не терпит возражений. Это он так решил, не я. Я бы ни за что, ни за что на свете...

Через пару дней они поехали на его «жигуленке» по шикарным магазинам. Варя была поражена, она не могла представить, как много у него денег. Он покупал ей одежду, косметику, сам долго и серьезно выбирал для нее духи.

— Вася, почему, когда я была с тобой, ты этого не делал? — тихо спросила она, когда они вернулись домой и выложили на матрац гору красивых фирменных пакетов.

— Потому, что я люблю тебя любую, мне все равно, как ты одета, — он нежно поцеловал ее в шею. Он вообще был удивительно нежен и внимателен, его как будто подменили.

Через неделю он отвез ее в подмосковный дом отдыха. Ей предстояло жить там целый месяц в отдельном номере и каждое утро, с семи до девяти, совершать оздоровительную пробежку по определенному маршруту.

— Что же дальше, Вася? Ну, познакомлюсь я с ним. И что? — спросила она, когда они выехали за кольцевую дорогу.

— Ты сначала познакомься, постарайся понравиться. На сегодня главная твоя задача — стать для него близким человеком и заслужить доверие.

ГЛАВА ДВАДЦАТЬ ДЕВЯТАЯ

В кардиологическом отделении бывшего закрытого военного госпиталя сутки стоили пятьдесят долларов, это без лечения, без процедур и медикаментов. Елена Петровна Бутейко оплатила лечение и пребывание там своего мужа вперед, на десять дней. Общая сумма, внесенная в кассу, составляла тысячу двести пятьдесят условных единиц.

Оперативник УВД капитан Косицкий добыл эти сведения с большим трудом. Сначала он решил пойти официальным путем, но вовремя остановился, огляделся, купил коробку конфет «Моцарт», три белые розы, заявился в бухгалтерию госпиталя, улыбнулся, сказал несколько приятных слов немолодой холеной кассирше и получил исчерпывающую информацию, мысленно благославляя дикую смесь коммерции, бюрократии и постсоветского пофигизма.

Лечащий врач по фамилии Перемышлев встретил его довольно хмуро, пригласил в ординаторскую для предварительного разговора.

— Он все время повторяет, что не выйдет отсюда, даже на похороны сына, — сообщил врач, — он боится, говорит, будто его хотят убить. Спит только со снотворным, причем дозы ему требуются большие. Жена была у меня, она уверяет, что там не может быть привыкания к снотворным препаратам, он их раньше не принимал. Но я-то вижу, там глубокое привыкание. Почти наркотическая зависимость. Я проверял, на учете в психодиспансере он не стоял, никаких нарушений с этой стороны никогда не отмечалось. Но верится с трудом.

— То есть вы хотите сказать, что психические отклонения появились у него еще до смерти сына? — уточнил капитан.

— Ничего я не хочу сказать, — покачал головой Перемышлев, — я знаю, что он перенес мелкоочаговый инфаркт миокарда. Вот это я знаю точно, а что там с его психикой, понять не могу. Со стороны сердца сейчас все нормально, состояние стабильное, но я должен его понаблюдать еще неделю, не меньше. Жена оплатила его пребывание на десять дней вперед, готова платить еще, очень просила не выписывать его до полного выздоровления. А у него, видите ли, психоз, бред, мания преследования. У нас своих психиатров нет, только психолог, и тот на договоре, раз в неделю приходит.

«Интересно, откуда у Елены Петровны Бутейко столько денег? — вдруг подумал Иван, — впрочем, она могла пустить в оборот все свои сбережения, лишь бы вылечили мужа, могла и в долги влезть. Мало ли?»

— По-хорошему, Бутейко надо перевозить в психиатрическую лечебницу, — продолжал врач, — но с другой стороны, он не опасный, не буйный.

— Так я не понял, он вменяем или нет?

— В принципе вы можете его допросить. Попробуйте. Насчет вменяемости ничего сказать не могу. Иногда он кажется вполне разумным человеком, реакции адекватные, речь связная. Впрочем, я кардиолог, а не психиатр.

Следователь Бородин предупреждал, что беседовать с отцом убитого будет непросто.

— Постарайся осторожно коснуться его прошлого, поговори о ювелирном деле, но не спугни его, не настаивай на продолжении разговора, если реакция окажется слишком бурной, — напутствовал капитана Илья Никитич, — главное, попытайся выяснить, почему он так резко сменил специальность, из ювелирного магазина ушел на обувную фабрику.

Не успел Иван переступить порог больничного «бокса», как раздался утробный громкий шепот:

— Стойте! Покажите руки!

Иван не сразу сообразил, кто это шепчет и откуда. Койка была пуста, одеяло скомкано. Больной сидел на полу, за тумбочкой, сжавшись в комок. Капитан сначала заметил какой-то бледный шар, потом из-за тумбочки показалась костлявая босая ступня.

«Действительно, совсем у мужика крыша съехала, — подумал Иван с жалостью, — еще бы, потерять единственного сына...»

— Вячеслав Иванович, это что за новости! — прикрикнул врач. — Давайте-ка быстро в постель, к вам из милиции пришли. Хватит, Бутейко, вылезайте.

В ответ послышался жестяной грохот. Маленький тощий старик с большой, совершенно лысой головой поднялся из-за тумбочки. В руках он держал никелированное больничное судно и прикрывался им, как щитом.

— Из милиции? — он подозрительно оглядел капитана. — А почему не в форме? Почему в джинсах?

— Вячеслав Иванович, поставьте судно на место, вымойте руки и наденьте тапки, — распорядился врач.

— Вы проверяли его документы? Вы обыскивали его? У него нет оружия? — не унимался больной. — Я же предупреждал вас, они сюда обязательно придут. Неужели вам не жаль своего труда? Вы столько возились со мной, вы спасли мне жизнь не для того, чтобы меня убили здесь, на ваших глазах.

Иван достал удостоверение и показал больному.

— Вячеслав Иванович, я капитан милиции, моя фамилия Косицкий. Кто вас хочет убить?

Бутейко стрельнул на него глазами, ничего не ответил, положил судно на пол, ногой задвинул его под койку, прошлепал босиком к умывальнику, долго, тщательно мыл руки. В каждом его движении была заметна внутренняя паника. Он вжимал голову в плечи, смотрел на капитана с диким страхом, как будто ждал, что тот выхватит пистолет и начнет стрелять. Наконец он вытер руки, бросился к своей койке, забился в угол, накрыв колени одеялом.

— Ладно, я пойду. У меня обход через пять минут, — сказал врач.

— Нет! — заорал больной, — не уходите! Я буду говорить с ним только в вашем присутствии. Я впервые вижу этого человека и не доверяю ему.

— Хорошо, я пришлю кого-нибудь, сестру или фельдшера.

— Кроме вас, я никому здесь не верю. У сестер маленькая зарплата, их могут подкупить.

— У меня тоже маленькая зарплата, — проворчал врач и повернулся, чтобы уйти.

Больной с удивительным проворством соскочил с койки, преградил ему путь, встал на цыпочки, схватил за пуговицу халата и громко зашептал на ухо:

— Мне не нравится этот парень, обратите внимание, как он на меня смотрит. Убьет, точно убьет. Они охотятся за мной четырнадцать лет. Вы говорите, у меня бред, вы мне не верите, но вот ведь, пожалуйста, явился человек, чтобы меня убить.

— Успокойтесь, я вам верю, — тяжело вздохнул врач, — я специально пригласил сюда товарища из милиции, чтобы он разобрался, в чем дело, кто вас преследует и хочет убить. А вы, вместо того чтобы спасибо сказать, устраиваете спектакль.

— Так это вы его вызвали? — Бутейко сразу сник, вернулся на койку. — И документы у него проверили?

— Да, да, успокойтесь, расскажите товарищу капитану все, что рассказывали мне, — врач едва заметно усмехнулся, — извините, мне пора.

Иван пододвинул стул к койке. Бутейко смотрел на него, не моргая. Глаза у старика были красные, воспаленные.

— Я уже четырнадцать лет не сплю, — сообщил он свистящим шепотом.

— Почему? — также шепотом спросил капитан.

— Он приходит каждую ночь. Стоит мне задремать, и он является ко мне, пьяный, грязный, с мешком на голове. Я вижу его лицо. Знаете, какое лицо у человека, которого душат прозрачным полиэтиленовым пакетом?

«Отлично! — поздравил себя Иван. — У нас здесь что, еще один труп? У нас здесь «висяк» четырнадцатилетней давности с пакетом на голове? Класс! Вот уж старик Бородин обрадуется, маминым пирожком меня угостит...»

— Кто он? — быстро спросил капитан.

— Покойник, — едва шевеля губами и тревожно оглядываясь по сторонам, ответил Бутейко.

— Его убили?

— Да.

— Кто?

— Павел.

— Фамилия?

— Чья?

— Ну, этого Павла.

На пороге палаты появилась молоденькая медсестра, постояла, посмотрела и ушла, вероятно, решив, что здесь без нее обойдутся.

— Как вы не понимаете? — больной укоризненно покачал головой. — У камней не бывает фамилий. У них есть все — история, судьба, кровь, живая человеческая кровь, которая течет рекой. Но фамилий у них не бывает. Павла снесла курица на Урале в 1829-м году, и судьбу его можно очень приблизительно проследить только до 1917-го года. Он исчез. Но такие, как он, никогда не исчезают совсем. Они всплывают из небытия, чтобы вновь лились реки крови.

«Нет, не видать мне пирожка с капустой, — усмехнулся про себя Иван, — ничего я здесь не нарою. Псих бредит, а я, дурак, слушаю».

— Знаете, Вячеслав Иванович, чтобы не мучиться, лучше сразу все рассказать. Станет легче, — произнес он с самой задушевной интонацией, на какую был способен.

— Кому легче? — Бутейко печально покачал головой. — Ему не станет, он давно умер. Он умер, но не успокоится, пока мы живы.

— Как его звали? — осторожно спросил капитан.

— Кузя.

— Он что, кот?

— Если бы... Он человек. Пьяница, наркоман, но все-таки человек. Лелечка тоже говорила, как вы сейчас, мол, ты представь себе, что перед тобой животное, грязная скотина, которой пора на бойню, облезлый помоечный кот, который гадит у нас в подъезде, от него только вонь, и больше ничего. Я поверил ей. Я ей всегда верил, но она ошиблась. Он человек, и теперь является ко мне каждую ночь.

— Леля, это кто?

— А вы не знаете? — больной тяжело вздохнул.

— Нет, — искренне признался капитан.

— Ну и не надо. Раз не знаете, я не скажу.

— Вячеслав Иванович, как же я сумею разобраться, если вы не хотите говорить?

— А зачем? Для чего разбираться? Они убили Артема, теперь наша очередь. Не понимаю, почему сначала его, он был тогда ребенком, шестнадцать лет —

это еще ребенок. Тем более его вообще не было в Москве в то время. Он ничего не знал и уже никогда не узнает.

— В убийстве вашего сына подозревается его приятель, бывший одноклассник, Анисимов Александр Яковлевич. Вы с ним знакомы?

— Я этого мальчика знаю с детства. Он не убийца. Он только орудие. Сначала они прислали его ко мне с перстнем. Они как будто издевались, предупреждали, хотели, чтобы мне стало по-настоящему страшно. Зачем, спрашивается? Мне было страшно все эти четырнадцать лет, но я никогда не думал, что первым станет Артем.

— Вы слышали, как Анисимов угрожал вашему сыну?

— Нет, — Бутейко печально покачал головой, — это было бы слишком прямолинейно, если бы он угрожал. Он пришел ко мне, а не к нему. Он принес перстень с изумрудом. Вещь красивая, но камень с трещиной, алмазы мутные.

— Вячеслав Иванович, вы много лет работали гравером в ювелирном магазине, — осторожно начал Иван, — почему вы сменили специальность?

Вопреки ожиданиям, больной никак не отреагировал на этот вопрос, он тяжело вздохнул, стал теребить угол наволочки, сворачивать ткань жгутом, накручивать на палец, и казалось, так сосредоточился на этом занятии, что позабыл о капитане.

— Вячеслав Иванович, вы устали?

— Не знаю, — Бутейко равнодушно пожал плечами, — наверное, устал. Но разве это кому-нибудь интересно? Я готов годами носить одни брюки, зимой и летом, я с радостью буду лелеять единственную пару ботинок, самостоятельно менять набойки, сшивать порванные шнурки. Я очень люблю сладкий чай с черными гренками, поджаренными на подсолнечном масле, правда, кашу терпеть не могу, особенно перловку, и не потому, что эта крупа самая дешевая, просто невкусно. Однако и перловку я готов есть ежедневно. Но спать и видеть его во сне, с пакетом на голове, с открытым ртом, растопыренными жуткими глазами, я не могу.

— Подождите, Вячеслав Иванович, — осторожно перебил его капитан, — вы сказали, что не спите четырнадцать лет. Значит, все это — пакет, труп, Павел — было четырнадцать лет назад?

— Да. В восемьдесят пятом. В июне. Стояла страшная жара. Мы проводили Артема в колхоз. Он закончил девятый. Их всем классом отправили в колхоз на картошку. А мы с Лелечкой собирались в Пярну, в отпуск. Я отрабатывал последний день перед отпуском. И тут он появился. Он пришел в магазин, долго крутился у прилавка. Он не был похож на человека, который может купить что-либо в ювелирном магазине. До закрытия оставалось десять минут, милиционер попросил его выйти. Он не возражал, не сказал ни слова. Когда он проходил мимо меня, я заметил, какое у него жалкое, потерянное лицо. А потом я увидел его на лавочке во дворе, напротив служебного входа. Он держал в зубах погасший окурок и смотрел в одну точку. Знаете, что заставило меня сесть рядом с ним? Жалость. Очень хорошее, чистое чувство. Я подумал, что он наводчик, его прислали к магазину бандиты. Такое уже случалось. Перед тем как грабить, они посылают «шестерку», покрутиться, посмотреть, кто последним выходит и закрывает дверь, в котором часу приезжают инкассаторы. Потом бедолагу-разведчика подставляют, сдают. Я, между прочим, всегда был хорошим, добрым человеком. Я многим помогал, даже с риском для себя. Но и, конечно, я не хотел, чтобы ограбили наш магазин. Я был не только добрым, но и честным.

Капитан заметил, что по щекам больного текут слезы, худые плечи мелко вздрагивают.

— Может, вам воды налить? — спросил Иван.

— Не надо... — всхлипнул старик, — не могу больше ни пить, ни есть. Вы поймите, я очень хороший человек, у меня четыре благодарности в трудовой книжке. Попросите Лелю, пусть она покажет, просто чтобы вы знали, какой я человек. Я всем помогал, причем бескорыстно. На обувной фабрике я целый месяц висел на Доске почета, и сын у меня известный журналист, — он уткнулся лицом в подушку, заплакал еще горше. Капитану ничего не оставалось, как позвать к нему медсестру.

* * *

Утром, за завтраком, Лидия Николаевна выразительно молчала, всем своим видом показывая, что не трогает сына, не мешает ему думать. Но все-таки не выдержала.

— Между прочим, я вчера встретила Варю Богданову. Просто удивительно, только недавно мы с тобой говорили о ней, и вот, что называется, легка на помине. Я смотрю, идет по коридору.

— По какому коридору?

— По коридору Университета искусств. Она стала совсем взрослой, и такая красавица. Сразу узнала меня, спрашивала о тебе, просила передать привет.

— Очень интересно. Как она поживает?

— Она живет с человеком, который годится ей в отцы. Ему пятьдесят шесть, а ей всего лишь двадцать.

Он крупный чиновник, очень состоятельный и влиятельный.

— Значит, Варя вышла замуж за пожилого состоятельного чиновника? — задумчиво спросил Илья Никитич. — Возможно, для нее это неплохой вариант.

— Илья, ты не понял. Она не замужем за этим человеком. Они просто живут вместе.

— А в институт она поступила?

— Илюша, я ведь только что сказала, что встретила ее в Университете искусств, ты же знаешь, меня туда каждый год приглашают читать курс лекций по художникам-символистам. Варя учится на втором курсе.

— Ну да, конечно. Но насколько я знаю, там обучение платное, и очень дорогое. Кто же платит за Варю?

— Ее сожитель. Фу, какое гадкое слово, — Лидия Николаевна поморщилась, как от кислого. — Но иначе не скажешь. Любовник звучит еще гаже. Впрочем, если он оплачивает обучение, значит, относится к девочке серьезно, любит ее и обязательно женится, как порядочный человек.

— А он порядочный человек?

— Говорят, да. Кстати, ты, возможно, слышал о нем. Мальцев Дмитрий Владимирович, заместитель министра финансов, довольно известная фигура. Мне сказали, он много делает для Университета, хлопочет в мэрии, в Министерстве культуры, нашел спонсоров в Германии и в Америке. Вообще, отзывы о нем самые положительные. Говорят, он неплохо образован.

— Кто говорит?

— Илья, что за ужасная манера — задавать вопрос, заранее зная, что ответ на него тебе совершенно не интересен? — нахмурилась Лидия Николаевна.

390

— Почему же? Мне очень интересно, от кого ты успела столько узнать о заместителе министра финансов господине Мальцеве.

— От библиотекаря университета Екатерины Борисовны.

— Он что, пользуется университетской библиотекой? — усмехнулся Илья Никитич.

— Ты зря смеешься, Илюша. Редко, но пользуется. Заместитель министра интересуется историей, точнее, историей обрусевшей французской знати, которую приютила Екатерина Вторая во время французской революции.

— Он что, пытается выяснить свое родословное древо? Хочет стать членом дворянского собрания? Это сейчас модно, объявлять себя потомственным князем или, на худой конец, графом.

— Да, Илюша, ты угадал, — улыбнулась Лидия Николаевна, — возможно, нашу Вареньку Богданову ждет большое будущее. Ей предстоит стать не просто женой богатого чиновника Мальцева, но графиней. Ее будущий муж попросил найти для него все, что есть о роде графов Порье.

ГЛАВА ТРИДЦАТАЯ

Красавченко исчез, испарился, как будто был привидением. Лиза не сомневалась, что он появится в Москве, очень скоро, сразу, как только она вернется. И телефон, и адрес ему наверняка известны. Однако усилием воли она заставила себя успокоиться хотя бы на время. Если без конца думать, гадать, она ли на этих снимках, что надо шантажисту и как разумней поступить в такой ситуации, то можно просто свихнуться.

За день до отлета позвонил муж, уточнил номер рейса. И буквально через пять минут позвонил Юра, задал тот же вопрос.

— Мы же договорились, я приеду к тебе через два дня.

— Я устал ждать. Не бойся, я просто постою в сторонке. Я знаю, раньше, чем через неделю, ты не сумеешь ко мне выбраться, — сказал он печально, — я дни считаю, жить без тебя не могу.

— Прости меня. Но лучше не надо приезжать в аэропорт. Мы ведь уже обсуждали это.

— Я тебя чем-то обидел?

— Да Бог с тобой, Юраша. Просто устала.

— Ты всегда говоришь, что устала, когда не хочешь меня видеть.

«Ну вот, — обреченно подумала Лиза, — мы опять выясняем отношения».

— Скажи мне что-нибудь хорошее, — попросил он.

— Я соскучилась, — произнесла она равнодушно. Хотя это было правдой. Она действительно скучала по нему.

— Лизонька, что с тобой? У тебя здесь какие-то неприятности?

— Да.

— Ну, хотя бы в двух словах объясни, что случилось?

— Меня шантажируют, — она почувствовала, что сейчас заплачет.

— Это связано с нами?

— Я не могу по телефону. Я только прошу тебя, не приезжай в аэропорт.

— Если шантаж связан с нами, то все просто. Ты наконец примешь решение, тебе не надо будет больше ничего скрывать.

«Господи, опять он о том же. У него никогда не было нормальной семьи, и он не знает, что это такое — разрушить то, что создавалось годами».

— Юраша, мы не будем обсуждать это по телефону. Вспомни, сколько стоит минута разговора с Монреалем.

— Не волнуйся, я не разорюсь. А обсуждать нам нечего. Мы уже сто раз об этом говорили. Ты знаешь, я хочу только одного, чтобы ты жила со мной. С детьми, без детей, не важно. В конце концов, Витя совершенно взрослый человек, у него своя жизнь. А Надюшу мы возьмем к себе. Она не младенец, поймет.

«В том-то все и дело, что тебе не важно, жить с детьми или без них. Дети ведь не твои...»

— Я это говорю не к тому, чтобы давить на тебя, торопить. Ты знаешь, я буду ждать сколько угодно и готов к любому твоему решению. Просто я вижу, как тебе тяжело.

«Если бы ты не был таким хорошим, мне было бы значительно легче».

— Юраша, я обещаю, через два дня после моего возвращения мы увидимся. Я приеду к тебе, как всегда, сразу после ночного эфира.

«Совру что-нибудь, и все будет о`кей. Главное,

врать достоверней, и при этом честно глядеть в глаза Мише и детям».

Надо сказать, что это предстоящее вранье пугало ее значительно больше, чем пластмассовый дохлый Красавченко со всем его открыточным шантажом. Положив трубку, она несколько минут стояла, тупо глядя на башни собора Святой Екатерины. Ей вдруг пришло в голову, что вся эта история с Красавченко не так уж и серьезна. Ничего смертельного. Дерьмо воняет, но можно заткнуть нос. Грязь пачкает, однако для борьбы с ней существуют всякие гигиенические средства. Но главное, никому ведь от этого не больно. Противно до тошноты, однако не больно. Можно просчитать, перехитрить, прокрутить умную комбинацию. А вот в сфере реальных чувств надо делать реальный выбор, резать по живому. Никого не перехитришь, ничего не просчитаешь.

Лиза достала чемодан, стала складывать вещи, подумала, что слишком мало купила подарков детям и мужу. А Юре вообще ничего. Времени на магазины уже не будет, придется покупать все при пересадке во Франкфуртском аэропорту, в два раза дороже. Между прочим, себе вообще никакого подарочка не сделала. А зря. Себя надо любить и уважать, баловать иногда всякими бесполезными приятными сюрпризами.

На полке, где лежало ее нижнее белье, она обнаружила один из поляроидных снимков, тех, что были сделаны в порнквартале.

— Сюрприз, — пробормотала она весело, — Елизавета Беляева на фоне представителей сексуальных меньшинств. И, разумеется, открыточку сунули не куда-нибудь, а именно в нижнее белье. Так пикантней.

Спокойно вглядевшись, она заметила, что на лице

ее не просто испуг, а брезгливая паника. Такое лицо бывает у человека, случайно наступившего босой ногой в навозную кучу. Какое, к черту, возбуждение? Пластмассовые куклы красавченки, при всем их коварстве, не могут просчитывать самых обычных человеческих реакций. Они понимают, что такое страх, однако не имеют представления о брезгливости. Любой нормальный человек тут же заметит подвох. Телеведущая Беляева не испытывает в порноквартале ни восторга, ни плотоядного возбуждения.

Впрочем, так ли это важно, кто что заметит и подумает? Если снимки будут обнародованы, каждый увидит в них то, что пожелает увидеть.

«Ну ладно, порноквартал — это не так страшно. А остальное?»

Об остальном она запретила себе думать до возвращения в Москву. Оставшийся день пролетел незаметно. Заключительное заседание, торжественное закрытие конференции, банкет.

Она постоянно ловила себя на том, что тревожно озирается, косится в сторону, как испуганная лошадь. Это заметила и американка Керри.

— По-моему, ваш Красафченкофф исчез, — сообщила она, усаживаясь рядом с Лизой на торжественном банкете в гостиничном ресторане, — я это вижу по вашему лицу. Вы стали спокойней и уверенней. Я должна извиниться.

— За что, Керри?

— Я ляпнула глупость, спросила, нет ли у вас с ним романа. Простите, Лиза. Я понимаю, насколько вам неприятно было услышать этот вопрос.

— Ерунда, Керри. Давайте вообще забудем о нем. Вы правы, его здесь уже нет, и хватит о нем говорить, слишком много чести. Удивительно вкусный лосось.

— Да, они здесь как-то особенно его готовят, запекают на углях. Ресторан покупает живую рыбу. Мы с вами многое потеряли, ни разу не позволили себе поужинать в этом ресторане.

Утром, перед отлетом, Лизе пришлось оплатить счет за пользование платным баром. Бутылка белого рейнского вина стоила тридцать долларов, и еще раз она помянула про себя Красавченко добрым словом.

До Франкфурта летели многие участники конференции. Рядом с Лизой в самолете сидел норвежский профессор Хансен. Эта компания ее вполне устраивала. Старик немного поболтал, пошутил и наконец стал уютно похрапывать.

«Все хорошо, — думала Лиза, — я возвращаюсь домой. Ничего страшного не произошло, ничего в моей жизни не изменилось. Остались все те же проблемы, однако я уже успела к ним привыкнуть».

Во Франкфуртском аэропорту пришлось провести четыре с половиной часа в ожидании московского рейса. Вначале это было забавно. В международном перевалочном пункте скопилась такая разнообразная яркая публика, что не меньше часа можно было убить, просто наблюдая   транзитную толпу. Арабские семьи с толстым папашей во главе, с целым выводком большеглазых детишек и занавешенных до бровей жен разных возрастов. Старшая жена, средняя, младшая. И у каждой — грубый макияж на лице, что выглядит довольно странно при такой нарочитой скромности наряда. Хасиды с длинными завитыми пейсами, в круглых шляпах, в черных костюмах. Индейцы с вишневыми лицами, в пестрых войлочных куртках, в сапогах со шпорами, и рядом индусы, запеленутые в длинные яркие ткани. Мужчины в тяжелых чалмах, женщины в свободных блестящих накидках на головах, с серьгами в ноздрях, с красными и синими пятнышками между бровями.

В этой международной пестроте резко выделялась группа северо-корейских товарищей, полдюжины одинаковых маленьких мужчин в одинаковых серых костюмах. Они дисциплинированно семенили по залу ожидания, как отощавшие серые гусята, сквозь толпу сытых петухов и павлинов.

Лиза нашла маленькое уютное кафе, выпила чашку кофе, съела горячий бутерброд с сыром, потом не спеша обошла сувенирные лавки, купила для Юры зажигалку «Зиппо», такую, каких нет в Москве, сделанную по образцу самых первых «зипповских» зажигалок, с фигуркой девушки в развевающемся на ветру платье. Долго выбирала в ирландском магазине свитера ручной вязки для мужа и детей, и когда наконец выбрала, услышала рядом вкрадчивый знакомый голос:

— Лиза, вы знаете, здесь все значительно дороже. Транзитный аэропорт, деться некуда, люди слоняются по магазинам, и эти сволочи взвинчивают цены до неприличия.

Она не вздрогнула, не испугалась. Она знала, Красавченко непременно возникнет опять, и была даже рада, что он возник здесь, а не в Шереметьево-2.

— Давно не виделись, — усмехнулась она, взглянув ему прямо в мертвые глаза.

— Действительно, давно. Я успел соскучиться. Но ничего, у меня есть утешение. Я могу хоть каждый день любоваться вами на видеопленке. Между прочим, изумительное зрелище.

Лиза заставила себя не реагировать. Привидение. Дурно пахнущий сгусток воздуха. Пустое место. Она расплатилась, взяла пакет, вышла из магазина.

— Эротическое кино много потеряло в вашем лице.

Из вас получилась бы настоящая секс-бомба. Грудь, пожалуй, стоило бы немного увеличить, ну и вообще, добавить пару килограммчиков, для округлости форм. Но это уже детали. Главное — темперамент, страсть, — не унимался Красавченко и даже попытался взять ее под руку.

У круглой стойки бара в центре зала Лиза заметила двух немецких полицейских. Они сидели на высоких табуретках и пили колу.

— Давайте выпьем и поговорим, — внезапно предложила она с любезной улыбкой. — Пойдемте, я угощаю, — и, не оборачиваясь, решительно направилась к открытому круглому бару.

Полицейские тем временем спрыгнули с табуреток, постояли еще минуту и разошлись в разные стороны. Один, пожилой, пузатый, не спеша пошел прямо на Лизу. Когда между ними осталось не больше метра, она уже открыла рот, чтобы произнести: «Простите, офицер, этот человек преследует меня, оскорбляет непристойными предложениями и сексуальными домогательствами». Но тут же спиной, всей кожей почувствовала, что Красавченко уже нет рядом. Он успел вовремя испариться, как и положено привидению.

— Вы что-то хотели спросить, леди? — дружелюбно улыбнулся полицейский.

— Нет... извините... — Она поняла, что стоит, преграждая дорогу полицейскому, с открытым ртом, и, опустив голову, быстро отошла в сторону, к залу отдыха, нашла свободное кресло, села, вытянула ноги, закрыла глаза.

«Ну, и чего бы ты этим добилась? Конечно, здесь к подобным заявлениям относятся куда серьезней, чем у нас, но — транзитный аэропорт, толпы людей. Кому охота возиться со случайными иностранцами?»

До посадки оставалось еще два часа. Лиза не заметила, как задремала в удобном кресле, и проснулась оттого, что кто-то тронул ее за плечо.

— Лиза, пора. Вы опоздаете на самолет. Рейс объявляют уже во второй раз.

«Может, мне его просто убить?» — подумала она, не открывая глаз.

— Глупо. Честное слово, глупо, — произнес Красавченко, усаживаясь рядом, — ну чего бы вы этим добились?

Она открыла глаза и резко встала. Пакет со свитерами упал с колен. Красавченко поднял его и подал ей.

— Вы думаете, меня бы задержал этот толстяк-полицейский? Небось хотели пожаловаться на сексуальные домогательства? Не спорю, здесь, как и в Америке, к этим вещам относятся значительно серьезней, чем на нашей дикой родине. Но ничего, кроме сочувствия, вы бы от толстого немца не получили. Пойдемте, я провожу вас к выходу на посадку. По дороге побеседуем.

— Идите вон, Красавченко, — поморщилась Лиза, — я устала от вас.

— Придется потерпеть. Я ведь сейчас для вас стараюсь. Было бы значительно неприятней, если бы я омрачил вашу встречу с мужем в Шереметьево-2. Там у вас и без меня может возникнуть щекотливая ситуация, — он весело подмигнул, — я всегда говорил, что совершенно честных женщин не бывает. Женщина, как художественный перевод. Если она хороша, то не верна, а если безобразна, то никого не интересует ее верность. Видите, как я стараюсь быть интеллигентным человеком? Я ведь понимаю, вам трудно общаться с пошляком. Вы такая утонченная, такая образованная. Тем более странно, когда начинаете хамить. Ну, что вы на меня так смотрите? Опять хотите по-

399

слать вон? Неужели до сих пор не поняли, что лучше все-таки выслушать мои условия?

— Хорошо, я вас слушаю.

— Спасибо, — он криво усмехнулся, — то есть это вы должны сказать мне спасибо, потому что условия мои не так уж тяжелы для вас. Мне нужен всего лишь эфир. Я хочу, чтобы вы пригласили меня к себе в передачу. Мы с вами просто побеседуем в эфире.

— Ничего не выйдет. Не я планирую эфир, не я решаю, кого приглашать. Есть начальство, есть редактор программы.

— Я знаю, — кивнул Красавченко, — однако от вас многое зависит. Если вы предложите, вам не откажут.

— Хорошо. Допустим. О чем вы собираетесь беседовать?

— Ну вот, мы с вами легко нашли общий язык. Мы ведь два профессионала. У меня достаточно богатая и интересная биография. Афганистан, Чечня. Я знаю множество занимательных историй о работе спецслужб.

— У меня не клуб «Белый попугай». Занимательные истории рассказывают в других передачах. К тому же о работе спецслужб сейчас написано столько, что вряд ли кого-то можно заинтересовать и удивить.

— Я знаю то, о чем еще не писали и не говорили. Не волнуйтесь, я сумею предложить темы, которые понравятся вашему руководству. И не надо мне голову морочить. Я отлично знаю, что вы имеете возможность приглашать своих людей. В передаче есть определенный процент платных героев. Если у вас за столом сидит бизнесмен и рассказывает, чем его товар лучше всех остальных, то это косвенная реклама, и у вас с приглашенным совершенно четкая договоренность. Деньги, бартер — это уже детали.

— Тем не менее существует очень жесткий отбор,

иначе передача потеряет лицо и упадет рейтинг. Кто бы ни сидел за столом, какие бы деньги ни платил, тема разговора должна быть интересна телезрителям.

— Вот об этом можете не беспокоиться. Им будет интересно то, что я расскажу. Мы с вами станем обсуждать самые серьезные проблемы, самые горячие и животрепещущие.

— Например? — быстро спросила Лиза.

— Вербовка агентуры в Чечне. Технология похищения людей.

— А вы имеете к этому отношение?

— Я об этом много знаю.

— Откуда?

— Лиза, не спешите. Мы еще не в эфире.

— Все эти вопросы я услышу от своего начальства, как только предложу вашу кандидатуру на эфир. Кроме того, мне необходимо знать вашу должность, звание, если оно у вас есть, краткую биографию, причем все эти сведения должны быть реальными. Они будут проверяться. Сами понимаете, эфир, тем более моя передача — не проходной двор.

— Нет проблем, — улыбнулся он, — однако всему свое время. Мы еще будем иметь возможность поговорить, обсудить подробности.

— Вы можете сформулировать свою задачу?

— Я уже сформулировал. Мне нужно выйти в эфир, причем именно в вашей передаче, потому что она самая рейтинговая и ее смотрят все.

— Вы хотите придать гласности засекреченную информацию?

— Нет. Я хочу передать привет одному человеку.

— Перестаньте, Красавченко. Мы с вами не в игрушки играем. Эфир — это серьезно, тем более мой эфир. Чтобы заявить о вас руководству, я должна придумать какую-то солидную формулировку. Пока я слышу от вас только общие слова. Как я объясню, почему приглашаю именно вас? О работе спецслужб и о похищении людей я сама могу многое рассказать, как любой человек, который читает газеты и смотрит телевизор.

— Вы можете рассказать о проблемах. Однако о методах, о технологии, вы ничего не знаете, — проговорил он быстро, возбужденно, и она почувствовала, что все-таки удалось задеть его за живое.

— Хорошо. Приведите хотя бы один пример. Расскажите мне то, чего я не знаю.

— Методика индивидуального и массового зомбирования, использование гипноза и наркотиков при вербовке. Технология наркодопроса.

— Так, стоп. Пожалуйста, о последнем подробнее.

— Почему именно о последнем?

— Потому, что про зомбирование и вербовку я без вас знаю.

— Вот и отлично. Про наркодопрос мы с вами и поговорим в эфире. Все, Лиза. До встречи в Москве. Вы даже не представляете себе, как я рад, что мы нашли наконец общий язык. Я позвоню вам.

Он опять растворился в толпе.

В самолете рядом с ней уселся молодой человек из Фонда культуры. Он болтал без умолку. Лиза машинально кивала.

«Наркодопрос. А ведь я помню какие-то странные вопросы. Очень смутно помню. Что-то о дачном участке в Батурине... Ну да, мне не случайно потом приснилось, как мы с Юрой ездили хоронить Лоту. Был очень отчетливый, конкретный сон. Ну и что? При чем здесь наркодопрос? Зачем Красавченко понадобилось выяснять, где я похоронила свою собаку? Или, может, его интересовало другое? С кем я туда ездила? Бред какой-то. А может, он просто сумасшедший?»

Когда стали разносить напитки, молодой человек возбужденно зашептал ей на ухо:

— Я знаю, вы не пьете. Не могли бы попросить для меня пару маленьких бутылочек виски?

— Да, конечно.

— Скажите, чтобы не отвинчивали пробки.

— Извините, мэм, у нас не принято раздавать спиртное на вынос, — громко и надменно ответила на ее просьбу стюардесса.

Двумя днями позже в одной московской газетенке появилась заметка в несколько строк о том, что популярная телеведущая Елизавета Беляева в самолете немецкой авиакомпании «Люфтганза» попыталась под шумок прихватить пару бесплатных бутылочек виски, но была поймана с поличным бдительной немецкой стюардессой. Из этого знаменательного события был сделан довольно глубокий вывод о том, что халява — неистребимая национальная черта нашего русского характера, и до каких же пор мы будем позориться перед честной заграницей?

Внизу стояла подпись: «Фердинанд Правдин». Лиза понятия не имела, что это один из журналистских псевдонимов бойкого молодого человека, и заметки не видела, однако ей все подробно пересказали доброжелательные коллеги.

* * *

После посещения больницы капитан Косицкий встречался со следователем, доложил о результатах беседы с отцом убитого. Сам Иван считал эти результаты почти нулевыми. Ничего, кроме бреда. Однако

403

Илья Никитич Бородин выслушал его очень внимательно и просто извел вопросами, заставляя вспоминать каждую деталь разговора. Его интересовало все. Несчастный алкаш по имени Кузя, который четырнадцать лет назад крутился у ювелирного магазина, а теперь каждую ночь посещает передовика обувного производства Бутейко В.И. с полиэтиленовым мешком на голове, Леля, которая оказалась всего-навсего Еленой Петровной Бутейко, и даже курица, которая снесла какого-то Павла на Урале в 1829 году. Более того, ради этой курицы он заставил капитана Косицкого ни свет ни заря тащиться в Горный институт, на кафедру минералогии за консультацией.

— Павел — это драгоценный камень, — напутствовал Ивана следователь, — скорее всего, крупный алмаз. Первые российские алмазы нашли на Урале как раз в конце двадцатых годов прошлого века. Что касается курицы, то это может быть легендой, знаменитые драгоценные камни, как правило, обрастают легендами, так что не бойся, минералоги не поднимут тебя на смех, если ты их спросишь про курицу.

На смех его и правда не подняли, совсем наоборот.

— Неужели вам удалось выйти на след «Павла»? Это удивительный кристалл, редчайшей чистоты, — пожилой профессор минералогии Федор Антонович Удальцов был так возбужден, что не мог усидеть на месте, стал бегать из угла в угол по маленькому, прокуренному кабинету, — он числится пропавшим без вести с 1917-го. Но практически его никто не видел с 1880-го, с тех пор, как известный московский ювелир Ле Вийон по заказу владелицы камня графини Ольги Карловны Порье огранил его и изготовил брошь поразительной красоты. Вот, смотрите, — Удальцов достал увесистый том какой-то специальной энциклопедии и раскрыл на одной из цветных вклеек, — здесь фотографии плохие, черно-белые, они делались в 1880-м, а вот рисунки. Вид сверху, вид сбоку, подробные характеристики кристалла. Ювелир запечатлел камень до и после огранки, а вот — готовое изделие, брошь в форме цветка орхидеи.

— А как насчет курицы? — поинтересовался капитан.

— Этот факт тоже зафиксирован документально. Здесь, в энциклопедии, об этом не так подробно. Но вот я вам сейчас покажу, — Федор Антонович полез на верхнюю полку, достал тоненькую потрепанную книжицу в мягком переплете, — это дневники минеролога Шмидта. Он подробно описал историю открытия первого русского алмазного прииска на Урале. Самый первый алмаз нашел четырнадцатилетний крестьянский мальчик Павел Попов, работавший на Крестовоздвиженском золотом прииске. Это произошло в 1829-м и подробно описано не только Шмидтом, но и известным австрийским ученым Гумбольдтом, который как раз тогда путешествовал по Сибири и Уралу. А вот историю с курицей можно найти только у Шмидта. Дело в том, что домашняя птица с удовольствием склевывает камни, даже крупные. Детская сказка про курочку, которая снесла яичко не простое, а золотое, имеет вполне реальную основу. Если это произошло неподалеку от прииска, то птичка могла снести и золотой слиток, и алмаз. А вообще, лучший в Москве специалист по историческим драгоценным минералам Мальцев Павел Владимирович. Он работал в нашем институте, правда давно, потом читал лекции на геофаке в университете, потом преподавал где-то за границей, то ли в Дании, то ли в Голландии, но, по-моему, он вернулся. Насколько мне известно, сейчас он преподает в каком-то частном учебном заведении в Москве.

Капитан на всякий случай записал в блокнот имя и телефон специалиста, хотя, на его взгляд, профессор Удальцов знал достаточно, чтобы утолить любопытство Бородина. Тем более к убийству Бутейко, которым в данный момент они занимались, эта романтическая история с алмазом в курином лукошке имела весьма косвенное отношение.

— Так вот, — вдохновенно продолжал Федор Антонович, — интересно, что этот кристалл был снесен не какой-нибудь курицей, а той, что принадлежала семье крестьян Поповых, то есть алмаз как бы появился на свет на птичьем дворе первооткрывателя российских алмазов Павлика Попова, в награду, что ли. Некоторое время Павлик носил камень в мешочке на груди, но в результате несчастного случая попал в дом графов Порье, там ему оказали помощь и забрали у него камень.

— И что дальше? — пробормотал капитан. Вопрос этот был обращен скорее к самому себе, чем к профессору, но тот принял его на свой счет и продолжил рассказывать про алмаз.

— Дальше графиня Порье назвала кристалл в честь мальчика, «Павлом», и присоединила его к своей знаменитой коллекции драгоценных минералов. Он был лучшим, самым крупным, а главное, самым чистым, без единого изъяна, фантастической прозрачности. Показатели 1/1, очень высокие, почти невозможные.

— А сколько он может стоить? — поинтересовался Иван.

— Цена для таких кристаллов — понятие весьма условное, приблизительное. А если учесть уникальную историю, художественную ценность работы, имя Ле Вийона... Невозможно определить денежный эквивалент. Думаю, на международном аукционе изначальная цена броши с «Павлом» была бы не менее пятисот тысяч долларов. Впрочем, если бы торг начался с миллиона, все равно нашлись бы желающие.

Капитан тихо присвистнул и внимательней разглядел картинку в энциклопедии. Действительно, очень красиво. Такие ювелирные украшения он видел только в Алмазном фонде, под бронированным стеклом, на черном бархате.

— Неужели кто-нибудь когда-нибудь это носил?

— Нет. Графиня Порье заказала брошь, когда была глубокой старухой, и завещала ее своему правнуку, графу Михаилу Ивановичу Порье. Граф был личностью ничем не примечательной, ни в какие справочники и энциклопедии не вошел. Могу вам сказать одно: вероятней всего, брошь он не продавал и никому не дарил, иначе хоть что-то стало бы известно, хоть какая-то информация просочилась бы. Слишком заметный камень, а мир ювелиров и коллекционеров достаточно тесен.

— Скажите, а если бы сейчас кто-то нашел брошь с «Павлом», он мог бы продать ее?

— Смотря кто найдет и как попытается продать. Впрочем, сейчас это, наверное, возможно. А вот в советские времена было практически исключено. Вообще, молодой человек, должен вам сказать, что с такими вещами шутки плохи. Их чаще воруют, чем покупают, ради них идут на многие подлости и гадости, лгут, предают, убивают. Желание обладать такой вещью может свести с ума. Так что если вы расследуете убийство, то брошь с «Павлом» могла бы стать реальным мотивом. Ищите брошь, и вы непременно наткнетесь на убийцу.

ГЛАВА ТРИДЦАТЬ ПЕРВАЯ

Соня Батурина вела дневник, и особенно много страниц пришлось на лето 1917 года, последнее русское лето, тихое, мягкое, с шелковым бледным небом, крупной, почему-то особенно сладкой и обильной земляникой и такими громадными яркими звездами по ночам, каких в небе над средней полосой России никогда не бывало.

Ирина Тихоновна еще в мае отправилась в Минеральные Воды по настоянию отца. Тихон Тихонович решил наконец серьезно заняться здоровьем единственной дочери. Он поверил профессору медицины, который сказал, что если не сменить обстановку и не провести курс специального лечения, то дело будет совсем худо, за последствия он не отвечает.

Она не хотела ехать, и все-таки решилась, не столько из-за уговоров, сколько из-за инстинктивного страха за свою жизнь. Ей действительно становилось все хуже.

«Мне совершенно не важно, что будет с нами дальше, — писала Соня Батурина на рассвете 3-го июня, — я так счастлива сейчас, что спокойно умерла бы завтра, потому что знаю, ничего лучшего у меня не будет в жизни.

Я могу прожить потом очень долго, стать старухой в пенсне, с вязаньем на коленях, и за многие годы многое случится со мной, хорошего и плохого. Но я знаю, что каждый миг буду вспоминать этот день, тихий, безветренный, немного зябкий, с пасмурным рассветом, ленивым дождиком к полудню и ясными нежными сумерками, эту странную ночь с ледяными ослепительными звездами, которые как будто хотят на голову свалиться и сжечь своим холодным огнем. Каждая как шаровая молния.

Папа, кажется, все понял, но пока молчит, напряженно и растерянно. Они с Михаилом Ивановичем все также играют в шахматы, но если папа проигрывает, у него такое лицо, как будто между ними не шахматная партия, а настоящий поединок, дуэль, но не на пистолетах, конечно, а на шпагах. Я, когда прохожу мимо них, даже слышу призрачный звон этой дуэли. Или просто воздух звенит от первых комаров?»

Константин Иванович действительно понял, что у графа Порье с его дочерью роман. Сначала он заметил, что граф перестал пить и как-то удивительно помолодел, подтянулся. Потом обратил внимание, какие странные у Сони глаза, и даже испугался, не стала ли она, как некоторые глупые барышни, закапывать потихоньку валериановые капли для блеска?

— Ты учти, это вредно. Слизистая оболочка пересыхает и раздражается, может пострадать роговица.

— Ты о чем, папочка? — удивленно спросила Соня.

— У тебя слишком ярко глаза блестят, а это, как известно, бывает, если закапывать валерианку.

— Да Бог с тобой, папочка, — засмеялась Соня, — какая валерианка? Просто я отлично выспалась и все время на свежем воздухе.

— Что выспалась — не верю, — покачал головой Константин Иванович, — по-моему, ты в последнее время вообще не спишь. Меня не обманешь. Слишком бледненькая, осунулась, похудела, и под глазами тени.

Соня и правда почти не спала ночами. Дождавшись полуночи, она тихонько вылезала в окошко, мягко прыгала в росистую траву, крадучись, почти не дыша, пробегала сад и уже на велосипеде неслась в дубовую рощу, через которую проходила условная граница между Батуриным и Болякиным. На краю рощи, во флигеле, ждал ее Михаил Иванович.

Возвращалась она со вторыми петухами. Однажды бабушка застала ее в пять часов утра, одетую, в гостиной у буфета. Соня жадно пила лимонад, оставшийся с вечера.

Подол платья был совершенно мокрым от росы, щеки пылали, волосы растрепались. Но Елена Михайловна была слишком стара и занята собственной бессонницей, чтобы заметить это. Она легко поверила, будто внучка так увлеклась рассказами Леонида Андреева, что заснула в кресле одетая, а теперь проснулась и захотела пить.

— Андреев тяжелый писатель, — проворчала бабушка, — лучше почитала бы Чехова Антона Павловича. Он не так моден, но рассказы у него куда живей и здоровей, — она сдержанно зевнула и прошаркала назад, к себе в комнату.

Константин Иванович стал обращать внимание, что слишком участились Сонины велосипедные прогулки к речке Обещайке и слишком долго пропадала она где-то на песчаном берегу. Там же писал свои бесконечные пейзажи граф. Он писал каждый день, однако все не мог закончить ни одной картины. Скреб холст, начинал сначала.

«Я чувствую, назревает серьезный разговор между папой и Мишей. Они так ожесточенно сражаются на шахматной доске, будто от этого зависит что-то страшно важное. Миша так и не рассказал папе, что я собиралась бежать на фронт, записку мою сжег. И напрасно. Папа был бы ему благодарен, и возможно... Нет, ничего не возможно. Они не договорятся. Папа хоть и знает, какова семейная жизнь в Болякине, однако граф Порье для него женатый человек, и этим все сказано.

Вчера пришло письмо от Оли Суздальцевой. Ужасная история с нашей бывшей одноклассницей, Надей Николаевой. Я хорошо ее помню. Тихая, добрая, некрасивая девочка. Оказывается, она страстно влюбилась в известного поэта-символиста и стреляла в него в упор на поэтическом вечере, но, к счастью, пистолет дал осечку, ее схватили, теперь она в лечебнице для душевно больных. А сегодня Миша показал мне стихи Бальмонта, которых я прежде не читала, но лучше бы их никогда не читать:

> О мерзость мерзостей! Распад, зловонье гноя,
> Нарыв уже набух и, пухлый, ждет ножа.
> Тесней, товарищи, сплотимтесь все для боя...

И так далее. Сам он мерзость, вместе со своими товарищами. Миша говорит, что символизм ведет к хаосу, к распаду. Модно быть морфинистом и ни во что не верить. Модно ненавидеть Россию, проклинать царскую семью, в разбойнике видеть страдальца, загадочную угнетенную душу, а обычного городового объявлять палачом, убийцей. Модно все видеть наоборот, считать смерть прекрасней жизни, презирать все нормальное, здоровое, нравственное. Господи, прости нас обоих, нам ли рассуждать о нравственности? Я живу с чужим мужем, лгу папе и бабушке, не могу пойти к исповеди, потому что знаю, что услышу от священника. Но я так сильно, так невозможно люблю, что все другое для меня уже не важно. Объяснение с папой, возвращение И.Т. с Кавказа — все это завтра, но только не сейчас.

Миша принялся за мой портрет. Получается у него скверно, он не умеет рисовать людей, только пейзажи, сценки и карикатуры. Ну да ладно, как бы ни написал меня, не обижусь. Зачем-то приколол мне к блузке огромную, довольно нелепую брошь, сказал, что это очень дорогая вещь, доставшаяся ему по наследству от прабабушки, и вот с этим холодным тяжелым цветком у горла он пишет меня в роще, причем мертвая, сверкающая орхидея выходит у него значительно лучше, чем я».

ГЛАВА ТРИДЦАТЬ ВТОРАЯ

Капитан Косицкий очень удивился, когда получил сообщение на пейджер, что его звонка ждет Бутейко В.И. Далее следовал домашний номер.

Трубку сняли моментально.

— Я не могу сейчас говорить, — услышал капитан испуганный хриплый шепот, — мне надо срочно встретиться с вами, но я не знаю как.

— Подождите, Вячеслав Иванович, вы ведь должны были еще неделю оставаться в больнице. Почему вы дома?

— Леля забрала меня. Деньги ей вернули. Они думают, я сошел с ума, не хотят со мной возиться. Но вы ни в коем случае не приезжайте сюда. Я не сумею говорить при Леле. Встретиться надо потихоньку, чтобы она ничего не знала. Все, простите... — Последовали частые гудки.

Капитан тут же набрал номер еще раз. Трубку взяла Елена Петровна.

— Здравствуйте. Будьте добры, Вячеслава Ивановича.

— Кто его спрашивает?

— Капитан Косицкий.

— А по какому вопросу?

— Я занимаюсь расследованием убийства вашего сына. Мне необходимо побеседовать с вашим мужем.

— Это вы приходили к нему в больницу?

— Да.

— Я убедительно прошу вас больше не звонить и мужа моего не беспокоить, — в ее голосе ясно слышалась истерика.

— Елена Петровна, я знаю, что ваш муж дома. Он может подойти к телефону?

— Я сказала, не смейте больше сюда звонить. После вашего посещения мой муж пытался покончить с собой! — выкрикнула она и бросила трубку.

Иван, не раздумывая, принялся звонить в больницу. Ему повезло, врач Перемышлев оказался на месте.

— Жена забрала его вчера вечером. Нам пришлось ее вызвать. Сестра обнаружила, что он не пьет таблетки, а собирает их в баночку.

— Снотворное?

— Да. Димедрол, элениум. А незадолго до этого он спрашивал, сколько надо выпить таблеток, чтобы умереть.

— Он задал этот вопрос до моего визита или после?

— Он спрашивал постоянно, и меня, и сестер. Что, мадам Бутейко уже успела осуществить свои угрозы? — усмехнулся доктор.

— В каком смысле?

— Беседуя со мной, она требовала, чтобы я письменно подтвердил, что психическое состояние ее мужа резко ухудшилось после того, как его допрашивал милиционер, то есть вы. Перед выпиской Вячеслав Иванович потихоньку спросил меня, не оставили ли вы свой телефонный номер. Я дал ему ваш служебный и пейджер.

— Спасибо. А что, ему действительно стало хуже?

— Я бы не сказал. Другое дело, что сестра обнаружила таблетки в баночке через два часа после вашего ухода.

— И это все?

— В каком смысле?

— Ну, в смысле суицида. Он не пытался проглотить таблетки или выброситься из окна?

— Нет. Он просто не принимал и собирал их.

— Все подряд или только снотворные?

— А вот этого я не знаю. У нас ведь не контролируют больных, у нас не психиатрическое отделение. Простите, я должен идти к больному, меня вызывают. Будут еще вопросы — звоните.

— Подождите, так вы написали для мадам Бутейко бумагу, о которой она вас просила?

— Разумеется, нет.

— Спасибо.

— На здоровье. Всего доброго.

«Почему же она так паникует? — думал Иван, пока ехал в следственный отдел УВД. — И почему он так боится ее?»

Илью Никитича он застал за чтением какой-то потрепанной английской книжки.

— Садись, Ваня. Чаю хочешь?

— Если с пирогами, хочу. Не завтракал.

— Ну, тогда, пожалуй, не садись, а иди мой руки, наливай воду в чайник, заваривай. Все, что нужно, найдешь в тумбочке.

Иван знал Бородина уже лет пять, им часто приходилось работать вместе. Илья Никитич всегда в своем кабинете угощал его чаем и имел резервный запас сигарет, хотя сам не курил. Но никогда он не доверял кому-либо готовить этот чай, доставать посуду из тумбочки, раскладывать пирожки на тарелке. Для него простое чаепитие в маленьком кабинете было почти японской церемонией. Обычно он усаживал оперативника за стол, давал что-то читать из следственных материалов, а сам молча священнодействовал.

Чайных пакетиков он не признавал, говорил, что нельзя пить бумажный отвар. Тщательно ополаскивал кипятком фарфоровый заварной чайник, потом накрывал его льняным полотенцем, настояв минут десять, отливал немного заварки в стакан, потом назад, в чайник, и так три раза. Это называлось «женить». Пока чай настаивался, он выкладывал пирожки на тарелку, каждый на отдельную салфеточку.

Многие смеялись над ним, но от чая и от пирожков не отказывался никто.

— Чем же вы так увлеклись, Илья Никитич, что решились доверить мне святое дело? — спросил Иван, вернувшись в кабинет с чистыми руками и полным электрическим чайником.

— Георг Смит, «Исторические камни», — не поднимая головы, пробормотал Илья Никитич, — здесь, как мне объяснили, наиболее подробно прослеживается история исчезнувших алмазов и судьбы их владельцев. Действительно, очень подробно. Ты смотри, заварку «поженить» не забудь.

— И что, там есть про этого «Павла», снесенного курицей?

— А как же! — Илья Никитич закрыл книгу. — И про «Павла», и про графа Михаила Ивановича Порье, последнего его владельца. Ну ладно, Ваня, рассказывай, какие у нас новости?

Капитан подробно изложил свои телефонные разговоры с четой Бутейко и с врачом Перемышлевым.

— Очень интересно, — хмыкнул Илья Никитич, — похоже, прав был профессор-минералог, когда сказал тебе на прощанье: ищите брошь, и вы найдете убийцу. Возможно, убийцу журналиста мы пока не найдем, но какого-нибудь другого непременно, что тоже неплохо. Надо ехать к Бутейко, причем нам обоим. Ты отправляешься прямо сейчас, а я чуть позже. Постоишь в подъезде и подождешь, когда Вячеслав Иванович выйдет погулять. Вы найдете сухую лавочку во дворе, но такую, чтобы не была видна из окон их квартиры. Давай, ешь пирожок, вот этот, длинненький, с капустой.

— А вы уверены, что он выйдет погулять?

— Не уверен. Но попробовать стоит.

Он снял телефонную трубку и набрал номер.

— Елена Петровна, здравствуйте. Следователь Бородин вас беспокоит. Как вы себя чувствуете? Нет, я правда волнуюсь за вас, вы ведь совершенно одна дома, и в таком состоянии... А как здоровье Вячеслава Ивановича? Я собираюсь подъехать к нему в больницу на днях. Да, конечно... Не возражаете, если зайду к вам, буквально на десять минут, возьму кассеты, как мы договаривались, просто сейчас у меня как раз есть время, потом будет сложнее... Нет, вы смотрите, если вам сейчас неудобно, я вечером пришлю за кассетами своего оперативника капитана Косицкого... Да? Ну, спасибо большое... что вы, никаких вопросов... Только кассеты. Сейчас половина третьего, ровно в четыре я буду у вас. Отниму не больше десяти минут. Спасибо. До встречи.

Положив трубку, он отхлебнул чаю, откинулся на спинку стула и задумчиво взглянул на Ивана.

— Одного не могу понять. Как получилось, что такую бесценную вещь ребенок притащил в школу?

— Вы о чем, Илья Никитич?

— О броши в форме орхидеи, с «Павлом» в серединке. Знаешь, от кого я впервые услышал историю про уральскую алмазоносную курочку? От Анисимова А. Я. Если ты помнишь, они с Бутейко одноклассники. А Елена Петровна женщина хитрая, но нервная... В общем, так, господин капитан. Без пятнадцати четыре, не позже, Вячеслав Иванович выйдет подышать воздухом. Может, в булочную отправится или в угловой гастроном. Елена Петровна придумает что-нибудь, выставит его из квартиры на время моего посещения, благо, я обещал, что пробуду не больше десяти минут. Ты должен перехватить его в подъезде.

— Неужели она поверила, что вы пока не знаете ничего? — удивился Иван.

— Поверила, — улыбнулся Илья Никитич, — как миленькая поверила.

— Но она должна понимать, что вы все равно очень скоро узнаете.

— Конечно. Но чем позже я встречусь с ее мужем, тем лучше для нее. Ты думаешь, зачем она так поспешно забрала его из больницы?

— Чтобы впредь его допрашивали только в ее присутствии.

— Не только. Она сейчас начнет на него активно влиять, вправлять ему мозги, и одновременно попытается очень быстро оформить заключение психиатров о его невменяемости.

— Как она не понимает, что все эти действия только обострят наш интерес?

— Видимо, не понимает, я же не сказал «умная», я сказал: «хитрая».

— Почему она так боится? В любом случае, срок давности истек. Четырнадцать лет прошло.

— Ну, она же не рецидивист, не бандит, которому все равно. Она обыкновенная, добропорядочная женщина. Кроме уголовного кодекса есть еще такие простые вещи, как стыд, муки совести. Вот ты думаешь, Вячеслав Иванович сумасшедший?

— Не знаю, — пожал плечами капитан, — не то чтобы совсем псих, но нормальным его тоже назвать нельзя. Вот у Елены Петровны с головой все в полном порядке. Я хоть и не видел ее ни разу, но не сомневаюсь, уж она-то нормальная.

— Эх ты, господин капитан, — вздохнул Бородин, — это она сумасшедшая, а он как раз нормальный. Его совесть мучает, раскаяние. А ее — только страх разоблачения.

— Как вы думаете, — тихо спросил капитан, — кто из них убивал этого алкаша Кузю?

— Ты погоди выводы делать, от того, что срок давности истек, преступление все-таки остается преступлением, тем паче — убийство. Не забудь, пожалуйста, записать на диктофон разговор с Бутейко, если, конечно, нам повезет и разговор состоится.

ГЛАВА ТРИДЦАТЬ ТРЕТЬЯ

Граф Михаил Иванович Порье не мог читать газеты. У него дрожали руки. Бунт в Киеве, бунт в Нижнем Новгороде, бунт в Ельце. В Петрограде настоящее восстание, с кровью, с паникой и мародерством. В Ельце старого царского генерала раздели донага и бросили в кучу битого стекла.

«Новая жизнь» печатала письмо-воззвание сумасшедшего Троцкого. Каждая строчка дышала ненавистью и хаосом. «Русский голос» преподносил как откровение истерику Керенского: «Всем! Всем! Всем!».

— Кто они, эти «все»? — бормотал граф. — Я не знаю, что такое — «все», — он откидывал газету, и она летела, подхваченная теплым сквозняком.

Мужики из соседней деревни, напившись, поснимали образа в деревенской церкви, сбросили их на пустыре у железнодорожной станции, подожгли. Там горел бесценный образ Николы Угодника, писанный в шестнадцатом веке, там горела чудотворная икона Иверской Божьей Матери. Совсем недавно эти же мужики ходили ставить ей свечи, просили у нее милости, здоровья и благоденствия.

Хромой старик священник в холщовой ночной рубахе метался вокруг костра, пытаясь хоть что-то спасти. Его с гиканьем скрутили, повалили на землю, лили водку в рот, приговаривая, что «нонче для всех новая жизнь, и неча больше народ морочить, одно вранье на энтих досках, вон, гляди, как корчатся твои угодники, гляди, старый хрен».

На платформе ветер вздыбливал пыль и подсолнечную шелуху. Никто не мел платформы, станционные дворники днем заседали в «земельном комитете», мрачно слушали речи о всеобщем равенстве, согласно кивали, наливаясь крепкой злобой к начальнику станции, который «таперча хрена заставит мести, пусть сам метет». А вечерами напивались до буйного, убийственного бесчувствия и грозили поднять всех, кого следует, на штыки.

Было грязно, сумрачно, хотя дни стояли ясные. Ночами в батуринской дубовой роще пел соловей, так вдохновенно, так отчаянно, словно в последний раз. Утром заливался маленький азартный пересмешник. Птичий щебет не давал спать. В душном флигеле были распахнуты окна. Сквозняк выдувал комаров, страшно, истерично хлопал дверьми. Занавески вздувались, как огромные беременные животы. Соня расчесывала черные блестящие волосы, вздрагивала от дверных хлопков. Тяжелые пряди шевелились на ветру.

Между доктором Батуриным и графом Порье произошло объяснение. Доктор ничего не требовал, граф ничего не обещал. Оба понимали тщетность требований и обещаний.

— Я виноват перед тобой, Костя. Я очень люблю твою дочь и не знаю, что будет с нами завтра.

— Зато я знаю, — отвечал доктор, не поднимая глаз, — завтра вернется твоя купчиха и убьет тебя, Соню. А если не она, так пьяные дезертиры поднимут нас всех на штыки, потому что «неча нам на свете жить, нынче новая жизнь, не наша, нет нам в ней места». Я, Миша, каждую ночь не сплю. Знаю, что Соня с тобой во флигеле, но мучаюсь не потому, что ты женат, а она почти ребенок. Это сейчас не страшно. Сейчас вообще ничего не страшно. Вчера принимал роды в крестьянской избе. Там сепсис, обвитие пуповины, промучился всю ночь. Отец семейства под утро распахнул дверь и говорит: «Гляди, дохтур, будет девка, так я тебя подпалю. Спички нонче дешевы».

— И кто же родился?

— Мальчик. Я вздохнул облегченно. Может, сжалится мужик, не подпалит, — Батурин криво усмехнулся, — слушай, граф, а может, нам снится все это?

В начале августа умерла бабушка Елена Михайловна. Причастившись, позвала к себе сына и внучку, благословила обоих и отчетливо произнесла:

— Уезжайте.

— Куда же нам ехать, мама? — спросил доктор.

— Куда угодно.

В кладбищенской сторожке жил дезертир, племянник сторожа, мутноглазое огромное животное. Он вышел поглядеть, как хоронят старую барыню, стоял совсем близко, без конца схаркивал, сплевывал под ноги. Граф не выдержал, шагнул к нему, тихо, сквозь зубы произнес:

— Пошел вон.

— Ты смотри, сиятельство, меня не забижай, — добродушно усмехнулся дезертир, — вона, ружьишко у меня, со штыком. Я ща тобя на штык нанизаю, народная власть только спасибо мне скажет. Одним гадом меньше.

Михаил Иванович вскинул руку для удара, но у доктора была хорошая реакция, он успел удержать графа, схватил за локти, зашептал на ухо:

— Миша, успокойся, оставь его, не надо...

Соня подняла мокрое от слез лицо и спокойно произнесла:

— Миша, его просто нет. Мы не видим его и не слышим. Мы бабушку хороним.

Над могилой вырос холмик, граф и доктор сами поставили простой деревянный крест. Дезертир все стоял, курил самокрутку, плевал и усмехался. Над головами сухо, мертво шуршали густые березовые кроны. Ветер гнул упругие белесые стволы так низко, что было больно смотреть.

На следующий день Тихон Тихонович привез Ирину. Оказывается, из Минеральных Вод она послала несколько писем и телеграмм, но ничего не пришло. Почта работала скверно.

Бодрая, похудевшая, помолодевшая, Ирина Тихоновна расхаживала по дому, заглядывала во все углы. Распустившаяся при графе прислуга присмирела, и даже на миг показалось, что не только в Болякине, но и во всей России все по-прежнему. Горничная и кухарка целовали барыне ручку, дворник Федор был трезв и кланялся.

Во флигеле Ирина Тихоновна нашла Сонины шпильки и гребень, потом узнала от горничной Клавдии, что барин ночевал там, а не в доме, и под навесом, со стороны рощи, видели велосипед батуринской барышни. Ирина Тихоновна побледнела так, что губы стали синими, но ничего никому не сказала.

— Надо переждать, — сообщил Тихон Тихонович за обедом, — в Москве кабацкая голь бунтует, городовых вешают на фонарях, нет никакой власти. Торговое дело стоит. Деньги ненадежны, в банках паника. Но ничего, государство — механизм крепкий, все само как-нибудь выправится, по воле Божией, несмотря на всякую социал-революционную бестолочь. Долго так продолжаться не может.

В сумерках Ирина в новом розовом платье отправилась к соседям, тяжело уселась в кресло-качалку на веранде, вытерла потное лицо платочком, не глядя, стянула газету со стола и, обмахиваясь так сильно, что на всех вокруг повеяло холодком, стала рассказывать о дикости кавказцев, о безобразиях на железной дороге, потом, ласково взглянув на Соню, произнесла:

— Пожалуйте сегодня к нам чай пить, Софья Константиновна. Я вам сувениры покажу, две шали персидские купила, кувшинчики серебряные, для напит-

423

ков и для цветов. Варенье у нас грузинское, из недозрелых грецких орехов, очень вкусное варенье, три банки привезла. Приходите, посидим по-соседски. Опять же, Елену Михайловну помянем, Царство ей Небесное, голубушке. Добрая была женщина.

— Спасибо, Ирина Тихоновна, — пробормотала Соня.

— Так придете?

— Да, разумеется, придем. Спасибо, — поспешно ответил доктор.

Чай пили в беседке. Соня смотрела, не отрываясь, на дрожащий огонек керосинки, смотрела так долго и пристально, что перед глазами поплыли горячие оранжевые кольца. Граф покорно уплетал грузинское варенье с мягким ситником. Графиня заранее поставила перед ним целую вазочку, и он ел, не чувствуя вкуса.

Тихон Тихонович рассуждал о дураке Керенском, об очередной смене кабинетов в правительстве, коего нет, одна только видимость.

— Но самый зловредный из всех болтунов, самый хитрый и бессовестный — Ленин. За ним стоят немецкие деньги, он врет наглее прочих, и главное, умеючи врет, знает, черт картавый, чем соблазнить пролетарскую сволочь. Им бы, бездельникам, только разбойничать, пить и жрать на дармовщинку. Фабрики рабочим, землю крестьянам, грабь, убивай. Ты пролетарий, тебе, кроме твоих цепей, нечего терять. Выходи с кистенем на большую дорогу. Я разрешаю. Конечно, они, голодранцы, пойдут за тем, кто их на разбой благословит. Но только что будет, когда все награбленное пропьют, сожрут, испохабят Россию?

— Будет не Россия, а каторга, — подал голос Константин Васильевич, — одна сплошная каторга, с Ванькой Каином во главе.

— Что же вы, Софья Константиновна, не кушаете совсем? — тихо спросила Ирина. — Я вам положила, что повкусней, с пеночкой. Хотя бы попробуйте варенье. Не обижайте меня, голубушка. Где еще такого покушаете?

— Спасибо, я попробовала, очень вкусно.

— Так вазочка-то у вас, я гляжу, все полная.

— Сонюшка в детстве была сластеной, — сказал доктор, вставляя папиросу в мундштук, — а теперь совсем разлюбила.

— Костя, дай мне папиросу, — хрипло попросил граф.

Вспыхнула спичка, осветилось его лицо, доктор заметил, что Михаил Иванович страшно бледен. Глаза его как будто ввалились, губы посинели.

— Тебе нехорошо? — спросил он шепотом.

— Нет... все в порядке...

— Может, жар у тебя? — Доктор приложил ладонь к его лбу. Лоб был ледяной и влажный. — Миша, тебе надо лечь. С тобой не то что-то. Пойдем.

— Может, варенья переел? — предположил купец.

Ирина сидела молча, откинувшись на спинку кресла. Лицо ее тонуло во мраке. Полные, крупные, потемневшие от кавказского солнца руки вцепились в подлокотники так крепко, что побелели костяшки пальцев. Из темноты она глядела на Соню.

— Да, я пойду, прилягу, — произнес Михаил Иванович каким-то совсем чужим, хриплым голосом, — что-то жжет внутри.

Он поднялся, вышел из беседки, сделал несколько шагов и упал в мокрую черную траву. Доктор и Соня кинулись к нему. Ирина осталась сидеть, словно окаменев. Тихон Тихонович растерянно взглянул на дочь, взял керосинку со стола, перегнувшись через перила, посветил во мрак, туда, где пытались поднять на ноги графа.

— Ну что там? Как? Эй, Федор! Ты где, разбойник? Иди сюда, помоги. Барину плохо, не слышишь, что ли?

Но дворник не слышал, он уже успел напиться в честь приезда барыни и спал у себя в каморке за сараем.

Соня и доктор кое-как подняли Михаила Ивановича, он еще мог двигаться, его довели до дома, уложили на веранде на кушетку.

— Беги домой, буди Семена, возьми мой чемоданчик, он в кабинете у печки. Быстрей, Сонечка, быстрей... Эй, кто-нибудь, воды мне побольше, целое ведро... Ну что вы там, вымерли все? Марганцовокислый калий есть у вас? Где горничная?! Соня, стой! Ты ела варенье?

— Нет.

— Точно не ела? Ни ложки?

Она помотала головой и кинулась во мрак, через рощу, в Батурино.

На веранду тяжело поднялась Ирина, за ней Тихон Тихонович. Купец как будто сгорбился и постарел за эти несколько минут. Он глядел то на умирающего, хрипло, часто дышащего графа, то на дочь.

— Их сиятельство вареньем объелись, — спокойно произнесла Ирина, — я забыла сказать, его много нельзя. В недозрелой ореховой кожуре вредные вещества.

— Михаил Иванович отравлен мышьяком, — сказал доктор, — надо вызвать священника и полицейского урядника.

ГЛАВА ТРИДЦАТЬ ЧЕТВЕРТАЯ

Ждать Вячеслава Ивановича пришлось недолго. Капитан услышал, как наверху хлопнула дверь, громкий женский голос произнес:

— Ты понял меня, Слава? Если нет «бородинского», возьми «ржаной», но круглый ни в коем случае. И не забудь про аптеку.

— Да, Лелечка, я понял, — мужской голос прозвучал тихо, но отчетливо, и капитан подумал, что акустика здесь как в Консерватории.

Вячеслав Иванович вышел из лифта с матерчатым мешочком в руке, затравленно огляделся, словно почувствовал чье-то присутствие в подъезде, скользнул глазами по лицу Косицкого, но как будто не узнал.

— Вячеслав Иванович, — тихо позвал капитан.

Бутейко застыл, ухватившись за дверную ручку, и медленно повернул голову.

— Простите... чем обязан?

— Вы хотели встретиться со мной.

— Я? С вами? А вы кто?

— Капитан Косицкий.

— Простите, я вас не знаю.

В подъезде было достаточно светло. Секунду они смотрели в глаза друг другу. Старик низко опустил голову. Помпон на детской вязаной шапочке чуть подрагивал.

— Вячеслав Иванович, — тихо произнес Иван, когда они вышли на улицу, — срок давности истек. Вам нечего бояться. Но рассказать надо, иначе он будет все так же приходить к вам каждую ночь. С мешком на голове. Вы хотите этого?

— Я не хочу в тюрьму, — эхом отозвался Бутейко.

— Кто вам сказал о тюрьме?

— Я знаю, вы станете уговаривать, обещать, но

427

Леля предупредила, вам нельзя верить. Вы милиционер, а все милиционеры врут. Леля сказала...

— А своей головы нет? — сочувственно поинтересовался капитан.

— Леля сказала, я сейчас болен. Я правда болен. У меня был инфаркт. Сначала я должен поправиться, а потом отвечать на вопросы чужих людей. Простите, мне надо в гастроном. Всего доброго.

— Вячеслав Иванович, почему вы в больнице не принимали таблетки, собирали их в баночку?

— Ну, я же объяснял, я не могу спать. Стоит закрыть глаза, и он приходит. А они давали мне снотворное.

* * *

На этот раз Елена Петровна Бутейко выглядела еще привлекательней. Казалось, она молодеет с каждым днем. Умелый, тщательный макияж, идеально уложенные волосы. И одета она была вроде бы просто, по-домашнему, но даже Илья Никитич, который плохо разбирался в дамских туалетах, обратил внимание, что брюки и блузка куплены в дорогом магазине и красиво подчеркивают вполне еще стройную фигуру.

«Неужели такая красота в честь возвращения мужа из больницы? — удивился Илья Никитич. — Или ждет гостей? А может, просто так, для себя? Тогда почему же раньше она выглядела как неопрятная старуха? Наверное, из-за смерти сына ей было все равно, как она выглядит. Это вполне понятно. Ну что ж, в таком случае, она очень сильный человек. Чрезвычайно быстро сумела взять себя в руки и привести в порядок».

— Добрый день. Проходите, пожалуйста. Простите, я не одета, — зачем-то сообщила Елена Петровна, кокетливо поправляя прядку на лбу, — вот, я приготовила для вас кассеты, — она кивнула на обеденный стол, где были аккуратными стопками сложены коробки с аудио и видеокассетами.

— Спасибо, — удивленно кивнул Бородин, — если позволите, я все-таки просмотрю, вдруг там есть копии тех, которые я забрал в прошлый раз. Простите, я пока вам ничего не привез, но обязательно все верну, вы не волнуйтесь.

— Ну что вы, не спешите. Я понимаю, как это важно. Скажите, у вас что, действительно возникли сомнения по поводу виновности Анисимова? Мне казалось, там все очевидно...

— Для суда должна быть полная очевидность, — пробормотал Илья Никитич, — к сожалению, я пока не могу поделиться с вами ходом следствия. Извините.

— Но я все-таки мать, — произнесла она с тяжелым пафосом, — я имею право знать, кто убил моего сына, — стало заметно, как трудно ей сдерживать страх и раздражение.

Она старалась изо всех сил понравиться следователю, развеять его подозрения, она щедро дарила ему свои белозубые улыбки, но глаза при этом бегали, то и дело косились на часы. Когда послышался гул лифта, Елена Петровна вздрогнула и покраснела.

Илья Никитич между тем нарочно тянул время, просматривал надписи на каждой коробке, вытаскивал каждую кассету, вертел ее в руках.

— Извините, — не выдержала хозяйка, — вы не могли бы побыстрей? Я должна лечь, я плохо себя чувствую.

— Да, конечно. Простите.

Наконец Бородин аккуратно уложил кассеты в большую спортивную сумку, направился к двери. Хозяйка расслабилась, вздохнула с облегчением. Дверь отрылась, Илья Никитич шагнул за порог, но остановился:

— Ох, я, кажется, оставил очки на столе. — Он закрыл дверь, решительно вернулся в комнату, осмотрел стол, потом наклонился, заглянул под стол, вытащил очки из кармана пальто, нацепил их на нос, растерянно взглянул на Елену Петровну и громко произнес: — Одного не понимаю, как же вы позволили ребенку принести в школу такую дорогую вещь, показывать ее одноклассникам? Да и как сам Артем не понимал, насколько это опасно? Он что, не знал, что этой броши цены нет? Однако погодите, получается полнейшая ерунда! Сейчас у нас девяносто девятый. Правильно? Четырнадцать лет назад Артему исполнилось шестнадцать, и тем ужасным летом он как раз закончил девятый класс, стало быть, брошь с алмазом «Павел» он принес в школу в десятом? Нет, вы меня простите, но в таком возрасте уже можно соображать. А главное, как же вы допустили, Елена Петровна? Вы, такая умная, такая осторожная женщина, — Илья Никитич укоризненно покачал головой, — даже страшно представить, чем это могло кончиться!

— Копия... — пробормотала Елена Петровна, едва шевельнув побелевшими губами, — Слава сделал копию по рисунку из каталога... Темочке было всего двенадцать. Ему понравилась история про курицу. Слава любил рассказывать ребенку истории о камнях...

* * *

— Чего вы боитесь? — в который раз повторил капитан Косицкий, глядя сверху вниз на опущенную голову старика, на вязаную детскую шапку с помпоном.

Может, эту шапочку носил Артем в детстве, а теперь донашивает отец? Они действительно не покупают новых вещей. Они живут страшно экономно, почти в нищете, между тем сложно поверить, что у подпольного ювелира такой высокой квалификации не осталось вообще никаких сбережений. Он многие годы придумывал для отъезжантов способы вывозить золото и камни. Он делал копии знаменитых ювелирных украшений для коллекционеров. В Институте минералогии есть его работы. Он был чуть ли не единственным специалистом по изготовлению «двойников» знаменитых драгоценных кристаллов.

— Впрочем, я вас уговаривать не собираюсь. До свидания, — капитан распахнул перед Вячеславом Ивановичем стеклянную дверь гастронома, — возвращайтесь к своей Леле, кормите ее поджаренным ржаным хлебушком и слушайтесь во всем, как малое дитя.

— Подождите, — еле слышно произнес Бутейко, — не уходите. Я сейчас.

Капитан остался на улице. Сквозь стекло он наблюдал, как сгорбленный старик в детской вязаной шапочке с помпоном покупает половинку ржаного батона. И больше ничего, только хлеб.

Он вышел, огляделся затравленно.

— Вячеслав Иванович, я здесь, — тихо позвал его капитан.

— Давайте сядем, — произнес Бутейко, продолжая тревожно озираться, — впрочем, здесь негде. И

431

холодно. Или вот, пожалуй, зайдем в тот дворик, там тихо, лавочки чистые, целые.

Во дворе за детской поликлиникой действительно было несколько целых и чистых лавочек. Они уселись подальше от двух старушек, которые выгуливали внуков. Капитан закурил. Диктофон у него был самый обычный, для того чтобы что-то записалось, его надо было достать и хотя бы положить на лавочку рядом с Бутейко, а еще лучше поднести близко к его губам. Дворик, хоть и был тихим, однако кричали дети, из переулка доносился шум машин. Иван не решился открыто записывать, боялся спугнуть, к тому же не надеялся сразу, здесь, во дворе на лавочке, услышать внятное признание.

— Он приходит каждую ночь, — заговорил Бутейко быстрым, нервным шепотом, так тихо, что капитану пришлось придвинуться поближе. — Но главное, я до сих пор не могу понять, как это произошло с нами. Пожалуйста, не дымите на меня. Я не переношу дыма. Я больной человек. И вытащите левую руку из кармана. Я должен убедиться, что у вас нет диктофона.

— Простите, — Иван загасил сигарету, показал руки, — диктофона у меня нет.

— Спасибо... Постараюсь поверить на слово, Леля предупреждала... Впрочем, я ведь не могу вас обыскивать, — он нервно усмехнулся, скривил рот, — ни с кем, кроме нее, я не могу поговорить об этом. Она запрещает даже думать, повторяет без конца, что ничего не было. А мне надо выговориться... Вы, вероятно, не поймете ничего, ну и хорошо. Сначала я решил, у меня просто галлюцинация. Я столько раз смотрел на брошь, я своими руками сделал копию по картинкам из каталога. Сначала просто, для себя, хотел повторить эту красоту. Заказ на копию я получил позже, значительно позже, и продал уже готовую работу.

— Кому? — осторожно спросил Иван.

— Не перебивайте меня! — вскрикнул он, дернувшись, словно его ударило током, и даже попытался вскочить. Капитан осторожно придержал его за руку.

— Простите, больше не буду.

— Я знал все об этом камне, и вот Кузя, пьяница, совершенно никчемный человек, разворачивает какую-то грязную тряпку, а там брошь графа Порье. Настоящая, не подделка, уж я-то сразу, с первого взгляда могу определить. Он разворачивает и спрашивает: «Вот за это сколько дадите? Вещь дорогая, наследственная». Он мне объясняет, что это вещь дорогая и наследственная! Я подумал, грешным делом, уж не отпрыск ли он графа? Но это ерунда. У Михаила Ивановича Порье детей не было. Оказалось, все просто. Дед этого самого Кузи, крестьянин подмосковного совхоза «Большевик», решил вырыть из земли в своем дворе какую-то каменную дуру, остаток барской беседки. Дело было в самом начале тридцатых. Он хотел выстроить дом, и каменная дура мешала. Стал он рыть и нашел старинную шкатулку. А там брошка с камнем. И совхозник Кузнецов, которому было тогда всего лишь двадцать пять лет, решил, что эта штука принесет ему счастье, такая она была красивая и необыкновенная, и даже каменный фундамент не стал выкапывать. Дом построил в другом месте. А брошь спрятал, никому не показывал, только в старости отдал сыну и завещал внукам хранить, не продавать. После войны семья переехала в Москву, поселок стал дачным. Последний отпрыск семьи Кузнецовых, этот самый Кузя, спился, и ему ничего не было жаль. Брошь с «Павлом» оказалась единственной вещью, которую он мог продать. И вот он стал ходить по ювелирным магазинам, но все боялся, что подумают, будто украл. А когда я подошел к нему во дворе магазина, он решился. Однако ведь передумал потом, как стал нам с Лелей рассказывать семейную легенду, расчувствовался, сказал, что, пожалуй, продавать не станет, мол, забирайте назад ваши деньги, отдавайте мою вещь. И как будто нарочно, происходило все это в Серебряном бору, в укромном, безлюдном месте. Мы ведь пригласили его на шашлыки, хотели отпраздновать покупку. Вечер был душный, мы выпили, и когда он стал ныть, требовать брошь назад, мы не выдержали. Я кинулся на него, повалил, Леля накинула ему на голову пакет... Когда мы поняли, что произошло, быстро все убрали, труп оттащили в кусты, потом только сообразили, что никто нас не видел, и ни одна живая душа не знает. Леля сразу сказала мне: забудь. Ничего не было. Но я не мог. Каждую ночь, все эти годы, он ко мне приходит. И вот он забрал Артема. Леля говорит, надо жить дальше. Когда все кончится, мы уедем.

— Что кончится?

— Следствие, суд.

— И куда же вы собираетесь уезжать?

— Наверное, за границу. Мне надо думать о своем здоровье. Мне надо лечиться, и тогда он перестанет приходить ночами. А вам я ничего не рассказывал, — Бутейко резко поднял голову и посмотрел на капитана совершенно другими глазами, ясными и пустыми, — если вы думаете, что все это я повторю для протокола, то ошибаетесь. Мне казалось, станет легче, но не стало, ни капли. Вы не священник, чтобы я вам исповедался. Вы мне этот грех отпустить не сумеете.

— Это верно, я не священник. Однако вы позвонили мне на пейджер, вы хотели встретиться со мной, чтобы все рассказать. Где же эта брошь?

— Какая брошь?

434

— Перестаньте, — поморщился Иван, — вы храните ее дома, в тайнике? Или где-то в другом месте? Кто заказал и купил у вас копию? Кто и когда?

— Теперь в аптеку, — произнес Вячеслав Иванович, растерянно озираясь по сторонам, как человек, который только что проснулся в незнакомом месте, — там надо по рецепту...

— Я провожу вас.

— Спасибо.

До аптеки шли молча. Капитан опять придержал двери и остался ждать на улице.

— Можно взглянуть на лекарства? — осторожно спросил он, когда Бутейко вышел.

— Да, конечно.

Капитан заглянул в маленький аптечный пакетик. Галоперидол и седуксен в таблетках, аминазин в ампулах, три упаковки с одноразовыми шприцами.

— Леля сама делает вам уколы?

— Да. Она умеет, совсем не больно.

— И давно?

— Второй год.

— А кто выписывает рецепты?

— Она, Леля. У нее есть бланки с печатями. Она ведь работала в районной поликлинике. Она врач-невропатолог. Ушла на пенсию три года назад по состоянию здоровья. Но на самом деле она здорова, просто не хотела работать бесплатно.

— Понятно. А идея уехать возникла сейчас, после смерти Артема, или раньше?

Бутейко остановился так резко, что чуть не упал.

— Какая идея? Куда уехать? Я вам об этом ничего не говорил!

ГЛАВА ТРИДЦАТЬ ПЯТАЯ

Разминая крепкие, накачанные телеса очередного клиента, Вова думал о том, что скоро работа кончится и начнется настоящая жизнь. Клим на этот раз приехал надолго и всерьез, у него большие планы.

Телеса у клиента были чистые, без наколок, но с множеством крупных выпуклых родинок. Это усложняло работу. Заденешь такую родинку ногтем, и у клиента может начаться заражение крови.

Клиент был приезжий, из Сургута, представился Петром Петровичем. На вид ему было чуть за тридцать. Покряхтывая и постанывая от удовольствия, он поделился с Вовой своей проблемой: ему надо было красиво потратить за три дня в Москве пять тысяч баксов.

Проблема Петра Петровича только на первый взгляд казалась тривиальной. Молодой, крепкий, вполне здоровый на вид сибиряк рассказал Вове, что он хронический язвенник и ресторанные радости ему недоступны. Диета строжайшая. Он не пьет, не курит, в азартные игры не играет — нервничать ему вредно. Культурные заведения типа Большого театра и концертного зала «Россия» навевают на него сон, а поспать можно и в гостиничном «люксе».

— Одно остается, к бабам сходить, — вздыхал Петр Петрович, переворачиваясь с живота на спину, — но где их взять-то у вас в Москве, хороших баб?

— Ну, этого добра навалом, — отвечал Вова, простукивая ребрами усталых ладоней круглые безволосые ляжки клиента, — во всех газетах миллион объявлений, «Досуг, сауна-люкс», можно взять приличных телок на Тверской, на Садовом.

— Э, нет, мне эти спидоносицы даром не нужны. И газетам я не доверяю. Хочу, чтобы было чисто и красиво, с гарантией, чтобы не только перепихнуться, но и поговорить о жизни.

— Есть специальные бюро, там девушки для сопровождения. Высокий класс, фотомодели, языки знают, поговорить можно о чем хотите. В чем проблема? — недоумевал Вова. — Были бы деньги.

— Деньги-то есть, — вздохнул Петр Петрович, — а где гарантии? Ты пойми, не хочу я вот так, с улицы. Здравствуйте, мне нужна женщина. А вдруг в этом твоем агентстве жулики сидят? Подсунут мне какую-нибудь кикимору, а откажусь брать — побьют, ограбят? Или того хуже, окажется эта фотомодель воровкой, шпионкой. У меня все ж таки фирма серьезная, документы, контракты, переговоры. В наше время, сам знаешь, можно запросто нарваться на криминал.

Вова устал не только физически, но и морально. Он искренне не понимал, чего надо этому придурку, который за пять тысяч не может найти себе девок в Москве.

— У вас вроде заведение солидное, дорогое, — продолжал сибиряк, — клиенты люди серьезные. Вот ты мне скажи, где они развлекаются? Где и с кем? Есть ведь в Москве такие места, для избранных, ну там, квартиры специальные, клубы, в которые не пускают кого попало. Загородная вилла, бассейн с подогревом, и чтобы сразу обслуживали две красавицы, все не спеша, под музыку, с напитками. Как в кино, понимаешь, нет? Ну, для меня, конечно, только минералка, а для них спиртное, чтоб веселей работали. Вот я в каком месте хочу побывать. Чтобы все по высшему разряду, как для членов правительства.

— Да, есть такие места, — важно кивнул Вова, — но просто так, с улицы, не попадешь, даже за деньги. А главное, времени у вас мало.

— Времени мало, это точно. Всего три дня. Отдохнуть хочется от души, по-столичному, чтобы было потом что вспомнить. Имею право, за свои кровные. Имею или нет, как считаешь?

— Конечно...

— Ну вот и скажи мне, есть среди твоих клиентов люди, которые могут мне этот отдых организовать? С кем можно поговорить без базара, и чтоб с гарантией?

Разговор получался какой-то вязкий, неконкретный. Не нравились Вове такие разговоры. Ему стало казаться, что Петр Петрович на самом деле хочет вовсе не того, о чем просит, и вроде бы проверяет Вову на вшивость, прежде чем сообщить, что же ему надо от скромного массажиста на самом деле. Чтобы прояснить ситуацию, Вова заговорил чуть резче:

— Среди моих клиентов много серьезных людей. Но я не понял, вы хотите, чтобы я вам дал телефон закрытого бардака? Или человека, который может вас туда отвезти? Так дела не делаются, я вас тоже ведь впервые вижу, вы уж извините, но лучше бы сказали мне прямо, чего надо. Я бы понял. А то все намекаете, крутите.

— Куда уж прямей. Пять тысяч баксов.

— Кому? — хлопнул глазами Вова.

— Нищему на паперти. Деткам-сироткам, — рявкнул Петр Петрович и тут же добродушно рассмеялся. — Ты вот массаж делаешь, в серьезном месте работаешь, а такой непонятливый, наивный такой. Ты что думаешь, я вот так, прямо с улицы, стал бы к тебе обращаться? Мне этот ваш комплекс рекомендовали знающие люди.

— А кто именно рекомендовал, можно спросить?

— Скажу кто. Но только позже. Сначала ты мне ответь, можешь мне помочь или нет?

— В каком смысле — помочь?

— В самом прямом. Сведи меня, познакомь. Я же тебе объясняю, времени мало.

— С кем именно познакомить-то? С девками?

— Ну, ты тупой, блин! — присвистнул сибиряк. — Да на хрена мне твои девки! У нас в Сибири своих навалом, да еще в сто раз лучше ваших, московских. — Он так резко и неожиданно поднялся, что чуть не заехал Вове головой в зубы, фыркнул, стянул со спинки стула махровый халат, накинул его на круглые каменные плечи, прошелся по кабинету, что=то насвистывая, наконец остановился, поманил пальчиком. Вова пригнулся поближе и услышал хриплый шепот: — Мотню мне купить надо.

— Какую мотню? — спросил Вова тоже шепотом.

— Ладно, хватит. Поговорили. Подай-ка мне портмоне!

Вова взял со стола сумочку-визитку, отметил про себя, что вещица дорогая, куплена в каком-нибудь сильно навороченном бутике, где носовой платок стоит баксов пятьдесят. Петр Петрович не спеша расстегнул молнию, вытащил пятьдесят долларов и положил прямо на простыню массажной кушетки.

— Это тебе, за сообразительность.

— Оплата через кассу, — пробормотал Вова, — а на чай это много. Вы это... насчет железа так бы сразу и сказали. Сколько нужно? И какого именно вам железа?

— Ага, умный! Дошло наконец. Поздравляю, — сибиряк затянул пояс халата, сделал несколько приседаний, гибко потянулся. И не подумаешь, что у человека нутро гнилое, язва, диета.

— Короче, чего надо и сколько? — прошептал Вова, судорожно двинув кадыком.

— Немного. Всего один спецствол. Но с инструктором.

— Так чего ж вы начали с девок?

— Ну, о девках всегда поговорить приятно, особенно с хорошим человеком. Ты, Вова, хороший человек. А если я в тебе ошибся и ты все-таки ссученный, в бетон закатаю, — произнес сибиряк еле слышно, как бы размышляя вслух, и тут же, вскинув на Вову серые прозрачные глаза, рассмеялся: — Шучу я. Ты понял? Это юмор у меня такой. Хотя в каждой шутке есть доля шутки. Слушай, Вовик, ты мне честно скажи, здесь у тебя вредных насекомых не водится?

— Что вы! — обиделся Вова. — У нас все стерильно, здание новое, санитарные проверки каждую неделю...

— Дурак, — Петр Петрович сочувственно покачал головой, — ну, дурак. И как только вы, москвичи, с таким куриным умом еще живы? Я тебя о чем спрашиваю? Ну, мозгой-то шевельни.

— А, вы про «жуков»? — догадался Вова. — Нет, в этом смысле у нас вроде чисто.

— Вроде или точно?

— Точно. Но если серьезный разговор, то всегда лучше на воздухе. После массажа хорошо воздухом подышать, полезно. Можно выйти на открытый корт. Там сейчас нет никого. Зима.

— Это верно. На воздухе лучше. Но не сейчас. И вообще, ты особенно-то не спеши, пацан, — прищурился сибиряк, — я еще разок хочу в сауну сходить, потом в бассейне поплавать, потом у меня дела в городе. В общем, давай так. Встретимся завтра вечером, часов в семь. Ты свободен?

— Да. А где?

— У тебя номер мобильный не изменился?

— Нет.

— Ну, тогда тебя сам найду, скажу точно, когда и где.

— А кто вам дал мой мобильный? — спросил Вова, но Петр Петрович ничего не ответил, потянулся с хрустом, прихватил свое портмоне, с которым не расставался ни на минуту, и ушел из массажного кабинета, чтобы продолжать оздоровительные процедуры.

Вечером Вова позвонил Климу. Через час они встретились в глубине Измайловского парка, в безлюдном месте. Машину Вова оставил далеко, у метро на платной стоянке. Пришлось идти пешком, сначала по широкой расчищенной аллее, потом по заснеженной дорожке. Следы на снегу были только птичьи и собачьи. Вова не понимал, зачем понадобилась Климу такая конспирация, почему нельзя просто, по-человечески, посидеть в тепле, поужинать в каком-нибудь укромном кабаке.

К вечеру погода опять испортилась. Выл ветер, голые деревья тяжело, медленно раскачивались, стволы трещали, тени веток причудливо и жутко шевелились на твердом снегу, в кругах фонарного света. Небо почернело, казалось, сейчас начнется снежная буря. Вова совсем промерз, стал уже подозревать, что Клим либо кинул его, либо что-то случилось неожиданное, озябшими пальцами достал из кармана дубленки радиотелефон, но тут в свете редких фонарей заметил широкую знакомую фигуру.

— Ну, ты чего? — радостно прокричал он, заглушая вой ветра. — Я тут чуть дуба не дал.

— Давай, выкладывай, что там у тебя, — резко, без всякого приветствия, приказал Клим.

Не мудрствуя лукаво, Вова дословно передал разговор с сургутским гостем.

— Значит, так. Человек, видимо, умный, судя по тому, как он грамотно тебя проверял на вшивость, — заключил Клим, дослушав его до конца.

— Умный! — фыркнул Вова. — Я чуть было не послал его подальше, честное слово. Совсем мне голову заморочил, тонну лапши на уши навешал.

— Привыкай, — Клим легонько похлопал Вову по плечу. — Просто так, напрямую, никто заказов не делает. А если такой и попадется, от него надо подальше держаться. Либо придурок, либо ссученный. Третьего не дано. А в общем и целом ты молодец. Держался неплохо.

Похвала Клима значила для Вовы так много, что он даже зарделся от удовольствия. Они разговаривали, не спеша прогуливаясь по глубокому снегу. У Вовы зуб на зуб не попадал от холода, а Клим шел, словно летом, нараспашку, без шарфа, без перчаток.

— Значит, дальше мы так поступим, — произнес он задумчиво, — Петр Петрович позвонит, ты с ним встретишься. Прежде всего пусть скажет, кто ему порекомендовал обратиться к тебе.

— А если не скажет?

— Торгуйся. Должен сказать.

— А если не станет торговаться? Жалко, заказ неплохой уплывет. Ты сам говорил, сейчас одиноких безработных стрелков пол-Москвы плюс еще при группировках ребята-исполнители. Пять тысяч — это ведь наверняка только аванс или вообще мне за посредничество.

— Исполнитель из группировки ему не нужен, — задумчиво произнес Клим, — не хочет он связываться с организациями. Сам без наколок, говоришь?

— Чистый, — кивнул Вова, — на блатного не тянет. Но с другой стороны, и на чиновника не особенно похож. Понту много, голос начальственный. Но командовать стал недавно. Я думаю, у него был сначала маленький бизнес, а потом дела пошли отлично. Он похож на человека, у которого большие бабки, но он к ним еще не привык. Может, понтов у него пока больше, чем денег. Начнет выпендриваться, уйдет, и все дела.

— Да погоди ты, психолог, — поморщился Клим, — никуда он не денется. Он уже засветился перед тобой. Так что не волнуйся. Вытягивай из него все и тащи мне.

— Что, всю сумму вперед? — Вова вытаращил глаза. — Да ты что, Клим...

— А ты, Вова, правда дурак, — Клим улыбнулся и покачал головой, — запомни, малыш, чтобы сделать много денег, нельзя все время только о них и думать. Информацию из него вытягивай, информацию. Понял? Имя заказанного, фотографию, ну и желательно номера телефонов, адреса, в общем, все как положено.

— А деньги? — выпалил Вова совершенно машинально. Он все равно ни о чем, кроме них, не мог думать.

— Даст он тебе аванс, не волнуйся, — усмехнулся Клим.

Глаза у Вовы на миг стали совершенно прозрачными, он пробубнил что-то невнятное, закурил, потом вдруг встрепенулся и испуганно взглянул на Клима:

— Слушай, пять кусков — это правда нормальный аванс?

— Пока не знаю.

— А как же это выяснить?

— Я тебе сто раз объяснял, — поморщился Клим, — сумма зависит от качества клиента и количества информации. Пока мы этого не знаем, не можем судить, нормальный аванс или нет. Сначала все выясни, а потом будем решать, мало это или достаточно.

«Возможно, камень мы найдем значительно быстрее, чем убийцу, — думал Илья Никитич, разбирая новую порцию кассет. — Мы его практически нашли. Достаточно провести обыск в доме Бутейко. Но это чуть позже. Сейчас нельзя отвлекаться. Срок давности истек. Подтвердилась старая банальная истина, что все тайное становится явным, брошь с «Павлом» попадет в Алмазный фонд, Ваня Косицкий получит денежную премию, а возможно, и повышение по службе. Я тоже что-нибудь хорошее получу. А родители Бутейко и так наказаны, выше всякой меры. Однако нельзя бесконечно держать Анисимова в больнице им. Ганнушкина. Количество фигурантов растет, но ничего определенного как не было, так и нет».

Он поставил видеокассету, на которой стояла фамилия «Соколов».

— Посмотрим, что такое этот новый персонаж, — пробормотал он, поудобней устраиваясь на диване.

Это была всего лишь запись одной из старых передач «Стоп-кадр». Она дробилась на отдельные, ничем не связанные сюжеты. Между ними показывалась студия, в которой сидели за столом ведущие, пили чай и комментировали сюжеты. Ни Бутейко, ни Соколова пока не было. Илья Никитич стал подозревать, что кассета попала в архив Бутейко случайно, но все-таки решил досмотреть до конца. Он помнил, что в этой популярной молодежной передаче самое интересное обычно оставляли напоследок.

— Мы пока не знаем, как прокомментировать наш следующий сюжет. Мы предлагаем на ваш зрительский суд то, что удалось отснять нашему корреспонденту Артему Бутейко. Давайте смотреть и думать

444

вместе, — произнес с серьезным лицом один из ведущих.

На экране возник огромный концертный зал, забитый подростками. Они орали, свистели, девочки залезали к мальчикам на плечи, приветствуя полуголого потного парня, который прыгал по сцене с микрофоном и красиво встряхивал длинными густыми волосами.

— Эстрадный успех — вещь капризная и непредсказуемая, — зазвучал за кадром хрипловатый высокий голос Артема Бутейко.

Илья Никитич обратил внимание, что впервые скандальный репортер говорит серьезно, без иронии, без издевки.

— Вряд ли кому-то в этом сложном попсовом мире везло так же, как этому красивому талантливому парню, — продолжал Артем, постепенно заглушая своим задушевным голосом вой концертного зала.

На экране появилось лицо певца. Яркая белозубая улыбка, большие черные глаза, густые темные брови при светлых волосах.

Ты пришла, такая нежная,
Ты пришла, такая грешная,
И глаза твои кромешные
До сих пор мне душу жгут.

Голос у певца был слабенький, пел он с придыханием, с мужественной хрипотцой. Зал заглушил первый куплет восторженным ревом. Камера заскользила по девичьим лицам. Многие рыдали.

— Руслан Кудимов почти сразу, с первого появления на эстраде, завоевал не только любовь публики, но и признание самых знаменитых коллег. Звезды приняли его в свои ряды, — все также задушевно и серьезно комментировал Артем Бутейко.

Зал сменился каким-то мраморным фойе. На экране появился известный композитор:

— Этот мальчик взлетел на небосклоне нашей эстрады, как яркая комета. Такой талант не мог остаться незамеченным.

— Русланчик — просто чудо, я каждый раз не могу сдержать слез, когда слышу его голос, — сообщила стареющая эстрадная звезда из того же мраморного фойе и послала в камеру воздушный поцелуй.

Далее в кадре возник Старый Арбат. Невидимый Бутейко остановил трех девочек лет четырнадцати.

— Вам нравится Руслан Кудимов?

— Я его обожаю! Я записываю все его концерты!

— Я балдею от него!

— Когда я слышу его голос, вижу его лицо, со мной что-то происходит.

Опять появилось лицо Руслана Кудимова. На этот раз он был заснят за банкетным столом в ресторане. Он смеялся и подносил рюмку ко рту. Кадр замер.

— Посмотрите внимательней в лицо Руслана, запомните его таким, красивым, веселым, — мрачно произнес Бутейко за кадром, — таким он был всего неделю назад. Мы праздновали день его рожденья.

Действие продолжилось. Это была любительская видеосъемка. На экране, за банкетным столом, среди пьющих и жующих гостей, мелькнуло лицо Александра Анисимова. Камера плясала в руках оператора. Вероятно, снимал сам Бутейко, потому что его в кадре не было.

— Мы просто праздновали день рожденья. Нам было весело. Руслан пригласил самых близких друзей, — комментировал голос за кадром, — возможно, кто-то из нас выпил лишнее, но праздник есть праздник. А сейчас смотрите внимательно.

На экране появилась красивая девушка, она хохотала, запрокинув голову. Она была сильно пьяна, а возможно, и под наркотиком. Внезапно вскочив на стол, она стала танцевать, расшвыривая ногами посуду.

— Это подружка одного из гостей, совершенно случайная девушка, — продолжал спокойно комментировать Бутейко, — никто из нас не знал ее, наверное, она вела себя неприлично, но вот так с женщиной поступать нельзя.

Кадр замер. В кадре было видно, как официант и метрдотель пытаются снять девушку со стола. На заднем плане смутно белело лицо певца. Рот его был открыт. Когда пленка закрутилась дальше, стало ясно, что он кричит.

Потом кадры замелькали с невероятной быстротой. Певец полез на официанта и метрдотеля с кулаками. Он отпихивал, расшвыривал тех, кто пытался его удержать.

— Да, Руслан заступился за девушку, то есть поступил как настоящий мужчина, — объяснял Артем, — вот сейчас еще можно решить все мирно, еще можно договориться.

«Ну, это вряд ли, — подумал Илья Никитич, наблюдая за потасовкой, — слишком все они пьяны».

— А вот сейчас решить уже нельзя ничего, — сообщил голос Бутейко.

В кадре появилось несколько милиционеров. Они вполне спокойно и профессионально пытались навести порядок. Пляшущая камера выхватила на миг широкое угрюмое лицо одного из стражей порядка. Кадр застыл.

— Вглядитесь в это лицо. Перед вами капитан милиции Василий Соколов. А теперь в последний раз посмотрите на Руслана.

Застывшее изображение певца было явно не отсюда. Этот кадр вклеили позже. Лирическая задумчивость, аккуратность прически никак не вязались с пьяной дракой. Вероятно, была использована одна из рекламных фотографий Кудимова. Через секунду действие вернулось в ресторан. Певец дрался с милиционером. Взлетел тяжелый кулак капитана. Кадр застыл еще раз. Кудимов пригнулся, закрыл лицо руками. Еще удар. Крупный план окровавленного, разбитого лица.

— Руслана на «скорой» увезли в больницу. Ему предстоит пережить несколько пластических операций, — сообщил Бутейко, — а капитану Соколову ничего, кроме выговора, не грозит.

В кадре появилась хорошенькая худенькая девочка лет двенадцати. Это было продолжение профессиональной съемки на Старом Арбате.

— Как тебя зовут? — спросил Бутейко.

— Наташа.

— Тебе нравится Руслан Кудимов?

— Он мне не просто нравится, когда мне плохо, я смотрю на его фотографии, и сразу на душе становится светло. Он для меня как солнышко. Я очень, очень его люблю. Его лицо для меня — это все...

— Наташа, что бы ты сделала с человеком, который изуродовал лицо Руслана?

— Я бы его убила, — не задумываясь, ответила девочка.

Сюжет закончился. На экране была студия.

— Я действительно не знаю, что сказать, — произнес один из ведущих после долгой, многозначительной паузы. — У нас в гостях автор сюжета Артем Бутейко, а также свидетель этих ужасных событий Александр Анисимов.

* * *

...ереметьево-2, еще не выходя из международ-...ны, Лиза увидела сразу обоих, и мужа, и Юру. ...дала багаж, подошла к стеклянному огражде-...Муж весело улыбался и махал ей рукой. Юра ...л у другого выхода и тоже смотрел на нее, но ...но, без улыбки.

...Надо будет что-то придумать, подойти к Юре, ...че он страшно обидится», — Лиза улыбнулась ...жу, знаками показала, что багажа еще нет. Повер-...в голову, встретилась взглядом с Юрой.

...«Тоже мне, конспиратор. Надел кепку, очки и ду-...ает, его нельзя узнать. Конечно, Миша видел его ...ельком, не больше двух раз, однако интуиция у него ...отличная. Дело даже не в том, что Юра все-таки при-...ехал, вопреки моим уговорам. Дело в моем напряже-...нии, которое Миша почувствует моментально».

Она отступила назад, пытаясь спрятаться в тол-пе от радостных глаз Михаила Генриховича, не спе-ша направилась к другому выходу, где вжался лицом в стекло Юра. Там, у красного коридора, народу было меньше. Им удалось обменяться несколькими фраза-ми сквозь стекло. Они поняли друг друга по движе-нию губ.

— Я тебя люблю, — произнес Юра беззвучно, снял очки, глаза его стали еще грустней, взгляд показался Лизе совсем растерянным и беззащитным. Только что она думала, что он явился сюда из упрямства, почти назло ей и ее мужу, но сейчас раздражение смени-лось жалостью.

«А ведь действительно любит. У него никого нет, кроме собаки, щенка-доберманихи, которую он назвал Лотой и купил скорее для меня, чем для себя. Кто же виноват, что так вышло? Встретил бы он другую, не-

450

— Знаете, когда расска[...]
милицию, кажется, что мно[...]
мы слышали о том, как бьют в[...]
вают признания. Просто волос[...]
подумаешь, что за это никому [...]
мрачно начал Бутейко.

— Я сначала просто глазам сво[...]
вступил Анисимов, — я не предста[...]
вот так просто разбить человеку лиц[...]
ни за что. Действительно, просто так, [...]
милиционер, ты наделен властью.

— Прости, Саша, у нас звонок, — пе[...]
щий, — слушаем вас.

— Я бы тоже убила этого милиционера[...]
чал возбужденный девичий голос, — вообщ[...]
ко можно терпеть? Они звери какие-то, дел[...]
хотят.

Звонки зазвучали один за другим. Зрители
единодушны в своем возмущении.

Илья Никитич досмотрел кассету до конца. О[...]
смутно вспомнил скандал трехлетней давности. Ну
конечно, именно эта передача подняла волну, из дела
капитана Соколова устроили что-то вроде показа-
тельного процесса. Тогда как раз в МВД в очередной
раз менялось руководство, начиналась очередная
кампания по борьбе со злоупотреблениями, сюжет
имел резонанс на самом высоком уровне, и несчастного капитана превратили в козла отпущения. Кажется, он получил три года. Впрочем, все это надо уточнить.

замужнюю, бездетную, и была бы у него нормальная семья. Мы столько говорили об этом, что уже стало скучно обсуждать неразумность и несправедливость его выбора».

Лиза улыбнулась и повторила движение его губ, потом, также беззвучно, добавила:

— Уезжай, пожалуйста.

Он понял, отрицательно помотал головой. И вдруг в глазах его она увидела не то чтобы тревогу, а какое-то неприятное удивление. Оглянувшись, она столкнулась лицом к лицу с Красавченко.

— Багаж уже пришел, — сообщил он громко, — вот ваш чемодан. А это, как я понимаю, ваш Юраша? Тот самый, по которому вы соскучились в Канаде? Ну что ж, будет приятно познакомиться. Должен сказать, ваш законный супруг выглядит куда привлекательней, — он откровенно улыбнулся растерянному Юре и даже помахал ему рукой, — Лиза, может, вы хоть спасибо скажете? Я ведь снял ваш чемодан с ленты, нашел для вас багажную тележку, а вы так и не ответили мне, собираетесь приглашать меня на передачу или нет. Ох, пардон, я вижу, вам не до меня. Сюда направляется законный супруг. Изумительная сцена!

Однако изумительной сцены не получилось. Юра исчез в толпе. По тому, как поспешно бросился к выходу Красавченко, Лиза поняла, что впереди ее ждет много всего неприятного.

— Простите, вы — Беляева? — полная пожилая дама осторожно тронула ее за рукав. — Вы знаете, я смотрю все ваши передачи, абсолютно все. Это удивительно, как вам удается поднимать людям настроение. Когда вы рассказываете даже самые неприятные новости, все равно кажется, что все будет хорошо. Спасибо вам, — дама была совершенно красной

451

от смущения и, не дождавшись ответа, быстро покатила свою тележку к выходу.

Когда Лиза прошла таможню и поцеловала мужа, за спиной у нее послышался возбужденный шепот:

— А я тебе говорю, это она! Точно, она!

Михаил Генрихович погрузил чемодан в багажник, Лиза оглядела стоянку и заметила вдалеке Юрин темно-синий «опель». У машины стояли двое, Юра и Красавченко. Оба курили.

— Все, садись, поехали, — услышала она голос мужа, — Надюша к твоему приезду испекла пиццу. Не знаю, что у нее получилось... А Витя вчера привел девочку. Зовут Оля, очень хорошенькая, главное, совсем не накрашенная, без рожек и копыт.

— Что ты имеешь в виду?

— Ну как же, они ведь все теперь изображают нечистую силу, на голове накручивают какие-то фигульки из волос, на ноги надевают копыта высотой в полтора метра, и бегом на шабаш, дергаться в массовом припадке бешенства. Кстати, наша Надюша тоже требует ботинки на платформе. Я сказал, только через мой труп.

Выезжая со стоянки, они совсем близко проехали мимо «опеля». Юра сидел за рулем и держал в руках какую-то книгу.

«Да, конечно, книга... — усмехнулась про себя Лиза, — это коробка с видеокассетой. Красавченко успел заказать копию, наверняка не одну».

Ее радиотелефон зазвонил, когда она была в ванной. Михаил Генрихович просунул в дверь руку с тренькающей трубкой.

— Возьмешь? Или сказать, что ты не можешь подойти?

— Возьму, спасибо.

— Как же это произошло, Лиза? — услышала она сдавленный, хриплый голос. — Как могло такое с тобой случиться? Ты разумная взрослая женщина, ты совсем не пьешь... Как? Объясни мне.

— Ты уверен, что это я? — спросила она тихо. — Ты внимательно смотрел?

— Да, — он неприятно, жестко засмеялся, — я смотрел очень внимательно. Надо сказать, ты занималась этим с огромным удовольствием. Еще бы, такой умелый, такой сильный партнер, настоящий супермен.

— Юра, послушай меня, но только спокойно, без эмоций. Дело в том, что я совершенно ничего не помню.

— Такое не забывается, Лиза. Я только хочу понять, что ты при этом чувствовала? Просто животная страсть? Или были какие-то еще эмоции?

В дверь постучали.

— Мам, ты скоро? — спросила Надюша. — Папа и Витя не могут поделить свитера, обоим нравится с темным узором, а размеры одинаковые. И пицца стынет. Выходи, пожалуйста.

— Да, малыш, я сейчас, — откликнулась Лиза, прикрыв трубку ладонью.

— Я понимаю, что никаких прав на тебя у меня нет, — тяжело дышала ей в ухо трубка, — но и ты пойми, как мне больно. По телефону ты сказала, что тебя шантажируют. Но прости, при таком образе жизни совсем не сложно нарваться на шантаж. Ты сама подставилась. Советую впредь быть осторожней.

— Юра, что ты говоришь? Какой образ жизни? Какая осторожность?

— Лиза, не надо врать хотя бы себе самой. Ну да, случилось. С кем не бывает? — Он усмехнулся. — Я, старый идиот, на что-то надеюсь. Строю

453

всякие лирические иллюзии, а оказывается, все так просто...

— Юра, перестань. Я приеду, мы поговорим. Прошу тебя, не относись к этому так серьезно.

— Прости, я человек старомодный, но ломать себя, подстраиваться под нынешние небанальные представления о любви и дружбе мне сложно. Возраст не тот. Я не могу к подобным вещам относиться спокойно. Возможно, это покажется тебе смешным, но представь, что мне очень больно было увидеть, как женщина, которую я люблю, кувыркается в койке с чужим мужчиной.

— Значит, ты не допускаешь мысли, что на этой кассете не я?

— Я еще не сошел с ума. Это ты, Лиза. И тебе там очень хорошо, просто отлично. Вы с этим суперменом удивительно подходите друг другу как половые партнеры.

В дверь опять постучали.

— Мам, ну ты скоро? — недовольно поинтересовался Витя. — Надя во второй раз греет пиццу.

— Да, Витюша, уже выхожу... Юра, я очень тебя прошу, успокойся, я приеду к тебе завтра, после эфира. Я должна сама посмотреть кассету.

В ответ она услышала частые гудки.

ГЛАВА ТРИДЦАТЬ ШЕСТАЯ

В августе 1917 года никаких полицейских урядников в России уже не было. Существовала какая-то народная милиция, но где искать, к кому там обращаться, никто не знал.

— Это же надо, чтобы от варенья такое несчастье. Кто их разберет, кавказцев, — бормотал Тихон Тихонович, — я говорил, опасно покупать на их грязных базарах. Мало ли, может, хранили они это проклятое варенье в погребе, где крысы. Травили крыс, вот и попал мышьяк в банку.

— Да, — хриплым эхом отозвалась из темноты Ирина, — там много крыс. Я знаю. Я видела.

— Вот я и говорю, — кивнул купец, — случайно могло попасть в банку что угодно. Всякое бывает. Между прочим, я ведь тоже ел варенье, и вы, Константин Васильевич, и Софья Константиновна. Все ели.

— Перестаньте, — махнул рукой доктор, — кого вы хотите обмануть? Одну банку госпожа Порье открыла сама, из нее выложила варенье для Михаила Ивановича и для Сони. Именно туда и был добавлен яд. Когда мы садились за стол, она пододвинула им двоим уже наполненные вазочки. А остальные, то есть мы с вами, накладывали себе из большой вазы. Все просто, Тихон Тихонович, и все заранее продумано.

— Что продумано? Кем? — не унимался купец. — Как вы можете такое говорить? Как вам не совестно? Что же, моя Ирина враг самой себе? Зачем же оставаться вдовой в такое смутное, опасное время? Слушайте, господин доктор, а может, его сиятельство, того, сам решил таким оригинальным способом... ну, вы понимаете, о чем я? Он ведь тонкая художественная натура, а, как известно, такие как раз весьма склонны, — купец сдержано кашлянул, — я давно замечал за ним странности, эта его страсть к одиночеству, к рисованию картинок... А вам, господин доктор, за хлопоты я заплачу. Много заплачу, не обижу. Сейчас деньги ничего не стоят, но вы не волнуйтесь, у меня есть старые надежные золотые червонцы...

— Господин Болякин, уйдите, очень вас прошу. Куда-нибудь уйдите и уведите вашу дочь отсюда, иначе я за себя не ручаюсь, — выдавил сквозь зубы Константин Васильевич.

— Куда же это, интересно, нам уходить? — истерически взвизгнула Ирина. — Мы в своем доме, и вы, господин доктор, здесь не распоряжайтесь. Делайте свое дело, лечите больного, а нам указывать не надо! — Крик перешел в бурные рыдания.

— Вот дура баба, — покачал головой купец, — вы уж простите ее, господин доктор. Она, разумеется, не в себе. Пойдем, хватит орать, тебе лечь надо, — он взял дочь под локоть и увел ее в спальню.

Через полчаса вернулась Соня. На возке вместе с фельдшером Семеном она привезла священника. Батюшка был стар и болен, еще не пришел в себя после надругательства на пустыре, однако ехать к умирающему согласился, взял с собой все, что нужно для причастия.

Михаил Иванович умирал долго и мучительно. Доктор Батурин пытался облегчить его страдания, колол морфий. Агония длилась несколько часов. Священник причастил его. Перед рассветом, перед самым концом, умирающий открыл глаза и зашептал что-то. Соня склонилась к его губам.

— Сонюшка... брошь... не отдавай никому, сохрани, это все, что есть у меня...

— Какая брошь, Мишенька? О чем ты?

—Бабушкина брошь с бриллиантом... не отдавай им...

Соня взяла в ладони его лицо, взглянула в глаза, совсем близко, и произнесла еле слышно:

— Мишенька, у меня будет ребенок. Твой ребенок. Я тебя очень люблю.

Доктор ничего этого не слышал, он как раз вышел в сад, покурить. А когда вернулся, граф уже не дышал.

Через два дня после похорон в Батурино явился Тихон Тихонович в дорогом, с иголочки, английском костюме, таком белом, что резало глаза, с тростью черного дерева в руке, в блестящих белых штиблетах. Он выглядел довольно странно на фоне запущенного батуринского сада. За спиной у него маячила огромная фигура его постоянного безмолвного спутника шофера Андрюхи. В руках он держал огромный букет крупных, как кошачьи головы, багровых роз.

— Чем обязан? — мрачно поинтересовался Константин Васильевич.

— Вот, явился выразить вам благодарность за труды, — кашлянув, сообщил купец и извлек из кармана красный бархатный футляр овальной формы, с золотым причудливым вензелем на крышке, — поскольку деньги сейчас дешевы и ненадежны, решил сделать вам от нашего осиротевшего семейства небольшой презент на память. Изволите взглянуть?

— Благодарю вас, господин Болякин, но презента я от вас не приму, — покачал головой доктор.

— Так вы посмотрите хотя бы. Вещь хорошая, стоит дорого. — Он раскрыл футляр. Там лежали мужские часы-луковица, золотые, с толстенной золотой цепью.

— Оставьте себе. Мне такие роскошества не к лицу.

— Значит, брезгуете моей благодарностью? — прищурился купец. — Ну, тогда примите хотя бы цветы.

Это для Софьи Константиновны. В наше трудное время тоже дорого стоят. Специально Андрюху в Москву за ними посылал. Ровно двадцать пять штук, особый сорт. Есть ваза у вас? Эй, горничная, как тебя?

— У нас нет горничной, — сказала Соня, — у нас только кухарка, но она в деревню ушла. А цветы я возьму. Спасибо. Но в вазу их ставить не надо. Я их все равно на могилу отнесу Михаилу Ивановичу.

— А, ну ладно. — Купец еще немного потоптался, несколько раз откашлялся в кулак и обратился к доктору: — Я прошу прощения, мне необходимо переговорить с Софьей Константиновной наедине.

— Извольте, — кивнул доктор, — вы можете пройти в дом. Сонюшка, я буду здесь, рядом.

— У вас осталась вещь, принадлежащая нашей семье, — сказал купец, когда они вошли в гостиную, — вещь очень дорогая. Брошь в форме цветка орхидеи с большим бриллиантом в центре.

— Я не знаю, о чем вы, — тихо ответила Соня.

— Ну не надо, не надо, барышня, — хитро прищурился купец, — я ведь не бесплатно. Я вам денег дам. Много денег, золотых червонцев. Золото всегда в цене. Вы уж, будьте любезны, верните брошечку-то. Она не ваша.

— Тихон Тихонович, — покачала головой Соня, — что-то вы путаете. Я не ношу ювелирных украшений, и никакой броши у меня нет.

— Значит, не отдадите? — вздохнул купец. — Напрасно. Так у вас хотя бы деньги были бы, вам они очень пригодятся, когда придется все бросать и уезжать из России. А придется очень скоро, поверьте мне. Если вы надеетесь, что сумеете такую дорогую вещь продать, то ошибаетесь. Вас обманут, вы с вашим батюшкой-доктором люди не коммерческие.

В гостиную вошел Константин Васильевич.

— Вот, господин доктор, — обратился к нему купец, — пытаюсь уговорить вашу дочь вернуть по-хорошему то, что ей не принадлежит. Михаил Иванович, Царствие ему Небесное, поступил необдуманно, отдал Софье Константиновне нашу вещь. А она возвращать не желает. Нехорошо. Стыдно. Вы бы поговорили с ней по-отцовски.

— Соня, в чем дело? — удивился Константин Васильевич. — Объясни, что происходит?

— Я не знаю, папа. Господин купец требует у меня какое-то ювелирное украшение, какую-то брошь. Пусть он сам объяснит, что происходит.

— Моя дочь никогда к дорогим побрякушкам пристрастия не имела, — быстро проговорил доктор.

— Так то не побрякушка. Вещь весьма ценная. В последний раз говорю, отдайте по-хорошему. Я знаю, она у вас. Больше ей негде быть. Ведь это грех — брать чужое. Вам должно быть совестно.

— Ладно, хватит, — поморщился доктор, — о грехе и совести я с вами рассуждать не намерен. Вы лучше об этом побеседуйте со своей дочерью.

— Ну, глядите, — тяжело вздохнул купец, — я хотел с вами по-хорошему, по-соседски, но, видно, не получится. Не такие вы люди.

Купец ушел, не оглядываясь.

— Он наймет бандитов, они перероют весь дом, — задумчиво произнес, глядя ему вслед, доктор, — эта брошь действительно стоит страшно дорого.

— Папа, ты же ее не видел.

— Она к твоей белой блузке приколота. А блузка валяется на стуле в твоей комнате. На портрете эта брошь получилась у Миши значительно лучше, чем твое лицо. Портрет надо убрать подальше, унести куда-нибудь из дома. А брошь необходимо спрятать. За ней придут и перероют весь дом. Возможно, нас с

459

тобой тоже станут обыскивать. Купец за этот камень кому хочешь глотку перегрызет. Миша рассказывал мне историю камня. Он говорил, что это единственная его ценная вещь.

— Он перед смертью просил не отдавать им брошь. Меня не волнует, сколько она может стоить. Мы ведь не станем ее продавать, — медленно произнесла Соня.

Ночью доктор проснулся от страшного шума. В доме ломали дверь. Через минуту послышался сдавленный крик. Кричал фельдшер Семен. Доктор выхватил из-под подушки заряженный револьвер, кинулся наверх, в Сонину комнату.

Соня в ночной рубашке сидела, привязанная к стулу. В комнате находились купец Болякин и его верный шофер-телохранитель Андрюха. Они ожесточенно рылись в Сониных вещах. Шофер коротким финским ножом вспарывал подушки. Купец, сидя на полу, перетряхивал нижнее белье. По комнате летели перья. Доктор направил револьвер на купца. Во всем доме слышались крики, топот.

— Бросьте, Константин Васильевич, — покачал головой купец, — моих людей здесь слишком много. А помощи вам ждать неоткуда. Власти никакой теперь нет. Я предупреждал, чтобы вы отдали по-хорошему.

Доктор опустил револьвер. У него перед глазами белело Сонино лицо. К ее горлу был приставлен короткий финский нож. Шофер Андрюха молча глядел на доктора. В левой руке он сжимал пистолет.

— Может, все-таки скажете? — спросил купец, не вставая с пола и продолжая перетряхивать белье. — А то ведь придется Софье Константиновне больно сделать. Я говорю, людишек моих здесь много. Мы не уйдем, пока не отыщем брошь. В последний раз предупреждаю, отдайте по-хорошему, а то ведь поздно будет.

— Тихон Тихонович, дымом пахнет, — подал голос Андрюха.

Дверь распахнулась, в комнату ввалился огромный солдат-дезертир, племянник кладбищенского сторожа, огляделся дикими красными глазами, открыл рот и рухнул прямо на купца. Из рассеченной головы пульсирующей широкой струей била кровь. За ним стоял фельдшер Семен с топором. Купец вскрикнул, Андрюха рефлекторно кинулся к нему, доктор выстрелил и попал шоферу в затылок. Купец забился, придавленный двумя огромными телами. Внизу что-то страшно грохнуло, послышался отчаянный матерный вопль, тяжелый быстрый топот.

— Константин Васильевич, горим! — крикнул фельдшер. — Там еще двое, я их запер, но, видать, выбрались. Надо уходить.

Доктор схватил ножницы с туалетного столика, разрезал веревки.

— Соня, прикрой лицо, не дыши дымом, — он нащупал на полу пистолет, выпавший из рук шофера, кинул его Семену, — надо их отогнать!

— Да удрали они, небось не дураки, скоро крыша рухнет!

Однако топот и мат приближались. На пороге в дыму возник огромный силуэт, прозвучал выстрел. Первый бандит упал, но тут же поднялся, за ним влетел второй. Захлопали выстрелы, стрелять приходилось наугад, дым ел глаза, ничего не было видно.

— Помогите, — сдавленно кричал и плакал купец, — помогите вылезти! Ноги! Не могу, помогите! Софья Константиновна, голубушка, спасите меня, старого дурака, очень больно, обе ноги сломаны...

Старый деревянный дом был уже весь охвачен

пламенем. Соня, кашляя и щурясь, на ощупь подобралась к Тихону Тихоновичу, заваленному двумя огромными телами, протянула ему руку:

— Держитесь, вылезайте!

Он вцепился в ее запястье мертвой хваткой и прохрипел:

— Не пущу! Заживо сгоришь! Где камень?

Тем временем один из бандитов набросился на доктора, другой на фельдшера, в маленькой задымленной комнате четверо дрались насмерть, и нельзя было понять, кто кого одолевает.

Соня попыталась выдернуть руку, но купец держал очень крепко, тянул к себе. Она уже захлебывалась кашлем от дыма и только успела отчаянно, из последних сил крикнуть:

— Папа!

Ее крик как будто придал сил Константину Васильевичу. Ему удалось рукоятью пистолета садануть одного из бандитов в висок. Сверху угрожающе затрещало, стало слышно, как валятся балки на чердаке. Бандит вышиб головой окно, спрыгнул со второго этажа, бросился в рассветный туман. В револьвере, который успел подобрать фельдшер, остался последний патрон.

— Камень, — бормотал купец сквозь кашель и стон, — где брошь? Отдай! Не твое!

— Соня, ты где? Отзовись, Соня!

Хлопнул выстрел, так близко, что Соне показалось, выстрелили в нее. Она уже не могла дышать от дыма, плохо соображала, в горле так першило, что вместо крика получился слабый, хриплый шепот:

— Папа!

Через секунду она почувствовала, что купец обмяк. Она изо всех сил старалась высвободить руку. Тихон Тихонович был мертв, но продолжал держать Соню.

462

Пальцы его свело. Доктор нашел Соню, пытался на ощупь разжать пальцы, освободить ее запястье, но не мог.

— Ай, хватит! — гулко простонал подоспевший фельдшер и рубанул по мертвой руке топором.

Наконец все трое выбрались из пылающего дома. Уже рассвело. Соня едва держалась на ногах. С диким грохотом и треском обрушилась крыша, полетели искры. Соня потеряла сознание.

ГЛАВА ТРИДЦАТЬ СЕДЬМАЯ

— Я задержусь после эфира, — сказала Лиза, целуя мужа на прощанье, — надо обсудить кое-какие проблемы с начальством.

— Почему обязательно ночью?

— Ты же знаешь, на телевидении нет ночи, нет дня. Сплошной производственный процесс.

От собственного вранья у нее запершило в горле. «Хватит, — подумала она с раздражением, — это в последний раз».

Дело было не только во вранье. Она уже привыкла выдумывать уважительные причины и достоверно объяснять, почему вернется не в два часа ночи, а в шесть утра. Но сейчас впервые она поймала себя на том, что вовсе не хочет ехать к Юре. Она знала, что там ее ждет тягостный бессмысленный разговор. Ради этого было совсем уж глупо и обидно врать мужу.

В Останкино все продолжали судачить о смерти Артема Бутейко. Это уже перестало быть главной темой разговоров, однако появление Лизы сразу освежило в памяти трагическое событие недельной давности. Она ловила на себе осторожные косые взгляды.

Говорили, что вроде бы убил Артема его старый приятель, одноклассник, которому Артем не возвращал долг. Поначалу у следствия не возникло никаких сомнений, убийцу взяли прямо на месте преступления, однако что-то там застопорилось, застряло, нескольких операторов и администраторов допрашивали оперативники и следователь.

— К тебе еще не обращались по поводу Бутейко? — спросил Лизу директор новостийной программы. — А то ведь наверняка нашлась какая-нибудь сволочь, которая проболталась о ваших особых отношениях.

«Почему сволочь? Почему проболталась? — подумала Лиза. — И какие у нас были особые отношения? На телевидении подобная вражда, тайная и явная, — вполне обычное дело».

— Нет. Ко мне не обращались.

— А, ну-ну. Жди привета из прокуратуры. Как там Канада? Ты хорошо отдохнула на конференции?

Она отработала эфир, села в машину. Ей нравилось ездить по пустым ночным улицам. Дорогу она знала наизусть и отдыхала за рулем. Совсем недавно, всего лишь пару недель назад, именно здесь, на перекрестке, в конце Шереметьевской улицы, остановившись ночью на светофоре, она заметила в соседней машине рядом с водителем знакомый профиль. Ей показалось, в «жигуленке» ехал Артем Бутейко.

Подъезжая к Новокузнецкой, она увидела ту же машину, и вдруг пришла в голову совершенно дикая мысль, что Артем следит за ней. А она, между прочим, направлялась к Юре.

«Он, конечно, сумасшедший, но не до такой степени, — подумала она, — неужели ему не достаточно постыдного шоу, которое он устроил с моей мамой? Неужели не сыт еще?»

Она хорошо изучила характер Бутейко и понимала, что гадить он ей будет долго и серьезно, при всякой возможности. Ничего удивительного, если завтра в его ночной программе появится сюжет о ее тайном романе. Но откуда он мог узнать? Нет, это ерунда. Никто не знает, да и машина не обязательно та же, мало ли в Москве вишневых «жигулят»?

Во дворе она огляделась, но никого, кроме Юры и Лоты, не увидела.

Сейчас, подъезжая к перекрестку, она думала о Бутейко. Как, в сущности, глупо он жил и как рано, как нелепо погиб. Про него многие говорили, что он «допрыгается». Но вряд ли за те мелкие пакости, которые он делал, его могли убить. Он подглядывал в замочную скважину и охотился за чужими тайнами, в основном любовными. Однако в наше время знаменитости обоего пола с восторгом трясут перед многотысячной толпой грязными простынями двадцатилетней давности, несут свои замаранные постельные принадлежности, как транспаранты на праздничной демонстрации. Темой очередного интервью становится какой-нибудь роман, о котором забыли рассказать в прошлом интервью. Не стесняются называть имена бывших постельных партнеров и партнерш, при этом не спрашивая их разрешения, не заботясь о том, нужна ли им и их семьям эта пикантная правда.

Для таких репортеров, как Артем Бутейко, настал золотой век, только успевай подгребать чужие окурки со следами губной помады, только подставляй микрофон и камеру под щедрый поток интимных откровений.

За это не убивают. Наоборот, платят деньги, как за рекламу.

В Останкино говорили, будто его застрелил приятель за денежный долг. В принципе возможно. Он жил в долг, занимал у всех, но всегда возвращал.

Когда погибает человек, которого ты терпеть не мог, о котором плохо думал и плохо говорил, ощущение удивительно гадкое. Стыдно, как будто ты причастен к его смерти.

«А за что же, собственно, я терпеть не могла Артема? За цинизм? За наглость? Ну, циников и наглецов на телевидении хватает. За бездарность? Этого добра тоже достаточно. Когда-то у нас с ним были вполне нормальные, даже приятельские отношения. Он возненавидел меня после того ток-шоу с фальшивым героем. И был прав. Я сорвала ему премьеру. Он схалтурил. Ну и что? Мало ли халтурщиков? Я могла и не лезть к его герою со своими шибко умными вопросами, тем более в прямом эфире. Почему же я это сделала? Ведь не просто так».

За месяц до этого в «Стоп-кадре» вышел его эксклюзивный сюжет о певце и милиционере. Тогда о нем заговорили, имя его всплыло на поверхность. Он получил возможность делать свою передачу.

Лиза вдруг ясно вспомнила широкое, тяжелое лицо человека в милицейской форме, застывшие маленькие глаза какого-то неопределенного мутно-зеленого цвета.

— Парень, я прошу тебя, не надо. Ну ты пойми, для меня это все, кранты. Меня посадят.

Лиза совершенно случайно стала свидетельницей этого отвратительного разговора. В Доме кино проходил вечер, посвященный десятилетнему юбилею программы «Стоп-кадр». Пригласительные билеты продавались всем желающим, народу собралось много, зал был полным. В антракте, в фойе, Бутейко с каким-то парнем стоял у перил. Они смеялись, оба были немного навеселе. Лиза стояла неподалеку и увидела, как к ним подошел милиционер.

— А, это опять ты? — Артем скорчил брезгливо-утомленную гримасу. — Слушай, товарищ капитан, я не понимаю, как тебя сюда пропустили. Тебе вообще-то здесь делать нечего.

— Действительно, — усмехнулся приятель Артема, — а то вдруг тебе взбредет в голову опять наводить порядок, еще кому-нибудь заедешь кулаком в рожу.

— Ребята, я прошу вас, не надо, — тихо проговорил милиционер.

— Чего не надо-то? — с издевательской усмешкой

спросил Бутейко. — Правду людям говорить? Значит, тебе все можно, а нам нельзя?

— Да не в этом же дело… Я прошу тебя, не показывай этот сюжет, по-человечески прошу. Ну хочешь, денег дам? Хочешь, на колени встану? Это ж для меня конец карьеры, конец всей жизни, пойми… Если хоть капля жалости у вас осталась, ребята, ну просто, по-человечески, пожалейте меня.

— Не стелись, капитан, — высокомерно посоветовал приятель Артема, — ты бы лучше о жалости подумал, когда бил Руслана кулаком в лицо. Вам, ментам, о жалости лучше вообще не рассуждать, на эту тему вам лучше заткнуться. И давай, кончай сопли распускать, смотреть противно.

Смотреть действительно было противно, причем на всех троих. Двое куражились, один умолял, унижался. Бутейко и его приятелю это нравилось. Вот тогда она и почувствовала острое отвращение к Бутейко. Ей не было дела до этого капитана, она видела его в первый и в последний раз. Но он так унижался, а они с таким кайфом куражились, они получали от этого почти физическое удовольствие. Их обоих хотелось убить на месте. И не важно, кто прав, кто виноват.

Сюжет вышел, капитан получил три года. Десятки тысяч таких же капитанов, лейтенантов и прочих милицейских чинов по всей России пускают в ход кулаки, разбивают лица. Иногда они делают это по необходимости, иногда от собственной распущенности и жестокости. Если бы каждого сажали в тюрьму, не было бы милиции. Этот капитан не хуже и не лучше прочих. Однако ему не повезло. Лицо, которое он разбил, пытаясь прекратить кабацкий скандал, было лицом популярного эстрадного певца. А главное, рядом оказался репортер Артем Бутейко с любительской видеокамерой. Репортеру ужасно хотелось прославиться.

Потом, когда Бутейко в качестве героя ток-шоу привел именно этого своего приятеля, Сашу Анисимова, и они стали опять куражиться, издеваться, уже над целой аудиторией, Лиза не выдержала и сорвала Артему его ток-шоу, к чертовой матери.

Если у нее, у постороннего человека, от той безобразной сцены в фойе Дома кино зародилось стойкое отвращение к Бутейко, то что же должен чувствовать милицейский капитан? Между прочим, три года прошло. Он наверняка вышел на свободу...

Лиза ехала с погашенными фарами по пустынной улице, на всех светофорах горел зеленый, она так глубоко задумалась, что почти не смотрела на дорогу. Вдруг в ее сумке отчаянно запищал радиотелефон. Она вздрогнула и, прежде чем ответить, включила фары. Буквально в десяти метрах от нее, перегородив дорогу, без всяких аварийных огней, чернела громадина грузовика-рефрижератора. Лиза едва успела затормозить. Скорость у нее была не маленькая, около семидесяти. Бампер машины застыл в нескольких сантиметрах от грузовика.

Она дала задний ход, припарковалась у края тротуара. Телефон продолжал надрываться.

— Лиза, прости, я, наверное, отрываю тебя от важного разговора с начальством, — послышался в трубке сонный голос мужа, — я на минутку. Просто ужасно соскучился. Тебя так долго не было, и вот ты приехала, а тебя опять нет.

— Я думала, ты спишь, — ответила она растерянно.

— Да, я уже спал, но проснулся, не знаю почему. Как-то вдруг стало тревожно, решил тебе позвонить.

— Спасибо, Мишенька. Я скоро приеду. Ты спи, не жди меня.

— За что спасибо, Лиза?

— Ну, просто так. За то, что позвонил.

— Учти, я все равно не усну, пока ты не приедешь, — проворчал он, — давай поскорей.

Она убрала телефон и закурила.

«Как же он почувствовал? Ведь если бы не проснулся, не набрал номер, меня бы уже не было».

Она вдруг ясно представила жуткий удар, от которого машина сплющивается, как консервная банка. Она отчетливо услышала грохот, визг тормозов, рев сирен и увидела себя, безобразный кусок растерзанной, окровавленной плоти.

«Вот так оно и происходит, — думала она, жадно затягиваясь и глядя на черный силуэт рефрижератора, — в любую минуту, на любом перекрестке, за рулем, или в собственном подъезде, когда стреляют в голову. Вот, оказывается, о чем думает человек за минуту до смерти. В общем, совершенно ни о чем. О каких-то своих обычных проблемах. Я, например, думала об Артеме Бутейко. Возможно, он думал обо мне, о том, какая я гадина и мерзавка и как бы еще мне подпортить жизнь. Это казалось ему важным. Впрочем, о чем бы он ни думал, все через минуту потеряло смысл. Не было никакого смысла. Грязь и ненависть».

Загасив сигарету, она медленно выехала на проезжую часть, осторожно объехала рефрижератор. Через пятнадцать минут ее машина остановилась в большом пустом дворе у Новокузнецкой.

На этот раз двор был абсолютно пуст. Юра не вышел с собакой, чтобы ее встретить, как это бывало обычно. Он открыл ей дверь, Лота стала прыгать, гавкать, выражая свою бурную собачью радость.

Юра холодно подставил щеку для поцелуя и тут же отвернулся, ушел в кухню, сел на табуретку, закурил, глядя в черное окно, и громко произнес:

— Если ты надеешься, что я составлю тебе компанию, то ошибаешься.

— В каком смысле — компанию? — удивилась Лиза.

— Я не собираюсь вместе с тобой еще раз просматривать кассету. Ты ведь за этим пришла?

«Он прав. Я действительно пришла за этим. Мне надо разобраться», — подумала она и не стала снимать сапоги и отвечать ему не стала. Молча вошла в кухню, села напротив.

— Все вы одинаковые, — произнес он громким чужим голосом, продолжая жадно курить и глядеть в окно, — всем вам чем больше мужиков, тем лучше. Твои красивые слова о том, что ты не хочешь ранить мужа, — только слова. Просто эта ситуация для тебя удобна. Есть муж, есть любовник. Уехала в Канаду на неделю, устроила себе приключение, потому что рядом не было ни его, ни меня. Правда, забыла на минуточку, кто ты. И попалась, как кошка, которая ворует сметану.

— Спасибо, — Лиза резко встала, — отдай мне кассету, и я поеду домой.

— Нет уж, подожди. Мы не договорили. Тебе не приходит в голову такая простая мысль, что я хотел бы услышать хоть какие-нибудь объяснения?

— Зачем?

— Затем, что ты мне сделала очень больно.

— Прости.

— Но еще больней мне было, когда ты стала врать, будто это подделка, будто на кассете не ты. Ты уж ври кому-нибудь одному, либо мужу, либо мне, иначе запутаешься.

— Хорошо, я учту твой мудрый совет. Отдай, пожалуйста, кассету.

Он встал, подошел к ней, взял за плечи и резко развернул к себе лицом:

— Лиза, ты понимаешь, что если уйдешь сейчас, то уйдешь навсегда?

— А разве у нас есть другие варианты?

— Не знаю.

— Вот и я не знаю, — Лиза высвободилась из его рук, — ты ждешь, что я начну оправдываться. Но прости, я не буду этого делать. Я виновата и перед тобой, и перед Мишей. Но не в этом. Не в той пакости, которую ты видел на кассете. Все, Юра. Отпусти меня, пожалуйста.

— Совсем? — спросил он еле слышно.

— Да.

Он ушел в комнату, шарахнул дверью. Через минуту послышался грохот. Лота испуганно гавкнула.

— Черт! — услышала Лиза и приоткрыла дверь.

Он сидел на полу, потирая ногу. Рядом валялась опрокинутая этажерка. Видеокассеты были раскиданы по всей комнате.

— Здесь не ищи, — буркнул он, морщась от боли, — возьми стул, она там, наверху, на книжном шкафу. Я полез и свалился.

— Что с ногой? — спросила Лиза, скидывая сапоги.

— А тебе какая разница? Вывих, растяжение, закрытый перелом, — он, кряхтя поднялся с пола, взглянул на нее снизу вверх, — прости меня, я идиот.

Лиза спрыгнула со стула с кассетой в руках. На коробке не было никакой подписи.

— Ты уверен, это она?

— Она. Я нарочно отложил ее отдельно, чтобы не перепутать.

Прихрамывая, он проводил ее до машины.

— Чего он хочет от тебя? — спросил Юра, придержав дверцу машины.

— Ему нужен эфир.

— Понятно. И что ты намерена делать?

— Думать. — Она быстро поцеловала его, провела рукой по коротким седым волосам и повернула ключ зажигания. Выезжая из двора в переулок, она увидела в зеркале, как он стоит и смотрит ей вслед, держа на поводке Лоту.

* * *

Петр Петрович позвонил Вове на следующее утро. Вова фыркал и насвистывал, стоя под холодным душем, и еле расслышал слабое треньканье радиотелефона.

— Долго не подходишь. Спишь, что ли? Много спать вредно. А я, между прочим, нашел, что искал, — радостно сообщил сибиряк, не поздоровавшись.

Вова сначала испугался: «Ну, точно, перехватили заказ, так я и знал...» Но тут же опомнился, подумал, что в таком случае сибиряк вряд ли стал бы звонить, да и не успел бы он за вечер и ночь найти кого-то, к кому можно обратиться с таким деликатным поручением. Все-таки не столик в ресторане хочет заказать, а убийство.

— Вилла подмосковная, с теплым бассейном, и сразу три красавицы. Блондинка, брюнетка и рыженькая. Представляешь, по бортику бассейна свечи горят, шампанское искрится в хрустале, над головой небо, температура за бортом минус пять, а потом еще повторили в сауне, потом еще, в гостиной у камина на медвежьей шкуре. Теперь уж мне будет что вспомнить. Правда, пять тысяч тю-тю, зато получил настоящее удовольствие, как в кино. Так что денег не жалко. На то они и деньги, чтобы тратить. Верно говорю?

— А как же... — растерянно пробормотал Вова, —

вы же обещали... Вы же потратить эти деньги хотели совсем на другое...

— На что другое?

— Ну вот... я уже договорился... так дела не делаются, в натуре, — растерянно забормотал Вова.

— Хорош переживать! — бодро перебил его Петр Петрович. — Жду тебя через сорок минут. На шоссе, в двух километрах от твоего комплекса, в лесопарке, есть спортивная площадка, там торчат две вышки с баскетбольными сетками. Не опаздывай.

— Да, но аванс вы должны выплатить прямо сегодня, — предупредил Вова, — я уже договорился, время пошло.

— Договорился, значит?

— А как же! Фирма веников не вяжет. Вы же сказали, срочно. Кстати, за срочность полагается надбавка.

— Тебе за срочность, а мне за вредность, — усмехнулся в трубку Петр Петрович, — вредно иметь дело с такими нервными, как ты. Ну что ты завелся? Думаешь, эти бабки у меня последние? Будет аванс, как обещал. Деньги любишь?

— Можно подумать, вы их не любите, — проворчал Вова.

Место, которое выбрал сибиряк, нельзя было назвать удачным. Площадка вплотную прилегала к трассе, обочина была совсем узкой, к тому же завалена снегом. Припарковаться негде. Вове пришлось оставить свой «жигуленок» в пятистах метрах от площадки, на небольшой стоянке за постом ГАИ.

Петр Петрович уже ждал его, сидя на перекладине баскетбольной вышки.

— Ну, где же твой профессионал? — спросил он, опять не поздоровавшись.

— Профессионал работает, я договариваюсь, — ответил Вова, стараясь в интонациях подражать Климу. — Значит, так. Сначала аванс. Потом я должен знать, от кого вы ко мне пришли.

— За авансом в другой раз приедешь. Вместе с исполнителем.

— Ага, конечно! Так он к вам и явится! Он профессионал, его в лицо только я знаю, и больше никто. Давайте мне аванс, потом будем разговаривать.

— Обойдешься, — сибиряк сплюнул в снег.

— Так дела не делаются, — Вова тоже сплюнул в снег и смело уставился в прозрачные глаза сибиряка, — я вам в «шестерки» не нанимался.

— Разговариваешь, как «шестерка». Хамишь. Суетишься. Несолидно себя ведешь, — отрывисто произнес сибиряк. — Мне-то по фигу, мне главное, чтобы дело было сделано, но не все такие добрые, как я. Другой на моем месте вообще не стал бы с тобой базарить.

— Я нормально разговариваю, — буркнул Вова и отвел взгляд.

— Ладно, проехали, — Петр Петрович махнул рукой, вытащил из внутреннего кармана пачку стодолларовых купюр, перетянутых резинкой, — на, считай. По выполнении получишь столько же.

— Ну конечно! Мы так не договаривались!

— Считай. Ровно пять. Деньги ты взял, значит, мы уже договорились.

Вова подумал, что сейчас надо бы сделать красивый жест, вернуть пачку, не трогать, не стягивать красную резиночку. Тогда заказчик обязательно заплатит больше. Он просто пытается сбить цену. Нормальный торг, базар, и вести себя надо как подобает деловому серьезному человеку. Клим ведь говорил, не хватайся сразу за деньги, если взял сумму, которую предложили в начале разговора, значит, она тебя устраивает, значит, ты бедный. То, что предлагают вначале, — только стартовая цена, на ней нельзя останавливаться.

Головой Вова понимал, что аванс лучше вернуть сию минуту, но душа его ныла, болела, сопротивлялась. Пальцы как будто одеревенели, вцепились в толстенькую пачку купюр намертво, как зубы английского бульдога в кость. Никакими тисками не расцепишь.

— Как можно говорить о цене, когда я еще не знаю, кого вы заказываете, какая там охрана. Может, вы хотите, чтобы мой специалист министра внутренних дел завалил или вообще президента!

— Ты взял аванс, малыш, — усмехнулся Петр Петрович, глядя на оцепеневшую руку Вовика, на побелевшие от напряжения костяшки пальцев, — ты спрячь деньги-то, спрячь. А то увидит кто-нибудь.

— Я не взял. Я только пересчитать хотел. Забирайте назад! На хрена мне ваши бабки, если я еще не знаю уровень заказа? — Вова решительно протянул руку. — Забирайте! Ничего я у вас не брал!

— Ладно, не суетись под клиентом. Уровень нормальный, не высокий, но и не низкий. Средний. Охрана есть, конечно, однако успокойся. Не президент и не министр. И хватит ваньку валять. Времени мало.

— Вот и я о том же. Хватит. Вы так и не сказали, от кого ко мне пришли.

— Рекомендовал тебя Владик Мыло. Доволен?

— Другое дело, — кивнул Вова.

Владик Мыльников был единственным из троих бывших партнеров по автосервису, с которым сохранились у Вовы приличные отношения. Владик был родом из Сургута, когда их маленький бизнес рухнул и Мыльникову стало не на что снимать квартиру в Москве, он месяц жил у Вовы. Сейчас работал в большом автосервисе у Кольцевой дороги, часто ездил в свой Сургут к родителям.

— Теперь слушай внимательно. Клиента зовут Мальцев Дмитрий Владимирович. Машины две, черный джип «черокки» и вишневый седан. Чаще ездит на джипе. Запомни номер. Охрана серьезная. Обычно двое, телохранитель и шофер. Работает в Министерстве финансов.

— Кем?

— Заместителем министра.

Вова тихо присвистнул и покачал головой:

— И вы собирались такую шишку за десять кусков завалить?

— Не десять. Больше, — улыбнулся Петр Петрович.

— Сколько?

— Пятнадцать. Пять ты получил, остальное по исполнении. Кстати, еще один совет. Ты все-таки сначала о работе думай, за которую собираешься деньги получить, а потом уж о самих деньгах. И слушай внимательно, чтоб потом не жаловался на плохую память. Клиент мужик крепкий, хоть и пожилой. Бывает в Министерстве, в Госдуме, в клубе «СТ» у метро «Новослободская».

— Домашний адрес есть?

— Нет. Знаю, что живет где-то за городом. В московской квартире ночует редко. Есть номер сотового. Вот фотография, — он достал из кармана конверт, в котором лежало несколько снимков, цветных и черно-белых. Крупный мужчина лет пятидесяти с тяжелым умным лицом, с седым бобриком волос, был заснят нечетко, то в профиль, то в полный рост, издали. И только на одном снимке физиономия заместителя министра Дмитрия Владимировича Мальцева запечатлелась крупно и ясно. Снимок был сделан с телеэкрана. Напротив Мальцева за маленьким круглым столом сидела женщина. И хотя она вышла расплывчато, Вова узнал ее моментально.

— Чего же снимки такие паршивые? — спросил он язвительно.

— Извини, дружок, других нет.

— Если он такая известная личность, должны быть снимки в журналах, в газетах. Неужели нельзя было достать нормальные? Делаете такой серьезный заказ, а толком подготовиться не можете. Да за такую работу и пятнадцать маловато. Двадцать!

Петр Петрович только поморщился в ответ, презрительно покачал головой. Цифра двадцать повисла в воздухе. Сибиряк давал понять, что больше никакого разговора о деньгах не будет.

— Информации вполне достаточно. А что касается газет и журналов — Мальцев не дает интервью, от журналистов прячется. Он теневая фигура, если ты, конечно, понимаешь, что это такое.

— Я-то понимаю, — обиделся Вова, — не вчера родился, но только как же он прячется от журналистов, если вот с Елизаветой Беляевой беседует?

— Это было один раз. Только к ней он согласился прийти. Больше ни к кому.

* * *

В спальне горел ночник. Михаил Генрихович лежал, закрыв глаза, с книгой на животе. Лиза вошла на цыпочках.

— Я не сплю, — прошептал он, — какая-то ужасная ночь. Во дворе подростки орут, мусорная машина грохочет, за стеной скандалят соседи, и все время кто-то звонит и молчит, каждые полчаса. Чаю хочешь?

478

щего дома во все стороны летели искры
оловешки. Константин Васильевич пере-
еседку, под крышу, оставил с ней Семена,
авился за помощью. Пламя могло переки-
соседние постройки. Соня открыла глаза и
увидела горящий дом, потом красное обо-
е лицо Семена.

рассвело, в деревне отчаянно лаяли и выли со-

х, не предупредил я Константина Васильеви-
бы он для тебя обувку прихватил, — покачал
ой Семен, глядя на ее босые ноги.

Какую обувку? О чем ты?

Он к моему свояку пошел, за возком. У свояка
ршая, Аннушка, как раз с тебя росточком. Ох, и
роша ты, Софья Константиновна, настоящий чер-
нок, а не барышня, одни глазищи торчат. Как чув-
твуешь себя? Головка не болит?

— Нет. Только холодно.

— Неужто? Я так весь взмок, жаром-то несет, ничего себе костерок. Грейся, — он усмехнулся и весело
подмигнул, — главное, живы остались, а остальное
как-нибудь сладится. Я помню, ты махонькая была,
пятый годок пошел. Утащила коробок спичек, склянку со спиртом. У Елены Михайловны из швейной кор-
зинки взяла три наперстка. Хотела плюшевому мед-
ведю банки ставить. Ну и конечно, медведь твой зат-
лел, задымил. Ох, слез было, Константин Васильич все
думал, как тебя наказать, но так ничего и не придумал. Ты весь вечер проплакала, медведя жалела. Елена Михайловна потом его заштопала, заплатки поставила. Ну, чего ты, Сонюшка? Ты ж у нас барышня
крепкая, утри слезки.

— Хочу.

Он встал, накинул халат, сладко зевнул, прикрыв
рот ладонью.

— У Надюши кулинарный азарт. Испекла кекс с
корицей. Между прочим, получилось неплохо. Мы там
оставили тебе кусочек, правда маленький, потому что
действительно очень вкусно.

— Миша, ты знаешь, что сегодня спас мне
жизнь? — спросила она, ставя чашки на стол.

— Что, начальство резало горло?

— Нет, в самом прямом смысле. Я ехала с погашенными фарами, а поперек улицы стоял рефрижератор
без аварийных огней. Когда ты позвонил, до него оставалось не более десяти метров. А скорость у меня
была семьдесят.

— С ума сошла? — Он вытянул из пачки сигарету,
хотя почти не курил в последнее время. — Нет, ты
серьезно?

— Совершенно серьезно. Если бы ты не позвонил,
меня бы не было. Я потом долго приходила в себя, сидела в машине, боялась ехать. Потому и вернулась так
поздно.

«В последний раз вру. Все. В последний раз...»

Прежде чем закурить, он встал, достал из моро-
зилки заледеневшую бутылку водки, плеснул себе
грамм двадцать, залпом выпил, кинул в рот соленый
крекер, сел и закурил.

— Где это произошло?

— На выезде с Шереметьевской улицы. Там вообще нехороший перекресток.

Вскипел чайник, Лиза бросила пакетики в чашки,
залила кипятком.

— Ну, где же Надюшин кекс? Есть хочу ужасно.

Кекс действительно был вкусным.

— О чем же ты так глубоко задумалась, Лиза, что

не включила фары? Что, переживала из-за гибели Бутейко? Из-за этого ты не глядела на дорогу? Кстати, вечером звонил следователь, хотел с тобой пообщаться. Я дал ему номер твоего сотового, но он просил, чтобы ты позвонила ему сама завтра утром. Вот, я записал. Бородин Илья Никитич. Он хотел поговорить с тобой именно о Бутейко. Голос вполне интеллигентный.

— Да? Я обязательно позвоню. Там ведь так и не нашли убийцу, хотя подробностей я не знаю.

— Лизонька, ты мне не нравишься, — покачал головой Михаил Генрихович, — ты какая-то сегодня странная. А главное, я теперь буду каждый раз вздрагивать ночью, дергать тебя звонками. Вдруг ты опять забудешь включить фары и задумаешься за рулем? Ты уж, будь добра, объясни, что случилось? Почему ты так неосторожно ехала?

Она хлебнула чаю, закурила и, кашлянув, произнесла:

— Миша, у меня действительно большие неприятности. Меня шантажируют.

Она рассказала ему подробно все, что произошло в Канаде. Он слушал молча, низко опустив голову. Она не видела его лица, и ей было страшно.

— Кассета у меня в сумке. Я еще ее не видела. Возможно, я поступаю неправильно и мне следовало бы избавить тебя от этого зрелища. Но я боюсь ошибиться. Я ничего не помню. Возможно, там заснята другая женщина. Ведь я не разглядывала фотографии. Я их порвала.

— Как к тебе попала кассета? — спросил он после долгой паузы, все еще не поднимая глаз.

— Красавченко дал мне ее в аэропорту, во Франкфурте.

— Ну что ж, давай смотреть кино. Благо, дети спят.

После нескольк...
взглянуть на му...
свеченное мерца...
ей страшно бледн...

— Беда в том, ...
Лиза, — произнес о...
здесь нет ни одного ...
конечно, твой.

— Так это я или не я? ...
лась, потому что вопрос по...
отский. И вдруг вскочила с ...
пульте. Изображение застыл...
ном номере у кровати была сов...
сокая, круглая, из темного дере...
лье другое. Но главное, если сним...
кадр обязательно должно было поп...
ном башни собора Святой Екатери...
темнено. Смазано. Можно не разгляде...
вати. Поменять белье, но окно и вид из о...
денешь. А то, что я не выходила из номе...
вершенно точно. Я не дюймовочка, чтобы о...
метно вынести меня, а потом отнести назад...
дом этаже дежурные, внизу охрана.

— Окно можно закрыть, опустить жалюзи, ...
нуть шторы.

— Но здесь вообще его нет. Голая белая стена...
в гостинице были такие же стены...

— Дело не в этом, — покачал головой Михаил Ген...
рихович, взял у нее пульт и выключил магнитофон. — ...
У дамочки на пленке свежий маникюр, ярко-красные ногти на ногах и на руках. У тебя аллергия на ацетон. Ты никогда не красила ногти. Никогда в жизни.

— Что ты, я не плачу, — Соня растерла по щекам черную копоть, — я совершенно не плачу. Просто дым глаза ест.

— Смотри-ка, тетрадочка твоя, — Семен взял со стола и подал ей ее дневник, — хоть какое, да имущество.

Толстая тетрадь в синем клеенчатом переплете, дневник, который она случайно оставила вечером н столе в беседке, действительно оказалась единственным уцелевшим имуществом. Вместе с Соней тетрадь отправилась сначала в Москву, к тетке, потом в Одессу, оттуда на французском переполненном пароходе в Константинополь.

Стоял мрачный, ледяной февраль 1918 года. На Черном море был сильный шторм. Качаясь, словно пьяный, уходил за горизонт одесский порт. Уплывал берег, который еще три месяца назад был Россией. Но ни у кого на судне не возникало того острого мучительного чувства окончательной утраты, которое может нормального человека просто свести с ума.

Пережитые опасности, сиюминутные хлопоты, поиски пропитания, необходимость все время что-то доставать, менять, прятать, беречь от воров, с кем-то договариваться — все это давало счастливую возможность не думать о будущем. Будущее сосредоточилось для бездомных русских людей в куске хлеба и свиного сала, в спальном месте и теплом одеяле. Они были счастливы хотя бы тем, что плывут по штормовому морю на французском судне и пока живы, не погибли от голода и холода, не успели заразиться тифом, не получили пулю в лоб или пролетарский штык под ребра. А что же завтра? На завтра осталось еще немного хлеба, французы обещали с утра бесплатно разливать красное вино. А послезавтра? А через год?

Ну, через год, разумеется, кончится на Родине этот красный кошмар, и можно будет вернуться домой.

Константину Васильевичу чудом удалось получить для Сони койку в каюте второго класса. Пароход был переполнен, от качки многих мутило. На вторую ночь, когда море немного утихло, у Сони начались схватки.

— Несмотря ни на что, ты доносила его до положенного срока, — спокойно сказал Константин Васильевич, — я за свою жизнь принял больше сотни родов. Ребенок подвижный и крупный. Мы справимся.

Нашелся спирт, нашлись чистые простыни, с кухни принесли теплую воду, каюту освободили от посторонних. Явился француз, судовой врач, предложил помощь. Эти роды стали событием, которое каким-то чудесным образом сплотило всех на корабле. Предыдущее судно, отплывшее на сутки раньше, потерпело крушение, утонуло в ледяных волнах, и никто не спасся. Все знали, что по радио получено сообщение о следующем, более сильном шторме. Он должен был начаться к вечеру. Многие сделали ставку на ребенка: если все будет хорошо, пароход благополучно доплывет до Константинополя.

Роды длились десять часов. Когда первые, по-настоящему большие и страшные волны принялись вздымать судно и швырять его, словно рыбацкую лодочку, раздался басистый, сердитый крик новорожденного мальчика.

* * *

«Сейчас ночь, Мишенька наконец уснул. Папа еще не вернулся из больницы. Я нашла эту тетрадь и, не знаю зачем, решила продолжить свой дневник, — писала Соня в Париже летом 1920 года, — вряд ли у меня будут силы для подробных записей. Мы здесь уже полтора года, и давно пришли в себя после всех ужасов бегства. Я поступила в актерскую школу. Учеба, репетиции, съемки отнимают почти все мое время. Я ничего не хочу и не могу вспоминать. И все-таки у меня стоит перед глазами этот странный, светящийся камень

Мы закопали его у беседки, со стороны рощи, в двух метрах от самого толстого и старого дуба. Папа сказал, что нельзя медлить. Купец сегодня же вернется и перевернет весь дом.

Я уложила брошь в серебряную шкатулку, в ту самую, в которой Миша принес ее мне. Бриллиант светился в сумерках, и я впервые заметила, как он странно и страшно красив. Раньше мне казалось, что драгоценные камни ничем не отличаются от простого стекла. Я всегда была равнодушна к драгоценностям. Мертвая красота, которая не возбуждает в человеке ничего доброго. Только злобу, зависть и жадность. А тут, над маленькой глубокой ямой, мне почудилось, будто мы хороним живое существо. Я в последний раз взглянула на брошь. Лепестки дрожали, камень пылал, впитывая алый огонь заходящего солнца. Потом был кошмар, сумасшедший купец со своими разбойниками, пожар... Я забыла о камне и не думала о том, что все это из-за него.

О чем еще я могла думать, когда дом, в котором я выросла, в котором до меня выросло пять поколений Батуриных, сгорел дотла?

О чем я могла думать потом, когда кошмар продолжился, стал набирать обороты, из обычных людей, никому не сделавших зла, мы превратились в «классово-неполноценный элемент». А с «элементом» можно поступить как угодно — убить, изнасиловать, истоптать сапогами, словно уличную грязь. Оказалось, сгорел дотла не только наш дом, но и вся Россия.

Перед отъездом в Одессу папа хотел съездить в Батурино, откопать камень. Но на это уже не осталось времени, да и рискованно было убегать с такой дорогой вещью. Из-за броши нас могли убить. Папа решил, что потом, когда кончится красная смута, мы вернемся на пепелище и, возможно, эта брошь поможет нам начать все заново. Неизвестно, какие будут деньги, но брошь стоит столько, что если продать, то удастся жить на это несколько лет.

Теперь я точно знаю, мы никогда не вернемся. Нам просто некуда возвращаться. Там Совдеп, голод, красный террор, каторжные порядки, бандитская власть. Недавно приехала из Берлина Наташа Данилова. Она рассказала, что слышала от кого-то из вновь прибывших, будто Ирина Порье вовсе не умерла осенью семнадцатого от апоплексического удара, а жива, здорова, стала комиссаршей, красной чиновницей и занимается распределением награбленного имущества.

Папа продолжает верить, что большевики долго не продержатся, каждое утро читает газеты с такой жадностью, что больно на него смотреть.

Его, как всегда, спасает работа. Нам удивительно повезло. Год назад на бульваре Сен-Мишель мы встретили того доктора, который вместе с папой принимал у меня роды на французском судне. Этот месье Фраппе помог папе обойти все препоны французской бюрократической машины и устроиться на работу в муниципальный госпиталь, что для таких, как мы, эмигрантов, в принципе невозможно. Теперь нам хватает на эту маленькую квартиру, на еду и на няню для Мишеньки.

Папа занят с утра до вечера, часто дежурит ночами, мало спит, и ему не остается времени на страшную ностальгию, которая ест души многих русских.

А я занята в своей студии. Никогда не думала, что захочу стать актрисой. Но, оказывается, могу играть, мне обещают большое будущее, причем не в театре, а в кинематографе. Пока приглашают на второстепенные роли, но уже есть из чего выбирать.

Две недели назад к нам на репетицию явился американец по фамилии Диккенс. Смешной огромный янки в белом костюме, при знакомстве сразу предупреждает, что зовут его не Чарлз, а Дуглас и к великому английскому писателю он не имеет никакого отношения.

На репетиции я плясала «цыганочку», потом била чечетку, потом спела под гитару романс «Гори, гори, моя звезда». У янки потекли настоящие крупные слезы. Теперь каждый вечер он заезжает за мной в своем открытом черном автомобиле и протяжно сигналит у подъезда. Багровые розы, огромные, пухлые, на фоне белоснежного костюма, навевают не самые радостные воспоминания. Но хватит об этом. Все осталось там, в России. Дуглас Диккенс — это не купец Болякин.

Сегодня, всего час назад, он предложил мне отправиться с ним в Америку, в Голливуд. Оказывается, он очень богат и вкладывает деньги в кино. Не знаю, получится ли что-нибудь путное. Я никогда не была суеверной, но на этот раз боюсь сглазить.

Однако, кажется, проснулся и плачет Мишенька, а у меня так слипаются глаза, что буквы плывут».

— Чем ты так увлеклась? — Дмитрий Владимирович подошел так тихо, что Варя вздрогнула.

Он взял у нее из рук книгу. На обложке была фотография американской кинозвезды тридцатых годов Софи Порье.

— Никогда не думала, что она была русской, — сказала Варя, — оказывается, ее звали Софья Константиновна Батурина, и псевдоним Порье она взяла себе в память о своей первой любви. Здесь выдержки из ее дневника, потрясающая любовь с каким-то несчастным старым графом, которого отравила сумасшедшая жена. Совершенно реальные события интереснее любого романа.

— Ну, во-первых, далеко не все события, описанные здесь, реальны. Многое придумано, ведь проверить нельзя.

— Ну, если это и выдумки, все равно интересно. Книга валялась на тумбочке у кровати, ты тоже ее читал, не мог оторваться. Между прочим, если ты посмотришь внимательно, то заметишь, как мы с ней похожи. А она считалась одной из самых красивых актрис довоенного кино. Гениально танцевала чечетку и пела русские романсы. Ну, посмотри. — Варя пролистала вкладку с иллюстрациями, показала несколько фотографий, повертела головой, повторяя ракурсы, в которых была заснята Соня Батурина.

— Да, действительно что-то есть, — кивнул Мальцев.

— Кстати, на портрете, который висит в гостиной, не она ли, не Софья Батурина в юности? Она ведь описывает в своем дневнике, как граф рисовал ее с брошкой у горла.

— Она. Паша увлекается старым голливудским

кино, особенно фильмами тридцатых. Вот и купил этот портрет, когда узнал, что на нем Софи Порье в юности.

— А что, брошка, которую она зарыла в саду, действительно такая дорогая? Интересно, нашел потом кто-нибудь эту серебряную шкатулку?

— Ладно, хватит, — Мальцев внезапно повысил голос, у него стали неприятные злые глаза, — ты бы лучше к экзаменам готовилась, читала то, что надо по программе.

За окном послышался звук мотора. Мальцев взглянул на часы и отправился вниз, в гостиную. Варя подбежала к окну и увидела, как въезжает в ворота голубой седан Павла Владимировича.

Через несколько минут раздались шаги по лестнице. Прежде чем они поднялись в кабинет и закрыли за собой дверь, Варя услышала обрывок разговора. Дмитрий Владимирович был сильно раздражен и говорил на повышенных тонах, почти кричал, что случалось с ним редко.

— Он сказал, с чем это связано? Паша, сосредоточься, пожалуйста. Возьми себя в руки. Он ведь не на экскурсию туда пришел, не ради расширения общего кругозора.

— Митя, не кричи. Там вроде бы дело об убийстве тележурналиста, но никаких подробностей я не знаю. Как ты понимаешь, оперативник профессору Удальцову подробностей не докладывал, а Удальцов мне — тем более. Существует тайна следствия.

— Хорошо, Павлик, тележурналист — это хоть что-то. Это уже теплее. Я попробую уточнить в прокуратуре... Вот что, позвони ему, пусть даст оперативнику твой телефон, пусть скажет, что ты уже в Москве. Ну, придумай какой-нибудь предлог.

Хлопнула дверь кабинета. Голоса затихли.

ГЛАВА ТРИДЦАТЬ ДЕВЯТАЯ

Беляева готова была приехать в следственный отдел прямо с утра. Она сообщила, что у нее есть два часа свободного времени, с десяти до двенадцати. Но Илья Никитич представил, сколько любопытных под разными невинными предлогами станет заглядывать в его маленький кабинет, когда по УВД пойдет слух, что у него сидит сама Елизавета Беляева. Вряд ли удастся нормально побеседовать.

— Если не возражаете, я лучше подъеду к вам домой, прямо сейчас.

— Да, конечно. — Она подробно объяснила, как добираться.

Илья Никитич ожидал, что попадет в роскошную квартиру, где комнат не меньше пяти, а скорее всего, это будет двухэтажный пент-хаус со стеклянной оранжереей в одной из так называемых «лужковских» новостроек для очень богатых людей.

Но оказалось, телезвезда живет в обычном сталинском доме, в трехкомнатной квартире, без всяких оранжерей.

Без грима, в джинсах и свитере, Беляева выглядела, пожалуй, даже привлекательней, чем на экране. Во всяком случае, так показалось Илье Никитичу, который вообще не любил подкрашенных женских лиц.

— Чай? Кофе?

— Если чай в пакетиках, то лучше кофе.

— А если кофе растворимый, то лучше чай, — она улыбнулась, — я сварю кофе, потому что сама еще не завтракала. Честно говоря, я только что встала и все никак не могу проснуться.

Илья Никитич заметил, что глаза у нее действительно сонные, даже как будто воспаленные.

— Значит, убийцу Артема пока не нашли? — спросила она, стоя у плиты и следя за пеной, поднимающейся в большой медной турке.

— Пока нет. Сколько лет вы были знакомы с Бутейко?

— Лет пять, не меньше, — она сняла турку с плиты, разлила кофе по маленьким чашкам, села напротив, — вам, вероятно, уже сообщили, что у нас с Артемом сложились очень скверные отношения.

— Да, мне говорили, и я видел несколько старых передач в записи.

— Какие именно передачи, если не секрет? — Она отхлебнула кофе, поморщилась, потому что он был слишком горячий, встала, достала из холодильника пачку грейпфрутового сока. — Вам налить?

— Да, немного. Спасибо.

Сок был ледяной. Она выпила залпом. Илья Никитич понял, что она довольно сильно волнуется.

— Попробуйте кекс, — она кивнула на тарелку, на которой лежало покупное печенье двух сортов и ломтики домашнего кекса, — это моя дочь пекла. Получилось неплохо. Попробуйте.

Илья Никитич съел кусок.

— Сколько лет дочке?

— Недавно исполнилось двенадцать.

— Да, действительно у нее неплохо получилось, учитывая возраст.

Она улыбнулась и, кажется, немного успокоилась.

— Вы любите домашнюю выпечку?

— Очень люблю, — признался Илья Никитич, — скажите, Елизавета Павловна, ваши отношения с Бутейко с самого начала не сложились? Или были какие-то конкретные причины, из-за которых между вами возникла вражда?

— Илья Никитич, вы так и не ответили, какие

именно видели передачи. Если бы я знала, что вы успели просмотреть, мне было бы легче ответить на ваш вопрос.

— Вы сначала расскажите в общих словах, что произошло, а о передачах мы потом поговорим.

— Ну хорошо, — она еще раз улыбнулась, уже совсем спокойно и тепло, — у вас, я вижу, есть профессиональные приемы ведения диалога. Мы действительно терпеть не могли друг друга, — она вытащила сигарету из пачки, стала вертеть в руках, — но это обычное дело на телевидении. Там сегодня дружат семьями, целуются при встрече, а завтра так гадят друг другу, что не дай Бог. Впрочем, послезавтра могут опять стать лучшими друзьями. А чаще все происходит одновременно. Наша вражда с Артемом отличалась тем, что была открытой. Это действительно редкость. Однако по внутреннему накалу страстей она не превосходила обычные телевизионные интриги, — Беляева отложила незажженную сигарету, взяла с тарелки кусок кекса, отхлебнула кофе, съела кекс и только тогда закурила.

«Значит, не так уж сильно волнуется, если не стала курить на голодный желудок, хотя очень хотела», — отметил про себя Илья Никитич.

— Кофе у вас замечательный, — произнес он с улыбкой, — можно еще чашечку? Нет, сидите, я сам налью. Знаете, Елизавета Павловна, мне попалась кассета с записью первого и последнего ток-шоу Бутейко.

— Надо же, — она покачала головой, — я думала, запись не сохранилась. Мне почему-то казалось, что вы сейчас напомните мне о недавнем его сюжете с моей матерью.

— У Бутейко остался довольно большой архив. Он хранил практически все, даже аудиокассеты с интервью. Да, сюжет о вашей маме я видел. Скажите, Елизавета Павловна, почему вы сорвали его ток-шоу три года назад?

— Ну, если вы просмотрели запись, то должны были понять почему. Тем более вы следователь, и вам, как никому, ясно, насколько нелепо и небрежно он подготовил свой криминальный сюжет.

— Но вы ведь понимали, что наживаете себе серьезного врага.

— Вот об этом я тогда не думала. Потом, конечно, много раз жалела о своем поступке. Но тогда, на ток-шоу, я жутко разозлилась.

— Почему?

— Это долгая история.

— Я с удовольствием послушаю.

— Ну хорошо, я попробую объяснить, хотя, предупреждаю, все это на уровне эмоций и вряд ли имеет отношение к убийству. Не знаю, попалась ли вам запись передачи «Стоп-кадр», в которой был сюжет Артема о милиционере и певце.

— Да, я видел этот сюжет.

— Вы, вероятно, уже знаете, что того капитана посадили на три года. Не мне судить, насколько справедливо это было, и, в общем, дело даже не в справедливости. Так получилось, что я стала случайным свидетелем разговора между капитаном и Артемом. Был еще третий человек, приятель Артема, кажется, его одноклассник. Фамилию не помню. Капитан пришел в Дом кино, там праздновался десятилетний юбилей передачи «Стоп-кадр». Он пришел специально, чтобы попросить Бутейко не пускать в эфир сюжет о ресторанной драке. Я поняла, что это уже не первый их разговор. То есть человек унижался во второй или в третий раз. Ему уже было все равно. Фойе Дома кино, антракт, люди кругом. Капитан в форме готов был встать на колени, а мальчики, Артем и его приятель, получали от этого удовольствие. Они открыто куражились над капитаном, и смотреть на это было невозможно. Не знаю, поймете вы меня или нет. После той сцены я стала значительно хуже относиться к Артему. Он вдоволь, с удовольствием, поиздевался над капитаном, а потом запустил в эфир сюжет. Для него это было важно. О сюжете много говорили, он решил за счет того ресторанного мордобоя свои профессиональные проблемы, в итоге получил то, к чему давно стремился: возможность делать собственное ток-шоу. И вот, когда я увидела, что в качестве героя он пригласил того самого приятеля-одноклассника, и они не потрудились хотя бы продумать свою фальшивую историю, а зал верит, зал плачет, мне стало противно. До этого мне казалось, что в цинизме Артема все-таки больше игры, позы, чем правды, и есть какой-то внутренний предел. Все-таки одно дело — постельные секреты звезд, и совсем другое — загубленная жизнь. В общем, я поняла, что предела нет. Если на меня, постороннего человека, эта история произвела такое сильное впечатление, что я решилась нарушить закон жанра, сорвать коллеге премьеру в прямом эфире, то каково же было капитану? Как он должен был возненавидеть Бутейко и его приятеля? Кстати, три года прошло. Наверное, тот капитан уже на свободе, только вряд ли вернулся в милицию.

* * *

Клим долго, внимательно разглядывал фотографии. Вова пытался понять, о чем он думает. Лицо Клима оставалось непроницаемым, ничего интересного нельзя было прочитать ни в его маленьких зеленоватых глазах, ни в твердой складке рта.

Молчание затянулось. Вове стало не по себе. Он вдруг подумал, что в сущности Клим до сих пор остается для него совершенно закрытой, загадочной фигурой. Он появляется и исчезает внезапно. Вова никогда не видел его документов, не был у него дома и даже не знает, где и с кем Клим живет, женат ли он, есть ли у него дети.

Пожалуй, впервые за многие месяцы знакомства ему стало не по себе. Но только на минуту. Мухин не любил изводить себя разными трудными вопросами и был по-своему прав. Зачем портить себе удовольствие? Зачем пачкать сомнениями большую и чистую надежду на грядущие деньги?

Вова смотрел Климу в рот и верил каждому его слову. Он, как большинство болезненно жадных людей, был доверчив и послушен, словно домашнее животное. Он сразу забыл, что Саня Анисимов и Артем Бутейко его приятели. Ну правильно, разве деловой человек обращает внимание на такие мелочи? Наоборот, отлично, что он знаком с обоими и владеет информацией. Ценность его как делового партнера резко возрастала и в глазах Клима, и в глазах заказчиков. Кстати, их он вообще никогда не видел, этих заказчиков, но знал со слов Клима, что они люди очень крутые. Все классно получилось, и не стоило изводить себя сомнениями. Клим сказал, что заказчики остались довольны, отвалили много, но есть шанс получить больше.

Клим дал ему всего тысячу, но предупредил, что это так, мелочь, небольшой процент от Вовиной части. Первые деньги, полученные за выполнение заказа, тем более такого сложного, с подставой, с инсценировкой, трогать нельзя.

— Плохая примета. Положено первую зарплату маме отдать, — объяснял Клим, — тогда деньги не переведутся. У тебя вместо мамы будет счет в немецком банке. Я сейчас все на тебя оформлю, сумма там приличная, и через пару лет набегут хорошие проценты, домик себе купишь, где захочешь, и станешь жить на то, что мы получим за следующие заказы.

Вову не интересовало, каким образом сумеет Клим открыть на его имя счет в заграничном банке, не предъявив ни его самого, ни его документов. Он знал, что Клим все сделает, как надо. Вообще, думать было некогда. Второй заказ поступил почти сразу после первого. Клим обещал, что заварятся серьезные дела и денег будет много. Так оно и получается. Чего ж тут думать?

Клим аккуратно сложил снимки в конверт, протянул Вове и задумчиво спросил:

— Кто такой этот Владик Мыло?

— Друган мой, работал со мной в автосервисе. Из всей команды только он один не оказался падлой. Хороший парень, надежный.

— Как мог на него выйти заказчик?

— Тут все чисто. Владик сам из Сургута, то есть они с этим Петром Петровичем земляки.

— Хорошо. Где этот клуб «СТ» знаешь?

— Конечно.

— Съезди туда, погляди, как и что.

— А ты?

— Мне ни к чему там вертеться. К тому же я отлично знаю это место и в клубе бывал.

— Так мы что, опять вместе пойдем? — испуганно прошептал Вова. — Клим, так нельзя. Ты же сам говорил, после нашего первого с тобой дела слишком мало времени прошло. Я понимаю, там все чисто, ты здорово придумал и сработал, но нельзя опять вместе, мало ли, вдруг там... — Вова замолчал на полуслове, встретившись с Климом глазами. Клим смотрел на него, не моргая, долго, пристально, и у Вовы сердце прыгнуло куда-то в желудок и закудахтало там, как курица, у которой сейчас отрубят голову.

— Какое дело? О чем ты? Зачем говорить о том, чего не было? Тебе все приснилось, Вова. Не было ничего, — Клим легонько потрепал его по щеке. — Ты, если сон плохой снится, встань и умойся холодной водичкой. Понял?

— Понял, — Вова судорожно сглотнул, — слушай, я это... спросить хотел, как насчет аванса? Я тебе сколько должен?

— Нисколько.

— Как это?

— Вот так. Нисколько ты мне, Вовчик, не должен. Все пятнадцать кусков твои.

Вова быстро нервно заморгал, полез в карман за сигаретами и долго не мог прикурить, руки у него дрожали.

— Клим, я не понял...

— Чего ж тут непонятного? — улыбнулся Клим. — Стреляешь ты неплохо, реакция у тебя отличная, зрение стопроцентное. Завтра привезу тебе хороший ствол, и вперед. Чего ты так разволновался? Справишься, Вовчик. Пятнадцать кусков — это деньги.

* * *

Саня Анисимов встретил следователя Бородина мрачным молчанием. Он не понимал, что происходит. После психиатрической экспертизы его оставили в больнице им. Ганнушкина, причем в отдельной палате, которая была похожа на камеру. Конечно, здесь было лучше, чем в КПЗ. Во-первых, никаких соседей-уголовников, во-вторых, сравнительно чисто, нормальное постельное белье, нормальный сортир в коридоре. Кормили тоже получше, чем в тюрьме. Однако Сане все надоело, ужасно хотелось домой. Он уже сообразил, что вину его доказать не так просто, и следователь в принципе ничего мужик, спихивать на него чужое преступление для галочки не собирается. Так почему же тогда не выпускает?

— Сейчас я покажу вам несколько фотографий, — сказал Илья Никитич, — вы посмотрите очень внимательно и попытаетесь вспомнить, кого из этих людей встречали, а если встречали, то где, когда и при каких обстоятельствах.

Анисимов долго перебирал снимки и сначала сказал, что никого не знает. Илья Никитич не торопил его. В любом случае, своего приятеля Вову Мухина он узнать должен, хотя фотография, взятая из паспортного стола, была не очень качественной.

— Может, вы отпустите меня с подпиской о невыезде? — осторожно поинтересовался Саня, вскинув глаза от снимков.

— Там видно будет, — буркнул Илья Никитич, — значит, вы утверждаете, что никто из этих людей вам незнаком? Пожалуйста, посмотрите внимательней.

— Ну, вот это вроде... — он ткнул пальцем в фотографию Мухина, — это же Вова! Вова Мухин, точно, он! Правда, здесь он совершенно на себя не похож. Сейчас он значительно толще. Подождите, и этого я знаю. Где же я его видел?

— Я, пожалуй, помогу вам, — медленно произнес Илья Никитич, — это капитан милиции Василий Соколов. Три с половиной года назад вы вместе с Артемом Бутейко были в ресторане. Праздновали день рожденья певца Руслана Кудимова...

— В ресторане? — поморщившись, пробормотал Анисимов. — Кто такой капитан Соколов? Ах, ну да, тот милиционер... Я же его совсем не помню... Нет, при чем здесь Соколов? Его посадили... У него были усы... и лицо совсем другое... В ресторане... Это Клим! Эрнест Климов, бизнесмен из Германии!

ГЛАВА СОРОКОВАЯ

Красавченко позвонил Лизе на сотовый и сообщил, что будет ждать ее на улице, у семнадцатого подъезда в Останкино.

— У меня нет времени, — сказала она.

— Ничего, десять минут найдется.

Выйдя из машины, она сразу увидела его. Он подрулил к ее «шкоде» на серебристом «БМВ», приветливо улыбался и махал рукой. Не обращая на него внимания, она вышла, закрыла машину, поставила на сигнализацию. Он тоже вышел и взял ее под руку.

— Здравствуйте, Елизавета Павловна.

— Я сказала, нет времени, — она выдернула руку, — и вообще, должна вас огорчить. Все ваши героические усилия пропали напрасно. Вы наняли какую-то женщину, переспали с ней, и вас засняли на пленку. Она действительно немного похожа на меня.

— Она очень похожа на вас. А вы, к несчастью, слишком стереотипны.

— Ну и что?

— Ну, Елизавета Павловна, вы умная женщина, вы достаточно хорошо знаете гнусную человеческую природу. Многим захочется увидеть на этой пленке именно вас, а не какую-то другую, случайную женщину. Она никому не интересна. А вы звезда. К тому же я дам несколько очень искренних интервью для желтой прессы, в которых расскажу о нашем с вами тайном страстном романе.

— С таким же успехом кто угодно может рассказать о романе со мной. Хоть какие-то доказательства все-таки нужны, даже для желтой прессы.

— А они есть у меня. Фотографии и видеокассета. Разве мало? Я поведаю миру трогательную историю о том, как давно и безответно люблю вас, и вот вы наконец снизошли, однако счастье длилось совсем недолго. Нашелся мерзавец, который заснял нас с вами и стал шантажировать, требуя огромную сумму денег. И вы с испугу решили порвать со мной. Но я так сильно люблю вас, что готов был заплатить мерзавцу, однако шантажист не успокоился. На любом суде я буду смотреть на вас обожающими глазами, даже могу пустить скупую мужскую слезу. Я буду повторять: Лизонька, прости меня... я люблю тебя... вспомни, как мы были счастливы. И мне поверят. Мне, а не вам. Доказательства здесь ни при чем. Захотят поверить мне потому, что так интересней, так мелодраматичней. Я устрою такое шоу, такую мыльную оперу, что мне же еще и денег заплатит какой-нибудь умный продюсер.

— Я никогда не красила ногти на ногах и на руках, — равнодушно произнесла Лиза, — у меня аллергия на ацетон. У вашей дамы ногти ярко-алого цвета.

— Да что вы говорите? — Он испуганно всплеснул руками. — Надо же, как я прокололся, ай как нехорошо! Впрочем, я оптимист. Безвыходных ситуаций не бывает. Ну конечно, мне известно про аллергию, но вы знали, что мне ужасно нравятся алые ногти. Меня это возбуждает, и из любви ко мне вы купили специальный лак, сделанный на каком-то другом растворителе, не на ацетоне. Вы разве не помните? Да, кстати, я не спросил вас, как вашему Юраше понравился фильм? Вряд ли он обратил внимание на цвет ногтей. Он был под сильным впечатлением. Я прав? Можете не отвечать, я знаю, что прав. А теперь подумайте, если он, близкий человек, не заметил этой ерунды, то разве можно ждать наблюдательности от широкой публики? Хотя, конечно, я признаю, что допустил небрежность. Мне следовало попросить даму стереть лак с ногтей.

Лиза заметила, что на стоянку въехал синий «Мерседес» директора канала, и тут же, ни слова не говоря, кинулась в подъезд телецентра. Еще не хватало, чтобы их заметили вместе.

— Погодите, Елизавета Павловна, мы не договорили. Я понимаю, что здесь, сейчас, неудобно. Назначьте сами время и место.

— Хорошо, — буркнула Лиза, — знаете ресторан «Паттио-пицца» у Пушкинского музея?

— Конечно.

— Сегодня. В девять вечера.

«Он прав, — думала она, сидя в монтажной и тупо глядя на мониторы, — мне придется выполнить его условия. Никакой лак меня не спасет».

Шел обычный, суетный, нервный рабочий день. На коротком совещании Лиза теряла нить разговора, вглядывалась в жесткое лицо директора. Рот его улыбался, глаза оставались колючими и серьезными. Она думала о том, как лучше преподнести ему Красавченко, чтобы максимально обезопасить себя, и когда разумней начать этот разговор.

«А может, все-таки потянуть время? Попытаться заморочить ему голову? Пока у него останется надежда на эфир, он не запустит свою мыльную оперу», — размышляла она, накладывая тон в маленьком кабинете рядом со студией.

Там пили кофе, рассказывали анекдоты, потихоньку курили, вздрагивая при каждом стуке в дверь, потому что пожарники за курение штрафовали.

«Для начала надо все-таки выяснить, что именно и кому он хочет сообщить с экрана», — думала она во время записи передачи, автоматически произнося текст.

— Ты запинаешься через слово, — сердито заметил редактор, — давай сначала.

В начале девятого она вырулила со стоянки перед телецентром, ровно к девяти подъехала к ресторану. На стоянке краем глаза заметила уже знакомый серебристый «БМВ».

Свободных столиков было достаточно. Она огляделась, обошла залы, но Красавченко не увидела. Заняла столик у окна, которое выходило на освещенную стоянку, заказала пока только сок, поставила сумку, отправилась к «шведскому столу», взяла себе несколько сортов салатов, чесночный хлеб, вернулась за столик, взглянула на часы. Было уже пятнадцать минут десятого.

«Куда же он делся? Машина стоит...» Она принялась за еду. Подошел официант, спросил, принести ли пиццу. Она отказалась. Салатов и чесночного хлеба вполне достаточно.

В половине десятого к здоровенному джипу, стоявшему как раз за серебристым «БМВ», подошли, поигрывая ключами, двое широкоплечих кожаных братков и высокая белокурая девица в длинной распахнутой шубе. «БМВ» стоял таким образом, что джип выехать не мог. Один из братков наклонился и постучал в стекло. И тут же отпрянул, бросился к своему приятелю и к девице, которые курили у джипа. Все трое о чем-то возбужденно заспорили. Наконец девица вытащила сотовый и стала куда-то звонить.

Лизе захотелось выйти и посмотреть, в чем дело. Но она усилием воли заставила себя сидеть. Допила сок, спокойно заказала кофе, закурила.

Минут через десять послышался вой сирен. На стоянку въехала «скорая», вслед за ней милицейский «газик». Вспыхнули яркие фары, под козырьком ресторана зажгли сильный прожектор, и Лиза заметила, что в «БМВ» на водительском месте сидит человек, странно откинувшись на подголовник. Она привстала, прижалась лицом к стеклу и узнала тяжеловатый суперменский профиль Красавченко.

Оперативники попросили всех оставаться на местах, и каждому показывали паспорт с фотографией, спрашивали, не знаком ли этот человек?

Лизу оперативник узнал, улыбнулся, поздоровался, назвав ее по имени-отчеству.

— Что же с ним случилось? — поинтересовалась она. — Сердечный приступ? Кровоизлияние в мозг?

— Выстрел в голову, — тихо ответил оперативник.

— Как же никто ничего не заметил, не услышал выстрела?

— Пистолет был с глушителем, работал профессионал, сделал все тихо и быстро. Охранник и грузчик вроде бы видели, как какой-то парень подходил к машине, но пока ничего определенного о нем сказать не могут.

— И давно он так сидит?

— Ну, примерно с половины девятого.

Лейтенанта окликнули, он улыбнулся, кивнул.

— Всего доброго, Елизавета Павловна. Было очень приятно познакомиться.

Он так и не спросил, знает ли она этого человека.

* * *

— Дмитрий Владимирович, добрый вечер! — Хозяин клуба «СТ» расплылся в улыбке, пожал руку Мальцеву, а Варе опять только кивнул, правда, сдобрил это не слишком почтительное приветствие комплиментом: — Вы сегодня великолепно выглядите, Варенька. Рад вас видеть.

Они прошли к своему столику. На этот раз в клубе было почти пусто, оркестр отдыхал, из невидимого динамика тихонько лилась старинная лютневая музыка.

Варя открыла книжку меню в дорогом вишневом переплете.

Рядом с названиями блюд не было цен. У постоянных посетителей деньги через банк снимались со специальной клубной карточки. Перечень блюд и вин можно было читать, как поэму, не отвлекаясь на неприятные цифры.

— Африканская рыба Лу в соусе из дальневосточных крабов с креветочными чипсами, — задумчиво прочитала вслух Варя.

— Ни в коем случае, — улыбнулся Мальцев, — ты уже пробовала эту экзотику.

— Ах да, конечно. Жуткая гадость.

Варя вспомнила, как впервые попала в это райское заведение, долго изучала меню и выбрала наконец именно это блюдо, африканскую рыбу Лу. Примерно через полчаса у стола появился целый эскорт. Сам хозяин и метрдотель несли на вытянутых руках тарелки, накрытые серебряными круглыми крышками. Лица у них при этом были как у солдат в почетном карауле у мавзолея. Они застыли, вытянувшись в струнку, и казалось, перестали дышать. Хозяин подал знак легким движением век, и одновременно были подняты серебряные крышки.

На Вариной тарелке лежало несколько маленьких серо-белых кусочков рыбы, облитых каким-то мутным оранжевым соусом. По вкусу африканская рыба напоминала сухую треску в томате. Варя чуть не заплакала от разочарования, она так хотела выбрать себе что-нибудь самое вкусное, самое необычное, и вот, пожалуйста. Африканская сухая треска.

— В следующий раз будешь умнее, — сказал Мальцев и заказал для нее блины с икрой, — один мой приятель в городе Марселе, в африканском ресторане «Гвинея» заказал себе фирменное национальное блюдо, самое дорогое и роскошное. Под звуки бубнов и тамтамов к его столу принесли огромный котел с размоченным сырым пшеном, посыпанным кружочками вареной морковки. Так что запомни, Варюша, всегда надо заказывать те блюда, которые ты знаешь, иначе останешься голодной.

Ей нравилось, когда он рассказывал забавные истории. Но сегодня он был молчалив и мрачен. Проблемы долгого и трудного рабочего дня все никак не оставляли его в покое. Дважды звонил сотовый, он отвечал коротко и раздраженно, морщился оттого, что из-за музыки было плохо слышно.

— Я, пожалуй, возьму шашлык из осетрины. — Варя закрыла меню и закурила.

Заказ был подан с обычной торжественностью. Большие ломти янтарно-розового шашлыка, нанизанные на серебряный шампур, были подернуты тонкой золотистой корочкой, которая получается, только если шашлык жарится на настоящей угольной жаровне.

Дмитрий Владимирович ел быстро и жадно. Пил много воды. У него была манера полоскать рот перед тем, как проглотить воду. Губы сжимались в ниточку, щеки быстро упруго тряслись. Варя не могла этого видеть, ее начинало подташнивать. Всякий раз, когда Мальцев подносил стакан ко рту, она отводила глаза.

Подошел хозяин, спросил, все ли в порядке, не сделать ли музыку потише.

— Слушай, Стас, — задумчиво произнес Мальцев, — ты все знаешь. Какого журналиста недавно убили?

— Где именно, Дмитрий Владимирович? Если в горячих точках, то...

— Нет. В Москве.

— Да вроде никого из известных не убивали. Подождите, нет. Одного все-таки кончили. Правда, он не очень известный, вы наверняка о нем не слышали. Артем Бутейко.

— Как ты сказал? Бутейко? — Дмитрий Владимирович застыл на секунду.

— Ну да, он совсем недавно стал вести ночную программу на шестом канале. Знаете, всякая чушь, светские сплетни.

— Сколько ему было лет?

— Около тридцати.

— Спасибо, Стас. Принеси, пожалуйста, кофе для Вари, а мне, как всегда, зеленого чаю.

Хозяин почтительно кивнул и отошел. Дмитрий Владимирович тут же достал телефон, набрал номер.

— Знаешь, как фамилия убитого журналиста? — произнес он, не поздоровавшись. — Бутейко. Да, вот так... Конечно, сын... Ладно, я скоро еду домой. Будь здоров.

Он убрал телефон в карман. Хозяин принес кофе и чай. Пили молча. Варя вытащила сигарету из пачки.

— Не закуривай. Едем, — сказал Мальцев.

В фойе Варя причесалась перед зеркалом, потом достала из сумочки ключи от своей машины, кинула их телохранителю Сереже, рискуя угодить в зеркальную стену или в китайскую напольную вазу. Но Сережа ловко поймал на лету тяжелую связку.

— Не хулигань. — Дмитрий Владимирович подошел к ней и небрежно взлохматил только что расчесанные волосы.

— Не буду. — Варя виновато улыбнулась, влезла

507

в рукава своей бледно-бирюзовой дубленки, застегнула золотые пуговицы с крупными настоящими жемчужинами, опять полезла за расческой.

— Давай побыстрей, хватит крутиться перед зеркалом, — буркнул Мальцев.

Они вышли в густую мокрую метель.

Закрытый клуб занимал первый этаж огромного многоподъездного дома, когда-то здесь был большой обувной магазин. Теперь стекло высоких витрин заменили сплошными медными панелями, на каждой был вылит огромный витиеватый вензель «СТ».

Дом стоял фасадом к маленькой площади. Жилые подъезды выходили на другую сторону, во двор. Специальной огороженной стоянки при клубе не было. Машины размещались на небольшой, надежно охраняемой площадке, которая отлично просматривалась со всех сторон.

Джипы и «мерседесы» побелели от снега. Варин «рено» совсем занесло, он стоял на отшибе и был похож на продолговатый сугробик. Но беспокоиться не стоило. Телохранитель Сережа счистит снег и перегонит машину. Куда больше ее волновало, что лицо стало мокрым и сейчас потечет тушь. Она почти бежала к джипу по мокрой ковровой дорожке, протянутой по плитам от подъезда клуба до мостовой.

Бронированный джип Дмитрия Владимировича выделялся идеальной сверкающей чернотой. Шофер Коля и телохранитель Федор поспешно стряхивали с лобового стекла остатки снега. До джипа осталось несколько шагов, и вдруг непонятно откуда выскочила огромная овчарка. Пес был в ошейнике, но без поводка и намордника. Варя не боялась собак, однако инстинктивно бросилась в сторону, поскользнулась, потеряла равновесие. Острый каблук застрял в щели между мокрыми плитами, нога больно подвернулась, Варя упала. Тушь потекла, глаза щипало, она ничего не видела вокруг, только чувствовала горячее собачье дыхание. Из пасти овчарки нестерпимо несло тухлой селедкой. Рядом кто-то громко матюкнулся. Сквозь слезы и метель Варя успела заметить, как возле нее падают два огромных мужских силуэта, и через секунду грохнули выстрелы. Их было всего три. Варя уткнулась лицом в снег и закрыла голову руками.

* * *

Выскочив из подъезда, Вова Мухин полетел через сугробы, почти не касаясь земли. Но долго в таком темпе бежать он не мог. Бегал Вова плохо, к тому же снег был глубоким и липким. Он слышал позади хриплое собачье дыхание. Он оглянулся на бегу и понял, что огромная, как медведь, овчарка сейчас нагонит его и растерзает в клочья. Он не мог ни о чем думать, ему уже было безразлично, попал он или промахнулся, главное — убежать от собаки, главное — выжить, а дальше будь что будет.

Посередине двора, под тонким слоем снега, валялся гладкий, скользкий кусок пластика, самодельная «ледянка». На таких катаются с горок дети. Кто-то забыл ее во дворе. Вова Мухин поскользнулся, собака одним прыжком настигла его, крепкие зубы впились в его правую кисть, он пытался отбиваться левой рукой, ногами, не чувствуя боли, потому что больше всего боялся, что сейчас овчарка разорвет ему горло.

— Фрида, ко мне! — услышал он сквозь обморочный звон в ушах.

Он не сразу сообразил, что собака оставила его, не сразу решился открыть глаза, боль в руке пронзила его так, что он заорал во всю глотку.

— Тихо, тихо, не вопи, лежи смирно, сейчас пройдет, — прозвучал у самого уха знакомый голос, — руку давай, да не эту, левую. Правой не шевели. Быстро, малыш, быстро! Надо уходить.

— Клим, больно, не могу, — стонал Вова, пытаясь изо всех сил сдержать крик, — дико больно, слушай, она не бешеная?

Оттого, что Клим оказался рядом, стало значительно спокойней, но боль в прокушенной руке усиливалась, терпеть было невозможно.

— Клим, сделай что-нибудь!

Он уже делал. Он снял с Вовы толстую куртку, задрал рукав свитера. Вова не почувствовал укола, так сильно болела прокушенная рука. Клим колол не в вену, а в мышцу. Было темно. Соображал Вова так плохо, что не подумал, почему Клим оказался здесь, во дворе, откуда взялась собака и почему она слушается Клима, откуда вдруг у Клима в руках появился шприц, и главное, какое там, в одноразовом шприце-ампуле, лекарство?

Все это длилось не больше минуты.

— Сейчас станет легче. — Клим натянул назад задранный рукав, тихонько свистнул собаке, которая сидела и ждала в сторонке, подтолкнул Вову. — Все, малыш, вперед. Уходим.

У Вовы сильно кружилась голова. Боль в руке немного утихла, однако ноги стали ватными, и обдало жаром. Вова взмок, свитер пропитался потом, и тут же сильно зазнобило. Так сильно, что застучали зубы от холода. Но, как ни было ему худо, он все-таки заметил, что Клим подталкивает его совсем не в ту сторону, не к переулку, а назад, к большой квадратной арке.

— Куда? Ты что? — прохрипел он, пытаясь остановиться.

Но тут же руки его попали в тиски. Он тихо взвыл от боли.

* * *

После выстрелов на площадку перед клубом обрушилась тишина, такая тяжелая, что Варе показалось, будто она вдавливает ее в колючий мокрый снег. Тишина длилась всего несколько секунд, а возможно, ее вовсе не было, просто Варя оглохла от страха. Но постепенно стали наплывать живые звуки. В арке, ведущей во двор, послышался гулкий дробный топот, хруст мокрой наледи. Взвыла на разные голоса сигнализация у нескольких машин на стоянке, наконец в отдалении зазвучали сирены. К месту происшествия приближались милиция и «скорая».

Варя решилась приподняться. Это было трудно сделать. Одна туфля утонула в глубокой луже, другая застряла острым каблуком в щели между панелями. Тонкая корочка льда хрустнула под ногами, сквозь колготки снег обжег ступни.

— С тобой все в порядке? — Мальцев уже был рядом, он поддержал ее за локоть, развернул к себе лицом. — Где больно? Ну, говори скорей, где больно?

Он был без дубленки, пиджак расстегнут, галстук съехал вбок. Она обняла его, вжалась лицом в мокрую рубашку и заплакала.

— Митя, Митенька, не попали в тебя? Ты живой, Митенька?

— Ты босая на снегу. Простудишься, — произнес

он хрипло, отрывисто и поднял Варю на руки. Такое было впервые. Не только с ним, с господином Мальцевым, но вообще, за все двадцать лет жизни, ее никто не брал на руки. Разве что мама в раннем детстве да капитан Вася Соколов, когда выносил из воды.

— Если бы с тобой что-то случилось, я бы умерла, — призналась она совершенно искренне.

Он ничего не ответил, быстро пошел к джипу. Он нес ее с такой легкостью, словно она была маленьким ребенком.

Телохранители, шофер, клубная охрана суетились, кто-то громко, отрывисто отдавал распоряжения, милицейская бригада осматривала место происшествия, а из глубины арки появилась сначала овчарка с высунутым языком, потом два мужских силуэта. Они вышли из темноты, и стало видно, что один человек держит другого за локоть, тащит, волочит по снегу. У того были заломлены за спину руки, он согнулся почти пополам.

«Неужели удалось догнать киллера?» — удивилась про себя Варя.

Мальцев усадил ее на заднее сиденье джипа, подоспевший шофер красивым жестом скинул свою теплую кожаную куртку, накрыл ей ноги, включил печку и захлопнул дверцу.

Варя успокоилась, немного согрелась. Дрожь прошла. Она перебралась на переднее сиденье, повернула зеркальце так, чтобы разглядеть себя в полумраке. Надо было хоть как-то привести лицо в порядок. В карманах дубленки не было ничего, кроме фантика от жвачки. А сумочка, в которой имелось все необходимое — носовой платок, пудреница, расческа, осталась валяться где-то там, в сугробе, рядом с потерянными туфлями. Вылезать босиком из машины было неохота, но сумочку жаль. Она приоткрыла дверь, чтобы позвать кого-нибудь. Но шофер и телохранители стояли далеко. Вместе с Мальцевым они беседовали с милиционерами, наверное, свидетельские показания давали. Варе не хотелось орать на всю площадь. Мальцев не любил, если его отвлекали от важных дел. А давать показания, когда на тебя только что было совершено покушение, это, безусловно, дело важное.

Рядом с ними, прямо на заснеженных плитах, лежал человек. Варя разглядела черную куртку, раскинутые ноги. Он лежал, как труп. Но конечно, был жив. Просто так положено — валить на землю задержанного преступника. Именно он стрелял, его пару минут назад вывел из арки с заломленными назад руками хозяин овчарки.

— Черт, что же делать? — пробормотала Варя и открыла дверцу пошире.

Во влажном воздухе запахло табачным дымом, ей сразу захотелось курить. Но ее сигареты остались в сумке, а в машине случайной пачки оказаться не могло. Мальцев категорически запрещал курить в салоне. Оглядевшись, она заметила, что совсем близко у джипа стоит крепкий невысокий мужчина, курит и сплевывает в снег. Рядом сидела овчарка с высунутым языком. Из пасти ее валил пар, бока ходили ходуном от тяжелого частого дыхания.

— Простите, можно сигарету?

Он оглянулся, подошел к открытой дверце, доставая на ходу пачку из кармана.

— Это вы поймали бандита? — Варя прикурила от его сигареты и тут же отвернулась. Ей было неприятно, что кто-то, пусть даже совершенно незнакомый человек, пусть даже в темноте, смотрит на нее, когда ее лицо в разводах грязи.

— Не я. Фрида, — отрывисто произнес незнакомец, — она догнала его в два прыжка, я еле оттащил.

— А руки вы ему чем связали?

— Поводком.

— Он из окна стрелял?

— Нет. Он вылез на козырек.

— Зачем, интересно? Так ведь его проще заметить.

— Ему было трудно целиться из-за метели.

— Значит, он не профессионал?

— Понятия не имею.

Сквозь ветровое стекло Варя взглянула на подъезд клуба. Каменный широкий козырек проходил прямо над подъездом, вдоль всего фасада, на уровне второго этажа.

— Странно... Сначала ему надо было попасть в какую-нибудь из квартир на втором этаже.

— Окно лестничной площадки, — отрывисто уточнил незнакомец.

Каждое десятое окно, расположенное вдоль козырька, сияло холодным голубоватым светом. Ряды таких же голубоватых окон шли вверх, от второго до последнего, четырнадцатого этажа. Фасад был как бы расчерчен по вертикали, поделен на равные части рядами одинаковых голых окон. Варя знала, что в доме шесть жилых подъездов. То есть окна лестничных площадок освещены все до одного, очень ярко. Если бы убийца стрелял из окна, его силуэт был бы отчетливо виден с площади. Лучшего места, чем этот козырек, просто не придумать. Стоянка ярко освещена, над козырьком образуется как бы теневой шатер.

Одно из шести лестничных окон над козырьком было открыто. Варя только сейчас заметила, как покачивает створку сильный ветер.

— Интересно... — она забыла о том, как ужасно выглядит, и повернулась лицом к своему собеседнику, —

а вы, когда гнались за ним, не боялись, что он выстрелит?

— Нет.

— Он что, пистолет бросил?

— Не знаю.

Варя заметила на его правой руке два перстня. В ярком фонарном свете сверкнули бесцветные камни, слишком крупные, чтобы быть настоящими бриллиантами. На запястье болталась толстая золотая цепь. Лица его она разглядеть не могла, ближайший фонарь светил ему в затылок. Плечи широченные, накачанные, голова обрита наголо, короткая крепкая шея. То ли спортсмен-тяжеловес, то ли спецназовец, а может, чей-то охранник. Возможно, «браток», а скорее все сразу.

Она сдвинулась к самому краю сиденья, ей очень хотелось разглядеть его лицо.

— Вы здесь кого-то охраняли?

— Я гулял с собакой.

— Живете в этом доме?

— Нет. В соседнем.

— То есть вы оказались здесь совершенно случайно?

— Да.

— И вы все видели?

— Почти.

— А вот когда были выстрелы, кто-то повалил кого-то на землю. Не знаете, кто кого? — спросила она, пытаясь заглянуть ему в глаза.

Он отвернулся, ничего не ответил, бросил окурок в снег, сплюнул и быстро отошел. Овчарка Фрида встала, не спеша отряхнулась, брызги с собачьей шерсти полетели Варе в лицо.

— Подождите! — крикнула она вслед незнакомцу. — Можно вас попросить?

Он резко остановился.

— Там где-то в сугробе сумочка моя валяется, пусть кто-нибудь принесет. И еще туфли.

Он молча кивнул и быстро зашагал туда, где стояли охранники и милиционеры. Овчарка шла рядом, вжавшись в его ногу. Варя увидела, как навстречу человеку с собакой широким шагом направляется Мальцев. В одной руке он держал ее сумку, в другой туфли. Поравнявшись с незнакомцем, он остановился. Они говорили довольно долго. О чем, Варя не слышала.

«Этот браток повалил Мальцева на землю за секунду до выстрела, — вдруг догадалась Варя, глядя сквозь поредевший снег, как поднимают и заталкивают в милицейскую машину задержанного. — Он спас Мальцева. А его Фрида спасла меня. Если бы я не упала, могла бы запросто получить пулю. Одну из трех пуль. Киллер не профессионал, мазила. Конечно, целил он в Мальцева, но мог бы и промахнуться. Спасибо овчарке Фриде. Но как же он умудрился еще и догнать киллера? Тоже Фриду надо благодарить. Хорошая собачка. Умная».

Милицейская машина уехала, увезла задержанного. Мальцев все беседовал с незнакомцем.

«Мало ли в Москве немецких овчарок? — думала Варя. — Мало ли накачанных молодых мужиков, у которых хриплый басок, отрывистая речь, кретинская манера расплющивать фильтр сигареты зубами и сплевывать через слово?»

Она еще раз внимательно взглянула на себя в зеркало. Хорошо, что лицо такое грязное, в разводах туши. Пожалуй, не стоит стирать грязь, пока браток не уберется отсюда восвояси со своей умницей Фридой.

— Значит, вы просто заметили его на козырьке над

подъездом? — спросил Дмитрий Владимирович, вглядываясь в маленькие светлые глаза своего спасителя.

— Инстинкт сработал. За секунду до выстрела я почувствовал, в кого он целит.

— Откуда у вас этот инстинкт?

— Афган. Чечня.

— Вы военный?

— Я был офицером спецназа.

— Чем сейчас занимаетесь?

— Вот, собаку выгуливал, — в темноте сверкнули яркие белоснежные зубы. Улыбка была моментальной, как фотовспышка, и тут же лицо опять окаменело. Мальцев чувствовал, как напряжен его собеседник. На вопрос он отвечать не хотел.

«Конечно, такому крепкому парню неприятно признаваться, что у него проблемы с работой», — догадался Мальцев, искренне сочувствуя бывшему спецназовцу.

— Ну хорошо, а как вам удалось вычислить, куда именно он будет убегать?

— Увидел открытое окно, понял, что подъезд ближайший к арке, то есть в середине двора. Значит, ему удобней пересечь двор и только потом свернуть в один из переулков. Но догнал его не я, а Фрида.

— Вы специально обучали собаку этим навыкам?

— Так точно.

— И часто ей приходилось догонять преступников?

— Всякое бывало.

— Собака отличная у вас, — Мальцев протянул руку и потрепал жесткий мокрый загривок, — сколько лет вашей Фриде?

— Три с половиной.

— Хороший возраст. Собачья молодость.

— Так точно.

— Ну ладно. Еще раз спасибо вам. Вот моя визитка. Завтра в десять жду вашего звонка.

Варя перебралась на заднее сиденье, подложила под голову свернутую кожанку шофера, поджала ноги, накрылась своей дубленкой. Только теперь она почувствовала, как сильно устала. Глаза слипались.

Первыми сели в машину шофер и охранник. Судя по их мрачному молчанию, Варя поняла, что обоим грозит увольнение. И это справедливо. Если бы не случайный собаковладелец, все могло бы кончиться плохо.

Мальцев уселся на заднее сиденье, рядом с Варей.

— Кто он, этот парень с собакой? — спросила она, сладко зевнув.

— Бывший спецназовец.

— Да? А я думала, он милиционер.

— Ты поспи, солнышко, — Мальцев погладил ее по коленке, — ехать долго, поспи пока.

Ехать было действительно долго. Особняк Дмитрия Владимировича находился за городом, в тихом заповедном месте неподалеку от знаменитого Завидова.

— Собака у него хорошая, — пробормотала Варя уже с закрытыми глазами, сквозь сон, — наверное, старая. Только старые собаки бывают такими умными.

— Нет. Ей всего три с половиной года. Овчарки живут десять — двенадцать, то есть возраст у нее самый лучший. Собачья зрелая молодость.

Варя засыпала моментально, стоило только закрыть глаза, и через минуту ей уже что-то снилось. Сны всегда бывали цветными, яркими.

Перед ней возникла маленькая комната, двуспальный ватный матрац прямо на полу, с несвежим скомканным бельем, черное окно без занавесок, голая лампочка под потолком. В углу серо-коричневый толсто-лапый щенок жадно лакал молоко из миски. Рядом — широкая белая спина, крепкий, остриженный по-военному затылок. Голый по пояс мужчина присел рядом со щенком на корточки.

— А хочешь, я ее Варькой назову, в твою честь?

— Сдурел?

— Сука Варька. Классно звучит. Она вырастет злющая, хитрая, как ты. Правда, есть разница. Она породистая, а ты нет. У нее щенки будут, а у тебя никогда.

— Заткнись. У меня будут дети. Мне только семнадцать, и ты не каркай!

— Будешь грубить — побью, — он поднялся с корточек медленно, нехотя, развернулся лицом к Варе, уставился на нее своими светлыми жесткими глазами. Глядел, не моргая, без всякой улыбки, и это длилось бесконечно.

Сон был настолько живым, что даже запахи выплывали из небытия, щекотали ноздри. Воняла пепельница, набитая окурками. От коричневых казенных ботинок, которые он всегда ставил прямо у матраца, исходил тяжелый запах гуталина. От толстолапого щенка уютно пахло молоком, чистой шерстью и свежим сеном. На вешалке, прицепленной к открытой форточке, покачивался серый милицейский китель с капитанскими погонами. Легкий ветерок доносил запах одеколона «Шипр». Во сне Варя почувствовала себя счастливой.

Как и три с половиной года назад, наяву, в пустой прокуренной комнате, так и сейчас, во сне, в шикарном салоне джипа, жаркая горько-соленая волна накрыла Варю с головой, сердце загрохотало, как колокол при пожаре.

Сон продолжался. Отчетливо, как наяву, она увидела приближающееся к ней жесткое крупное лицо, маленькие зеленоватые глаза, светлую щеточку офицерских усов.

— Ну ладно, не обижайся. Когда я был маленьким, у соседей по лестничной клетке жила овчарка, такая же, как эта, восточно-европейская. Я жутко завидовал, больше всего на свете хотел иметь точно такую собаку. Отличный был пес. Вот в честь той овчарки я и назову щенка. Фрида...

ГЛАВА СОРОК ПЕРВАЯ

Задержанный на месте преступления имел при себе паспорт на имя Мухина Владимира Николаевича, русского, 1973 года рождения, проживающего в Москве. Вел себя этот Мухин странно. Он был вялый, как тряпка. Дал фельдшеру со «скорой» перевязать себя, вколоть противостолбнячную сыворотку. Фельдшер сообщил, что во время обработки раны он бормотал что-то неясное, повторял: «Клим, сука».

— Рана неглубокая, — сказал оперативникам врач, — ничего опасного. Пусть завтра поменяют повязку. Собака домашняя, привитая, но на всякий случай скажите там, пусть поколят от бешенства. Вот, я здесь все написал.

Мухин мотал головой, не отвечал на вопросы, выпучил глаза и смотрел в одну точку, жадно глотая спертый, прокуренный воздух в милицейском «газике».

Опытные оперативники решили, что парень либо косит под психа, либо обалдел от моментального задержания и от собачьего укуса.

Когда подъехали к отделению, открыли задние дверцы, сказали «вылезай», он не шевельнулся, пришлось выволакивать волоком. Он хрипел, висел на руках милиционеров, продолжал таращиться своими безумными глазами.

— Ничего, сейчас очухаешься, — подбодрили его, усаживая на лавку в «телевизоре».

Он странно привалился к стене и стал тихо, ритмично подергивать конечностями.

— Эй, гражданин начальник, вы нам чего сюда принесли? — поинтересовались соседи по «телевизору». — Он сейчас копыта откинет, в натуре. «Скорую» надо.

Дежурный пригляделся к задержанному и решил все-таки вызвать «скорую». Прибывшая через пять минут бригада констатировала коматозное состояние. С сиреной парня увезли в ближайшую больницу. Но реанимационные мероприятия не помогли, он скончался по дороге, не приходя в сознание.

При вскрытии обнаружили, что смерть наступила в результате передозировки синтетического наркотика импортного производства.

Утром в отделение заявился какой-то старый нудный следак из УВД, поднял всех на ноги, стал подробно расспрашивать о покушении у клуба «СТ», потребовал все документы, которые еще не успели оформить, позвонил на подстанцию, откуда приезжала «скорая», связался с дежурившей бригадой и наконец заявил, что мужик с собакой, который предотвратил покушение и задержал Мухина, сам его и прикончил, и вообще, является особо опасным преступником, и покушение, скорее всего, было чем-то вроде инсценировки.

— Ну а мы-то при чем? — недоумевали районные опера. — Показания мы сняли, а документов при нем не было. Какой нормальный человек берет с собой паспорт, отправляясь выгуливать ночью собаку? Мужику, наоборот, спасибо надо сказать. Вот, в протоколе записано, Исаев Максим Максимович, проживает по такому-то адресу.

— И что? Вы проверили этот адрес? — усмехнулся Илья Никитич Бородин. — Там действительно живет штандартен фюрер Штирлиц?

— Нет, еще не проверяли, — оперативники удивленно переглянулись и вдруг стали смеяться. Нервное мужское ржание разнеслось по отделению, и даже задержанные в «телевизоре» заулыбались, так заразительно хохотали усталые милиционеры.

— Ничего смешного, — мрачно заметил Бородин.

* * *

Капитан Косицкий с опергруппой, с понятыми и с санкцией на обыск прибыл к двери квартиры Бутейко в восемь утра. На звонок никто не ответил. Дверь оказалась открытой. В квартире все было перевернуто, вскрыт паркет, вспорот линолеум в кухне.

Труп Елены Петровны обнаружили в ванной. Она лежала на полу, в луже крови. Рот ее был заклеен изолентой, на шее странгуляционная полоса. Ее задушили шелковым поясом от халата. На теле были видны свежие кровоподтеки, ссадины, множество резаных и колотых ран.

— Следы пыток, — констатировал эксперт.

Вячеслав Иванович был застрелен в упор, в сердце, он лежал на диване и смотрел в потолок застывшими, широко открытыми глазами. Рот его тоже был заклеен, но на теле никаких ран не оказалось, кроме одной, смертельной.

В квартире обнаружили два тайника, один в полу в комнате, недавно принадлежавшей Артему, другой на антресолях, там было сделано что-то вроде простенка. Торчали гвозди от выломанного листа фанеры, валялись какие-то тряпки. Оба тайника были выпотрошены. Никаких ценных вещей там, разумеется, не оказалось.

В маленькой кладовке нашли инструменты для ювелирных работ: тиски, паяльнички, напильнички, лупы на штативах и без штативов, словом, полный профессиональный набор. Но ничего ценного, кроме обрывка золотой проволоки, застрявшего под плинтусом, так и не отыскали.

Соседи сообщили, что ночью из квартиры слышали приглушенную возню, несколько раз что-то грохнуло. Но они знали, что Вячеслав Иванович вернулся из больницы, его часто мучает бессонница, и не придали этому шуму никакого значения.

* * *

Вечером, за ужином, Лидия Николаевна спросила:

— Илюша, тебе дозвонилась Варя Богданова? Я дала ей твой рабочий телефон.

— Что же ты молчала, мамочка! — Илья Никитич вскочил из-за стола. — Быстренько, дай мне ее номер.

— Прости, я не записала, — пожала плечами Лидия Николаевна, — я забыла. Она сказала, что обязательно позвонит. И напрасно ты так дергаешься.

— Что она тебе еще сказала?

— Погоди, дай вспомнить. Она была какая-то взвинченная, напуганная. Сказала, ей срочно надо с тобой поговорить. Я спросила, что случилось, она ответила, ничего страшного, просто хочет посоветоваться.

Телефонный звонок раздался через десять минут.

— Илья Никитич, — послышался в трубке приятный, глубокий женский голос, — добрый вечер. Это Варя Богданова. Помните меня?

— Здравствуй, Варя. Конечно, помню.

— Илья Никитич, вы простите, что я вас беспокою, просто мне больше не с кем посоветоваться. Понимаете, у меня есть друг... ну, или жених... в общем, мы живем вместе уже три года. Я рассказывала Лидии Николаевне, когда мы встретились в институте. Его зовут Мальцев Дмитрий Владимирович. Он заместитель министра финансов. Но, в общем, это не важно. Вчера ночью в него стреляли, но, к счастью, не убили. Там оказался человек, он гулял с собакой и практически спас Дмитрия Владимировича, к тому же его собака догнала убийцу. Вы меня слушаете?

Он молчал, не перебивал. Он чувствовал, как она сильно волнуется.

— Да, Варюша, я тебя внимательно слушаю.

— Понимаете, Илья Никитич, я боюсь ошибиться, но мне показалось, все это было подстроено заранее. Возможно, я глупости говорю... Просто мне страшно. Дмитрий Владимирович очень состоятельный человек, он занимает серьезный государственный пост. Он, конечно, был благодарен парню, который его спас, и собирается взять его на работу, в охрану. Но мне этот собачник очень не понравился.

— Погоди. А почему ты решила, что все было подстроено заранее? — перебил ее Илья Никитич.

— Ну, просто я не верю в такие совпадения. Знаете, как в старом анекдоте про рояль, который стоял в кустах? Я же говорю, возможно, я ошибаюсь, но я бы хотела попросить вас проверить этого парня. У него на правой руке два перстня с крупными прозрачными камнями, а под перстнями наколки, тоже перстни. Если честно, я испугалась потому, что мне показалось, он похож на капитана Соколова.

— Напомни, пожалуйста, кто такой капитан Соколов, — попросил Илья Никитич равнодушным голосом.

— Ну, тот, который вытащил меня, когда я тонула. Его ведь потом посадили. Дмитрий Владимирович ничего не знает о Тенаяне, обо всем, что со мной произошло. И если вдруг окажется, что это действительно Соколов... — она всхлипнула, тяжело, горестно вздохнула, — если Дмитрий Владимирович узнает, наверное, он бросит меня... Не простит, хотя я ни в чем не виновата. Станет мной брезговать, если узнает, и сразу бросит...

Она уже не сдерживалась, плакала горько, навзрыд, и почти не могла говорить.

— Варюша, успокойся. И не темни. Скажи мне честно, откуда ты знаешь, что покушение было инсценировкой?

— Ну не знаю я... Просто мне так кажется.

— Дмитрию Владимировичу тоже так кажется?

— Нет... То есть мы с ним это не обсуждали. Но если он хочет взять его на работу, в охрану, наверное, думает, что все правда. Я очень вас прошу. Вы просто проверьте, Соколов это или нет... Хотя он все равно завтра к двенадцати приезжает к нам, к Дмитрию Владимировичу домой. Мы живем за городом, в шестидесяти километрах от Москвы, по Ленинградскому шоссе, там такой маленький поселок «Солнечный». Всего три виллы, очень большие участки. У нас второй участок... Простите, Илья Никитич, я, наверное, зря вас побеспокоила. Все равно уже ничего сделать нельзя... Завтра к двенадцати он приедет... Простите...

— Погоди, Варя, не плачь, не клади трубку, — произнес Илья Никитич. Но уже звучали частые гудки.

* * *

В одиннадцать пятнадцать черный скромный «жигуль» свернул с Ленинградского шоссе на проселочную дорогу в пяти километрах от поселка «Солнеч-

526

ный». Поперек дороги, в самом ее начале, стоял огромный грязный грузовик с бревнами.

— Черт, — выругался Вася Соколов, останавливая машину.

Он выехал пораньше. Опаздывать было нельзя ни в коем случае. Такие люди, как Мальцев, особенно щепетильны в том, что касается точности.

Для начала Вася погудел грузовику, хотя понимал, что это бессмысленно. Водительская кабина была пуста. Он огляделся, пытаясь сообразить, можно попасть в поселок как-нибудь в объезд. Позади уже гудели две машины, «Волга» и военный «газик». Вася понял, что попал в капкан. Чтобы свернуть с дороги, надо было проехать либо назад, либо вперед. Оставалось только выйти и договориться с водителем «Волги».

Он еще раз погудел на всякий случай, отстегнул ремень безопасности, вылез, не спеша направился к «Волге».

В салоне, кроме водителя, сидело трое. Все молодые мужчины с короткими стрижками. Все в кожаных куртках. Это немного не понравилось Васе.

— Мужики, вы бы подали немного назад, — сказал он, наклонившись к приоткрытому переднему окну, — там есть поворот, можно в объезд, а то хрен его знает, мудилу, сколько он здесь простоит.

Из «газика» тем временем выпрыгнули трое, такие же молодые, широкоплечие.

— Сейчас попробуем, — кивнул водитель «Волги», — но только там, через поселок, выезд сразу на Ленинградку.

Трое из «газика» направлялись к «Волге». Вася стал медленно отступать к заснеженному лесу. Вдоль дороги с обеих сторон шли глубокие канавы. Вася сделал несколько шагов и вдруг заметил, что в «Волге», за задним стеклом, лежит милицейская фуражка.

Трое из «газика» брали его в кольцо. Из «Волги» выскочили двое. Не успев ничего сообразить, Вася выхватил свой «ТТ» и стал стрелять.

Одного он успел ранить в руку.

Ему кричали все, что положено кричать в таких случаях, но он перескочил через канаву, словно на крыльях, и, утопая в глубоком снегу, рванул через лес. Боль прожгла голень, он понял, что ранен, обернулся, пальнул еще раз.

— Стоять! Брось оружие!

Он ответил двумя выстрелами, ранил еще одного оперативника. И тогда в него стали стрелять на поражение. Первая пуля угодила в голову, вторая в позвоночник, но и первой было достаточно.

ГЛАВА СОРОК ВТОРАЯ

Варя вышла из здания Университета искусств в семь часов вечера. Сыпал мягкий крупный снег, красиво подсвеченный огнями Китай-города. Вместо того чтобы сесть в свой «рено», она отправилась пешком в сторону Политехнического музея. Она шла не спеша, чуть помахивая маленькой замшевой сумочкой. Неподалеку от памятника героям Плевны свернула в проходной двор.

Там, в глубине, стоял черный, длинный, как крокодил, «линкольн» с затемненными стеклами, с погашенными огнями. Варя подошла к машине. Задняя дверца открылась, она нырнула в теплый, пахнущий хорошим одеколоном салон.

— Привет, лапушка, — послышался из мягкой глубины низкий мужской голос.

— Привет, — ответила Варя довольно мрачно.

— Какая-то ты сегодня грустная, Варюша, — из темноты протянулась рука, нежно погладила Варю по щеке, — чего тебе? Кофейку? Соку?

— Соку. Клюквенного, как всегда.

В салоне зажегся свет. Рядом с Варей, на заднем сиденье-диване, раскинувшись, сидел маленький худой человек, совершенно лысый, с лицом, похожим на череп. Крошечные глаза тонули в глубоких глазницах, прятались под тяжелыми и совершенно голыми надбровными дугами.

— Слушай, Пныря, я тебя знаю больше трех лет, но все не могу понять, у тебя глаза какого цвета? — спросила Варя, отхлебнув густого клюквенного сока.

— Вроде карие, — ответил он и улыбнулся, — ты мне зубы-то не заговаривай, лапушка. Ты зачем Васю сдала?

— Ты обещал, что он вообще не выйдет из тюрьмы и я его никогда больше не увижу.

— О моих обещаниях мы после поговорим. Сначала ответь на вопрос.

— Я его не сдавала, — Варя тряхнула волосами и отвернулась, — во-первых, он сам подставился. Во-вторых, он бы меня обязательно засветил.

— Как же это он подставился?

— Сам знаешь, — она вытащила из сумочки сигареты, закурила. — Ему не надо было убивать журналиста. Мог бы и перетерпеть. Но он решил удовлетворить свое оскорбленное самолюбие, не подумал, поддался эмоциям. Кстати, именно поэтому я и боялась, что он меня засветит у Мальцева. А это, Пныря, не в твоих интересах.

— И все-таки ты плохо поступила, что сдала Васю.

— Я тут вообще ни при чем. Дело по убийству журналиста попало к умному следователю. Я только намекнула, и если бы следователь не знал, о ком речь, то ничего бы и не было с твоим Васей.

— С моим? — укоризненно покачал головой Пныря. — Это ты, лапушка, преувеличиваешь. Он скорее твой, чем мой. Во всяком случае, тебе это в минус. Поняла меня?

— Ну, один минус — не страшно. Зато плюсов сколько! Я тебе Красавченко вычислила? Вычислила.

— Не надо, солнышко, не преувеличивай. Это, как говорится, семечки. Ты только дала координаты, а вычисляли его мы. Да и неизвестно, насколько он был вредный, Красавченко этот. Ну, чего он мог добиться?

— Не знаю, — Варя помотала головой, — если для тебя сто тысяч — семечки, тогда не знаю.

— Ладно, молодец. А с Васей ты все же не права. Он так старался, придумал сам инсценировку, заодно убрал лопуха-свидетеля, который запросто мог его заложить по делу с журналистом. И все прошло гладенько, как по маслу. Считай, уже внедрился.

— Ага, и ты ему дал Петюню в помощники. Спасибо тебе. Жаль, я не видела всего спектакля с самого начала. Представляю, как здорово Петюня сыграл заказчика. Я многое потеряла.

— Эй, Варька. Не заводись! — ласково проворчал Пныря. — Мала еще меня учить.

— Я не хочу, чтобы твой Вася вертелся у меня под ногами. Просто не хочу, и все, — произнесла Варя, резким движением гася сигарету.

— Ну-ка, девочка, притормози, — Пныря чуть повысил голос, — это мое дело, кого внедрять. Я не могу так разбрасываться людьми из-за твоих капризов. Вася работал на меня много лет, и неплохо справлялся.

— Ладно, Пныря. Давай уж по-честному. Я тебе брошь с бриллиантом, а ты мне — Васю. Без всяких минусов.

— Да, с брошью ты умница, — кивнул Пныря, — что правда, то правда. Главное, вовремя. Оперы туда пришли буквально через три часа после нас. Слушай, что же ты Мальцеву своему не подсказала, с самого начала?

— А сначала я сама ничего не понимала.

— Ну уж? Не прибедняйся. Ты со мной связалась в среду, как только узнала про Красавченко. Неужели не могла своему Мальцеву хотя бы намекнуть?

— Ты думаешь, он стал бы меня слушать? — усмехнулась Варя. — Был момент, когда я чуть не вмешалась. Как узнала, что они собираются в Канаде устраивать наркодопрос Беляевой, решила, что оба совсем свихнулись. Конечно, от камней они дуреют, что старший, что младший, перестают соображать, только глазами сверкают и готовы делать любые глупости, лишь бы достать, раздобыть. И все-таки я до последнего момента надеялась. Ну, ведь не надо много мозгов, чтобы понять: если кто-то и копал землю по-настоящему глубоко, то уж точно не дачники. Во всяком случае, не они первые. Дачи там стали строить только после войны. А до этого был совхоз, крестьянские дворы. Крестьяне дома строили, картошку сажали, использовали каждый клочок земли. Надо было искать тех, кто жил в Батурине сразу после революции.

— Погоди, но они ведь выяснили, что после революции на том участке стоял дом каких-то крестьян Кузнецовых. Ты говорила, они действуют правильно.

— Ну да, они были правы, пока не сошли с ума. У них все шло отлично, — кивнула Варя, — им удалось проследить историю совхозного семейства до конца. Семейство после войны переехало в Москву. Они узнали три московских адреса, быстро и очень удачно провернули огромную работу по сбору информации. Им везло, их как будто на волнах несло к победе. Это не я сказала. Это Пашенька-профессор любит так красиво выражаться. — Варя усмехнулась. — Последний отпрыск Кузнецовых сильно пил, совершенно опустился и числится без вести пропавшим с 1985 года. Вот они и решили, будто это тупик. Им хотелось что-то делать, не терять надежду. Столько информации: портрет, дневник Сони Батуриной, где точно обозначено место — и тупик! Разве можно в это поверить, остановиться? А в такой ситуации люди, как правило, совсем теряют голову. Тогда умник Паша нашел Красавченко, чтобы проверить всех последующих владельцев участка. Честно говоря, я была почти уверена, что действительно — тупик. Брошь найти невозможно. Но потом, когда узнала, что копию броши делал отец Бутейко, поняла: никакого тупика нет. Наоборот, все просто.

— Как же просто? — буркнул Пныря. — Я, например, не понимаю.

— До сих пор? Странно. Я ведь тебе еще вчера объясняла. Ты мне, разумеется, не поверил, но за брошкой все-таки послал команду. — Варя засмеялась и долго не могла остановиться. Даже слезы брызнули.

— Эй, кончай! — сердито рявкнул Пныря.

— Ладно, прости. Не буду. Я ведь не над тобой, над ними. Они сами между собой несколько раз говорили о том, как жаль, что отличный мастер Вячеслав Бутейко больше не делает копий. Что-то с ним случилось летом 85-го. Уволился из ювелирного магазина, перестал принимать заказы, порвал старые связи, живет замкнуто, почти в нищете, и боится даже разговаривать о своем прежнем ремесле. Неужели нельзя было догадаться, что если в том же, 85-м, пропал без вести алкоголик Кузнецов, единственный возможный владелец броши, то должна быть какая-то связь!

— Но ведь это могло быть простым совпадением, — сквозь зубы пробормотал Пныря.

— Конечно, — кивнула Варя, — я не спорю.

— И все-таки ты могла хоть как-то намекнуть, ведь если бы этот придурок Красавченко начал действовать, твой Мальцев мог бы в итоге все потерять.

— Но он не начал, — улыбнулась Варя, — ты, Пныря, умный и сильный. Ты его вовремя обезвредил.

— Ладно, не язви, — поморщился Пныря, — я тебя серьезно спрашиваю, почему не вмешалась?

— Во-первых, не хотела светиться. Я же дурочка, разговоров умных не понимаю, пропускаю мимо ушей, поэтому при мне можно обо всем говорить, не стесняясь. Ну а во-вторых, я поняла, что они задумали, слишком поздно, когда Красавченко уже подъехал к Беляевой, и профессор Пашенька поднял панику, стал терзать брата звонками из Монреаля.

Пныря поерзал на диване, вытащил из кармана

пиджака большой кожаный футляр, раскрыл и протянул Варе.

— Вот она, брошка с «Павлом». Посмотри, какая красота.

Варя равнодушно взглянула на мерцающий цветок с платиновыми дрожащими лепестками, на «Павла», который таинственно светился в полумраке салона, и отвернулась.

— По-моему, от копии ничем не отличается. У папы Бутейко получилось даже лучше, чем у ювелира Ле Вийона. Я, когда увидела ее в коллекции Мальцева, долго не могла понять, что же они с ума сходят, если вот она, брошь с «Павлом». Только потом узнала, что у них все-таки копия.

— Нет, ты в руки возьми, посмотри внимательней. Вещь уникальная, безумных денег стоит.

— Продашь? Или себе оставишь?

— Пусть пока полежит. Зачем продавать? Да ты не бойся, можешь даже примерить. Вот, зеркало есть.

— Ага, я примерю, а потом меня машина собьет или кирпич на голову свалится. — Варя опять засмеялась, но на этот раз успокоилась быстро, допила свой сок и закурила еще одну сигарету. — Представляю, что бы сейчас было с моим Мальцевым, с профессором Пашулей. Наверное, совсем бы с ума сошли. Вон и у тебя, Пныря, глазки засверкали. Теперь я вижу, они у тебя действительно карие.

* * *

Поздним вечером, в уютной гостиной Дмитрия Владимировича Мальцева весело пылал камин, свет был погашен, горели свечи. На круглом журнальном столике стояла бутылка французского коньяка, две маленькие рюмочки из богемского хрусталя. Павел Владимирович сидел на кушетке, поджав ноги, листал очередной каталог «Драгоценные камни и ювелирные украшения».

Дмитрий Владимирович расхаживал по гостиной со стаканом минералки в руке. Варя в кресле у камина читала учебник философии раннего возрождения.

Дмитрий Владимирович, проходя мимо, поцеловал ее в пробор и тихо спросил:

— Когда у тебя следующий экзамен, солнышко?

— Завтра, — ответила она, не поднимая головы от учебника.

— Митя, может, все-таки пригубишь коньячку? — подал голос Павел Владимирович. — Не каждый день в тебя стреляют, и не каждый день твою жизнь спасает особо опасный преступник.

— А что, этот спецназовец с овчаркой оказался преступником? — Варя вскинула испуганные глаза. — Откуда вы знаете? Он что, приезжал сегодня?

— Его арестовали на дороге, в пяти километрах от поселка, — ответил Павел Владимирович, — но он оказал сопротивление, ранил двоих оперативников. Его застрелили прямо там, в лесу.

— Ой, мамочки, — Варя прижала ладонь к губам, — ужас какой! А откуда узнали, что он преступник?

— Ты бы шла спать, детка, — сказал Дмитрий Владимирович, — первый час ночи.

— Да, сейчас, — кивнула Варя, — только выйду, подышу немного перед сном.

Она соскользнула с кресла и, как была, в тапочках, в шелковом домашнем платье, вышла в сад. На свежих сугробах лежали, как лоскуты желтого бархата, отсветы горящих окон. Неподвижная гладь бассейна слабо дымилась от лунного света. Варя подошла к самому краю, присела на корточки, долго, пристально глядела на воду, словно пыталась проникнуть взглядом в самую глубь бездны, в черный бездонный квадрат посреди белого, покрытого чистым снегом сада. Наконец медленно поднялась, вытянулась в струнку, скинула платье, тапочки, осталась в одних трусиках и, крепко зажмурившись, с коротким звонким криком прыгнула в бассейн. Брызги вспыхнули в фонарном свете. Варя быстро, легко поплыла.

В доме хлопнула дверь, выскочил Дмитрий Владимирович, кинулся к бассейну.

— Варюша! Ты с ума сошла! Я сейчас, держись! Эй, быстро сюда полотенце, одеяло.

Когда он добежал до бассейна, она уже вылезла, тут же подоспел охранник с махровой простыней. Варя дрожала, но счастливо улыбалась.

— С ума сошла! — повторял Мальцев, кутая ее в простыню, поднимая на руки и целуя мокрое, холодное лицо. — Ты же плавать не умеешь!

— Оказывается, умею, — Варя весело засмеялась, обвила его шею ледяными русалочьими руками, — Митенька, миленький, ты женишься на мне когданибудь или нет?

— О, Господи, конечно, женюсь, счастье мое.

* * *

Экзамен по философии Варя сдала на «отлично», причем на этот раз была уверена, что такую оценку ей поставили вовсе не из-за благотворительной деятельности Дмитрия Владимировича. Она действительно неплохо подготовилась, к тому же билет достался не самый сложный.

Она легко сбежала по лестнице, протянула номерок в гардеробе и, ожидая, пока старик гардеробщик отыщет ее шубку, крутила на пальце ключи от машины. Колечко соскользнуло, ключи отлетели и со звоном упали на кафельный пол. Варя наклонилась, чтобы поднять, но чья-то рука уже протягивала ей ключи.

— Спасибо, — она небрежно скользнула взглядом по лицу полноватого пожилого мужчины, подумала, что это какой-то новый преподаватель, и повернулась, чтобы взять у гардеробщика свою шубку.

— Здравствуй, Варенька, — произнес тихий, удивительно знакомый голос.

Варя застыла на миг, обнимая невесомую норковую шубку, вгляделась в круглое мягкое лицо, обрамленное небольшими седыми бачками по моде семидесятых.

— Илья Никитич? Добрый день...

— Странно, что сразу не узнала. Замечательно выглядишь, похорошела, повзрослела. Ты только что сдала экзамен. Надеюсь, на «отлично»? — Он взял у нее из рук шубу. Она долго не могла попасть в рукава, наконец справилась, выправила волосы, тряхнула головой, подняв вокруг себя волну глубокого, горьковатого аромата духов.

— Конечно, на «отлично», а как же иначе? Очень рада вас видеть, Илья Никитич.

— Я тоже, Варенька. Ты бросила трубку, но мы с тобой не закончили разговор.

ЭПИЛОГ

В Калифорнии, в белой трехэтажной вилле на берегу океана высокий сухощавый старик, один из самых богатых и известных адвокатов Голливуда Майкл Бэттурин отхлебнул минеральной воды из высокого бокала, поудобней устроился в кресле и нажал кнопку на пульте. Огромный экран замерцал серо-жемчужным дрожащим светом, зазвучала бодрая музыкальная заставка, оскалил пасть и зарычал черно-белый лев. На экране под грозную барабанную дробь вспыхнули буквы: «Красная петля».

Потом под томительную лирическую мелодию поплыли титры. «В главной роли Софи Порье».

Это был душераздирающий боевик о гражданской войне в России, один из первых настоящих голливудских боевиков. Софи Порье играла юную красавицу княжну, засланную в красный тыл. Много стрельбы, погонь, гора трупов, романтическая любовная линия.

В самом начале фильма, в стилизованном под боярский терем ресторане княжна исполняла под гитару русский романс. У нее был низкий глубокий голос. Она пела по-русски без акцента.

Слышен звон бубенцов издалека,
Это тройки знакомый разбег,
А вокруг расстелился широко
Белым саваном искристый снег.

Адвокат Майкл Бэттурин подпевал, чуть прикрыв глаза, тоже без всякого акцента, на чистом русском языке. Фильм «Красная петля» он смотрел в последнее время очень часто. Съемки боевика были одним из первых его детских воспоминаний. Он не следил за развитием сюжета, каждый кадр, каждое слово знал наизусть.

Он видел свою молодую красавицу маму и самого себя в эпизоде, трехлетнего худенького мальчика с огромными светлыми глазами. На съемках ему пришлось плакать, реветь во все горло. По сюжету он выползал из-под обломков разбитого поезда, искал среди искалеченных трупов свою мать, растирал по щекам слезы и кричал: «Мама! Мамочка!»

Сцена вышла настолько трогательной, что несколько поколений зрителей плакало в этом месте. Отчаяние маленького Мишеньки Батурина не было игрой. После переезда в Америку, в Голливуд, он слишком редко видел свою маму и очень скучал по ней. Она почти сразу стала звездой и была постоянно занята на съемках.

Майклу Бэттурину шел восемьдесят второй год. Он был богат, однако не прекращал работать. Он любил вспоминать слова своего деда, доктора медицины, о том, что лучшее лекарство от всех болезней, в том числе и от старости, — это работа.

Старый адвокат Бэттурин с молодой горячностью

участвовал в гражданских и уголовных процессах. Возраст не убавил сил, но прибавил славы и опыта. Его услуги по-прежнему стоили очень дорого. Он выигрывал почти все процессы, за которые брался, даже совершенно безнадежные. Каждое его выступление в суде было маленьким моноспектаклем, и говорили, что ему по наследству передался артистический талант его знаменитой матери.

Каждый раз, когда он смотрел черно-белые фильмы с ее участием, ему было жаль, что пленка не передает яркой, праздничной синевы ее глаз.

Софи Порье сыграла за свою жизнь больше сорока ролей, из них двадцать были главными. Она трижды выходила замуж, сначала за кинопродюсера Дугласа Дарвина, потом за скандально известного французского кинорежиссера Филиппа Бонье. Последним ее мужем стал нефтяной магнат Генрих Краузе.

Летом 1968-го она закончила сниматься в фильме по роману Агаты Кристи, где сыграла роль мисс Марпл, и заехала на пару дней к сыну, сюда, на эту виллу. Весь вечер она учила своего тринадцатилетнего внука Кевина бить чечетку. Ее маленькие узкие ступни летали, не касаясь дубового паркета, так легко, как будто не было земного притяжения и время остановилось.

На следующий день она улетела в Ниццу, к мужу. А через неделю маленький спортивный самолет Генриха Краузе, в котором летел он сам и Софи, врезался в птичью стаю и разбился над французскими Альпами.

Софье Батуриной было семьдесят лет.

Разбирая бумаги матери, адвокат Бэттурин наткнулся на истрепанную, почти истлевшую толстую тетрадь в темно-синем клеенчатом переплете. Страницы сыпались, строки расплывались. Адвокат решил восстановить текст, сначала переписал от руки, потом отдал перепечатать на машинке, позже ввел в компьютер.

Совсем недавно, в девяносто седьмом году, ему пришло в голову написать книгу о своей знаменитой матери. Писал он сам, по-русски и по-английски. К столетию со дня рождения Софи Порье книгу выпустило американское издательство «Метрополитен». Английский вариант стал бестселлером недели, права на русский текст адвокат продал российскому издательству «Витязь».

На банкете, посвященном выходу книги и столетнему юбилею Софи Порье, журналист из газеты «Таймс» спросил, не собирается ли господин Бэттурин отправиться в Россию, чтобы найти брошь со знаменитым алмазом.

— Разумеется, я бы отлично выглядел в русской деревне с лопатой в руках, — усмехнулся адвокат, — но я слишком стар для такого романтического приключения...

Впрочем, стариком себя Майкл Бэттурин пока не чувствовал, разве что все чаще вспоминал детство и смотрел старые фильмы.

> Что так сердце забилось ретиво,
> И мне прошлого больше не жаль.
> Пусть же кони с серебряной гривой,
> С бубенцами уносятся вдаль, —

подпевал он низким, чуть дрожащим голосом своей юной маме на экране.

Стеклянная стена гостиной выходила на океанский берег. Там покачивались белые яхты, кричали чайки.

Адвокат Майкл Бэттурин чувствовал себя здоровым, молодым и счастливым. Его последней жене, голливудской актрисе Джуди Мильтон, было тридцать пять. Младшему сыну десять. Всего у Майкла было четверо детей, семеро внуков и двое маленьких правнуков. Дети знали русский, но говорили с сильным акцентом. Для внуков этот язык был чужим. По-русски они могли сказать не более трех слов: «мьюжжик, вьодька, нья здеоровия».

Литературно-художественное издание

Полина Викторовна Дашкова

ЭФИРНОЕ ВРЕМЯ

Роман

Издано в авторской редакции

Художник *И. Сальникова*
Технический редактор *Т. Тимошина*
Корректоры *И. Мокина, Н. Миронова*
Компьютерная верстка *К. Парсаданяна*

ООО «Издательство Астрель»
Изд. лиц. ЛР № 066647 от 07.06.99 г.
143900, Московская обл., г. Балашиха, пр-т Ленина, д. 81

ЗАО «Издательство «ЭКСМО-Пресс»
Изд. лиц. № 065377 от 22.08.97
125190, Москва, Ленинградский проспект,
д. 80, корп. 16, подъезд 3
Интернет/Home page — www.eksmo.ru
Электронная почта (E-mail) — info@eksmo.ru

ООО «Издательство АСТ»
Изд. лиц. ИД № 02694 от 30.08.2000 г.
674460, Читинская обл., Агинский р-н,
п. Агинское, ул. Базара Ринчино, 84.
Наши электронные адреса: www.ast.ru.
E-mail: astpub@aha.ru

При участии ООО «Харвест».
Лицензия ЛВ № 32 от 10.01.2001.
220040, Минск, ул. М. Богдановича, 155-1204.

**Налоговая льгота — Общегосударственный
классификатор Республики Беларусь
ОКРБ 007-98, ч. 1; 22.11.20.300.**

Республиканское унитарное предприятие
«Полиграфический комбинат имени Я. Коласа».
220600, Минск, ул. Красная, 23.

По вопросам оптовой покупки книг
«Издательской группы АСТ» обращаться по адресу:
г. Москва, Звездный бульвар, д. 21, 7-й этаж
Тел. 215-43-38, 215-01-01, 215-55-13
Книги «Издательской группы АСТ»
можно заказать по адресу:
107140, Москва, а/я 140, АСТ — «Книги по почте»